# 名利场 下

后浪 插图珍藏版

# Vanity Fair

[英] 威廉·萨克雷 著　杨必 译

江苏凤凰文艺出版社
JIANGSU PHOENIX LITERATURE AND
ART PUBLISHING

FINIS
Vanity
Fair
EX-LIBRIS

利蓓加在克生街

利蓓加与斯丹恩勋爵

利蓓加在岗脱大厦

侯爵夫人利蓓加

爱米丽亚与小乔治

爱米丽亚与她的父亲

爱米丽亚与都宾

利蓓加在本浦聂格尔

# 目录


第三十六章　｜全无收入的人怎么才能过好日子　1

第三十七章　｜还是本来的题目　13

第三十八章　｜小户人家　30

第三十九章　｜说些看破世情的话　47

第四十章　｜蓓基正式进了家门　59

第四十一章　｜蓓基重回老家　71

第四十二章　｜关于奥斯本一家　85

第四十三章　｜请读者绕过好望角　94

第四十四章　｜在伦敦和汉泊郡的曲折的情节　106

第四十五章　｜在汉泊郡和伦敦发生的事情　119

第四十六章　｜风波和灾难　130

第四十七章　｜岗脱大厦　140

第四十八章　｜社会的最上层　153

第四十九章　｜三道正菜和一道甜点心　168

第五十章　　　｜平民老百姓家里的事 178

第五十一章　　｜字谜表演 189

第五十二章　　｜体贴入微的斯丹恩勋爵 214

第五十三章　　｜一场营救引出一场大祸 226

第五十四章　　｜交锋后的星期日 237

第五十五章　　｜还是本来的题目 249

第五十六章　　｜乔杰成了阔大少 267

第五十七章　　｜近东的风光 282

第五十八章　　｜我们的朋友都宾少佐 293

第五十九章　　｜旧钢琴 308

第六十章　　　｜回到上流社会 321

第六十一章　　｜两盏灯灭了 329

第六十二章　　｜莱茵河上 345

第六十三章　　｜我们遇见一个老相识 359

第六十四章　　｜流浪生活 374

第六十五章　　｜有正经事，也有娱乐 394

第六十六章　　｜情人的争吵 404

第六十七章　　｜有人出生，有人结婚，有人去世 421

# 第三十六章　全无收入的人怎么才能过好日子

我想，在我们这名利场上的人，总不至于糊涂得对于自己朋友们的生活情况全不关心，凭他心胸怎么宽大，想到邻居里面像琼斯和斯密士这样的人一年下来居然能够收支相抵，总忍不住觉得诧异。譬如说，我对于琴根士一家非常地尊敬，因为在伦敦请客应酬最热闹的时候，我总在他家吃两三顿饭，可是我不得不承认，每当我在公园里看见他们坐着大马车，跟班的打扮得像穿特别制服的大兵，就免不了觉得纳闷，这个谜是一辈子也猜不透的了。我知道他们的马车是租来的，他们的用人全是拿了工钱自理膳食的，可是这三个男用人和马车一年至少也得六百镑才维持得起呢。他们又时常请客，酒菜是丰盛极了；两个儿子都在伊顿公学①读书，家里另外给女儿们请着第一流的保姆和家庭教师。他们每到秋天便上国外游览，不到伊斯脱波恩便到窝丁；一年还要开一次跳舞会，酒席都是根脱饭馆预备的。我得补充一句，琴根士请客用的上等酒席大都叫他们包办。我怎么会知道的呢？原来有一回临时给他们拉去凑数，吃喝得真讲究，一看就知道比他们款待第二三流客人的普通酒菜精致许多。这么说来，凭你怎么马虎不管事，也免不了觉得疑惑，不知道琴根士他们到底是怎么一回事。琴根士本人是干哪一行的呢？我们都知道，他是照例行文局的委员，每年有一千二百镑的收入。他的妻子有钱吗？呸！她姓弗灵脱，父亲是白金汉郡的小地主，姊妹兄弟一共有十一个人。家里统共在圣诞节送她一只火鸡，她倒得在伦敦没有大应酬的时候供给两三个姊妹食宿，并且兄弟们到伦敦来的时候也得由她招待。琴根士究竟怎么能够撑得起这场面的呢？我真想问问："他至今能够逍遥法外，究竟是怎么回事呀？去年他怎么还会从波罗涅回来呢？"他所有别的朋友一定也在那么猜测。去年他从波罗涅回来，大家都奇怪极了。

这里所说的"我"，代表世界上一般的人，也可以说代表可敬的读者亲友里面的葛伦地太太②。这种莫名其妙靠不知什么过活下去的人，谁没有见过？无疑地，我们都曾和这些好客的主人一起吃喝作乐，一面喝他们的酒，一面心下揣摩，不知道他是哪里弄来的钱。

罗登·克劳莱夫妇在巴黎住了三四年后便回到英国，在梅飞厄的克生街上一所极舒服的小屋里住下来。在他们家里做客的许许多多朋友之中，差不多没有一个肚子里不在捉摸他们家用的来源。前面已经表过，

---

① 英国最贵族化的公立学校。
② 莫登（T. Morton，1764—1838）的《快快耕田》（*Speed the Plough*）一剧，在 1798 年出版，剧中有一个从未露面的角色叫葛伦地太太（Mrs. Grundy），现在已经成为拘泥礼法的英国人的象征。

写小说的人是无所不知的，因此我倒能够把克劳莱夫妇不花钱过日子的秘诀告诉大家。不幸现在的报纸常常随意把分期发表的小说摘录转载，所以我觉得担心，要请求各报的编辑先生不要抄袭我这篇情报和数字都绝端准确的文章。既然发现内中情节的是我，出钱调查的是我，所得的利润当然也应该归我才对。如果我有个儿子，我一定对他说，孩子啊，倘若你要知道有些毫无收入的人怎么能过得那么舒服，只要常常跟他们来往和不断寻根究底地追问他们。不过我劝你少和靠这一行吃饭的家伙来往，你需要资料的话，尽不妨间接打听，就像你运用现成的对数表似的就行了。信我的话，倘若自己调查的话，得花不少钱呢。

克劳莱夫妇两手空空地在巴黎住了两三年，过得又快乐又舒服，可惜这段历史，我只能简单叙述一下。就在那时，克劳莱把军官的职位出卖，离开了禁卫队。我们和他重逢的时候，唯有他的胡子和名片上上校的名衔还沾着点军官的气息。

我曾经说过，利蓓加到达法国首都巴黎不久之后，便在上流社会出入，又时髦，又出风头，连好些光复后的王亲国戚都和她来往。许多住在巴黎的英国时髦人也去奉承她，可是他们的妻子很不高兴，瞧着这个暴发户老大不入眼。在圣叶盂郊外一带的贵人家里，她的地位十分稳固，在灿烂豪华的新宫廷里，她也算得上有身份的贵客。克劳莱太太这么过了好几个月，乐得简直有些飘飘然。在这一段春风得意的日子里，大概她对于丈夫日常相与的一群老实的年轻军官很有些瞧不起。

上校混在公爵夫人和宫廷贵妇们中间，闷得直打呵欠。那些老太婆玩埃加脱，输了五法郎便大惊小怪，因此克劳莱上校觉得根本不值得斗牌。他又不懂法文，对于他们的俏皮话一句也不懂。他的妻子天天晚上对着一大群公主屈膝行礼，这里面究竟有什么好处，他也看不出来。不久他让利蓓加独自出去做客，自己仍旧回到和他气味相投的朋友堆里来混，他是宁可过简单些的生活，找简单些的消遣的。

　　我们形容某某先生全无收入而过得舒服，事实上"全无收入"的意思就是"来路不明的收入"，也就是说这位先生居然能够开销这么一个家庭，简直使我们莫名其妙。我们的朋友克劳莱上校对于各种赌博，像玩纸牌，掷骰子，打弹子，没一样不擅长，而且他经过长期练习，自然比偶然赌一两场的人厉害得多。打弹子也和写字、击小剑、吹德国笛子一般，不但需要天赋的才能，而且应该有不懈的研究和练习，才能专精。克劳莱对于打弹子一道，本来是客串性质，不过玩得非常出色，到后来却成了技术高明的专家。他好像了不起的军事家，面临的危险愈大，他就愈有办法，往往一盘赌博下来，他手运一些也不好，所有的赌注都输了，然后忽然来几下子灵敏矫捷得出神入化的手法，把局势挽回过来，竟成了赢家。凡是对他赌博的本领不熟悉的人，看了没有不惊奇的。知道他有这么一手的人，和他赌输赢时便小心一些，因为他有急智，脑子又快，手又巧，别人再也赌不赢他。

斗牌的时候他也照样有本事。到黄昏初上场的时候他老是输钱，新和他交手的人见他随随便便，错误百出，都不怎么瞧得起他。可是接连几次小输之后，他生了戒心，抖擞起精神大战，大家看得出他的牌风和本来完全两样了，一黄昏下来，总能够把对手打得服服帖帖。说真的，在他手里赢过钱的人实在少得可怜。

他赢钱的次数那么多，无怪乎眼红的人、赌输的人，有时说起这事便要发牢骚。法国人曾经批评常胜将军威灵顿公爵，说他所以能常胜的缘故，无非是意外的运气，可是他们不得不承认他在滑铁卢之战的确要过一些骗人的把戏，要不然那最后的一场比赛是赢不了的。同样地，在英国司令部，有好些人风里言风里语，总说克劳莱上校用了不老实的手段，才能保赢不输。

当时巴黎的赌风极盛，虽然弗拉斯加蒂和沙龙赌场都正式开放，可是一般人正在兴头上，觉得公共赌场还不过瘾，私人家里也公开聚赌，竟好像公共赌场从来就不存在，这股子赌劲没处发泄似的。在克劳莱家里，到黄昏往往有有趣的小聚会，也少不了这种有危险性的娱乐。克劳莱太太的心地忠厚，为这件事心上很烦恼。她一谈起丈夫好赌的脾气就伤心得不得了，每逢家里有客，她总是唉声叹气地抱怨。她哀求所有的小伙子总不要挨近骰子匣。有一次来福枪联队里的葛里恩输了不少钱，害得利蓓加陪了一夜眼泪。这是她的用人后来告诉那倒霉的输家的。据说她还向丈夫下跪，求他烧了债票，不要再去讨债。她丈夫不肯。那怎么行呢？匈牙利轻骑兵联队的勃拉克斯顿和德国汉诺伐骑兵联队里的本脱伯爵也赢了他那么多钱呢！葛里恩当然不必马上付钱，不妨过一个适当的时期再说，至于赌债，那是非还不可的。谁听说过烧毁债票呢？简直是孩子气！

到他们家去的军官多数年纪很轻，因为这些小伙子都爱追随在克劳莱太太身边。他们去拜访一次，多少总得在他们的牌桌上留下些钱，所以告别的时候都垂头丧气地拉长了脸。渐渐地克劳莱太太一家的声名便不大好听了。老手们时常警告没经验的人，说这里头的危险太大。当时驻扎在巴黎的第——联队的奥多上校就曾对联队里的斯卜内中尉下过劝告。有一次，步兵上校夫妇和克劳莱上校夫妇碰巧都在巴黎饭馆吃饭，两边就气势汹汹地大声吵闹起来了。两位太太都开了口。奥多太太冲着克劳莱太太的脸打响指，说她的丈夫"简直是个骗子"。克劳莱上校向奥多上校挑战，要跟他决斗。到他把"打死马克上尉"的手枪收拾停当，总司令已经风闻这次争辩，把克劳莱上校传去结结实实地训斥了一顿，结果也就没有决斗。倘若利蓓加不向德夫托将军下跪，克劳莱准会给调回英国去。此后几个星期里面，他不敢赌了，最多找老百姓玩一下。

虽然罗登赌起来手法高明，百战百胜，利蓓加经过了这些挫折之后，觉得他们的地位并不稳。他们差不多什么账都不付，可是照这样下去，手头的一点儿款子总有一天会一文不剩。她常说："亲爱的，赌博只能贴补不足，不能算正经的收入。总有一天那些人赌厌了，咱们怎么办呢？"罗登觉得她的话不错；说实话，他发现先生们在他家里吃过几餐小晚饭之后，就不高兴再赌钱了，虽然利蓓加会迷人，他们还是不大愿意来。

他们在巴黎生活得又舒服又有趣，可是终久不过在偷安嬉耍，不是个久远之计。利蓓加明白她必须在本国替罗登打天下；或是在英国谋个出身，或是在殖民地上找个差使。她打定主意，一到有路可走的时候，就回英国。第一步，她先叫罗登把军官的职位出卖，只支半薪。他早已不当德夫托将军的副官了。利蓓加在不论什么应酬场上都讥笑那军官。她讥笑他的马（他进占巴黎时骑的就是它），还讥笑他的绑腰带，他的假牙齿。她尤其爱形容他怎么荒谬可笑，自以为是风月场上的老手，只当凡是和他接近的女人个个爱他。如今德夫托将军另有所欢，又去向军需处白瑞恩脱先生的凸脑门的妻子献勤儿了。花球，零星首饰，饭店里的酒席，歌剧院的包厢，都归这位太太受用。可怜的德夫托太太并没有比以前快乐；她明知丈夫洒了香水，卷了头发和胡子，在戏院里站在白瑞恩脱太太椅子背后讨好她，自己只能一黄昏一黄昏陪着女儿们闷在家里。蓓基身边有十来个拜倒在她裙下的人来顶替将军的位置，而且她谈吐俏皮，一开口就能把对手讥刺得体无完肤。可是我已经说过，她对于懒散的应酬生活已经厌倦了，坐包厢听戏和上馆子吃饭使她腻烦；花球不能作为日后衣食之计；她虽然有许多镂空手帕、羊皮手套，也不能靠着这些过日子。她觉得老是寻欢作乐空洞得很，渴望要些靠得住的资产。

正在紧要关头，上校在巴黎的债主们得到一个差强人意的消息，立刻传开了。他的有钱姑母克劳莱小姐病得很重，偌大的遗产快要传到他手里，因此他非得急忙赶回去送终。克劳莱太太和她的孩子留在法国等他来接。他先动身到加莱；别人以为他平安到达那里之后，一定再向杜弗出发。不料他乘了邮车，由邓克刻转到布鲁塞尔去了。对于布鲁塞尔，他一向特别爱好。原来他在伦敦欠下的账比在巴黎的更多，嫌这两大首都太吵闹，宁可住在比利时的小城里，可以安逸些。

她姑妈死了，克劳莱太太给自己和儿子定做了全套的丧服。上校正忙着办理承继遗产的手续。如今他们住得起二楼的正房了，不必再住底层和二楼之间的那几间小屋子。克劳莱太太和旅馆主人商量该挂什么帘子，该铺什么地毯，为这事争得高兴。最后，什么都安排好了，只有账没有付。她动身的时候借用了他一辆马车，孩子和法国女用人坐在她的身边一齐出发，旅馆主人夫妇，那两个好人，站在门口笑眯眯地给她送行。德夫托将军听说她已经离开法国，气得不得了，白瑞恩脱太太因为他生气，也就生他的气。斯卜内中尉难受得要命。旅馆主人准备

那妩媚动人的太太和她丈夫不久就会回来，把他最好的房间都收拾整齐，又把她留下的箱子细细心心地锁好，因为克劳莱太太特别嘱咐他留心照看的。可惜不久以后他们把箱子打开的时候，并没有发现什么值钱的东西。

克劳莱太太到比利时首都去找丈夫以前，先到英国去走了一趟，叫那法国女用人带着儿子留在欧洲大陆。

利蓓加和小罗登分手的时候两边都不觉得割舍不下。说句实话，从这小孩子出世以来，她根本不大和他在一起。她学习法国妈妈们的好榜样，把他寄养在巴黎近郊的村子里。小罗登出世以后住在奶妈家里，和一大群穿木屐的奶哥哥在一起，日子过得相当快乐。他的爸爸常常骑了马去看望他。罗登看见儿子脸色红润，浑身肮脏，跟在他奶妈旁边（就是那花匠的妻子）做泥饼子，快乐得大呼小叫，心里不由得感到一阵做父亲的得意。

利蓓加不大高兴去看她的儿子。有一回孩子把她一件浅灰色的新外套给弄脏了。小罗登也宁可要奶妈，不要妈妈。他的奶妈老是兴高采烈，像生身母亲似的疼他，因此他离开她的时候扯起嗓子哭了好几个钟头。后来他母亲哄他说第二天就让他回奶妈那儿去，他这才不哭了。奶妈也以为孩子就会送回去，痴心等待了好些日子，倘若她知道从此分手，告别的时候一定也觉得伤心。

自从那时候起，就有一帮胆大妄为的英国流氓混进欧洲各个大都市去招摇撞骗，我们的这两位朋友，可以算是第一批骗子里面的角色。从一八一七年到一八一八年，英国人的日子过得实在富裕，大陆上的人对于他们的财富和道德非常尊敬。现在大家知道英国人有名地会斤斤较量和人讲价钱，据说当时他们还没有学会这套本领，欧洲的大城市也还没有给英国的流氓所盘踞。到如今差不多无论在法国和意大利哪个城市都有我们高贵的本国人，一看就是英国来的；他们态度骄横，走起路来那

点架子摆得恰到好处。这些人欺骗旅馆老板，拿了假支票到老实的银行家那儿去诳钱，定了马车买了首饰不付账，和不懂事的过路客人斗牌，做了圈套赢他们的钱，甚至于还偷公共图书馆的书。三十年前，只要你是英国来的大爷，坐着自备马车到处游览，爱欠多少账都由你；那时的英国先生们不会哄人，只会上当。克劳莱一家离开法国好几个星期以后，那一向供他们食宿的旅馆老板才发现自己损失多么大。起初他还不知道，后来衣装铺子里的莫拉布太太拿着克劳莱太太的衣服账来找了她好几次，还有皇宫街金球珠宝店里的蒂拉洛先生也来跑了六七回，打听那位问他买手表镯子的漂亮太太究竟什么时候回来，他才恍然大悟。可怜的花匠老婆给太太当奶妈，把结实的小罗登抚养了一场，并且对他十分疼爱，也只拿到在最初六个月的工钱。克劳莱一家临行匆忙，哪里还记得这种没要紧的账目，所以奶妈的工钱也欠着。旅馆老板从此痛恨英国，一直到死，提起它便狠狠毒毒地咒骂。凡是有过往的客人住到他旅馆里来，他就问他们认识不认识一个克劳莱上校老爷——他的太太个子矮小，样子非常文雅。他总是说："唉，先生，他欠了我多少钱，害得我好苦！"他讲到那次倒霉的事件，声音真凄惨，叫人听着也觉得难受。

利蓓加回到伦敦，目的在和丈夫的一大群债主开谈判。她情愿把丈夫所欠的债每镑中偿还九便士到一先令，作为他们让他回国的条件。至于她采取什么方法来进行这棘手的交涉，这里也不便细说。第一，她使债主们明了她丈夫名下只有这些钱，能够提出来还债的数目再也多不出了。第二，她向债主们解释，如果债务不能了结的话，克劳莱上校宁可一辈子住在欧洲大陆，永远不回国。第三，她向债主们证明克劳莱上校的确没有弄钱的去处，他们所能得到的款子决没有希望超过她所建议的数目。那么一来，上校的债主们一致同意接受建议；她用了一千五百镑现款把债务完全偿清，实际上只还了全数的十分之一。

克劳莱太太办事不用律师。她说得很对，这件事简单得很，愿意不愿意随他们的便，因此她只让代表债主的几个律师自己去做交易。红狮广场台维滋先生的代表路易斯律师和可息多街马那息先生的代表莫斯律师（这两处是上校的主要债主）都恭维上校太太办事聪明能干，吃法律饭的人都比不过她。

利蓓加受了这样的奉承，全无骄色。她买了一瓶雪利酒和一个面包布丁，在她那间又脏又小的屋子里（她办事的时候住这样的屋子）款待对手的两个律师，分手的时候还跟他们拉手，客气得了不得。然后她马上回到大陆去找丈夫和儿子，向罗登报告他重获自由的好消息。至于小罗登呢，母亲不在的时候给她的法国女用人叶尼薇爱芙丢来丢去的不当一回事。那年轻女人看中了一个加莱军营里的兵士，老是和他混在一起，哪里还想得着小罗登呢？有一回她把孩子丢在加莱海滩上自己走掉了，小罗登差点儿没淹死。

这样，克劳莱上校夫妇回到伦敦，在梅飞厄的克生街上住下来。在那里，他们才真正施展出本领来；上面所谓没有收入而能过活的人，非要有这种能耐不可。

# 第三十七章　还是本来的题目

最要紧的，我们先得描写怎么能够不出钱租房子。出租的房屋分两种：一种是不连家具的，只要吉洛士的铺子或是班丁的铺子肯让你赊账，你就能完全依照自己的意思把屋子富丽堂皇地装潢陈设起来；第二种是连家具出租的，租这种房子，为大家都省事省麻烦。克劳莱夫妇愿意租的就是这一种。

鲍尔斯在派克街管酒窖当听差头脑之前，克劳莱小姐曾经雇过一个拉哥尔斯先生。他生长在女王的克劳莱庄地上，原是本家花匠的小儿子。他品行端方，举止庄重，相貌长得整齐，小腿生得匀称，因此渐渐从洗刀叉的打杂做到站在马车背后的跟班，一直升到掌管酒窖和伙食房的总管。他在克劳莱小姐府上做了几年管事，工钱又大，外快又多，攒钱的机会也不少，便公开说要和克劳莱小姐以前的厨娘结婚。这厨娘相当有体面；她有一架轧布机，附近还开了一家小小的菜蔬铺子，靠着过活。事实上他们好几年前就秘密结了婚，不过克劳莱小姐直到看见了一男一女两个孩子才知道拉哥尔斯先生成亲的事。这两个孩子一个八岁一个七岁，老在他们厨房里，引起了布立葛丝小姐的注意。

此后拉哥尔斯便退休了，亲自掌管着那菜蔬铺子。除掉蔬菜以外，他又卖牛奶、奶油、鸡子儿和乡下运来的猪肉。大多数退休的管事都开酒店卖酒，他却只卖乡下的土产。附近一带的管事们都和他相熟，而且他又有个舒服的后客厅，夫妇俩常常招待他们，所以他的同僚中人替他销去不少牛奶、奶油和鸡子儿；他的进益也就一年比一年多。他不声不响一点儿一点儿地攒钱，年年一样。梅飞厄的克生街二百零一号本来是一位弗莱特立克·杜西斯先生的公馆。这屋子很舒服，陈设也齐备，为单身汉子住家最合适。这位杜西斯先生出国去了；他这屋子的永久租赁权，连屋子里高手匠人特制的富丽合用的家具，都公开拍卖。你道出钱的是谁？竟是却尔斯·拉哥尔斯！当然，其中一部分的钱是他出了高利钱从另外一个总管那里借来的，可是大部分的钱都是自己拿出来。拉哥尔斯太太一旦睡上了镂花桃心木的床，眼看床上挂着丝绸的帐子，对面摆着大穿衣镜，衣橱大得可以把他们夫妻儿女一股脑儿都装进去，那得意就不用说了。

当然他们不准备永远住在这么讲究的房子里。拉哥尔斯买了房子是预备出租的。找着房客之后，他又搬回菜蔬铺子里去住。他从铺子里踱出来，到克生街上望望他的房子——他自己的房子——看见窗口摆着石榴红，门上装着镂花的铜门环，在他也是一件乐事。房客的听差有时懒洋洋地在栅栏旁闲逛，碰见他总对他非常尊敬。房客的厨娘在他店里买菜蔬，称他为房东先生。只要拉哥尔斯高兴打听，房客做什么事，吃什么菜，他都能知道。

他是个好人，也是个快乐的人。房子每年的租金非常可观，因此他决计把儿女送到像样的学校里去受教育。他不惜工本，让却尔斯到休格开恩庐斯威希泰尔博士那里去上学。小玛蒂尔达呢，便进了克拉本区里劳伦铁纳姆大厦佩格渥佛小姐开的女学堂。

克劳莱一家使他致富，因此他爱他们敬他们。店铺的后客厅里挂着他女主人的侧影，还有一幅钢笔画，上面是女王的克劳莱大厦的门房，还是老小姐自己的手笔。在克生街的房子里他只添了一件摆设，就是从男爵华尔泊尔·克劳莱爵士在汉泊郡女王的克劳莱庄地上的行乐图。这是一幅石印画，从男爵本人坐在一辆镀金的马车里，驾着六匹白马经过湖边；湖上满是天鹅和小船；船里的太太小姐穿着大裙子，里面还撑着鲸骨圈，音乐家们戴着假头发，打着旗子。说实话，在拉哥尔斯看来，全世界最华美的宫殿和最高贵的世家都在这里。

事有凑巧，罗登夫妇回伦敦时，克生街上拉哥尔斯的屋子恰好空着。上校对于房子和房东都很熟悉，因为拉哥尔斯一向不断地在克劳莱家里走动，每逢兑劳莱小姐请客，他就来帮忙鲍尔斯伺候客人。老头儿不但把房子租给上校，而且每逢上校请客就去替他当差；拉哥尔斯太太在底下厨房里做饭，送上去的菜肴连克劳莱老小姐都会赞赏的。这样，克劳莱一文不花地租得了房子。拉哥尔斯不但得付各种赋税和他同行总管抵押单上的利息，他自己的人寿保险费，孩子们的学杂费，一家老小的食用，而且有一段时期连克劳莱上校一家的食用也由他负担。因为这次交易，这可怜虫后来竟倾了家，他的两个孩子弄得流离失所，他自己也给关在弗利德监狱里吃官司。原来悬空过日子的绅士也得别人代他升销家用；克劳莱上校背了债，倒霉的拉哥尔斯倒得代他受苦。

我常想不知有多少人家给克劳莱一类有本事的家伙害得倾家荡产，甚至于渐渐堕落，干坏事——不知有多少名门贵胄欺负小商人，不惜降低了身份去哄骗穷苦的厮养，诈他们几个小钱，为几个先令也肯耍不老实的把戏。当我们在报上看见某某贵人到欧洲大陆去了，某某勋爵的房屋充公了，其中一人甚至于欠了六七百万镑的债，等等，往往觉得他们亏空得有光彩，因为能够欠这么一大笔钱，也是令人佩服的事。至于可怜的理发司务给他们家的听差梳头洒粉，结果白辛苦一场；可怜的木匠因为太太请早饭需要大篷帐和特别的陈设，把自己弄得精穷；还有那给总管当差的裁缝，那倒霉鬼，受了勋爵的嘱托，倾其所有，甚至于还借了债，给他们家的用人做号衣——这些做买卖的有谁同情呢？显赫的世家一旦倒坍下来，这些可怜虫倒霉鬼就给压在下面，死了也没人看见。从前有个传说里面打的譬喻很对：将要掉在魔鬼手掌心里的人，惯常总要送些别的灵魂先去遭殃。

罗登夫妇十分慷慨，凡是以前和克劳莱小姐交易的商人和买办有愿意给他们效劳的，统统答应照顾。好些买卖人家，尤其是比较穷苦的，巴不得接这注生意。有个洗衣的女人每星期六赶着车子从都丁来，账单也是每星期带着，那坚韧不拔的精神真可佩服。他们家吃的菜蔬是拉哥尔斯先生自己供给的。下人喝的麦酒经常到运道酒店去赊，那账单在麦酒史上简直算得上是件稀罕物儿。用人的工钱也大半欠着，这样他们当然不肯走了。说实话，克劳莱家一样账都不付。开锁的铁匠，修窗子的玻璃匠，出租马车的车行主人，赶车的车夫，供给他们羊腿的屠户，卖煤给他们烤羊腿的煤店老板，在羊腿上洒粉铺盐滴油的厨子，吃羊腿的用人，谁都拿不到钱。据说没有收入的人往往用这种方法过好日子。

在小市镇上，这类事情少不得引起别人的注意。邻居喝了多少牛奶，我们知道，他晚饭吃肉还是吃鸡吃鸭，我们也看见。克生街二百号和二百零二号的住户，有家里的用人隔着栅栏传信，大概对于他们隔壁屋子里的情形知道得很清楚。好在克劳莱夫妇和他们的朋友并不认得这两家。你到二百零一号里去，主人和主妇脸上总挂着笑，诚诚恳恳地欢迎你，怪亲热地跟你拉手，还请你享用丰盛的酒菜。他们对所有的人都是这样，仿佛他们一年稳稳地有三四千镑进款。事实上他们虽然没有这么多现钱，享用的人力物力也确实抵得过这个数目。羊肉虽没有出钱去买，反正总有得吃；好酒虽然没有用金银去换，外面人也不会知道。老实的罗登家里请客，喝的红酒是最上等的，菜肴上得整齐，空气也融洽，谁家比得过他呢？他的客厅并不富丽，却是小巧精致，说不出有多好看。利蓓加把里面布置得非常文雅，搁了好些巴黎带回来的小摆设。陌生人看见她无忧无虑地坐在钢琴旁边唱歌，总觉得这是美满家庭，人间乐园，做丈夫的虽然蠢些，那妻子却实在可爱，而且每逢请客，都是宾主尽欢的。

利蓓加人又聪明，口角又俏皮，喜欢油嘴滑舌地说笑话，在伦敦自有一等人捧她，立刻就成了这些人里面的尖儿。她门前常常停着一辆辆马车，行止十分掩密，里面走出来的全是大阔人。她常常在公园兜风，马车旁边挤满了有名的花花公子。她在歌剧院三层楼有个小包厢，里面总有一大堆人，而且每次不同。可是说句实话，所有的太太看她不是正经货，从来不和她打交道。

关于太太小姐堆里的风气和习惯，写书的当然只能间接听见一些。这里面的奥妙，男人不能领会理解，譬如她们晚饭以后在楼上说些什么话，先生们就无从知道，这道理是一样的。你只有不断地细心打听，才能偶然长些见识。同样地，常在帕尔莫尔街上走动，在伦敦各个俱乐部里出入的人，只要肯下功夫，对于时髦场上的情形自然也会熟悉起来。有时是亲身的经验，有时是和人打弹子或吃饭听见的闲话，都能供给你不少资料。譬如说，天下有一种像罗登·克劳莱一类的家伙（他的身份上文已经表过），在一般局外人和那些待在公园学时髦的新手看起来，真是非常了不起，因为他竟能和最出风头的花花公子混在一起。又有一种女人，先生们都欢迎，他们的太太却瞧不起，甚至于不理睬。法爱白蕾丝太太就属于这种人，你在海德公园每天都能看见她，一头美丽的金头发梳成一卷一卷，到东到西有国内最闻名的豪华公子们簇拥着。另外还有一个洛克乌德太太，每逢她请客，时髦的报纸上便细细地登载着宴会花絮，王公大使都是她的座上客。此外还有好些别的人，可是和本文无关，不必说了。好些不知世务的老实人，喜欢学时髦的乡下佬，看见她们摆的虚场面，远远地瞧着只觉得眼红；明白底细的人，却知道这些给人羡慕的太太原来在"上流社会"是一无地位的。在涩默赛脱郡的不见世面的地主老婆，当然只能在《晨报》上读读她们请客作乐的消息，可是两下里比较起来，她们踏进"上流社会"的机会并不能比乡下女人多些。这些可怕的事实，住在伦敦的人都知道。原来这类表面上尊荣富贵的夫人们毫不留情地给圈在"上流社会"之外。凡是研究心理学——尤其是女人的心理学——的人，看见她们千方百计地想挤进去，使尽多少下流的伎俩，受尽多少侮辱委屈，准会觉得奇怪。她们不怕艰难追求虚荣的故事，倒是写书的好题目。凡是笔下流利，文章写得俏皮，又有闲空，能够当得下这重任的大作家，不妨把这些事迹编录下来。

克劳莱太太在外国结交的几个朋友，一过了英吉利海峡，不但不来拜访她，而且在公共场所对她不瞅不睬。真奇怪，贵夫人们都不记得她了。利蓓加见她们把自己忘得这么快，自然很不高兴。有一回贝亚爱格思夫人在歌剧院的休息室里看见蓓基，立刻把女儿们叫拢来，仿佛一碰着蓓基便会玷污了她们。她退后一两步，站在女儿们前面，对她的冤家瞪着眼瞧。可惜连贝亚爱格思老太婆冷冰冰的态度和恶狠狠的眼光也还不能叫蓓基脸上下不来。特拉莫尔夫人在布鲁塞尔常常和蓓基一起坐着马车出去兜风，总有二十来次，不想到了海德公园，她明明碰见蓓基坐在敞篷车里，却像瞎了眼睛似的不认得老朋友了。连银行家的妻子白兰金索泊太太在教堂里遇见她也不打个招呼。如今蓓基按时上教堂，罗登手里拿着两大本金边圣书，跟在旁边。她态度端庄，一副逆来顺受的样子，叫人看着感动。

　　起初的时候，罗登见别人瞧不起他的妻子，心里又气又闷，十分难受。他说这些混帐的女人既然不尊敬他的妻子，他打算和她们的丈夫或是兄弟一个个决斗。还算蓓基软骗硬吓，才没有让他惹出祸来。她脾气真好，说道："你不能靠放枪把我放进上流社会里去。亲爱的，别忘了我不过是个女教师，你这可怜的傻东西名誉又不好，人家都知道你爱赌，爱欠账，还有许多说不完的毛病。将来咱们爱交多少朋友都行，可是眼前呢，你得乖乖地听着老师的话，她叫你怎么着你就怎么着。你还记得吗？一起头的时候，咱们听说你姑妈把财产差不多一股脑儿都传给了毕脱夫妻俩，你多生气呀！若不是我叫你管着你那性子，整个巴黎都会知道这件事情了。然后怎么样？你准会给关进圣·贝拉齐监牢里去，因为你付不出账。到那时你还能回到伦敦来住好房子，过好日子吗？你，你这可恶的该隐①！气得恨不得把你哥哥马上杀死。生气有什么用？你生了天大的气也不能把姑妈的钱拿过来。跟你哥哥作对没有好处，还是交个朋友有用。咱们可不能像别德一家子那么糊涂。你父亲死了以后，我跟你可以上女王的克劳莱过冬，那房子舒服得很呢。倘或咱们弄得两手空空，你还能替他们切切鸡鸭，管管马房，我就做吉恩夫人孩子们的女教师。两手空空！哼哼！我总会给你找个好饭碗，再不，毕脱和他儿子也许会死掉，咱们就做罗登爵士和爵士夫人。亲爱的，一个人活着就有希望，我还打算叫你干一番事业呢。是谁替你卖了马，谁给你还了账的？"罗登只得承认这些都是妻子赏给他的恩惠，答应将来永远依照她的指示做人。

　　克劳莱小姐去世之后，亲戚们气势汹汹争夺的财产到了毕脱手里，别德·克劳莱原来预料可以得二万镑，结果只到手五千镑，失望气恼得

---

①《圣经》中杀弟的恶人。

发昏，只好把大侄儿毒骂一顿出气。他们两房本来一向心里不和，到那时便断绝来往了。罗登·克劳莱只拿到一百镑，而他的态度却大方得叫他哥哥诧异。他嫂子本来就对婆家的人很有好意，所以更觉得喜欢。罗登从巴黎寄给哥哥的信口气诚恳直爽，并没有表示半点不乐意。他说他早已知道由于婚姻问题失了姑妈的欢心；姑妈的狠心虽然使他失望，不过财产仍旧传给自己一支的近亲，总是好的。他诚诚心心地向哥哥道喜，又很亲热地问候嫂子，希望她将来提携自己的太太。信尾附着蓓基自己写给毕脱的几句话。她也跟他道喜；她说克劳莱先生从前十分照顾她那样一个无依无靠的孤儿，是她永远不会忘记的。她做女教师管教了毕脱的妹妹们一场，至今关心她们的前途。她希望他婚后快乐，请他代自己向吉恩夫人致意，说是到处听见别人称扬她的好处。她希望有一天能够带着儿子去拜望大伯和伯母，还恳求他们对于那孩子多多照应。

毕脱·克劳莱收到这封信，对弟弟弟妇这番好意很赞赏。从前克劳莱小姐也曾经收过好几封这样的信，全是利蓓加起了稿子叫罗登抄的，她可没有这样宽大。吉恩夫人看完了信，十分欢喜，以为她丈夫马上就会把姑母的遗产平分为二，送一半到巴黎给弟弟去花。

后来吉恩夫人很诧异，原来毕脱并不愿意送一张三万镑的支票给他弟弟，可是他很大方地回信说如果罗登回国以后需要他帮忙的话，他很愿意出力。他又向克劳莱太太表示感激她对自己和吉恩夫人的好意，侄儿将来需要照料，他当然肯尽力的。

这么一来，两兄弟差不多算是言归于好。利蓓加到伦敦的时候，毕脱夫妇不在城里。她时常特地赶着车走过派克街克劳莱小姐的房子，看他们有没有住进去，可是他们一家总不露脸，她只能在拉哥尔斯那里打听他们的动静。据说克劳莱小姐的用人都得到丰厚的赏钱给打发掉了；毕脱先生只到伦敦来过一回，在公馆里耽搁了几天，和他律师办了些事情，把克劳莱小姐的法文小说统统都卖给邦德街上一家书铺子。蓓基急着要认新亲是有道理的。她想："吉恩夫人来了之后，就能替我在伦敦上流社会里撑腰。哼！那些太太们发现男人爱跟我周旋，还能不请我吗？"

在她地位上的女人，除了马车和花球之外，到处跟着伺候的女伴也是必不可少的。那些温柔的小东西往往雇着相貌丑陋的女伴，形影不离地在一起，好像她们没有同情就不能活下去，我看了非常赞赏。做伴儿的穿着褪色的旧衣裳，老是跟着好朋友坐在戏院包厢的后排或是马车的倒座上，我认为真是能够整顿风气的好榜样，譬如爱享福的埃及人一面吃喝，一面还叫当差的托着个骷髅出来兜一圈。这女伴跟骷髅一样，使人记得在名利场上混了一世不过是这样卜场，倒是对丁人生的一个讽刺。真奇怪，拿着漂亮的法爱白蕾丝太太来说，真可以说是个钝皮老脸、久经风霜、全没心肝的女人，她的父亲甚至于为她活活气死；还有那风流放诞的孟脱拉浦太太，骑马跳栏的本领比得过英国任何男人，她在公园里亲自赶着灰色马儿兜风，她的母亲仍旧在温泉摆个小摊子过活——你总以为这么大胆的人物，该是天不怕地不怕的了，不想连她们都得由女伴陪着才敢露脸。原来这些热心肠的小东西没有朋友依傍着是不行的。她们在公共场所出入的时候，差不多总有女伴陪着。这些人样子寒酸，穿着染过色的绸衣服，坐在离她们不远、人家不着眼的地方。

有一晚，夜已深了，一群男人坐在蓓基客厅里的壁炉旁边烤火，炉里的火必剥必剥地响。男人们都喜欢到她家里度黄昏，她就请他们享用全伦敦最讲究的冰淇淋和咖啡。蓓基说道："罗登，我要一只看羊狗。"

罗登正在牌桌上玩埃加脱，抬头问道："一只什么？"

莎吴塞唐勋爵也道："看羊狗？亲爱的克劳莱太太，你这心思好古怪。为什么不养丹麦狗呢？我看见过一条丹麦狗大得像一只长颈鹿，喝！差一点儿就能拉你的马车了。要不，就找一只波斯猎狗也好，你看怎么样？（对不起，这次该我开牌。）还有一种小哈巴狗，小得可以搁在斯丹恩勋爵的鼻烟壶里。在贝思活脱有一个人，他有一只小狗，那鼻子——我记点了，是皇帝，——那鼻子上可以挂帽子。”

罗登一本正经说道：“这一圈的牌都由我记点儿罢。”往常他只注意斗牌，除非大家谈到马和赌博，他对于别人说的话全不留心。

活泼的莎吴塞唐接下去说道：“你要看羊狗做什么？”

“我所说的看羊狗不过是比喻。”蓓基一面说，一面笑着抬头望望斯丹恩勋爵。

勋爵道：“见鬼！你是什么意思？”

利蓓加道：“有了狗，豺狼就不能近身了。我要个女伴。”

勋爵道：“亲爱的小羔羊，你多么纯洁，真需要一只看羊狗来保护你。”他伸出下巴涎着脸儿笑起来，乜斜着一双小眼睛对她一睨，那样子难看极了。

了不起的斯丹恩侯爵站在火旁边喝咖啡。炉里的火烧得正旺，必剥必剥地响，越显得屋子里舒服。壁炉周围亮着二十来支蜡烛；墙上的蜡台各各不同，式样别致，有铜的，有瓷的，有镀金的。利蓓加坐在一张花色鲜艳的安乐椅上，蜡烛光照着她，把她的身材越发衬得好看。她穿一件娇嫩得像玫瑰花一般的粉红袍子；肩膀和胳膊白得耀眼，上面半披着一条云雾似的透明纱巾，白皮肤在下面隐隐发亮。她的头发卷成圈儿挂在颈边；一层层又松又挺的新绸裙子底下露出一只美丽的小脚，脚上穿的是最细的丝袜和最漂亮的镂空鞋。

蜡烛光把斯丹恩勋爵的秃脑袋照得发亮，脑袋上还留着一圈红头发。他的眉毛又浓又粗，底下两只滴溜骨碌的小眼睛，上面布满红丝，眼睛周围千缕万条的皱纹。他的下半张脸往外突出，张开口就看见两只雪白的暴牙。每逢他对人嬉皮扯脸一笑，那两个暴牙就直发亮，看上去很可怕。那天他刚在宫中领过宴，身上戴着勋章挂着绶带。他大人是个矮个子，宽宽的胸脯，一双罗圈腿。他对于自己的细脚踝和小脚板非常得意，又不住地抚摸自己左膝盖底下的勋章。[1]

　　他说："原来有了放羊的还不够照顾他的小羔羊。"

　　蓓基笑着答道："放羊的太爱打牌，又老是上俱乐部去。"

　　勋爵道："天哪！好个腐败的考里同[2]！他的嘴就配衔烟斗。"

　　罗登在牌桌上说道："我跟你二对三。"

　　高贵的侯爵喝道："听听这梅里勃斯[3]，他倒的确在尽他看羊人的本分，正在剪莎吴塞唐的羊毛呢[4]。喝！这头羊倒容易上当得很。你瞧他好一身雪白的羊毛！"

　　利蓓加对他瞅了一眼，那表情很幽默，却又有些嘲笑的意味，说道："勋爵，您还不是得了金羊毛勋章吗？"这话倒是真的，那时他脖子上还套着勋章，是复辟的西班牙亲王们送给他的礼物。

　　原来斯丹恩勋爵早年出名地胆大，赌钱的本领是了不起的。他和福克斯先生曾经连赌两天两夜。国内最尊贵的大人物都输过钱给他。据说他的爵位也是牌桌上赢来的。可是别人说起他年轻时候捣鬼淘气的事情，他却不爱听。利蓓加看见他的浓眉毛皱在一起，一脸不高兴的样子。

　　她从椅子上站起来，走过去接了他的咖啡杯子，稍微屈了一屈膝道："说真话，我非找一只看羊狗不可，不过它不会对你咬。"她走到另外一间客厅里，坐在琴旁边唱起法文歌来，那声音婉转动人，听得那爵爷心都软了，立刻跟过来。他一面听唱歌，一面和着拍子点头弯腰。

　　罗登和他的朋友两个人玩埃加脱，一直玩到兴尽为止。上校是赢家，可是虽然他赢的次数又多，数目又大，而且像这样的请客每星期总有好几回，这前任的骑兵一定觉得很气闷；因为所有的谈话和客人的赞

---

① 英国的嘉德勋章是箍在左腿上的。
② 维吉尔及底渥克立斯等拉丁诗人诗里的牧羊人，现在成为牧羊人的通称。
③ 维吉尔《牧歌》中牧羊人的名字。
④ 骗别人的钱就说"剪某某的羊毛"。

叹都给他太太一个人占了去，他只能悄悄默默地坐在圈子外面，这些人说的笑话，援引的典故，用的稀奇古怪的字眼，他一点儿也不懂。

斯丹恩勋爵碰见他和他招呼的时候，总是说："克劳莱太太的丈夫好哇？"说真的，这就是他的职业，——他不再是克劳莱上校，只是克劳莱太太的丈夫。

我们为什么好久没有提起小罗登呢，只为他不是躲在阁楼上，便是钻到楼下厨房里找伴儿去了。他的母亲差不多从来不理会他。他的法国女用人在克劳莱家里的一阵子，他便跟着她。后来那法国女人走了，这孩子夜里没有人陪伴，哇哇地啼哭。总算家里的一个女用人可怜他，把他从冷清清的育儿室抱出来，带到近旁的阁楼里，哄着他睡在自己的床上。

他在楼上啼哭的当儿，利蓓加、斯丹恩勋爵，还有两三个别的客人，恰巧看了歌剧回来，在楼底下喝茶。利蓓加道："这是我的小宝贝要他的用人，在那儿哭呢。"嘴里这么说，却不动身上去看看。斯丹恩勋爵带着冷笑的口气说道："你不必去看他了，省得叫你自己心神不安。"蓓基脸上讪讪地答道："得了，他哭哭就会睡着的。"接下去大家就议论起刚才看的歌剧来。

只有罗登偷偷地溜上去看他的儿子，他见忠厚的桃立在安慰孩子，才又回到客人堆里来。上校的梳妆室在最高一层，他时常私底下和孩子见面。每天早晨他刮胡子，父子俩便在一起。小罗登坐在父亲身旁一只箱子上看父亲刮胡子，再也看不厌。他和父亲两个非常好，做父亲的时常把甜点心留下一点儿藏在一只从前搁肩饰的匣子里，孩子总到那里去找吃的，找着以后便乐得直笑。他虽然快乐，却不敢放声大笑，因为妈妈在楼下睡觉，不能吵醒她。她睡得很晚，难得在中午之前起床。

罗登买了许多图画书给儿子，又在育儿室塞满了各种玩具。墙上满是画儿，都是他出现钱买来，亲手粘上的。有时罗登太太在公园兜风，用不着他在旁边伺候，他就上楼陪着孩子一玩几个钟头。孩子骑在他身上，把他的大胡子拉着当马缰，连日跟他两个揪呀，滚呀，永远不觉得累。那间屋子很低；有一年，孩子还不到五岁，父亲把他抱起来抛上抛下闹着玩，把小可怜儿的头顶砰的一声撞在天花板上。罗登吓得要命，差点儿又把他掉在地上。

小罗登皱起脸儿准备大哭——那一下撞得实在厉害，怪不得他要哭。他刚要开口的时候，他父亲急得叫道："老天哪，罗迪，别吵醒了妈妈。"孩子怪可怜地紧紧瞅着父亲；他咬着嘴唇，握着拳头，一声儿都没有哼出来。罗登把这事讲给俱乐部的人听，讲给军营食堂里的人听，逢人便告诉说："喝！我的儿子真有胆子，真了不起。天哪，我把他半个脑袋都插进天花板里去了，可是他怕吵醒妈妈，一点儿也不哭。"

有的时候——一星期里有那么一两回——那位太太也上楼到孩子房里来看看他。她简直像时装画报里的美人变活了，总是穿着漂亮的新衣服、新靴子，戴着新手套，很温和地微笑着。她身上有美丽的披肩和花边，还有晶晶发亮的珠宝首饰。她每次上楼，总戴着新帽子，帽子上老是簪着花朵儿，不然就挂着弯弯的鸵鸟毛，又白又软，像一簇茶花，看上去真是富丽堂皇。她公主娘娘似的向孩子点点头，孩子有时在吃饭，有时在画大兵，抬起头来对她望着。她走开之后，屋里总留了一股子玫瑰香味，或是别的迷人的味儿。在他看来，她像个天上的神仙，比他父亲，比所有的别人都高出多多少少，凡人只好远远地望着她顶礼膜拜。跟这位太太一起坐马车兜风是个大典，他坐在倒座上，一声儿不敢言语，只瞪着大眼向对面装点得花团锦簇的公主出神地看。先生们骑着神气十足的骏马，笑吟吟地上前跟她说话。她也是满面春风，对大家眯着眼笑。先生们走开的时候，妈妈挥着手和他们告别，那风度真是优雅。孩子跟她出门总换上新的红衣服，在家却只穿一身棕色的旧麻布衣。有时她不在家，照管他的桃立替他铺床，他就走到母亲的房里去东张西望，觉得这屋子真是神仙洞府，又好看，又有趣，耀得人眼都花了。衣橱里挂着漂亮的衣服，淡红的，浅蓝的，花花绿绿的。梳妆台上摆着一只美丽的铜手，挂满了闪亮闪亮的戒指，旁边还有镶银扣的珠宝盒子。屋里又有一架穿衣镜，真是神妙的艺术品。他刚好能在镜子里照见自己的头脸，看了那么多稀罕物儿，脸上都傻了。他在镜子里看见桃立正在拍打床上的枕头，把它们弄松；她的影子歪歪扭扭的，又好像高高吊在天花板上。唉！你这没见世面，没人理，没人管的小可怜儿！在别的孩子们心里口里，妈妈便是上帝的别名，你崇拜的却不过是一块冥顽不灵的石头。

罗登·克劳莱上校虽然是个流氓，心地倒还厚道，有些丈夫气概，能够爱女人，爱孩子。他心底里非常疼爱小罗登，利蓓加虽然不说穿他的秘密，心里却明白。她性子好，所以并不生气，只不过对于丈夫更加看不起。罗登那么喜欢儿子，自己也觉得不好意思，在妻子面前不肯露出来，只有跟孩子两个人在一起的时候才尽情疼他一下子。

他时常在早上带儿子出门，看看马房，逛逛公园。莎吴塞唐伯爵性情最随和，要他把头上的帽子脱下来送人，他也肯。他的人生大事就是不断地买了各色各样的小东西放着，闲常好送人。他买给小罗登一只小马，照送礼的人自己的话，这马儿简直和大老鼠差不多大小。小罗登的高大的爸爸时常喜欢叫儿子骑在这匹喜脱伦小黑马背上在公园里溜达，自己在旁边跟着。他喜欢重游当兵时的旧地，常到武士桥去看望禁卫队里的老同事，想起当年的光棍生涯，很有些恋恋不舍。军队里的老兵看见从前的上司来了，也很高兴，都来摩弄小上校。克劳莱上校和军官们在食堂里吃饭，觉得十分有趣。他常说："唉，我不够聪明，配不上她，这个我也明白。她不会记挂我的。"他这话一点不错，他妻子并不记挂他。

利蓓加很喜欢丈夫，对他总是非常和顺疼爱，甚至于不大明白表示自己瞧不起他。说不定她宁可丈夫颟顸些。他是她的上等用人和总管。他受她的使唤，绝对地服从。他陪她坐了马车在公园的圆场兜风，从来不出怨言。他送她上歌剧院坐进包厢，然后一个人到俱乐部里去解闷，散场时又准时回去接她。他只希望妻子能够多疼些儿子，可是连这一点他也原谅她。他说："唉，你知道的，她真能干，而我又不是文绉绉的人。"前面已经说过，靠打弹子和玩纸牌赢人家的钱并不需要多少聪明，除此之外，罗登又没有别的本事。

女伴一来之后，他在家里的责任就轻松了。他的妻子怂恿他到外面去吃饭，而且上歌剧院也不要他接送。她总是说："亲爱的，别留在家里发傻，今儿晚上有几个人要来，你见了他们准觉得讨厌。若不是为你的好处，我也不高兴请他们到家里来。现在我有了一条看羊狗，没有你也不怕了。"

"看羊狗——女伴！蓓基·夏泼有个女伴！多滑稽！"克劳莱太太想着这一点，觉得有趣得不得了。

有一天，正是星期日，罗登·克劳莱按例和他儿子骑着小马在公园里散步，碰见上校的一个熟人，是联队里的克林克下士。下士正在和一个老先生谈天，老先生手里抱着一个男孩子，年龄和小罗登相仿。那孩子抓着下士身上挂的滑铁卢勋章，看得高兴。

上校说："好啊，克林克？"克林克答道："早上好，大爷，这位小先生跟小上校差不多大。"

抱孩子的老先生说道："他父亲也在滑铁卢打仗的。对不对，乔杰？"

乔杰道："对。"他和小马上的孩子正颜厉色一眼不眨地对看了半天，正是小孩子普通的样子。

克林克老腔老调地说道："常备军里的。"

老人神气活现地说："他是第——联队里的上尉，乔治·奥斯本上尉，也许您还认识他。他死得像个英雄，和科西嘉的恶霸拼命到底。"

克劳莱上校涨红了脸道："我跟他很熟的。他的妻子，他的亲爱的妻子，怎么样了？"

"她是我的女儿。"老人家说着，放下孩子，一本正经地从口袋里掏出一张纸牌子交给上校，上面写着："赛特笠先生，泰晤士街白伦格码头无灰黑金刚钻煤公司经理。住址：福兰西路安娜·玛丽亚小屋。"

小乔杰走过去望着那喜脱伦小马。

小罗登从鞍子上问他道："你要骑马吗？"

乔杰答道："我要。"上校瞧瞧他，似乎对他很感兴趣，把他抱起来坐在小罗登后面。

他说："拉着他，乔杰。抱着我孩子的腰——他叫罗登。"两个孩子都笑起来了。

好性情的下士说："你上哪儿也找不着这么两个漂亮的孩子。"上校、下士、赛特笠老先生拿着伞，都跟在孩子们旁边散步。

# 第三十八章　小户人家

乔治·奥斯本那天骑着马从武士桥一直回到福兰。我们也该趁便在这村子里停下来，问问从前撇在那儿的几个老朋友近况如何。经过滑铁卢的风波之后，爱米丽亚太太怎么了？她还活着吗？日子过得好吗？都宾少佐从前老是到她家里去，他的车子总在她寓所附近打转，他现在怎么了？卜克雷·窝拉的税官有消息吗？关于他，简单的情形是这样的。

我们那位了不起的朋友，乔瑟夫·赛特笠那大胖子，从布鲁塞尔逃难回国以后不久就到印度去了。不知他是假满回任，还是害怕碰见眼看他从滑铁卢逃命的熟人。不管怎么样，拿破仑住到圣海里娜岛上之后不久，他又回到孟加拉去办公了，路过圣海里娜的时候还见过那下了台的皇帝。和赛特笠先生同船的人听他说话，总以为他跟拿破仑并不是第一次见面，在圣·约翰山上已经争持过一番的了。关于那两次有名的战役，他肚子里的掌故多得讲不完，各个联队的据点，每队伤亡的人数，他也知道。他并不否认自己和那次胜利很有关系，据说他当时正在军中，曾经替威灵顿公爵传递过公文。他细细地形容滑铁卢大战发生那天威灵顿公爵的一动一静；他大人做些什么，想些什么，他都知道得十分透彻，这样看来，他竟是一整天都在常胜将军的身边。可惜他没有正式参战，所以和战事有关的公告里面没有提到他的名字。说不定他想入非非，真的相信自己随军工作过的。他靠着这一点在加尔各答大大地出了一阵风头，而且在孟加拉的时候大家一直都叫他滑铁卢赛特笠。

乔斯买那两匹倒霉的马儿立的票据，由他和他的代理人乖乖地付清了。他从来不提起这次交易；没人知道那两匹马到哪里去了，也没人知道他怎么把它们脱手。恍惚听说在一八一五年秋天，他的比利时听差伊息多在梵朗西爱纳卖掉一匹灰色马，很像乔斯骑的一匹。

乔斯吩咐他在伦敦的代理人每年付给他福兰区的父母一百二十镑年金，算是老夫妇主要的生活来源。苦恼的赛特笠先生破产以后仍旧爱做投机买卖，结果并不能把消蚀掉的本钱捞回来。他想法子卖酒，卖煤，经售彩票，等等。每逢他换一种新的行业，就向朋友们发传单，在门上钉起新的铜牌子，大言不惭地说什么将来重兴家业的话。可怜这个年老力衰饱经忧患的老头儿从此没有碰上好运。他的朋友不耐烦老是买贵煤和坏酒，渐渐地都不和他来往了。他早上趔趔趄趄走到市中心去，只有他的妻子还以为他去办公。到黄昏，他一步一拖地回家，晚上到酒店里的一个小俱乐部去消遣。听他说话，那口气里竟好像国里的财政是他一手掌管的。他谈起几百万的资金，什么贴水、折扣，还有洛施却哀尔特和贝林兄弟[1]的动静，真是好听。俱乐部里的先生们，像配药的、办丧事的、木匠头儿、教堂管事的（他是给偷偷地放进来的），还有咱们的老朋友克拉浦先生，听了这么大的数目，都对老头儿十分敬重。他对所有"在屋里坐坐"的人都说过："我是见过好日子的。我的儿子现在是孟加拉行政区里拉姆根奇地方的大官儿，一年有四千卢比收入。我女儿只要开声口，就能做上校的太太。倘或我要问我那做官儿的儿子去支两千镑，我只消明天跑到亚历山大那儿，他就会给我现钱。嗳！他就会把现钱给我堆在柜台上。可是我们赛特笠家里的人都有傲骨头。"亲爱的读者，说不定我和你将来也会变成这个样子，我们的朋友之中，不是有好些已经落到这样收场了吗？一个人的运道会转变，能力会衰退，戏台上的地位也会给年富力强的丑角抢去，到后来气数也尽了，只好可怜巴巴地落泊一辈子。人家在路上碰见你，就会躲到对街去，更可恨的，他们还会表示可怜你，老腔老调地伸出两个指头算跟你拉手。你心里有数，到你一转背，你的朋友就会说："可怜虫，只怪他自己糊涂，白白地辜负了好机会。"得了，得了，一辆自备马车和三千镑一年的收入不见得就是人生最高的酬报，也不是上帝判断世人好歹的标准。咱们只看呆子也会得意，混蛋也能发财，江湖骗子成功的机会并不比失败的机会少——只看这些家伙也和世界上最正直最能干的人一样，得失升沉之间没有定准，那么，兄弟啊，名利场上的得意快活又值得多少呢？说不定——唉，我们越说越离题了。

倘若赛特笠太太是个精神勃勃的女人，在她丈夫落魄之后便该想法子弄一所大房子，靠着替人包办食宿过活。赛特笠反正不得意，做做房东太太的丈夫一定合适。这种角色等于私生活中的孟诺士[2]，名义上是主

---

① 都是当时的财阀。
② 孟诺士（Munoz, 1810—1873），西班牙凯撒玲女王的丈夫，政治上全无权力。

人，实际上是屋里的总管，吃饭的时候给大家切鸡切肉，妻子高踞在破烂的宝座上，他就低首下心做她的驸马爷。我曾见过好些有脑子有身份的人，从前年富力强，前途光明，结交的也是绅士，家里还养着猎狗，到后来只好捺下性子陪着一大堆讨厌的老太婆吃饭，给她们切切羊腿，表面上算作主人，好不气闷。反正我刚才已经说过，赛特笠太太连这点气魄也没有，《泰晤士报》广告栏里所谓"富有音乐天才的家庭征求高尚人仕共同居住，保证环境愉快"这一类的职业，她也担当不了。命运把她播弄到什么角落里，她就随分安命地过下去。谁都看得出来，老两口儿这一辈子就算完了。

看来他们并不觉得烦恼，说不定落泊之后比从前反而骄傲些。房子的底层是房东克拉浦太太的厨房兼会客室。装饰得很整齐，赛特笠太太时常下去聊天，一坐就是好几个钟头。在房东太太看起来，她仍旧是个了不起的大人物。那爱尔兰女用人蓓蒂·弗兰妮根戴什么帽子，系什么缎带，怎么泼辣，怎么好吃懒做，把厨房里的蜡烛怎么浪费，喝了多少茶，茶里搁了多少糖，等等，赛特笠太太全要过问，管着这些事，光阴也就过去了，她也就不觉得气闷了。从前她有三菩、车夫、马夫、打杂的小子，还有管家娘子带着一大群女用人（关于她以前的势派，她一天总要唠叨一百次），日子倒也不比现在过得更忙碌更有趣。除了蓓蒂·弗兰妮根，那条街上还有许多别人家包办全家杂事的女用人，她们的一举一动赛特笠太太也爱管。隔壁邻舍的房租谁家付了，谁家还欠着，她都知道。做戏子的罗琪梦太太带着她身份不明的儿女走过，她躲开不理。医生的女人配色勒太太坐着丈夫出诊用的一匹马拉的小马车走过，她把头高高抬起。她和卖菜蔬的谈论赛特笠先生爱吃的一便士一把的萝卜；她留心监视着送牛奶的和送面包的小孩；她一次次去麻烦卖肉的——说不定那卖肉的卖掉了几百头牛还没有卖给她一块羊腰肉费的事多。到星期日，她总把藏在肉底下的洋山芋拿出来一个个数过。每逢星期日她穿上最好的衣服上教堂做两回礼拜，到黄昏便读读《白莱亚的训戒》。

赛特笠老头儿也爱在星期天带着小外孙乔杰到附近公园里或是开恩新恩花园去喂鸭子和看大兵，因为平常日子他要"办公"，没有时候出去逛。乔杰爱看穿红的兵士。他外公告诉他说他爸爸从前是个有名的军官，又带他去见许多衣服上挂着滑铁卢勋章的军曹和别的小军官。老外公神气活现地对那些人说孩子的父亲就是第——联队里的奥斯本上尉，在光荣的十八日光荣地死在战场上。他也曾经请几个下士喝过麦酒。一起头的时候，他一味讨好外孙，每逢星期天带他出去，就没命地给他吃苹果和姜汁脆饼，把他吃病了。后来爱米丽亚斩钉截铁地说除非外公人格担保，答应永远不再给乔治吃糕饼、棒糖，还有摊儿上别的小吃，就不准带他出去。

为着这孩子，赛特笠太太和她女儿闹得很不欢，甚至于私底下互相猜忌。那时乔治还小，一天黄昏，爱米丽亚坐在小客厅里做活，也没有留心老太太什么时候走了出去。孩子本来好好地睡在楼上，忽然哭起来了，她凭着本能知道出了事，连忙跑到孩子屋里去，看见赛特笠太太正在偷偷地喂孩子吃德菲氏"仙露灵药"。爱米丽亚的性子本来比谁都和软温柔，可是一旦发现竟有人敢越过她的头多管她儿子的事情，气得浑身打战，苍白的脸蛋儿涨得和她十二岁的时候一样红。她从母亲手里抢过孩子来，一把夺了瓶子，把个老太太惊得目瞪口呆。她母亲手里还拿着干坏事用的匙子，也大怒起来。

爱米丽亚砰的一声把瓶子扔在壁炉里，然后两只手抱着儿子，使劲地把他摇来摇去，恶狠狠地瞪着母亲叫道："妈妈，我不准孩子吃毒药。"

老太太答道："毒药！爱米丽亚，你对自己的娘说这种话吗？"

"除了配色勒医生开的方子，我不许他吃别的药。他说德菲氏'仙露灵药'是有毒的。"

赛特笠太太道："好，原来你以为我是杀人的凶手。你对自己的娘竟说这种话！我是倒了楣的人，现在是没有地位的了。从前我坐马车，现在只能走路了。可是我倒不知道自己会杀人，这真是新闻，多谢你告诉我。"

可怜的女孩儿有的是眼泪，哭着说道："妈妈，别跟我过不去。我的意思并不是说——我的意思是说——我并不是说你要害我的宝贝孩子，不过——"

"亲爱的，你并不是说我要害你的孩子，不过说我是杀人的凶手罢了。既然这样，我该上贝莱去坐牢才对呢。不知怎么的，你小的时候我倒没有毒死你，还给你受最好的教育，大捧的钱拿出去，请了第一等的先生来教导你。唉，我养了五胎，只带大了两个，最宝贝的就是这个女儿。闹什么气管炎啦，百日咳啦，痧子啦，出牙啦，都是我亲身伺候。大来不惜工本地为她请了外国教师，又送到密纳佛大厦读书。我小的时候可没有这样的福气。我孝顺父母，希望多活几年，多帮忙别人，哪儿能够一天到晚愁眉苦脸地躲在屋子里充太太奶奶呢？我最疼的孩子颠倒说我是杀人的凶手。唉，奥斯本太太，但愿你别像我一样，在胸口养了一条毒蛇，这是我的祷告。"

做女儿的不知所措，说道："妈妈，妈妈！"抱在手里的孩子也跟着没命地哭喊。

"真是的，我倒成了凶手了。爱米丽亚，跪下求上帝把你那狠毒的心肠洗洗干净，免得你这样忘恩负义。但愿上帝也像我一样，能够原谅你。"赛特笠太太扬着脸儿，摔手摔脚地出去了。她那篇慈悲的祝祷也就到这里为止。

娘儿两个从此感情上有了裂痕，赛特笠太太这口气到死没有全消。自从拌过嘴以后，老太太什么事都占了上风，而且使出女人的特别本领，用种种法子连续不断地让她的对手觉得难堪。譬如说，吵架以后好几个星期她见了爱米丽亚不瞅不睬。她警告用人别去碰那孩子，免得惹奥斯本太太生气。每天为乔杰煮的饭菜，她一定先请女儿过目，省得回头又说有毒药。每逢邻居们问候孩子身体怎样，她便尖酸地叫他们去问奥斯本太太；她说她自己是从来不问孩子好歹的；虽然孩子是她自己的亲外孙，心坎儿上的小宝贝，可是她手都不挨他，因为她不会管孩子，没准会把他弄死。每逢配色勒先生来治病，开口探问病情，她就拿出最尖酸刻薄的态度来对待他。那外科医生说他承铁色尔乌德夫人看得起，时常给她府上的人治病，倒是大家客气，赛特笠老太太虽然从来不付医药费，那架子竟比铁色尔乌德夫人还大。看来爱米丽亚的妒忌心也并不小。凡是做母亲的看见别人管她的孩子，就觉得着急，生怕他们夺了孩子的感情。爱米丽亚就是这样，有人去摩弄她的儿子，她便心神不定。她不准克拉浦太太和那女用人照管乔杰，也不要她们给他穿衣服，就好像她不放心让她们擦洗丈夫小照的框子一样。她把那张像挂在小床的床头上；从前她就是从这张小床上移到他那里去的，如今又退回来了。她在这儿静静地过了多少冗长的岁月，她常常哭，可是也很快乐。

爱米丽亚最心爱的东西都在这间小屋子里。她在这儿一心养育儿子，凡是他有什么小灾小病，便仔仔细细给他调理，对他真正是疼爱备至。在儿子身上，她看见了死去的丈夫，只不过儿子比爸爸更好，竟活是在天堂里走了一转回来的乔治。不论在声音、相貌，和动作之中，孩子和父亲相像的地方真多，那寡妇见他这样，往往一时心动神摇，把他紧紧地搂着落下泪来。孩子问她为什么哭，她坦白地告诉他说因为他和父亲长得像。她不断地和儿子谈起死去的爸爸，谈起自己怎么爱丈夫，其实那孩子还是一片混沌，听着什么也不懂。她对儿子说起话来没个完，竟比她对乔治本人或是小时候的心腹朋友说的话还多。当着父母，她这些肺腑里的言语是不肯吐露的。她心里的一片痴情，从来不告诉别人，只有对儿子才倾筐倒箧地说了个罄尽，其实他又何尝比那老两口子了解她的苦处呢？这女人的快乐也近于痛苦，或者可说她的感情过于细腻，只能用眼泪来表达。她那么脆弱，那么多愁善感，也许我根本不该在书里描写她的感觉。配色勒医生（他现在成了个走红的妇科医生，有一辆深绿的自备马车，着实讲究，孟却斯脱广场还有一座房子，而且不久就可以得到爵士的封号）——配色勒医生告诉我说，孩子断奶的时候她难过得摘了心肝似的，只怕连希律[①]见了也觉得不忍。好多年以前，配色勒医生心肠着实软，他的妻子对于爱米丽亚太太妒忌得不得了，一直到后来还吃她的醋。

说不定医生太太并不是没来由吃飞醋，在爱米丽亚的小圈子里，好些女人都有同感；她们看见男人一致向着她，心上老大气不愤。差不多所有和她来往的男人都喜欢她；为什么呢？恐怕连他们自己也说不出所以然来。她并不聪明，口角也不俏皮，也不大懂人情世故，也算不上十分漂亮。可是她不论到哪里，男人们都为她动心，都觉得她可爱，女人们都瞧不起她，不明白她有哪一点儿好。我想她所以招人爱，就是因为她性情软弱。男人们一看她那温柔随和、依头顺脑的样子心就软了，自然而然地乐意保护她。我们已经看见，她在营里的时候，统共只有乔治的几个朋友跟她说过话，可是见过她的小伙子没有一个不愿意舍命为她效力。如今她住在福兰，在她的小圈子里，大家也都喜欢她，关心她。

---

① 《圣经》中残杀婴儿的暴君。

就算她是孟哥太太本人——孟哥太太是托钵僧寺院附近著名的孟哥和泼兰登合营公司的大股东，在福兰又有培养菠萝蜜的温室，十分讲究；她到夏天请吃早饭，连公爵伯爵都来赏光；她在教区坐着大马车来来去去，跟班全穿上华丽的黄色号衣，拉车子的几匹栗毛马儿比开恩新恩皇家马厩里的好马还显得神骏；——我刚才说，就算她是孟哥太太本人，或是她的媳妇玛丽·孟哥太太（她是卡色莫尔迪伯爵的女儿，下嫁给公司老板的），附近的商人也不能对她更加尊敬。温柔的年青寡妇走过他们的铺子，或是进去买一些小东西，他们总是客气得了不得。

不但配色勒医生，连他的助手林登先生也坦白承认愿意为奥斯本太太鞠躬尽瘁。附近一带的女用人和小商人害了病，都请林登医治，大家常常看见他在诊所里看《泰晤士报》。这小伙子很讨人喜欢，在赛特笠太太家里，他比上司更受欢迎，每逢乔杰身上不好，他一天两三回跑去给小家伙治病，从来没想到要收出诊费。他在诊所抽屉里拿了药糖和做清凉散的酸果子等等东西送给小乔杰，给他配的药水，像蜜水儿似的好吃，所以孩子病了反而高兴。乔杰出痧子的时候他的母亲害怕得好像他得了从来没听见过的恶病，在那紧张可怕的一星期里面，林登和他上司配色勒整整两夜没有睡觉。他们为别的病人肯这样尽心竭力吗？菠萝蜜温室的老板的孩子，像拉夫·泼兰登，还有桂多玲·孟哥和桂尼佛·孟哥，也都害过这种小儿常有的病，这两个医生也肯为他们熬夜吗？就拿房东的女儿玛丽·克拉浦来说，她的病还是乔杰传染给她的，他们难道肯为她牺牲睡眠吗？说老实话，他们不肯。至少在玛丽出痧子的时候他们睡得很安心，说她病得不重，不吃药也会好，只给她配了一两次药水，到她病好的时候，随随便便在药里加了些奎宁皮，做做样子。

赛特笠家对面住着一个矮小的法国骑士，在附近各学校里教法文，黄昏时躲在家里拉他那只声音唏哩呼噜的破提琴，弹出来的各种快慢跳舞曲子听上去忒儿伦伦地直抖。这位老先生最讲究礼节，头发里还洒白粉，每逢星期日一定上海默斯密士修院去望弥撒，不论在思想、行动、仪态各方面都和现在常见的法国人大不相同。如今你在扇形连环拱廊遇见的法国人，开出口来就咒骂英国人奸刁，一面抽雪茄烟，一面恶狠狠地对你瞪眼，竟是一大群满面胡须的蛮子。这位特·大朗卢老骑士提到奥斯本太太之前，一定得先把鼻子里的一撮鼻烟吸完了才开口。他斯斯文文地用手一掸，把烟屑拂落干净，撮起五个手指头，放在嘴边先亲一亲，然后撒开手送了一个吻，口里叫道："啊哟！好个妙人儿啊！"他赌神罚誓地说，爱米丽亚走过白朗浦顿的街上，她踩过的地上便会开花。他赶着乔杰叫小爱神，打听他母亲，维纳斯爱情女神，近来好不好？他又对蓓蒂·弗兰妮根说她是女神手下得宠的侍者，也是天上的仙女，把蓓蒂弄得莫名其妙。

像这样的例子多的是，其实爱米丽亚并没有费心思去讨大家喜欢，而且并不知道自己有这样好的人缘。他们一家逢星期天就上本区的教堂去做礼拜，堂里有一个和蔼斯文的副牧师，名叫平尼先生，不断地来拜访爱米。他把孩子抱在身上跟他玩，并且愿意白教他读拉丁文。替他管家的姐姐是个老闺女，看见他这样非常生气。她说："倍尔贝，她这个人是没有什么道理的。那一回她来喝茶，整整一黄昏没开过口。我看她是个没精打采的可怜虫，根本就没有什么感情。你们男人不过是喜欢她的漂亮脸蛋儿罢了。葛立滋小姐有五千镑，还有别的财产，单说性格就比她强一倍，而且照我看起来也比她讨人喜欢。如果她长得好看些，那你就把她当宝贝了。"

看来平尼小姐的话很有些道理。男人全不是好东西，能够使他们动情的可不是漂亮的脸蛋儿吗？一个女人尽管像智慧女神密纳佛一般贞洁和聪明，如果相貌平常，他们再也不去睬她，只要她有了一双水汪汪的眼睛，还愁人家不原谅她的糊涂吗？哪怕是最蠢的女人，只要她嘴唇红，声音娇，也还是显得怪动人的。太太小姐们向来最公正，她们凭上面说的理由，肯定所有的漂亮女人全是傻瓜。唉，小姐们，太太们，你们里面既不聪明也不好看的也多着呢。

以上所记的都是我们的女主角一生中的小节目。敬爱的读者想必早已猜到，她活了半辈子，从来没有什么了不起的经历。如果把乔治出世以后七年里面的经过逐天写下来，也找不出几件事情比刚才说起的痧子事件更加重要。有一天，我刚刚提起的那位平尼牧师竟要求她丢弃了奥斯本的名字，改用他的。爱米丽亚听了这话，大吃一惊。她绯红了脸，含着一包眼泪，抖巍巍地回答说承他关心自己和她可怜的儿子，觉得非常感激。可是除了死去的丈夫，她心上决不能有第二个人。

四月二十五日是结婚纪念日，六月十八日是丈夫的忌辰，每逢这两天她关在房里不出来，专诚纪念死去的亲人。就是在平常日子，她每到晚上躺在孩子的摇篮旁边，也是想着他，花的时间根本就没法估计。到白天，她相当忙碌。她得教乔治读书写字，还教他一点儿图画。她常常给孩子讲故事，所以又得自己看些书。孩子接触到外面的事物之后，眼界慢慢开阔，知识逐渐丰富，她就尽量地教导他崇拜天地万物的主宰，虽然在这方面她自己也懂得有限。每天早晚两次，娘儿两个一起祷告上帝；温柔的母亲全心全意地求上天保佑，儿子刁嘴咬舌地跟着她学，叫人看了又敬畏又感动。我想凡是旁观的人，或是回想到自己小时候这样祷告过的人，没有一个不觉得感动的。他们每次祈祷，总不忘记恳求上帝保佑亲爱的爸爸，口气里好像他还活着，就在那间屋子里。

爱米丽亚一天到晚没有空闲。她每天把这位小少爷收拾得干净整齐，早饭前送他出去呼吸新鲜空气，外公也借此有个推托，可以不去"办公"。她又得别出心裁给儿子做几件漂亮的衣服，既然要俭省，便把自己新婚的时候所有的好衣服都剪开来给他改做，反正她自己只穿一件黑褂子，头上戴一顶系黑带子的草帽。她的母亲因此很不高兴，因为老太太是喜欢颜色衣服的，穷了以后更喜欢花哨的打扮。除了这些事情之外，她还得挤出时间服侍父母。她费力劳神地学会了玩叶子戏，每逢父亲不到俱乐部去，她就一黄昏陪他斗牌。他爱听唱歌的时候她就唱——爱听唱歌是个好现象，因为他听到一半总是舒舒服服地睡着了。他的信呀，说明书呀，计划书呀，章程呀，多得没个了结，都要她起稿子和誊写。老先生从前的老朋友收到的通知，说他现在是无灰黑金刚钻煤公司的代理人，朋友们或一般人需要品质最上乘的煤，可以由他经手购买，价格是每考德隆[①]多少先令，这通知也是她的笔迹。赛特笠本人不过在传单上签个花名，然后再用他那抖巍巍的书记字开了地址寄出去。都宾少佐也收到一张，是他代理人考克恩和格里恩乌德转给他的。当时少佐

---

① 英国已经废除的度量衡名，用来量煤及石灰等物。

正在玛德拉斯，用不着煤，不过传单上的笔迹是认得出来的。天啊！他只要能把写传单的小手握在自己手里，什么代价都愿意付。过了不久，少佐又收到一张传单，上面说：约·赛特笠股份公司已在波尔多、奥泊图、圣·玛丽各地设立代办处，经销名贵葡萄酒、雪利酒、红酒，价格公道，如蒙诸亲好友以及各界人仕惠顾，本公司当予以各种便利。都宾得到这点暗示，狠命地运动当地的总督、司令、法官，还有军队里的人，都去定酒，反正是行政区里所有的熟人没漏掉一个。他写信到赛特笠股份公司里去定酒，那数量大得连赛特笠先生和克拉浦先生（他便是所谓的"股份公司"）都大出意外。可怜的赛特笠老头儿走了这步突如其来的好运，原想在市中心造一所办公厅，雇一群书记，另外辟一个私人码头，并且计划在世界各地设立经销处。可惜好景不常，从此没有接到第二批买卖。老先生已经失去了辨别酒味的能力，军队里的人喝到不能下咽的下等劣酒，大家咒骂经手买酒的都宾少佐。他只好出钱买了好些回来，重新拍卖出去，损失了一大笔钱。那时乔斯已经升到加尔各答税务委员会的委员。他父亲寄给他一卷推销货色的传单，另外附上一封私信，说是他在这次买卖之中打算靠他帮忙，已经运出一批好酒，凭发票取货，请他照数将账单付清。乔斯·赛特笠是在税务委员会做事的，给人家知道他父亲是到处兜销货色的酒商，岂不是像做了贾克·开去[①]一样地丢脸吗？所以他十分轻蔑地拒绝付款，同时写了一封很厉害的信给父亲，叫他不许多管闲事。遭到拒绝的发票退回原处，赛特笠股份公司只得收下来。所有的亏空，只好把玛德拉斯一注买卖上得来的利润和爱米的一部分存款填进去弥补。

爱米一年有五十镑的抚恤金。除此以外，她丈夫的遗嘱执行人说，

---

① 贾克·开去（Jack Ketch），1686 年死，是当时的剑子手，出名地残暴，也有人说他当剑子手的技巧拙劣，所以在他手里受刑的人格外受苦。他的名字现在泛指一切官家的剑子手。

奥斯本去世的时候，他代理人手上还有五百镑一注存款。都宾以小乔治保护人的资格，提议把这笔钱存在一家印度商行的分公司里，每年有八分的利钱好拿。赛特笠先生以为少佐对于这笔钱有些不老实的打算，竭力反对，甚至亲自到代理人那里禁止他们用这种方式投资。一问之下，倒使他吃了一惊，原来代理人手上并没有这么一笔钱，他们说上尉剩下的钱不满一百镑，这五百镑想来是另外的一笔钱，详细情形只有都宾少佐知道。这么一来，赛特笠老头儿更相信这里面有些不正当的把戏，便去追问少佐。他拿出爱米近亲的资格，很强硬地要求调查奥斯本上尉从前的账目。他见都宾脸红口吃，一副为难的样子，更断定他不是好人。照他自己的说法，他对那军官发作起来，说的话非常厉害，直截了当地责备他非法侵占了女婿的财产。

都宾听了这话，再也耐不住了。他们原在斯洛德咖啡馆里谈话，都宾不看对手又老又弱，准会跟他闹翻。他刁嘴咬舌地说道："请到楼上来，我一定要你到楼上来，我要你看看明白究竟谁吃了亏，是我还是可怜的乔治。"他把老头儿拉到楼上他的卧房里，从抽屉里拿出奥斯本的账目和一叠债券，——说句公道话，奥斯本欠了债，从来没有赖着不出债券。都宾接着说道："在英国欠的账他算付清了，可是临死剩下的钱还不满一百镑。我和一两个别的军官倾其所有，凑足这个数目，而你竟说我们企图诓骗寡妇孤儿的钱。"赛特笠听了这话，又惭愧又懊恼。事实上，都宾对老头儿撒了一个大谎，他不但葬了乔治，付了爱米丽亚的医药费和路费，并且所有的五百镑全是他一个人拿出来的。

关于这些费用，奥斯本老头儿从来没有想到，不但是他，爱米丽亚家里别的亲戚，甚至于连她本人，也没有想到。她相信都宾上尉，当他是个会计，他的一笔账虽然十分混乱，她却不起疑心，并没有知道自己欠了他这么些钱。

她很守信用，一年写两三封信到玛德拉斯给他，说来说去全是关于乔杰的消息。他把这些信当宝贝似的藏起来。爱米丽亚写了信，他立刻就回，可是从来不先写。他不断地送礼给她和干儿子。他从中国寄回来一匣围巾和一副象牙棋子：兵卒是绿色和白色的小人儿，手里拿着真的剑和盾牌；武士骑在马上；城堡装在象背上。配色勒先生说："孟哥太太的一副也没有这样精致呢。"象棋是乔杰的宝贝，他生平第一封信便是写给他干爹向他道谢。都宾还寄来许多蜜饯、酸辣菜等等食品，这位小爷开了壁橱偷吃，差点儿没送了命。这些东西辣得要命，他以为上帝因为他偷嘴，所以罚他。爱米写信给少佐报告这次不幸的事件，写得很幽默。少佐看她精神逐渐复原，居然能说说笑话，心里很高兴。他又送来两条披肩，白的一条给她，黑的一条有棕榈叶花纹的给她母亲；另外有两条红围脖，送给赛特笠老先生和乔杰冬天里戴。赛特笠太太知道披肩至少值五十基尼一条。她围上披肩，盛装走到白朗浦顿教堂去做礼拜，所有的女朋友都来祝贺她，夸奖这条披肩富丽。赛特笠太太对克拉浦太太和一切白朗浦顿的朋友说："可惜爱米不要他。乔斯从来不肯送我们这样贵重的礼。我知道，他嫌着我们娘儿，什么都不愿意多给。谁都看得出，少佐一片痴心恋着她，可是只要我提了一声，她就红着脸，眼泪鼻涕地跑到楼上对着那相片儿发愣。我一看见那相片儿就讨厌。奥斯本一家全可恶，有了钱就骄傲得了不得，碰见这种人，也算我们倒霉。"

由此可见乔治小时候的环境很寒酸，四周围的人也都上不得台盘。这孩子身体单薄，脾气骄横，而且很神经质，又因为从小受了女人的调教，有些妞儿气。他热烈地爱他那温柔的妈妈，可是对她非常任性。在他小天地里的人都得听他指挥。他渐渐长大，态度倨傲，和父亲越长越像，引得大人们又惊又叹。他像所有好奇的孩子一样，不论看见什么东西都要问个透彻。他外公觉得他说的话和问的问题着实深奥，心里敬服，于是老是在酒店里讲小家伙怎么有学问有天才，把俱乐部里的人闷得难受。乔治对于外婆很冷淡，不过倒也不和她计较，他四周围的人认为他真是世上无双，他自己反正和他父亲一般骄傲，大约觉得他们的意见很准确。

从他六岁那年起，都宾常常写信给他。少佐问他几时上学，希望他在学校里好好读书；如果不上学校，也得在家请个出色的私人教师。他已经到了受教育的年龄，他的干爹兼保护人表示愿意替孩子付教育费，因为爱米丽亚的进款那么少，这项费用是极难负担的。总之，少佐时刻想着爱米丽亚和她的孩子，委托代理人不时送东西给乔治，像图画书、图画盒、书台等等，一切娱乐用品教育用品，应有尽有。乔治六岁生日前三天，一位先生带着用人坐着小马车来到赛特笠先生家里，指名儿要见乔治·奥斯本少爷。他是刚特衣街军装铺的吴尔西先生，奉少佐的命令来给小少爷量尺寸做衣服。在从前，小少爷的爸爸奥斯本上尉一向光顾他的铺子的。有时候少佐的两个妹妹坐着自备马车来看他们，说是很欢迎爱米丽亚娘儿一块儿出去兜风，看来也是少佐的意思。两位小姐十分周到，那倚老卖老的态度使爱米丽亚非常不自在，可是她性情随和，什么都肯忍耐下去，再说马车上的装潢又好看，小乔治对它十分醉心。她们两位偶然也要求带孩子到她们家里玩一天；她们住在丹麦山一所漂亮的花园住宅里，暖室里有好葡萄，墙边结着桃子，乔治非常爱去。

有一天，承她们好意，给爱米丽亚带了消息来。她们说这消息非常有意思，是关于她们亲爱的威廉的，爱米丽亚听了准会觉得高兴。

她乐得眼睛都亮了，问道："什么消息？他要回家了吗？"

不是，绝对不是！看来亲爱的威廉快要结婚了，那位小姐是爱米丽亚的好朋友的亲戚，就是奥多爵士的妹妹葛萝薇娜·奥多。当年奥多夫妇驻在玛德拉斯，她就住到嫂子家里去了。据说人人都称赞她相貌漂亮，而且多才多艺。

爱米丽亚说："哦！"表示她非常高兴。她说葛萝薇娜和她的老朋友奥多一点不像，奥多上校人是十分忠厚的；总而言之，她真的非常高兴。不知为什么，她情不自禁地一把抱起乔治来，满心疼爱地吻着他。她把孩子放下地来的时候，眼圈儿都红了，一路上她始终没有开口——不过她真的非常高兴。

# 第三十九章　说些看破世情的话

现在我们应该稍微谈谈汉泊郡几个熟人的近况了。有钱的姑妈那份遗产分配的结果，真叫他们大失所望。别德·克劳莱本来指望姐姐传给他三万镑，结果只到手五千镑，真像当头一棍。这五千镑钱付了他自己的和杰姆（就是在大学读书的儿子）的积欠，也就所余无几。四个丑女儿的嫁妆还是少得可怜。别德太太从前那蛮横霸道的行径把丈夫害得不浅，不过她本人无从知道，至少在表面上她死也不肯认错。她赌神罚誓地说，凡是女人所能做到的，她都已经尽力做过了。她不会像那个假道学毕脱·克劳莱那么拍马屁，难道是她的错处吗？毕脱的钱财来路不正，如果他应该享这样的福气，就让他享吧。她宽宏大量地说道："不管怎样，钱还在自己家里。亲爱的，毕脱不会把钱花掉，那准没有错。全英国找不出他那样的守财奴。他和他那乱花钱的弟弟，那该死的罗登，一样可恶，不过方式不同而已。"

第一阵的气恼和失望过去之后，别德太太眼见自己家里运气不济，只得适应环境，竭力紧缩节省。她教导女孩儿们应该乐天安贫；她自己是会当家的主妇，想出各种各样的方法来遮掩和躲避贫穷。她不时带她们到附近的跳舞会和公共场所去露面，那努力不懈的精神真正了不起。不但这样，她还请朋友们到她家里款待，做出非常好客的样子，花钱着实阔绰。从前有希望得克劳莱小姐遗产的时候，请客的次数倒要少得多。从别德太太的行事来看，没有人猜得出他们的希望落了空。她不断地在外面出头露面，别人再想不到她在家怎么克扣挨饿。她的女儿们在衣着方面也比以前讲究。她们不断参加温却斯德和沙乌撒泼顿的集会，卡吴思的赛马跳舞会和赛船期间的各种宴乐，也有她们的份。家里的马车，叫耕田的马儿拉着，很少有闲着的时候，到后来外面的人将信将疑，以为姑妈当真留了遗产给这四个侄女儿了。他们一家在大庭广众提起克劳莱小姐，总是恭而敬之，表示感激她，舍不得她。照我看来，名利场上一切不老实的张致，再没有比装场面摆阔更普遍的了。这些人还要自鸣得意，以为能够把自己家里实在的经济情形隐瞒起来，就算德行超群，值得大家赞扬。

别德太太就自以为是全英国少见的贤德妇人。不知内幕的陌生人瞧着她的幸福家庭，一定觉得感动。他们家里的人又有教育，待人又直爽，而且相亲相爱，那空气是融洽极了。玛莎画的花儿十分精美，区里所有的义卖会，倒有一半出卖她的作品。爱玛是区里的夜莺，"汉泊郡电讯"上诗人的园地里，她的诗歌占着光荣的地位。范尼和玛蒂尔达表演双人合唱，由妈妈弹琴，另外的两姊妹彼此勾着腰，亲亲热热地坐在旁边听。没人看见可怜的姑娘们私底下怎么在琴上用功，做妈妈的怎么一小时一小时毫不放松地给她们练习。总而言之，别德太太是个贤慧的女人，会装门面，在外场上敷衍得很像样。

凡是顾体统尽责任的好母亲能尽力的地方，别德太太都尽过力了。她从沙乌撒泼顿请了乘快艇出来取乐的游客，从温却斯德教堂围场请了牧师，从军营里请了军官，在家款待他们。法院开庭的时候她想法勾引年轻律师到她家里去，又怂恿杰姆把他那几个一起打猎的朋友请回来，为了亲爱的女儿们，做母亲的有什么事不肯干呢？

这样的女人，和大房子里那个混帐的大伯显然是格格不入的。别德和他哥哥毕脱爵士已经完全决绝；不但他，全区的人都认为老头儿失尽体统，没有人愿意和他来往。他越老越不喜欢相与上等人，自从毕脱和吉恩夫人结婚后回来见过礼之后，有身份人家的马车就没有进过大厦的门。

见礼的一天弄得十分尴尬，结果不欢而散。他们家里的人想起来就忍不住打寒颤。毕脱面无人色地恳求他妻子再不要提起这件事。若不是别德太太还像从前似的把大厦里的动静都打听得一清二楚，毕脱爵士接待儿子媳妇的情形根本不会有人知道。

他们那设备完美装潢富丽的马车走过园地的时候，毕脱发现树林子里面有好多空隙，原来从男爵竟自作主张把好些树木（儿子的树木）都斫下来了，毕脱看了又惊又气。园地上好久没人收拾，一片荒凉。跑道也没有修好，漂亮的马车在一汪子一汪子的泥水里东倒西歪地走，弄得污水四溅。平台前面的大转角和通平台的石级颜色污黑，长满了青苔，原来很整齐的花床里密密麻麻长着野草。屋子前面的百叶窗差不多全都关着，拉了半天门铃，霍洛克斯才来开门，把女王的克劳莱的承继人和他新妇让到祖宗房子里去。他们一踏进门，就看见一个系缎带的女人沿着黑橡木的楼梯一溜烟飞跑上去。霍洛克斯引着毕脱夫妇向毕脱爵士名义上的"书房"那边走。他们走近书房，板烟味儿就越来越重。霍洛克斯道歉似的说道："毕脱爵士身体不好。"接着又说他主人犯了腰痛。

书房的窗户正对园地和跑道，毕脱爵士开了一扇窗，正在向车夫和毕脱的用人大声嚷嚷，这两个人大概在把行李从车上搬下来。

他手里拿着烟斗，指着他们嚷道："别把箱子拿下来。脱格，你这糊涂东西，他们不过来看看我，就要走的。哎哟！右边那匹马的蹄子裂了好几个口子，怎么国王的脑袋酒店里也没人给它擦一擦？毕脱，好哇？亲爱的，好哇？来看看老头儿，是不是？天哪，你长得真好看。你妈绷着一张长脸，跟你一点儿不像。好孩子，乖乖地过来亲亲毕脱老头儿。"

这一吻吻得媳妇手足无措起来。一则老头儿没有剃胡子，二则他一股子板烟臭，怪不得她为难。幸亏她想起哥哥莎吴塞唐也留胡子，也抽雪茄烟，面子上没有露出不欢喜的样子。

从男爵跟媳妇亲热过以后，便道："毕脱长胖了。亲爱的，他可常常对你唠唠叨叨地讲道吗？第一百首圣诗，晚祷赞美诗，哈哈，毕脱，对不对？霍洛克斯，你这个呆子，别站在这儿像肥猪那么白瞪着眼，快去斟杯葡萄酒来请吉恩夫人喝，再拿一个饼来。不过我不留你住了，亲爱的。你在这儿也闷得慌。就拿我来说吧，凡是名叫毕脱的人都叫我觉得腻烦。我老了，有我自己的习惯，晚上爱抽袋烟，下下棋。"

吉恩夫人笑道："我也会下。我和我爸爸，和克劳莱小姐，都玩过的。对不对，克劳莱先生？"

毕脱目无下尘地答道："您所喜欢的那种游戏，吉恩夫人也会玩。"

"话是这样说，她不会住下来的。不必了，不必了，你们还是回到墨特白莱去住旅馆，让林色太太赚几个钱吧。要不，就上牧师家里去，叫别德请你们吃饭。他一定欢迎。你把老婆子的钱抢过来了，他心里感激得很呢。哈，哈！到我死了你得拿些钱出来修理这房子。"

毕脱提高声音说道："我发现您的用人们快要把木材都斫光了。"

毕脱爵士忽然成了聋子，说："不错，不错，天气好，时令也对。

可是呀，毕脱，我老了。求老天保佑你，你也是快五十的人了。漂亮的吉恩夫人，他看着不显老，是不是？因为他敬天敬神，不喝酒，不荒唐。瞧我，我快八十了。嘻，嘻！"他笑着，吸了一撮鼻烟，也斜着眼睛看看她，又捏捏她的手。

毕脱重新提到木材的事情，从男爵立刻又成了聋子。

"我老得不成了。今年的腰痛发得好厉害。我是活不长的了。媳妇啊，你来了我很高兴。我喜欢你的相貌，平葛家的人全是一脸大骨头，我顶不爱看，好在你不像他们。亲爱的，让我给你点儿好看的首饰，进宫的时候好戴。"他拐着腿穿过房间，在壁橱里拿出一只很旧的小盒子，里面的珠宝还值几个钱。他说："这个给你，亲爱的。这些本来是我母亲的东西，后来给了第一个克劳莱夫人。这些珠子好看得很，我没肯把它给那铁器商人的女儿。不，不，你别客气了，赶快把匣子收起来！"他一面说，一面把盒子塞在媳妇手里，将壁橱砰的一声关上，那时恰好霍洛克斯托着一盘茶点进来。

毕脱和吉恩夫人辞别回家以后，系缎带的姑娘质问他道："你把什么东西送给毕脱老婆的？"她就是用人头儿的女儿霍洛克斯姑娘。区里面多少飞短流长都因她而起。如今她在女王的克劳莱大厦差不多是独当一面。

这缎带姑娘一朝发迹的经过，使区里的人和家里的人都觉得骇然。缎带在墨特白莱储蓄银行分行立了存折。缎带把用人们公用的小马车霸占过来，独自坐着上教堂做礼拜。家里用人有不中她的意的都歇了生意。那苏格兰花匠本来不想走；各个暖房里和墙上全长着他种的果子，他自己看了着实得意。靠着有个花园经营经营，把出产的果子菜蔬在沙乌撒泼顿出卖，他倒也很能过日子。一天早晨，太阳很好，他发现缎带在南墙旁边吃他的桃子；他说桃子是他的，不准她吃，便和她争论起来，结果脸上着了几个嘴巴子。在女王的克劳莱，成体统的人只剩他和他的苏格兰女人跟苏格兰孩子，如今他们只得带着自己的家具什物搬出去。这座又雄壮又舒服的大花园就此满目荒凉，花床也弄得一团糟。可怜的克劳莱夫人的玫瑰花圃只剩下一片野草，萧条得可怜。下房里清灰冷火，只剩两三个用人在里面打寒噤。马房和家务室里空落落的，都关了起来，而且一半已经稀破的了。毕脱爵士不见外人，到黄昏和他的用人头儿霍洛克斯——现在称大总管——和那不要脸的缎带姑娘一块儿喝酒。缎带从前只好搭着货车到墨特白莱去，见了做小买卖的还得称他们"先生"，她的今昔真正是大不相同。女王的克劳莱大厦的老头儿谁都瞧不上眼，难得走出大门，不知道是他自己脸上下不来，还是本来懒得跟街坊邻舍周旋。他和所有的代理人都拌过嘴，所以只好亲手写信去勒掯佃户。他一天到晚忙着写信。律师和农场上的总管有事情和他商量，也必须经过缎带。管家娘子的屋子正对着后门，这些人从后门进来，她就在管家娘子屋子门前接见他们。这样，从男爵的困难一天比一天多，事情弄得一团糟。

毕脱·克劳莱是个品行端方的守礼君子，听见父亲这么糊涂荒唐，心里那份气恼也就不消说了。他每天担惊受怕，唯恐缎带成了他第二个合法的后娘。那一次回家见礼以后，他从此没有再回老家。在毕脱高尚文雅的家庭里，大家从来不提他父亲的名字。这是不可外扬的家丑，家里所有的人都吓得不敢多嘴。莎吴塞唐伯爵夫人每逢有邮车下乡便寄一包传教册子给老头儿，从来不脱一班。这些小册子写得惊心动魄，你看了准会吓得头发一根根掉下来。牧师住宅里的别德太太每夜出来巡查，看看榆树顶上的天空中有没有红光，生怕榆树后面的大房子失火。杰·活泊夏脱爵士和赫·弗特尔斯顿爵士本来是克劳莱家里的老朋友，如今治安推事定期会议开会的时候竟拒绝和毕脱爵士同时列席。他们在沙乌撒泼顿大街上看见这无赖的老头子伸出肮脏的手来和他们招呼，睬也不睬他。老头儿什么都不在乎，只把手插在口袋里算了。他一面爬到大马车里坐下来，一面哈哈大笑。他嘲笑莎吴塞唐夫人的小册子，嘲笑自己的两个儿子，嘲笑所有的人。缎带生气的时候（她时常生气）他也嘲笑缎带。

霍洛克斯小姐成了女王的克劳莱大厦的管家娘子，对用人们神气活现，而且非常苛刻。她吩咐所有的下人都叫她"太太"，家里有一个小丫头，一心指望能够高升，口口声声称她"爵士夫人"，管家娘子听了倒也不责备她。霍洛克斯小姐听得手底下的人奉承她，只说："海丝德，比我强的太太固然是有的，不如我的也不少哩。"她大权在握，除了父亲之外，其余的人都得听她指挥。就是对父亲，她也傲头傲脑，她说她将来要做从男爵的太太，她爹不能对她太随便。她还扮演尊贵的爵士夫人，结果她自己很满意，毕脱爵士只觉得滑稽。他看她装模作样，便嘻嘻地笑起来。有时候她摆足架子，学着时髦太太的气派，乐得那老头儿一笑就笑个把钟头。他赌神罚誓，说是瞧着她扮演上等太太竟比看戏还有趣。他叫她穿上第一位克劳莱夫人进宫觐见的礼服，发誓说她穿着这衣裳漂亮得了不得，这句话，霍洛克斯小姐听了完全同意。老头儿又吓唬她，说要带她坐着马车，赶着四匹马立刻到宫里去。两位死去的太太穿过的旧东西都给她翻腾出来，漂亮些的衣服给她剪的剪，撕的撕，照着她的身材重做，那式样也改得合她的脾胃。她未尝不想把她们的珠宝首饰也接收过来，无奈从男爵老头儿把它们都锁在私人的小橱子里，随她甜言蜜语，再也不肯把钥匙交出来。告诉你句真话，这位姑娘离开女王的克劳莱大厦之后，还留下一本习字帖，足见她在下苦功练字。她对于自己的签名尤其练得认真，写了好多"克劳莱夫人""蓓翠·霍洛克斯夫人""伊丽莎白·克劳莱夫人"等等。

牧师住宅里那几位贤德好人从来不到大房子里去，看见那讨人厌的老糊涂躲着不理他，可是那里发生的事情他们却没有一件不知道，天天防备着大祸临头。霍洛克斯小姐本人急煎煎地巴不得这件事快快成功，只可惜天地造化也妒忌她，像她这样贤淑贞静，用情专一，偏不给她应得的酬报。从男爵老是打趣着称她"太太"。有一天，他冷不防走到客厅里，看见她正颜厉色地坐在那架走了音的旧钢琴前面（这钢琴自从利蓓加在上面弹过跳舞曲子之后差不多没有人碰过），嘴里哇呀哇呀地乱嚷。原来她也听过别人唱歌，正在竭力模仿。那指望她提拔的洗碗小丫头站在旁边听得高兴，摇头摆脑地说："天老爷！唱得真好听啊，太太！"那腔调和上流社会里的高等蔑片不相上下。

从男爵看了，和平常一样高兴得哈哈大笑。那天黄昏他把这件事讲给霍洛克斯听，形容了十几遍，惹得霍洛克斯姑娘脸上羞答答的下不

来。老头儿把桌子权当钢琴，十个指头在桌面上乱弹，口里学她那样大叫大嚷。他赌神罚誓地说这样悦耳的声音值得好好训练，应该去请些唱歌教师来教导她，她听了这话也并不觉得有什么可笑的地方。那一夜，他兴高采烈，和他的朋友那用人头儿一起喝了不知多少搀水的甜酒。直到夜深，他那忠心的用人，又是他的好朋友，才扶他去睡。

半小时之后，屋子里忽然乱哄哄地忙碌起来。这所大房子往常十分冷落，动用的只有两三间屋子，那天晚上却见一个个窗口都射出灯光来。不久，打杂的小厮骑上小马急急地到墨特白莱去请医生。再过了一小时，别德·克劳莱太太穿了厚底靴，裹着包头巾，和别德·克劳莱牧师，还有她儿子詹姆士·克劳莱，一起从牧师住宅穿过花园，从大门进来，由此可见这位了不起的太太把大房子里的事情打听得多么仔细。

他们穿过大厅和装了橡木护壁板的小客厅（小客厅的桌子上还摆着毕脱爵士他们喝酒用的三只空酒杯和空的甜酒瓶子），一直走到毕脱爵士的书房里，可可地碰见那不干不净的缎带姑娘，霍洛克斯小姐。她拿着一把钥匙，手忙脚乱，正在把书桌和柜子打开来，一回头看见别德太太戴着黑包头，底下一双眼睛亮湛湛地瞪着她，吓得哇的一声尖叫起来，一把钥匙都掉在地下。

别德太太指着做贼心虚的黑眼睛姑娘大声说道："詹姆士·克劳莱先生，你们瞧她！"

霍洛克斯姑娘叫道："他给我的，是他给我的！"

别德太太尖声嚷道·"你这不要脸的东西，还敢说是他给你的！克劳莱先生，你是证人，咱们明明看见这个不成材的女人在偷你哥哥的东西，这是要处绞刑的，我老早就说她一定不得好死。"

这一下把蓓翠·霍洛克斯吓坏了，跪在地下呜呜地哭起来。真正大贤大德的女人一旦看见冤家倒了楣，那真正是从心窝里乐出来，决不肯

随便饶他，这个道理凡是认得贤德妇人的大约都明白。

别德太太说："詹姆士，打铃把屋里所有的人全叫来，他们会齐以前不要停手。"铃声当啷当啷地响着，冷清清的大房子里本来只有三四个用人，都赶来了。

别德太太说："把这女人关起来！我们亲眼看见她在偷毕脱爵士的东西。克劳莱先生，写一张正式逮捕她的公文。贝多士，明天早上你坐着那小车子把她送到沙乌撒泼顿监牢里去。"

牧师是区里的行政长官，他插嘴道："亲爱的，她不过——"

别德太太跺着厚底鞋嚷道："怎么没有手铐？从前这儿不是有手铐吗？她那该死的爸爸哪儿去了？"

可怜的蓓翠哭道："是他给我的。不信你们问海丝德。海丝德，你看见毕脱爵士——你明明看见的——他给我的，——还是好久以前的事，——墨特白莱赶集以后第二天他给我的。我又没问他要。如果你们说不是我的，就拿去得了。"那可怜东西说到这里，从口袋里掏出一副很大的水钻鞋扣。这副鞋扣本来在书房的书橱里，她看着喜欢，刚从橱里拿出来。

海丝德，那指望高升的洗碗丫头，忙道："哟，蓓翠，你真是坏了心肠胡诌。当着又好心又慈悲的克劳莱太太，还有牧师先生（说到这里她行了个屈膝礼），亏你怎么撒起谎来了？太太，您请搜我的箱子，这儿是我的钥匙，您拿着。我家虽然苦，我也是在慈善堂里长大的，可是我老老实实的不偷东西。你呀，蓓翠，挑了那么多衣裳。我如果拿了一丁点儿的花边和丝袜子，那我就永世不得上教堂！"

戴包头的贤慧女人咬着牙骂道："你这钝皮老脸的死丫头，把钥匙给我。"

"蜡烛在这儿，太太，倘若您要我领路的话，太太，我可以带着您到她屋里去，太太，还有管家娘子屋里那口柜子，太太，她在里头藏了好些好些东西，太太。"热心的海丝德一面说，一面没命地弯腰屈膝，对别德太太行礼。

"你还是闭着你那嘴好些。那东西住在哪儿我知道得清楚着呢。白朗太太，请你跟着我来。贝多士，好好儿看住那女的。"别德太太一面说话，一面拿起蜡烛来——"克劳莱先生，我看你还是到楼上去瞧瞧，别叫他们把你那作孽的哥哥治死了。"裹包头的太太叫白朗太太跟着，一直走到霍洛克斯姑娘的屋子里去，——她说得不错，那女人住在哪儿她知道得清楚着呢。

别德走到楼上，看见医生已经从墨特白莱赶来了。毕脱爵士坐在椅子里，霍洛克斯战战兢兢地弯着腰服侍他。他们正在想法子给毕脱·克劳莱爵士放血。

牧师太太发号施令，不但在从男爵身旁守了一夜，而且一早就送了一封快信给毕脱·克劳莱先生。老头儿已经回过来一些；他不会说话，不过似乎见了人还认得清。别德太太十分坚决，守在他床旁边不走。这矮个子女人竟好像不需要睡觉的，一双亮澄澄的黑眼睛整整一夜不曾合过一次，倒是那医生睡在圈椅里打呼噜。霍洛克斯着急起来，竭力想要维持原来的权力，给他主子撑腰。结果挨了别德太太一顿骂，说他是个不成材的酒鬼，叫他再也别在这屋里露脸，要不然也会像他那该死的女儿一样，当犯人一样发配出去。

他瞧着别德太太凶恶，心里也害怕，偷偷地溜到楼下的小客厅里，顶头遇见詹姆士先生。詹姆士把酒瓶倒了一倒，发现里面没有酒，便叫霍洛克斯再去拿一瓶甜酒来。霍洛克斯添了酒，又换上干净酒杯。牧师父子俩坐着，叫他放下钥匙立刻滚蛋。那用人见势头不好，泄了气，只得把钥匙交出来，当晚和女儿两个悄悄地溜之大吉，不敢再盘踞在女王的克劳莱大厦了。

# 第四十章　蓓基正式进了家门

克劳莱家的嗣子在出事以后不久便回家了，从此之后，他就成了女王的克劳莱的一家之主。上了年纪的从男爵虽然又活了好几个月，可是言语不清，脑子也糊涂了，庄地上一切事务，便由大儿子接手管理。毕脱发现情形很古怪。毕脱爵士老是把产业买进来典出去；他有二十个办事人，然而和他们个个拌过嘴。他又和佃户们吵架打官司；又和律师打官司；他是开矿公司造船公司的股东，于是和这些公司也打官司。总之，凡是和他打过交道的人都和他有法律纠纷。这些困难和庄地上的种种纠葛，的确需要像本浦聂格尔的外交官那样有条有理、百折不回的人来解决。他接手之后，便孜孜不倦地办起事来。他全家搬到女王的克劳莱大厦住下，莎吴塞唐伯爵夫人当然也跟着来了。她开始在教区里进行工作，就在牧师眼皮底下传她自己的教，还把她那些未经批准的牧师们也带到乡里来，不由得叫别德太太又惊又气。女王的克劳莱教区的牧师职位，毕脱爵士还没有和人订约出卖，伯爵夫人准备等到别德死后位子一空出来就自己接手，把她手下一个年轻小伙子安插进去。毕脱的外交手腕很高明，对于这事不置可否。

别德太太并没有实行她对蓓翠·霍洛克斯小姐的威吓，因此那位姑娘也没有到沙乌撒泼顿去坐监牢。他们父女离开大厦之后，父亲就接办了村子里的克劳莱纹章酒店，因为毕脱爵士以前曾经和他订过租约。这个用人头儿又在本地买下一小块地，因此得了选举权。除他之外牧师也有一票，再搭上另外的四票，算是本区的主要代表，女王的克劳莱在国会一共占两席，全靠他们选举。

牧师住宅里和大房子里的女眷们表面上不错礼节，至少在年轻人之间还维持面子，只有别德太太和莎吴塞唐夫人见面就勾心斗角地闹，渐渐不来往了。每逢牧师家里的太太姑娘们到大房子里来做客，她夫人就躲在房里不露面。毕脱偶然能够不跟丈母娘见面，倒也并不以为憾事。他相信平葛一家是全世界最聪明、最有意思、最了不起的旧世家，向来肯受他姨妈那位伯爵夫人的辖治，可是有时也嫌她太专制。给人家当作年轻小伙子自然是差强人意的事，不过自己究竟是四十六岁的人了，还给当孩子一样对待，岂不伤了体面？吉恩夫人什么都让母亲做主。她只能在私底下疼疼孩子，还亏得莎吴塞唐夫人事情忙，又要跟牧师们开会，又要和分散在非洲、亚洲、澳洲的传教士通信，得费掉好多时间，因此很少余暇照料外孙女玛蒂尔达和外孙子毕脱·克劳莱小少爷。毕脱小少爷身体不好，莎吴塞唐夫人不知给他吃了多少服轻粉，才算保住了他的小命儿。

　　毕脱爵士眼前动用的屋子，就是从前克劳莱太太死在里面的那几间；指望高升的海丝德姑娘勤快专心地伺候着他。谁能够像重金聘来的看护那么赤心忠胆？她们替病人拍枕头，调藕粉，半夜起来服侍，忍受病人咕唧抱怨，看着门外的好太阳也不想出去玩。她们甘心把椅子当床，一日三餐一个人独吃，到黄昏守着壁炉里的火炭儿，给病人烧汤煮水。她们整整一星期翻来覆去看一张周刊，一年来所能读到的书籍只有像《人之天职》和《法律——终身的事业》这一类的作品。她们的亲戚朋友一星期来看她一回，有的时候在衣服篮子里夹带了一小瓶杜松子酒回去，我们发现了还要责骂她们。太太小姐们，男人里面有谁能够整整一年伺候爱人而不变初衷呢？一个看护忠忠心心伺候病人，一季不过拿十镑钱薪水，我们还觉得出的价钱太高。海丝德小姐专心服侍克劳莱先生的父亲从男爵，每季工钱只有五镑，克劳莱先生还唠叨个不完呢。

有太阳的日子，海丝德服侍老头儿坐在轮椅里，把他推到平台上去；这轮椅原是克劳莱小姐在布拉依顿用的，这一回和莎吴塞唐夫人的家具什物一起运到女王的克劳莱来了。吉恩夫人时常跟着轮椅散步。谁也看得出来老头儿非常喜欢她，见她进来就笑嘻嘻地连连点头，见她出去又哼哼唧唧地表示不愿意，到门一关上，更忍不住呜呜地哭起来。海丝德在太太面前十分恭顺温和，一转背就换一副嘴脸。她握着拳头对老头儿做鬼脸，嚷道："不准闹，你这老糊涂蛋！"她明知他爱看炉里的火，却偏偏把轮椅从火炉旁边推开，逗得那老头儿哭得格外伤心。他七十多年来使心用计和人竞争；又爱喝酒，胡闹；不管做什么事，只为自身打算，到末了变成了一个哼哼唧唧的白痴，连穿衣、吃饭、睡觉、洗刷，都像孩子似的必须仰仗别人。

终究有一天看护的责任完了。一天清晨，毕脱·克劳莱正在书房里查看总管们的账目，听见有人轻轻敲门，接着就见海丝德走进来屈膝行了一个礼，说："您请听，毕脱爵士，毕脱爵士今儿早上死了，毕脱爵士。我正在替他烤面包，毕脱爵士，预备给他过稀饭的，毕脱爵士，他每天早上六点钟吃早饭，毕脱爵士，后来——我仿佛听得他哼哼，毕脱爵士，后来——后来——后来——"她又屈膝行了一礼。

毕脱的苍白脸皮为什么忽然变红了？恐怕是因为他终究做了毕脱爵士，又是国会议员，将来还能享受尊荣显贵的缘故。他想道："现在我可以用现钱把庄地上的债务都了结清楚。"一面很快地计算了一下，看田地上究竟有多少负担，有多少地方需要改善。起先他不敢动用姑妈的遗产，因为怕毕脱爵士万一复原，这些花费就等于白填了馅了。

大房子里和牧师住宅所有的百叶窗都关起来；教堂里打起丧钟来；圣坛上铺了黑布；别德·克劳莱没有参加赛马会，只在弗特尔斯顿家里静静地吃了一餐饭，饭后一面喝葡萄酒，一面谈论死去的哥哥和新接位的毕脱爵士。蓓翠姑娘那时已经嫁了一个开马具店的，得了消息哭得很伤心。家里的医生骑着马过来向新主人致敬意，给太太们问好。在墨特白莱和克劳莱纹章酒店里大家也都谈起这件事。近来酒店老板和牧师恢复了交情，牧师有时也到霍洛克斯店里去尝他的淡啤酒。

吉恩夫人问她丈夫毕脱爵士道：“你弟弟那儿，还是你写信还是我写？”

毕脱爵士道：“当然我写，我想请他参加丧礼，这原是该当的。”

吉恩夫人怯生生地问道：“还有——还有——罗登太太呢？”

莎吴塞唐夫人接口道：“吉恩！怎么给你想出这样的主意来的？”

毕脱爵士很斩截地答道：“罗登太太当然也得请来。”

莎吴塞唐夫人道：“我在这屋里一天，这事就不能行！”

毕脱爵士答道：“您老人家请别忘了，我是一家之主。吉恩夫人，请你写信给罗登·克劳莱太太，请她参加丧礼。”

伯爵夫人嚷道：“吉恩，我不准你写！”

毕脱爵士又说道：“我是家里的主人。如果您对我不满，必须离开舍间，我很抱歉。至于家务的处置调度，那是非依照我的主见不可的。”

莎吴塞唐夫人挺着身子站起来，那风度竟像息登思太太扮演麦克白夫人[①]一样庄严。她吩咐下人套车；她说既然女儿女婿赶她出去，她只好含悲忍气一个人出去过日子，从此不问世事，专门为他们祈祷，希望他们改过。

胆小的吉恩夫人哀求道：“妈妈，我们并没有赶你出去呀。”

“你们请来的客人是上流社会的基督教徒不应该见的，明儿早上叫他们把马准备着，我要走了。”

---

① 麦克白夫人是莎士比亚悲剧《麦克白》里的女主角。息登思太太（Mrs. Siddons，1755—1831）是专演莎士比亚戏剧的名演员。

毕脱爵士站起身来，摆出一副威武的姿势，看上去很像画展中那幅绅士的肖像，口里说："吉恩，我念你写，请你动手吧。先写地名日期'女王的克劳莱，一八二二年九月十四日。亲爱的弟弟——'"

麦克白夫人正在等待女婿软化动摇，听得他的口气这么坚决，这么严厉，只是站起来，神色仓皇地走出书房去了。吉恩夫人抬头看看丈夫，仿佛想要跟出去安慰她母亲，可是毕脱不准妻子出去。

他说："她才不走呢。布拉依顿的房子已经租掉了，上半年的股息也花完了，堂堂伯爵夫人住在小旅馆里岂不要丢尽体统吗？亲爱的，我已经等待了好久，希望有这么一个机会让我采取这——这决定性的步骤。你当然明白一家不容二主这个道理。现在请你执笔，我们继续写下去。'亲爱的弟弟：——我的责任是向家下各人报丧，我想你们早已料到。——'"

总之一句，毕脱如今当了家了；靠着他运气好——或者照他自己的看法，靠着他功劳大，家里别人想了好久的财产几乎全落在他一个人手里。他决定对家里的人厚道些，处处不失体统，把女王的克劳莱一家重新振兴起来。他想着自己是一家之主，心里很得意。他能力高，地位高，不出多少时候准能有极大的权势，因此打算将来给弟弟谋个位子，替堂弟妹们找条出路。大约他想到自己独占了这些人眼巴巴等待着的财产，心里也有些过不去。他当了三四天家之后，体态变了，主意也定了，认为治家必须公平正直，不能听凭莎吴塞唐夫人的主张，自己的至亲骨肉，倒是要竭力拉拢的。

因此他写了一封信给他弟弟罗登；这封信词意十分严肃，写的时候着实费了一番推敲，里面的字眼和见解深奥得了不得。吉恩夫人究竟心地简单，她一面奉丈夫的命令把他的话一句句笔录下来，一面满心敬服他的才具。她暗想："他进了下议院之后，一定是个了不起的演说家。"（关于他怎么打算进国会，当议员，还有莎吴塞唐夫人怎么专横，毕脱也曾经在枕上和妻子谈过几句）“我丈夫真是个天才，又聪明，又忠厚！我一向以为他有些冷冰冰的，如今看来他为人真好，又有天才。”

事实是这样的，这封信的稿子，毕脱·克劳莱早已背得烂熟了。他是有手段的人，暗底下细细斟酌，把词句修改得尽善尽美，事先不让太太知道，怪不得她惊奇。

毕脱·克劳莱爵士将这封信寄到伦敦他弟弟罗登上校家里；用的信封上印着很宽的黑边，火漆也是黑的。罗登·克劳莱得了这信，淡淡的不怎么起劲。他想：“何必跑到那闷死人的地方去呢？吃过饭跟毕脱两个面面相对，我可受不了。雇了车马来回两趟总得花二十镑。”

他每逢有什么为难的事，便去找蓓基，所以把这封信跟她的巧克力茶一起托到楼上卧房里交给她，——她每天喝的早茶总是他亲手做好了送上去的。

蓓基坐在梳妆台前面梳她的黄头发，罗登就把盘子搁在梳妆台上。她拿起黑边信封，拆开读了信，登时从椅子上跳起来叫道：“好哇！”喊着，把信纸举起来乱摇。

罗登看着妻子东蹦西跳，身上一件法兰绒的晨衣早已飞舞起来，一头黄头发摇得乱蓬蓬的，心里老大纳闷，说道：“有什么好的？蓓基，他又没有留什么东西给我们。我的一份产业早在我成年的时候给了我了。”

蓓基答道：“你这糊涂东西，我看你是再也长不大的了。快到勃鲁诺哀太太那儿去给我定几套黑衣服。你自己也买一件黑背心，帽子上也得围一条黑带子，——我想家里没有黑背心吧？叫她赶着把衣服明天就送来，咱们星期四就能动身了。”

罗登插嘴道：“难道说你预备回去吗？”

“当然预备回去。我要吉恩夫人明年带我进宫。我要你哥哥把你安插在国会里，你这呆子！我要你和你哥哥都投票选举斯丹恩勋爵，亲爱的傻瓜！这样你就能当爱尔兰总督，或是西印度群岛的事务大臣，或是

司库官，或是领事，这一类的事情。"

罗登埋怨道："坐邮车又得花好多钱。"

"咱们可以用莎吴塞唐的车子，他是家里的亲戚，他的马车应该一起去送丧才对。可是这样也不妥当，坐邮车好，显得咱们没有架子，他们瞧着准觉得喜欢。"

上校问道："罗迪当然也去啰？"

"没有的事！何必多买一张票呢？他现在长大了，不能挤在咱们两个中间不买票。让他待在家里，叫布立葛丝给他做件黑衣服就成了。出去照我的话把事情办了。还有，最好跟你的用人斯巴克斯提一声，就说毕脱老爵士死了，等办过丧事，你还有好些遗产可拿呢。回头他准会把消息告诉拉哥尔斯。可怜的拉哥尔斯逼着要钱，听了这话心里可以有些安慰。"说完，蓓基便喝起茶来。

那天黄昏，忠心的斯丹恩勋爵来了，看见蓓基和她的女伴（她不是别人，正是我们的朋友布立葛丝）忙着把家里所有的黑衣服黑料子铰的铰，撕的撕，拆的拆，准备做孝服。

利蓓加说："布立葛丝小姐和我因为爸爸死了，正在这里伤心悲痛。勋爵，毕脱·克劳莱爵士死了。今天一早上我们难受得只会揪头发，现在又在撕旧衣服。"

布立葛丝翻起眼睛来望着天，说不出话来，只好说："利蓓加，你怎么说出这种话来了？"

勋爵应声道："利蓓加，你怎么说出这种话来？哦，原来老混蛋死了。如果他手段高明一点，本来还能加爵呢。毕脱先生倒出了不少力，事情只差一点儿就办妥了，可惜那老的总是挑最不合适的时候变节脱党。这老头儿真是个沙里纳斯！"

利蓓加道："我差点儿做了沙里纳斯的未亡人哩。布立葛丝小姐，你还记得吗？你在钥匙孔里偷看，看见毕脱老爵士跪着向我求婚。"我们的老朋友布立葛丝小姐想起旧事，羞得面红耳赤，幸而斯丹恩勋爵使唤她下楼倒茶，她便急忙走了。

布立葛丝就是利蓓加用来保全她贞操和名誉的看家狗。克劳莱小姐留给她一小笔年金。她本来很愿意留在家里给吉恩夫人做伴，因为吉恩夫人对她很好，对其余别的人也好，无奈莎吴塞唐老太太不要她，勉强留她住了几天，糊过面子，就急急地打发她出门。毕脱先生觉得她不过忠忠心心伺候了去世的姑妈二十年，而姑妈竟对她那么过分地宽厚，带累自己大受损失，因此心上不满，老夫人主张发放，他也不反对。鲍尔斯和孚金也都得着遗产，给家里辞退了。他们结了婚，按照他们同行中的惯例，开了一家寄宿舍。

布立葛丝本来打算和她乡下的亲戚同住，可是她一向看见的都是上流人物，和本家人反而过不惯。布立葛丝家里的人全是乡镇上做小买卖的；他们为布立葛丝小姐的一年四十镑钱争闹起来，竟和克劳莱小姐的亲友争夺遗产的时候一样激烈，而且比他们更不顾面子。布立葛丝的兄弟是个激进派，他开着个帽子铺，兼卖杂货，要求姊姊出资帮他扩充营业；布立葛丝不愿意，弟弟便骂她是个恃富而骄的贵族。她本来倒也愿意投资，可是她还有个妹妹，嫁给一个不奉国教的鞋匠，跟那卖杂货和帽子的弟兄不合（原来那兄弟上的教堂又另是一派），说他眼前就要破产，这样就霸占了布立葛丝，把她接去住了一阵。不奉国教的鞋匠要布立葛丝小姐栽培他儿子上大学，做绅士。这两家把她历年的私蓄搜刮了一大半去，最后她只好仍旧逃回伦敦，乡下两家都痛骂她。她觉得为人服役还比自由身子方便得多，决定重新找事，在报上登了广告说"今有态度可亲的高尚女士，一向出入上流社会"等等。她住在半月街鲍尔斯的寄宿舍里，等人上门找她。

她就是这样碰见利蓓加的。一天，布立葛丝步行到《泰晤士报》去登第六次广告，从市中心回来，身子已经很疲倦了。她刚刚走近鲍尔斯宿舍的门口，罗登太太的时式小马车，由几匹小马拉着，飞快地在这条街上走过。利蓓加自己在赶车子，一眼认出了态度可亲的高尚女士。我们都知道她性情最好，向来看得起布立葛丝。当下她立刻在门口止了马，把缰绳交给车夫，从车子上跳下来。那态度可亲的布立葛丝突然看见了老朋友，还没有来得及定下神来，两只手已经给利蓓加拉住了。

布立葛丝不住地哭，利蓓加不住地笑。她们一走进过道，利蓓加便吻着那高尚的女士，然后和她一起走到鲍尔斯太太的前客厅里去。客厅里挂着红色的厚窗帘，嵌着圆镜子，镜子上面站着一只假老鹰，用一条链子锁着，窗口搁一张"空屋出赁"的召租纸牌子，那老鹰正瞧着那纸牌子的后面出神。

布立葛丝一面诉说自己的境况，一面抽抽噎噎地哭泣，唉呀哟地感叹。这眼泪和叹气原来是不必要的，不过像她这样软心肠的女人，和老朋友见了面，或是在路上意外遇见熟人，都要来这么一套。和朋友见面是最平常的事，有些人却喜欢小题大做。尤其是女人，哪怕本来是你嫌我我怨你的，到重逢的时候也会感动得掉眼泪，双方面回想到最后一次拌嘴的情形，只觉得愧悔。总而言之，布立葛丝先讲她的经历，跟着，蓓基也描写了自己的身世，那份儿直爽诚恳是她的特色。

鲍尔斯太太（也就是孚金）特地走到过道里来偷听客厅里的动静，只听得里面哭一阵笑一阵，不由得板下脸来。她向来不喜欢蓓基。自从她和丈夫在伦敦住下来以后，常常去看望他们的老朋友拉哥尔斯一家。他们听了拉哥尔斯讲起上校一家过日子的情形，表示很怀疑。鲍尔斯说："拉哥，我的孩子，如果我处于你的地位，我就不相信他。"鲍尔斯的女人看见罗登太太从客厅出来，冷冷地行了个礼。罗登太太一见这位退休的女用人，一定要和她拉手；鲍尔斯太太伸出来的手指头又冷又僵，摸上去就像五条小香肠。落后蓓基上了车，风驰电掣地上毕加迪莱去了，临走向布立葛丝点着头，眯着眼，怪迷人地笑了一笑。布立葛丝也伏在窗口召租纸板底下，对她点头还礼。一眨眼间，蓓基已经到了公园，六七个花花公子立刻骑马从车子后面跟上来。

蓓基探问了她朋友的近况，知道克劳莱小姐留给我们这位高尚的女士一份遗产，尽够她舒服度日，因此她倒并不计较薪水大小。蓓基一听这话，立刻给她作了好些居家过日子的打算，对她是极有好处的。蓓基自己需要的正是这样的女伴，所以请布立葛丝当晚就到她家里去吃晚饭，说是要她见见她的小心肝小宝贝罗登。

鲍尔斯太太警告她的房客，叫她切不可轻易住到老虎窝里去。"布小姐，听我的话，你去了以后准要后悔的，要不然我就不姓鲍尔斯！"布立葛丝答应一定小心谨慎。小心谨慎的结果是什么呢？第二个星期她就搬到罗登太太家里去住，不出六个月就把年金押了六百镑借给罗登·克劳莱。

# 第四十一章　蓓基重回老家

孝服已经做好了，毕脱·克劳莱爵士那里也已经去信通知了，于是克劳莱上校夫妇坐上海弗莱邮车，动身到乡下去。大约九年之前，利蓓加还是个初出茅庐的女孩子，跟着那死了的从男爵一同下乡，坐的就是这辆车子。客店前面的院子她还记得清清楚楚，还有那当槽儿的问她要钱她没有给，还有剑桥大学的学生想要巴结她，在路上把大衣给她裹在身上，这一切都如在目前。罗登坐在外面，很想帮着赶车，可是家里新近遭了丧事，当然不好胡来。他坐在车夫旁边，一路闲谈，说起马儿，说起路上的情形，说起他和毕脱小时到伊顿上学的时候，谁家开着旅馆，谁家养的马租出来拉邮车，等等。到了墨特白莱，就看见家里的马车等着他们，由两匹马拉着，赶车的穿着一身黑衣服。他们进车的时候，利蓓加说："罗登，还是那辆旧车子，瞧这些座位上的布给蛀掉好多了。为着弄脏了这一块，毕脱爵士——喝！铁器铺子的掌柜道生也把百叶窗关上了；——为着弄脏了这一块，毕脱爵士还大闹了一场。记得那一回到沙乌撒泼顿去接你姑妈，他打破了一瓶樱桃白兰地酒，就给弄上这一大块。唉，时间过得真快！那小屋子门口站在她母亲旁边跳跳蹦蹦的女孩儿难道是宝莱·托尔博爱不成？我记得她从前是个怪肮脏的小东西，老是在园里捡野草。"

罗登说："这女孩儿长得好。"那时小屋前面的人对他行礼，他竖起两个指头碰碰帽子边，给他们还礼。蓓基东鞠躬，西招呼，仪态雍容地四面应酬。她跟人招呼的时候说不出地喜欢。这一回，她不再是个闯江湖的骗子，算是名正言顺地回到祖宗的基业上来了。罗登呢，反有些羞愧短气。大概他想起小时候的情景和自己当年纯朴的气质，模模糊糊地感到悔恨、疑惧、惭愧，心上着实难受。

利蓓加说："你的妹妹们一定都长大了。"大概从她离开这两个姑娘之后，这还是第一回想到她们。

上校答道："我实在不知道。咦，这是洛克老妈妈呀！你好哇，洛克太太？我是罗登少爷，你还记得我吗？这些老婆子真长寿，我小的时候就仿佛觉得她挺老挺老的了。"

那时车子恰好进了洛克老妈妈管着的大门。洛克妈妈吱喽喽地把旧铁门打开来，马车便在两根长满青苔的柱子中间穿过去，——柱子上面塑着蛇和鸽子组成的家徽。进门的时候蓓基再三要和老妈妈握过了手才肯继续往前走。

罗登四面看看说："我们老爹把树木砍了好些。"说完，他不响了，蓓基也不说话。他们两人都很激动，不免回忆到从前的事情。罗登想起伊顿公学，想起母亲，在他记忆中，她举止端庄，却有些冷冰冰的。他想起死去的姊姊和他两个最好；还有，他从前老是痛打毕脱。这么想着，他又惦记起在家的小罗登来了。利蓓加想到自己年轻时的种种遭遇，当时的生活真是堕落，干的全是瞒人的勾当，直到她进了这两扇大门，才算见了世面。她还想起平克顿小姐、乔斯和爱米丽亚。

石子路和平台都已经磨洗干净了。进门处挂着一块漆过的大报丧板。马车在那看得眼熟的台阶前面一停下来，就有两个高个子、相貌庄严、穿黑衣服的听差把前门往左右各开了一扇。他们夫妻臂挽着臂走过穿堂的时候，罗登涨红了脸，蓓基的颜色却有些发青。然后他们走进装橡木护壁板的客厅，蓓基一把抓紧了丈夫的胳膊。毕脱爵士夫妇早已在那里准备迎接。毕脱爵士穿了黑衣服，吉恩夫人也穿了黑衣服，莎吴塞唐夫人头上裹着一顶极大的头巾，上面钉满了细长的黑玻璃珠子，又插着黑的鸟毛；那鸟毛在她头上摇来晃去，倒像枢车上面的大盘子。

毕脱爵士料得不错，她并没有走，不过每逢看见女婿和她那忤逆的女儿，便正颜厉色的一声儿不言语。在孩子们屋里，她的脸色也是阴沉沉的，两个孩子瞧着都觉得害怕。这一回大家欢迎罗登夫妇这两个浪子回到家里来，她也只好微微地点了一点头，头上的头巾和黑鸟毛跟着向前侧了一侧。

说句实话，她冷淡不冷淡，罗登夫妇并不在乎。在他们心上，她当时不过在次要地位，当权的哥哥嫂子怎么接待，才是他们最关心的。

毕脱脸上红了一层，上前拉着弟弟的手；他又和利蓓加拉手，并且对她深深鞠了一个躬。吉恩夫人把小婶子两只手都握着，很亲热地吻了她。不知怎么，这个闯江湖的老手受了这一抱一吻，竟眼泪汪汪起来。我们都知道，她是难得掉眼泪的，不过吉恩夫人这么诚诚恳恳，倾心相待，实在使她又喜欢又感动。罗登见嫂嫂这般亲热，胆子也壮了，捻捻胡子，上前吻了她一下，吉恩夫人登时把脸绯红了。

后来没有外人，罗登对妻子说道："吉恩夫人真不错。毕脱长胖了。

这次丧事场面很阔。"利蓓加道："他反正有的是钱。"罗登说："那丈母娘是个怪可怕的老婆子，两个妹妹长得不难看。"这话利蓓加也同意。

两个姑娘本来在学校里，这一回给叫回来参加丧礼。大概毕脱·克劳莱爵士为一家的体面着想，认为应该尽量多拉几个穿黑的人来送丧。家里所有的男女用人，收容所里的贫苦老太婆（死了的毕脱爵士吞没了她们许多钱），教区书记的一家，大厦和牧师家里雇着的手下人，都穿上了黑衣服。除此之外，包办丧事的人也带了好些帮忙的人，少说也有二十来个，都是浑身穿黑，帽子上也围着黑纱，这样，盛大的葬仪举行时场面上可以好看些。可是这些人在我们的戏里都是不开口的角色，既没有台词，又没有戏可做，在这里不必多占篇幅了。

利蓓加见了小姑们，并不隐讳自己从前做她们教师的事。她很和蔼、很直爽地谈起旧事，一本正经考问她们的功课，而且说分别之后她时常想念她们，总是牵心挂肚地惦记着。听她说话，仿佛她离了姑娘们一心都在她们身上，不时地为她们的前途筹划。克劳莱夫人和她两个小姑都那么想。

晚饭之前穿衣打扮的时候，露丝小姐对凡奥兰小姐说："八年来她一点没有变。"

那一个答道："这些红头发女人气色真好。"

露丝小姐说："她那头发的颜色比以前深了好些。我想大概是染过的。"她又道："她长胖了，比以前好看。"露丝小姐自己如今也越长越胖了。

凡奥兰小姐道："难为她倒并不摆架子，还记得从前做过我们的教师。"照她的意思，所有的女教师应该安分守己，切不可妄自尊大。她忘了她的祖父虽是华尔泊尔·克劳莱爵士，外祖父却不过是墨特白莱的道生先生，实在说起来，她的家传的纹章里还有个煤斗子呢。在名利场中，像她那样单有好心而没有记性的人到处都是。

"牧师家的姑娘们说她的母亲是歌剧院里的舞女，我想不至于吧——"

露丝雍容大度地答道："出身低微可不能算罪名。我觉得大哥做得不错，她既然是咱们家的人，当然不能不理她。别德婶婶还多说些什么呢？她想把爱玛嫁给酒店掌柜胡泼那小伙子，说是要定酒，老实不客气地就把他请回家了！"

凡奥兰道："不知道莎吴塞唐夫人会不会走。她瞧着罗登太太，一脸生气的样儿。"

露丝[1]赌神罚誓地说道："她要走我真求之不得。我可不要看《芬却莱广场的洗衣妇》。"那时楼底下按照惯例，已经打钟催大家吃饭了，两位姑娘一面说话，一面往下走。有一条走廊是她们避开不走的，因为棺材就停放在走廊尽头一间关着的屋子里，由两个人守着；里面不分昼夜点着蜡烛。

晚饭之前，吉恩夫人把利蓓加引到专为她预备的屋子里去。这里也像大房子里别的部分，在毕脱的管理之下整齐舒服得多了。吉恩夫人看见罗登太太那儿个朴素的小箱子已经给送上来，分放在卧房里和隔壁的梳妆室里，就帮着小婶子脱下整齐的黑帽子黑外衣，并且问她还要什么不要。

利蓓加道："我最希望能到孩子屋里去看看你的两个小宝贝。"她这么一说，两位太太就相亲相爱地对看了一眼，手拉手地到孩子屋里去。

玛蒂尔达还不到四岁，蓓基说她是全世界最招人爱的小宝贝儿。男孩子才两岁，脸色青白，头很大，眼睛也没有神，蓓基说他不但长得特别大，而且相貌和智力都与众不同，这样的孩子真是少见的。

吉恩夫人叹道："我只希望妈妈别老是给他吃药。我常想，如果少

______________

① 原文是"凡奥兰"，想是作者的笔误。

吃点儿药，大家的身体都会好些。"接着吉恩夫人和她的新朋友便亲密地谈起小孩儿生病吃药的话来。这类的闲谈，听说不但所有做母亲的人喜欢，大多数别的女人也喜欢。五十年前，写书的还是个怪好玩的小孩儿，吃过晚饭后总得跟着太太奶奶们一起离开饭厅。我记得很清楚，她们说的大都是自己怎么害病。如今我也问过两三位太太，她们都承认这风气并没有改变。太太小姐们不妨自己观察一下，我劝你们今天晚上吃完了甜点心，大伙儿在客厅里谈心的时候留心听听大家说的话，看是怎么样。总而言之，过了半小时之后，蓓基和吉恩夫人已经成了很亲密的好朋友了。到晚上，吉恩夫人对毕脱爵士说她的小婶子直爽诚恳，心地也好，待人也亲切。

利蓓加真是不辞劳苦，她先是容容易易地赢得了女儿的欢心，然后便竭力想法子讨好那威风凛凛的莎吴塞唐夫人。趁着她夫人独自一个的当儿，利蓓加立刻动手笼络。她谈到孩子的健康问题，说起有一回她的宝贝儿子害病，全巴黎的医生都说他没有救了，后来她给他吃了一大服轻粉，才算保全了小命儿；如果没有轻粉，孩子岂不就完了呢？然后她又说起她经常在梅飞厄一家教堂里做礼拜，认识了不起的劳伦斯·葛瑞尔斯牧师，因此时常听得莎吴塞唐夫人的大名。她说近年来环境改了，遭遇又不如意，所以对于人生的看法和从前大不相同。从前迷恋着富贵荣华，因此一误再误，但愿既往的糊涂行径不至于使自己陷于不能自拔的绝境，她将来还打算在宗教方面下些功夫。她说起以前全亏有克劳莱先生给她讲些教理，又说起曾经看过《芬却莱广场的洗衣妇》，得到很大的益处。她又问起写那本小书的天才作者爱密莲小姐。她现在成了爱密莲·霍恩泊洛夫人了，住在好望角，她的丈夫很有希望成为加弗拉瑞亚的主教。

最后她又干了一件最聪明的事，便取得了莎吴塞唐夫人的欢心。葬礼过后，她觉得心神不宁，身上不快，恳求她夫人想法子。老夫人不但口头指点，到晚上穿上长睡衣，打扮得更像麦克白夫人，亲身走到蓓基房里来。她带着一包自己最喜欢的传教小册子，还有一杯自己配的药水，逼着罗登太太喝下去。

蓓基先接过小册子，翻开来全神贯注地看着，一面和老太太讨论小书的内容，又请教怎样才能求得灵魂上的平安，希望这样挨着，肉身就可以不必受她医治。无奈关于宗教的话题都已经说完了，麦克白夫人还是不肯走，一定要眼看蓓基吃了药

才罢。可怜的罗登太太没法，只得装出感激的样子，当着那位顽固的老太太把药水喝下去。老太太祝福了那上她当的可怜东西，自己回去了。

她的祝福对于罗登太太并没有多少用处，罗登进来的时候看见她的气色不大对。利蓓加把方才的事说了一遍；她自己虽然成了笑柄，但是这件事实在滑稽，她笑得忍不住，便细细形容了一番，描写自己怎么上了莎吴塞唐夫人的当。罗登听得哈哈大笑，那声音和平常的时候竟也不相上下。罗登夫妇回到伦敦梅飞厄的家里之后，斯丹恩勋爵和小罗登常常听了这故事发笑。蓓基把这出戏从头到尾演给他们看。她穿上睡衣，戴上睡帽，板着脸儿满口大道理。她假装叫人吃药，一面解释药水的好处，把那道貌岸然的样子模仿得惟妙惟肖，听的人还以为这哼哼唧唧的声音是从伯爵夫人自己的罗马式鼻子里发出来的呢。凡是常到梅飞厄来

拜望蓓基的客人老是跟她说:"把莎吴塞唐夫人给你吃药的故事表演一下吧。"莎吴塞唐伯爵夫人居然变得这么有趣,还是生平第一遭呢。

毕脱爵士还记得从前利蓓加对自己十分尊敬,所以不讨厌她。她和罗登的婚姻虽然不是门当户对,可是对于罗登却是有益处的,只要看他现在的行为和习惯就知道了。再说,他们结了婚岂不是成全了毕脱本人吗?手段狡猾的家伙明知道他全靠这头亲事才能到手偌大的财产,心里暗暗好笑,觉得他自己反正没有理由出来反对。利蓓加的行事、谈吐以及她表示的意见,也没有减少他的得意。

从前毕脱最乐意的就是蓓基恭而敬之的态度;如今她加倍地小心,而且能够引得毕脱滔滔不绝地发议论,听得他自己也老大惊奇。毕脱本来佩服自己的才能,禁不起利蓓加在旁边一夸奖,更得意了。在嫂子面前,利蓓加的话说得也是合情合理。她说一手撮合这婚姻的是别德·克劳莱太太,后来在背后说坏话的也是别德·克劳莱太太。她这人贪得无厌,想要独吞克劳莱小姐的财产,设法叫罗登失去姑妈的欢心,才编出许多恶毒的谣言中伤利蓓加。她做出天使一般逆来顺受的样子,说道:"她要我们穷,总算成功了。可是她给了我一个世上少有的好丈夫,叫我怎么能跟她生气呢?再说,她自己的希望也落了空,想了半辈子的财产没有到手,她那份儿贪心可不是也遭了报应了吗?"她又说:"没有钱怕什么?亲爱的吉恩夫人,我们才不怕穷呢!我是从小过惯苦日子的。我能够嫁到这么有根基的旧世家做媳妇,心里真是得意。如今能用克劳莱小姐的财产恢复咱们家里从前的光辉,岂不好呢?我一想到这上头,时常觉得高兴。毕脱爵士是识得大体的,这些钱到了他手里反正比到了罗登手里好。"

毕脱爵士的妻子是忠实不过的,当然把利蓓加说的话一句句都传给丈夫听,更加深了蓓基在他心上留下的好印象。他对蓓基实在满意,葬礼完毕以后第三天,全家在一起吃饭,毕脱·克劳莱爵士坐在饭桌的主位上切鸡，竟对罗登太太说："呃哼唔！利蓓加，我给你切个翅膀好吗？"利蓓加一听这话，高兴得眼睛都亮了。

利蓓加忙着串设计谋，希望达到自己的目的；毕脱·克劳莱爵士忙着布置丧礼，筹划着种种和他的前途和地位有关的事务；吉恩夫人在母亲许可的范围里面忙着照料儿女；太阳每天升起来落下去；家里那钟楼里的大钟照常按时催人吃饭祈祷；女王的克劳莱的旧主人呢，却躺在他生前住的房间里，由两个专门雇来伴灵的人日夜看守着。这些人都是吃这行饭的，里面有一两个是女人，另外有三四个办丧事的人派来的男人，在沙乌撒泼顿算是最像样的了。他们都穿了黑衣服，到处摆出小丧事的时候少不了的那股子蹑手蹑脚、悲悲戚戚的神气。他们轮流伴灵，下班时在管家娘子的房里歇息，私底下斗牌喝啤酒。

停放着的人生前本来是世家子弟，上代全是武士绅士，现在只等着给抬进家墓了。全家主仆都避得远远的，不肯走到这阴惨惨的地方来。痛惜他的只有一个人，就是那可怜的女人——她本来希望做毕脱爵士的妻子，差点儿做了大房子里的主妇，到后来是不得不逃走了的。老头儿还有一只心爱的老猎狗，在他半疯半傻的一阵子和他很有交情；除了这女人和猎狗，没有一个人为他伤心，因为他一辈子没有费过一丝一毫的力气和别人交朋友。我们里面品质最优美、心地最仁厚的人，死后如果能够重游旧地，准会发现在世的亲友早已把他丢在脑勺子后面。设若我们死后仍旧脱不了名利场上的见解，大概免不了觉得懊丧。毕脱爵士不久就给大家忘掉了，哪怕是我们里头最好最忠厚的，在活着的人心里也不过比他多待几个星期罢了。

谁高兴去送丧的不妨跟着一起到坟上去。到下葬的日子，仪仗排列得非常体面。家里的人坐着蒙上黑布的马车，把手帕掩着鼻子，准备擦抹掉不下来的眼泪。承办丧事的人和他的随从们满面悲悲戚戚的样子；佃户的代表为讨好新地主，也来送丧。邻近地主们的马车也在行列里面慢慢地走，那速度一小时不过跑三英里；这些车子虽是空的，可是表现的悲痛是深切的。牧师照规矩讲了一篇话追悼"我们已经去世的亲爱的兄弟"。只要死者的尸首还在，活人便借此摆虚场面：我们装模作样，硬编出许多繁文缛节，先把尸身盛仪停放，然后搁在丝绒衬底的棺材里，用镀金的钉子钉起来，最后在坟上竖了石碑，上面刻着连篇的谎话，这样才算尽了心。别德的副牧师是个刚从牛津毕业的伶俐小伙子；他和毕脱·克劳莱爵士两个人合作，给去世的从男爵做了一篇很得体的拉丁文墓志铭。那副牧师又讲了一篇精心著作的训戒，劝告活着的人不可过分哀痛，并且用最恭敬的口气提醒大家，说那神秘的、阴森森的大门已经把去世的弟兄和其余的人隔开了，总有一天，在世的人也得经过这一关。讲道完毕以后，佃户们有的骑马回去，有的留在克劳莱纹章酒店里吃东西。邻居的车夫们在女王的克劳莱大厦的下房吃过午饭，赶着车子各自上路回家。办丧事的人收拾了绳子、棺衣、丝绒帔、鸵鸟毛等等丧事用品，爬到柩车顶上坐着回到沙乌撒泼顿去了。他们等车子出了大门来到大路上，立刻催着马快跑起来，脸上的表情也恢复了常态。到了镇上，他们三三两两在酒店里喝酒，只见各处店门口都是穿黑的人，手里的酒壶映着太阳光闪闪发亮。毕脱爵士的轮椅给推到花园里堆各色器具的屋子里去了。那条老猎狗起初时常呜呜地哀叫；从男爵毕脱·克劳莱爵士当家当了近六十年，身后除了那猎狗之外竟没有一个人为他哭过一声。

　　附近的飞禽很多，而且涉足政界的英国绅士似乎没有一个不爱打野鸡的，因此毕脱·克劳莱爵士等到第一阵哀痛过去之后，偶尔也戴上围着黑纱的白帽子，出去打鸟消遣。他看着四面的田野，有的种着萝卜，有的留着残余的麦秆，都是自己的财产，心里暗暗得意。有时他非常地虚心，自己不带猎枪，只带着一支不能当武器的竹节手杖，让他高大的弟弟罗登和他的猎户们在旁边砰砰地开枪。毕脱如今有钱又有地，所以他的弟弟也对他另眼相看。克劳莱上校自己是一个子儿也没有的，对于一家之主恭而敬之，不再因为他是个脓包而看不起他。他哥哥谈起怎么种树，怎么排水，他在旁边洗耳恭听；对于牛羊马匹怎样豢养，他也参加了意见，并且特地骑马到墨特白莱给吉恩夫人挑选一只母马当坐骑，自告奋勇训练它，等等；总之，当年犟头倔脑的骑兵现在变得低心小胆，成了个很不错的弟弟了。布立葛丝时常地给他写信，报告小罗登在伦敦的近况。孩子自己也写信说："我很好。我希望您很好。我希望妈妈很好。小马很好。格雷带我上公园骑马。我能骑着马跑了。我碰见上次骑马的小男孩儿。马一跑他就哭了。我不哭。"罗登把这些信念给哥哥听，也念给吉恩夫人听；吉恩夫人听了非常喜欢。从男爵答应栽培孩子上学，他的忠厚的妻子拿出一张五镑的钞票交给利蓓加，请她买一样东西送给小侄儿。

一天天过去，大厦里的太太小姐们过着平淡的日子，也有些平淡的消遣；住在乡下的女人，对于这种生活倒也心满意足。她们随着钟声吃饭和祈祷。两位姑娘吃完早饭就练琴，利蓓加点拨点拨她们。然后她们穿上厚底鞋子在园地里和小路上散步，有时候走出大门到村子里去访问乡下人，带着莎吴塞唐夫人的小册子和药品，送给村里的病人。莎吴塞唐夫人常常坐小马车出去兜风，利蓓加坐在她旁边，聚精会神地听她讲大道理。到晚上，她唱韩德尔和海登的曲子给全家听，过后拿出一大块毛绒刺绣品来绣花。看她的样子，竟好像她活着就为干这些事，一直到她成了个斯文的老太太，一直到她死，再也不用干别的事了。不但如此，你一定还以为她死后会留下许多的公债票，大家都舍不得她。谁知道她一到自己家里就得使心用计、带骗带哄地对付着过日子呢？谁知道她那么穷，要债的就在大门口等着呢？

利蓓加想道："做个乡下绅士的太太并不难。我想如果我有了五千镑一年的进款，也会做正经女人。到那时我就成天在孩子屋里磨蹭，数数墙上一共结了几个杏儿，在花房里浇浇花，在石榴红里面捡捡枯叶子。我也会问候老婆子们痛风可好些了，也肯花半克朗买些汤给穷人喝；有了五千镑一年，花掉一个半克朗算什么呢？逢上有朋友请客，我就坐着马车走十英里路专诚去吃饭，穿的衣服哪怕是前年的款式也没有关系。我一定上教堂，坐在家里的大包座里面忍住不打盹儿，或是拉下面纱躲在幔子后面睡觉，这些事只要练习几回就成了。有了钱，我也肯付账。这儿的人为什么算厉害能干呢？还不是靠着这点儿本事自鸣得意吗？我们这些没钱的真是罪孽深重，他们瞧着只觉得可怜。他们给了我孩子五镑钱，就自以为慷慨，我们拿不出钱的人，就该给他们瞧不起。"谁能批评蓓基的想法不对呢？她和一般正经女人为什么不同？谁能说不是因为金钱作祟呢？各人经过的考验是不同的，你只要考虑到这一层，就不敢自以为高人一等了。如果境况宽裕，百事遂心，虽然不能使奸刁的人变得老实，至少能防止老实人腐化堕落。譬如说，一位副市长刚刚赴过甲鱼席，决不会从马车里走出来偷人家一只羊腿；到他认真挨饿的时候，就保不住不去偷面包。蓓基把各人的机会比较了一下，认为世上的是非善恶分配得十分平均。

七年之前她在这里住过两年，从前常到的地方，像田野、树林子、池塘、花园、小树丛、大房子里的各间屋子，她一处处都重新看了一遍。那时她还年轻，或者可说还不算老，因为真正年轻的时候，她早已忘怀了。七年前的见解和感情她还记得；现在她见过了世面，结识了大人物，地位比从前高得多；把现在的见解感情和七年前的比一比，确是大不相同。

蓓基心里想道："我的地位比从前高了不知多少，因为我有脑子，而其余的人差不多全是傻子。如今再叫我过从前的日子，我也过不惯。以前在爸爸画室里碰见的人，我可不能再跟他们交朋友了。如今到我家里来的都是戴勋章佩宝星的大老爷，不再是口袋里搁着一纸包烟丝的穷艺人。我的丈夫是个绅士，我的妯娌是伯爵的女儿。几年以前，我在这屋里的地位跟用人差不多，现在可是主人了。从前我只是个穷画家的女儿，甜言蜜语地哄着转角上的杂货店掌柜，问他赊茶叶赊白糖，现在我究竟比从前阔了多少呢？倘或我嫁了弗朗西斯——他倒是真心爱我——到今天也不见得比我现在更穷，唉！只要有人肯送我一些年息三厘的统一公债，让我舒服过日子，我愿意把社交界的地位和阔亲戚们都让给他。"蓓基感到前途渺茫，只望能手里有些可靠的产业，安心度日。

大概她也曾想到，倘若她做个诚实而没有地位的人，尽责任，走直路，说不定也很快乐；只看她努力不懈地追求快乐，走的路却不见得比第一条离开目标近。即使蓓基偶然有过这些心思，她也不愿意多想，总是转弯抹角地躲开算数，就好像女王的克劳莱的姑娘们躲开停灵的房间一般。这种心思是她瞧不起的，不肯正视的，而且她已经走上了第二条路，也难抽身后退。照我看来，一个人的良心难得责备自己，即使心上有过不去的感觉，也就一下子给自己蒙混过去了。还有些人，根本一辈子没有受过良心的责备。

在名利场上的人，一想到自己的阴私会被人揭发，或是可能丢面子，受处分，都觉得难受，可是单为做错了事就感到不安的却没有几个。

利蓓加在女王的克劳莱住了一阵子，对于那"不义的财神"治下的人，尽量地结交。临走时吉恩夫人和她丈夫都竭力表示亲热，希望不久和她再见，因为只等伦敦岗脱街的房子重新修理装饰过之后，他们便准备搬到城里去住。莎吴塞唐夫人替她包了一包药品，又请她带一封信给劳伦斯·葛瑞尔斯牧师，信上说那带信的人是她从危难中救出来的，恳求牧师留心她的灵魂。毕脱坐着马车，赶着四匹马，一直送他们到墨特白莱。他们的行李早已打发车子先运掉了，行李车上还装了许多送给他们的野味。

克劳莱夫人和小婶子告别的时候说道："你不久就能跟小宝贝见面了，心里高兴得怎么样？"

利蓓加翻起绿眼珠子望着天答道："唉，我高兴死了！"她巴不得能够离开乡下，可是又舍不得走。女王的克劳莱真是说不出来地沉闷，可是那儿的空气似乎比她往常呼吸的要干净些。乡下的人蠢得很，可是待人都很忠厚。蓓基自己暗想道："这是多年拿三厘利息的影响呀。"她这话大概有些道理。

邮车走进毕加迪莱，伦敦的灯光闪闪烁烁叫人看着高兴。在克生街住宅里，布立葛丝已经生了一炉熊熊的火；小罗登还没有睡觉，等着欢迎爸爸和妈妈。

# 第四十二章　关于奥斯本一家

我们跟那位有体面的朋友，就是住在勒塞尔广场的奥斯本老先生，已经好久不见面了。自从他和我们告别之后，日子过得不很快活。讲到他近年的遭遇，不遂心的着实不少，哪儿能把他的坏脾气改好呢？在老头儿看来，什么事都得由着他的性儿办才叫合理，因此遭了拂逆分外难过。他现在上了年纪，害着痛风，况且心上又闷，不如意的事情又多，不消说精力大大不如从前，别人违拗了他，加倍使他牛气。儿子去世以后不久，他那一头又硬又黑的头发就花白起来，脸色却越变越红；他每天喝葡萄酒，斟酒的时候手抖得厉害，一天比一天不行。在市中心，他的书记们给他逼得走投无路，在家里，上上下下的人也一样倒霉。我们方才看见利蓓加在诚诚心心地祷告，希望有些统一公债，如果把奥斯本的资财给她，不知道她肯不肯放弃自己将来可能有的机会和她过的那种无忧无惧、新鲜有趣的生活，也像老头儿一样成年累月地给笼罩在愁云惨雾里过日子？奥斯本曾经向施瓦滋小姐求婚，和小姐一气的人很轻蔑地拒绝了他，把她嫁给一个年轻小子，是个苏格兰贵族。照他的性格，最好娶个出身低微的女人，狠狠地欺负她，可是又没有挑得中的人，只好在家虐待没出嫁的女儿。奥斯本小姐有一辆漂亮的马车，好几匹漂亮的马儿拉着，请客的时候她坐的是主妇的位子，整桌子的碗盏器皿全是最上等的货色。她有私人的支票本子；出去散步的时候有气宇轩昂的听差伺候着；做买卖的都哈着腰奉承她，愿意让她无穷尽地赊账。所有女财主应有的排场，她都有了，可是她过得真苦恼。慈幼院里的小孤女，十字路口扫街的女孩子，下房里最苦的洗碗小丫头，跟这个可怜的、年过青春的女人一比，就算好福气了。

赫尔格和白洛克父子合营银行的弗莱特立克·白洛克先生娶了玛丽亚·奥斯本，不过结婚之前白洛克先生很不满意，而且多方刁难。他说乔治已经死了，况且老头儿的遗嘱上本来说开没有他的份，所以老的应该拿出一半财产给玛丽亚做嫁妆，如果不依他的条件，用他自己的话，"他就不干了！"这样，拖了好久不能成亲。奥斯本说弗莱特早已答应只要二万镑就娶他的女儿，他当然没有义务多出。他说："弗莱特如果要呢，就娶了去，如果不要呢，就滚他的蛋！"弗莱特在奥斯本驱逐乔治的时候就存了极大的希望，如今觉得这做买卖的老头儿真不要脸，哄他上当，有一个时期竟表示准备解约。奥斯本把他的钱从赫尔格和白洛克的银行里拿出来，并且在出入交易所的时候随身带着一根马鞭子，赌神罚誓地说他如果遇见某某混蛋（名字不必提），打算揍他一顿。他像平常一样，气势汹汹地说了许多失身份的骂人的话。两家结冤的时候，吉恩·奥斯本安慰妹妹玛丽亚说："玛丽亚，我早告诉你的，他爱的是你的钱，不是你本人。"

　　玛丽亚扬着脸儿答道："不管怎样，他挑中了我和我的钱，没挑你跟你的钱。"

　　婚事的破裂只是暂时的。弗莱特的父亲和行里的大股东都劝他不管怎么还是娶了玛丽亚，二万镑嫁妆一半现付，一半到奥斯本先生死后照给，也许到后来其余没分开的财产还能有份呢。弗莱特没法，说他只能"马马虎虎算数"，请了赫尔格老先生出来向奥斯本求和。他说都是他父亲不赞成这头亲事，种种为难，他自己是一向竭力要保持婚约的。奥斯本先生勉强跟他讲了和。赫尔格和白洛克都是商界的豪门，而且和伦敦西城的贵人们又都是亲戚。老头儿若能说"我女婿是赫尔格和白洛克合营银行的股东。卡色莫尔迪伯爵的小姐玛丽·孟哥夫人是我女儿的表亲"，也是很得意的事。在他想像之中，他的家里已经坐满了贵人。所以他饶了白洛克，同意把女儿嫁给他。

　　结婚的时候那排场阔得了不得。仪式是在汉诺佛广场圣·乔治教堂举行的，男家人都住在这一带，因此婚后的一席早饭由他们预备。伦敦西城的贵人都请来了，有好些还在签字本上留了名字。孟哥先生和玛丽·孟哥夫人都到了，亲爱的桂多玲·孟哥小姐和桂尼佛·孟哥小姐做女傧相。客人中还有禁卫军中的白勒迪叶上校，他是明新街白勒迪叶兄弟公司大股东的长子，和新郎有亲戚关系，带着白勒迪叶太太一起光临。此外还有莱文脱勋爵的儿子乔治·卜尔脱少爷和他夫人（她娘家姓孟哥）、卡色托第子爵、詹姆士·墨默尔先生和墨默尔太太（原姓施瓦滋），以及一大群上流社会里的人物——这些人下嫁到朗白街来，使康恩山沾了好些贵族气味。

　　年轻夫妇在巴克莱广场有一所公馆。罗汉浦顿一带都是银行家的住宅，他们在那里也有一所小别墅。弗莱特家里的姊妹认为他攀这门亲真是压低了门楣。她们自己的祖父原是义务学堂里读出来的，可是她们嫁得好，男家的亲戚有些是英国最旧的世家。玛丽亚出身低微，要补救这个缺陷，只好格外骄傲，交朋友的时候也格外小心，她那访客本子里的名字都是挑了又挑才决定的。她觉得责任所在，总得竭力和父亲姊姊少见面才好。

老头儿手上还有几千几万镑的家私可以传给小辈，玛丽亚当然不会和他断绝来往；弗莱特·白洛克决不准她这么胡闹的。不过她年纪到底还轻，没有涵养，请父亲和姐姐的时候只用第三流的酒席，对他们冷冷淡淡，自己不但不到勒塞尔广场去，而且说话很不小心，竟对父亲批评那地段俗气可厌，劝他搬家。弗莱特立克的手段虽然圆滑，也不能把她闯的祸补救过来。照她这样糊涂冒失，承受遗产的机会是保不住的。

老先生和大女儿有一晚在弗莱特立克·白洛克太太家里吃过晚饭坐着车子回家，砰砰碰碰地把窗门关上，说道："哦，原来玛丽亚太太瞧不起勒塞尔广场。原来她请自己的父亲和姐姐吃隔夜的酒菜。今天吃的小食儿，她叫什么'插碟'的东西，准是她昨天请客剩下的，我难道看不出来吗？哼！她把勋爵命妇和有头衔的老爷留着自己受用，倒叫我和买卖经纪人跟摇笔杆儿的坐在一起。有头衔的老爷又值什么屁？我是个老老实实做买卖的英国人。把这些穷狗一只只买下来也不算什么。勋爵，哼哼！那回她晚上请客，我亲眼看见一个勋爵在跟弹弦子的说话。这种弹弦子的我倒还瞧不起呢。哦，原来他们不愿意上勒塞尔广场来。我把性命跟你打赌，我的酒比他们的好，我买酒花的钱比他们多，我的银器也比他们的漂亮，我饭桌上的菜蔬，也比他们的讲究。这起鬼鬼祟祟的东西专会拍马屁，全是自以为了不起的浑虫！詹姆士，快些，我要回到勒塞尔广场去呢！哈哈！"他恶笑了一声，往后一靠，在车子里坐下来。这老头儿惯会这样自称自赞，借此安慰自己。

吉恩·奥斯本见妹妹这样的行为，当然赞成父亲的话。弗莱特立克太太的第一个孩子，弗莱特立克·奥古斯多·霍华特·斯丹恩莱·德芙瑞·白洛克出世的时候，那边请奥斯本参加命名典礼，而且要他做外孙的教父。他拒绝参加典礼，只送了一只金杯给孩子，里面搁了二十个金基尼，说是送给奶妈的。"我保证，我送的礼比他们的勋爵送的东西值钱得多。"他说。

外公送的礼实在丰厚，因此白洛克家里都很满意。玛丽亚以为父亲很喜欢她，弗莱特立克为自己的大儿子觉得乐观。

奥斯本小姐冷冷清清地住在勒塞尔广场。她在《晨报》上"时髦集会"的标题下面不时看见妹妹的名字；还有一次报上提到福莱特丽嘉·白洛克夫人带领弗·白洛克太太进宫，并且描写白洛克太太穿的是什么衣服。奥斯本小姐读到这些新闻时心里的苦痛是不难想像的。我已经说过，吉恩自己轮不到过这样豪华的生活。她真是可怜；冬天早上天还没亮，就得起身给她那怒目横眉的父亲预备早饭。如果到八点半还没有把早点送进去的话，老头儿管把屋里的人都给赶到外面去。她哑默悄静地坐在父亲对面，听着炖在火上的茶壶咝咝地响。老头儿一面看报，一面吃油饼喝茶，分量每天一样，做女儿的战战兢兢地伺候着。到九点半他站起身来到市中心去；从那时直到吃晚饭，都是她自己的时候，随她处置。有时她到厨房巡察一下，骂骂用人；有时坐车出去买买东西；所有做买卖的都对她恭敬得了不得。有时她特地绕到生意界朋友们又沉闷又体面的大房子那里，把父亲的名片和自己的名片叫门房递进去，有时她独自一个坐在大客厅等待客人来拜访。她时常坐在火旁的安乐椅上拿了一块毛绒刺绣品绣着花；伊菲琪娜亚大钟就在旁边，在这阴气森森的房间里，它滴答滴答地走着，当当地敲着，声音显得特别大，也特别凄惨。火炉架子上面的大镜子，正对着屋子那一头有镂花托柱的大镜子，这两面镜子面对面的，把屋子中央套着棕色麻布袋的大灯台的影子反复增加，到后来只看见一连串的麻布袋儿无穷尽地向两边伸展开去，又仿佛两头都有许多类似的客厅，奥斯本小姐坐着的一间便是中心。有时她拿掉大钢琴上的软皮罩子，在琴上按几个音，琴声中也像带着一股哀怨，在屋子里激起凄凉的回声。乔治的肖像早已拿掉，堆到阁楼上的杂物间里去了。他的印象仍旧留在父亲和姐姐心里；父女两个往往本能地感觉到对方在思念这勇敢的、从前备受宠爱的乔治，可是大家都不提他的名字。

下午五点钟，奥斯本先生回家吃晚饭。吃饭的时候，他和女儿向来不说话，除非厨子做的菜不合他的胃口，他生了气，便大声咒骂。他们每月请两回客，来的客人全无意趣，年龄和地位都和奥斯本本人相仿，像住在白鲁姆斯贝莱广场的葛尔浦老医生夫妻，住在贝德福街的律师福拉乌泽老先生（他是个了不起的人物，由于职业关系，和伦敦西城的贵人来往很密），从前在孟买军队里的李佛莫老上校夫妻，住在上贝德福广场，还有老军曹托非夫妇。有时住在贝德福街的汤姆士·考芬爵士和考芬爵士夫人也来。汤姆士爵士是有名的绘画审查员，每逢他来吃饭，奥斯本先生必定另外开一瓶黄褐色的好葡萄酒请他喝。

每逢这些人回请勒塞尔广场爱体面的大老板，那排场也差不多。他们吃过饭喝过酒以后，到楼上板着正经脸儿斗牌，到十点半坐车回家。有好些我们穷鬼瞧着眼红的有钱人过的就是这种日子，而且过得很满意。吉恩·奥斯本难得遇见六十岁以下的人；他们圈子里唯一的单身汉子，大概只有著名的妇科医生思默克先生一个人。

如果说吉恩的苦闷日子里从来没有过波澜，那也太过分。原来可怜的吉恩也有一个秘密。她父亲为人暴戾凶狠，一则他天性如此，二则他自以为了不得，三则他吃喝太没有节制；这件事一出来，激得他的脾气越来越坏。这秘密和乌德小姐有些关系。她有一个表弟叫思米先生，现在已经成了有名的肖像画家，而且是皇家艺术学院的院士，从前落泊的时候，全靠收几个有钱女学生教图画来维持生活。思米先生如今连勒塞尔广场坐落在哪里都不记得了，可是在一八一八年，他就了奥斯本小姐的馆，倒是很巴结的。

思米本来是弗里施街夏泼画师的学生。夏泼半生落拓，自己做人又荒唐没有品行，可是在艺术上的造诣倒不算低。我方才说到思米是乌德小姐的表弟，由她介绍给奥斯本小姐。奥斯本小姐虽然也恋爱过几次，可是每次都落空，所以身心还没有得到归宿；画师对于她十分有情，据别人推测，小姐也不是无意。两人兜搭起来，乌德小姐便做了拉线的。想来他们师徒两人画画的时候她便回避了，好让他们两人山盟海誓，谈些当着第三个人不好出口的情话儿。说不定她希望帮着表弟把大老板的女儿弄到手，表弟得了好处，自己托赖着也能分肥。总而言之，奥斯本风闻这件事，有一次突然从市中心回来，拿着一根竹子拐棍儿直闯到客厅里。他看见画家、学生和女伴都吓得脸如土色，立刻叫那画家滚蛋，一面恐吓他说要把他身上一根根骨头都打断。半小时之后，他辞退了乌德小姐，把她的箱子一脚踢到楼下，把她的纸盒子踩得稀烂，眼看她雇了车子动身的时候还恶狠狠地握着拳头。

吉恩·奥斯本躲在卧房里好几天没露脸。从此以后，父亲不准她雇女伴了。他赌神罚誓地说，如果她不得父亲的许可私自找丈夫，以后一文钱也不给她。他自己需要一个女人替他当家，因此不想把她出嫁。她不得不放弃一切和恋爱结婚有关系的打算；只要她爸爸在一日，她就只能过这种日子，没奈何只好做个老姑娘。她妹妹每年添孩子，名字越起越漂亮。到后来两家一天比一天疏远。白洛克太太说："吉恩和我环境不同。当然，我还是把她当作姐姐那样待。"——她的意思是——这么一位有地位的少奶奶说她把吉恩当作姐姐那样待，究竟是什么意思呢？

上面已经说过，两位都宾小姐和他们的父亲住在丹麦山一宅漂亮的别墅里，他们自己有葡萄园和桃树，都是小乔杰·奥斯本最喜欢的。都宾小姐们常常到白朗浦顿去看望亲爱的爱米丽亚，有时也到勒塞尔广场去瞧瞧老朋友奥斯本小姐。我想她们肯和爱米丽亚来往，无非是驻在印度的都宾少佐的主意（她们的爸爸对儿子非常尊敬）。少佐是爱米丽亚儿子的教父和保护人，他仍旧希望孩子的祖父会回心转意，看儿子面上正式承认他。两位都宾小姐时常把爱米丽亚的近况报告给奥斯本小姐听，说起她怎么和父母同住，怎么穷苦，等等。在她们看来，爱米丽亚当年不过是个全无意趣的小东西，不懂男人们——甚至于像亲爱的奥斯本上尉和她们兄弟那样的男人——看着她哪一点好？她们说她至今还是装腔作势，多愁善感，简直乏味透了，可是孩子倒真是少有地漂亮。所有的女人都喜欢孩子，哪怕是最尖酸的老姑娘，对待小孩总还有些好心。

有一天，都宾小姐苦苦恳求的结果，爱米丽亚允许小乔治到丹麦山玩一整天，就在这天，她抽出一部分工夫来写信给驻扎在印度的少佐。她谈起他姊妹们报告的好消息，说要跟他道喜。她祈祷上帝保佑他和新夫人将来一帆风顺。她深深地向少佐道谢，说他在患难之中忠诚不变，千万次帮她的忙。她报告小乔杰的近况，并且说那天他到郊外他姊妹那里去了。为加重语气起见，她在句子底下画了许多道儿，并且签名自称"你亲爱的朋友爱米丽亚·奥斯本"。平时她每逢写信，总要附笔跟奥多太太问好，可是这一回却忘记了。葛萝薇娜的名字，她也不提，只用斜体字写着"你的新娘"等字样，并且说自己祷告上天保佑她。都宾结婚的消息打消了她对他的戒心。现在她能够在心上口上承认自己对他多么感激，多么关切，觉得很高兴。至于讲到妒忌葛萝薇娜的话（葛萝薇娜，哼！），即使天上的神仙对她这么说，她也会责备他荒谬。

那天晚上，乔杰坐着他心爱的小马车回家，威廉爵士的老车夫给他赶着车子。他脖子上戴着金链子，底下挂着一个金表。他说有个老太太，长得不好看，送给他这份礼。老太太老是哭，老是吻他。可是他不喜欢她。他很喜欢葡萄。他只爱妈妈。爱米丽亚听了这话，怔怔地往后一缩。这胆小的女人听说孩子父亲家里的人看见了他，心里一阵恐慌，仿佛这是个不吉利的预兆。

奥斯本小姐回家给父亲预备晚饭。那天他在市中心刚做了一笔很顺利的投机买卖，脾气很好，无意中发现女儿神色紧张，居然开口问道："奥斯本小姐，出了什么事了？"

那女人失声哭道："唉，爹爹，我今儿看见小乔治的。他，漂亮得像个天使，跟他真像！"坐在对面的老头儿一言不发，可是他脸上涨得通红，四肢索索地发起抖来。

# 第四十三章　请读者绕过好望角[1]

读者准会觉得吃惊，因为我现在要请他走一万英里路，到我们的属地，印度的玛德拉斯行政区本特尔根奇驻地去走一趟。第——联队里勇猛的老朋友们都驻扎在这里，统领他们的仍旧是那果敢的上校麦格尔·奥多爵士。这位肥胖的军官像一切脾气温和、消化力强，而且不大用脑子的人一样，显得很年轻。中饭的时候他吃得很多，到晚饭的时候他吃得也不少。中饭晚饭以后他都抽水烟，尽他妻子在旁边聒噪，他只管一口口静静地抽。当年滑铁卢大战，他在法

<hr>

[1] 当年苏伊士运河还没有开凿，好望角是到印度的必由之路。

国人的炮火之下也是一样不动声色。至于玛洛内和莫洛哀的后裔呢，虽然她也上了年纪，当地天气又热，她倒还是跟以前一样轻健，一样爱说话。我们的老朋友奥多爵士夫人不管住在布鲁塞尔还是玛德拉斯，在兵营里还是在篷帐里，都觉得一样地舒坦。行军的时候她坐在大象背上，带头儿先走，军队在后面跟着，那样子真是威武得很。她曾经骑着那牲口到大树林里去打过老虎，还去觐见过当地的王族。王妃们把她和葛萝薇娜让到后宫，拿出披肩和珠宝送给她们，她虽然没有收下来，心里老大舍不得。营里谁都认识她，不管是佩哪一种军器的哨兵看见她都会对她致敬，她也正色举起手来，挨着帽子给他们还礼。玛德拉斯行政区里最了不起的太太就数奥多太太了。她和陪席审判官密诺思·斯密士爵士的太太吵过一次架。这件事在玛德拉斯至今有人记得。上校太太冲着法官太太摔手，说她再也不愿意走在低三下四的老百姓后面。有一回总督府开跳舞会，她大显身手，不停地跳快步舞，两个将军的副官，一个玛德拉斯骑兵营的少佐，两个民政厅的官员，和她对跳，都跳得精疲力尽。事隔二十五年，还有好些人记得她的成绩。最后还是第——联队的下级骑土都宾少佐（他在联队里的地位不过比奥多上校低一级）再三劝她去吃晚饭，才歇下来。她虽然疲乏，心里还嫌没有跳畅。

佩琪·奥多没有改变。她存心好，待人忠厚，可是脾气非常暴躁，最喜欢辖治人，对于她的麦格尔更是专制得了不得。联队里的太太们都怕她凶横，年轻小伙子却没有人不爱她，因为他们生了病她肯服侍，惹了祸她肯撑腰，对他们像母亲一般慈爱。上尉以下各军官的太太们（都宾少佐至今没有结婚）背地里结党反对她。她们说佩琪专横得叫人受不了；葛萝薇娜又爱摆架子。葛克太太收了几个信徒给他们讲道，奥多太太便出来干涉。小伙子们给她一嘲笑，都不肯去听葛克太太讲道了。她说军官的老婆不配做牧师，葛克太太应该在家补她丈夫的破衣服才对，倘若联队里的军士要听讲道，她尽可以把她那做副主教的叔叔写的讲稿

读给他们听，这些训戒才算得上全世界第一。斯卜内中尉和联队里外科医生的妻子眉来眼去地兜搭，给她逼着叫两人一刀两段。她威吓斯卜内说，假如他不立刻改过，并且请病假到好望角去养病，她就要立逼他还出从前的债来（小伙子使钱散漫的脾气仍旧没有改）。还有一次，波斯基太太半夜从他们住的平房里逃出来，她的丈夫手里举着一个白兰地酒瓶子（已是第二瓶了），怒冲冲地在后面追她。奥多太太收留了波斯基太太，甚至于治好了波斯基的酒癫病。染上坏习惯本来是很普通的事，这军官一不小心，喝酒竟上了瘾，全亏奥多太太帮他戒掉了。总而言之，她在急难之中最肯帮忙，平常过日子的时候却不容易和人相处，因为她自信心很强，最喜欢独断独行，别人再也拗不过她的。

不说别的，她竟打定主意要把葛萝薇娜嫁给我们的老朋友都宾。奥多太太知道都宾少佐前程远大，在本行里是很受敬重的，他的种种好处，她也十分赏识。葛萝薇娜长得很漂亮，黑头发蓝眼睛，脸色有红有白。她会骑马，也会弹奏鸣曲，在她家乡各克区里的女孩子谁也比不过她。照奥多太太看来，她刚好配得上都宾少佐，准能叫他称心满意。他从前不是一心恋着爱米丽亚吗？葛萝薇娜反正比那做事疲软的小可怜儿强得多。奥多太太常说："你瞧瞧葛萝薇娜进门的时候那股子风度！把她跟苦命的奥斯本太太比一比，就显得出谁高谁低。奥斯本太太是一点儿能耐也没有的。少佐，葛萝薇娜配得过你。你自己不大开口，该有个人替你说说话才好。告诉你吧，她的家里虽然不像玛洛内和莫洛哀那么尊贵，也是有根基的，连贵族都抢着和他们家攀亲呢。"

葛萝薇娜本人也愿意嫁给都宾，决定用柔情蜜意来牢笼他。说句老实话，在她碰见都宾以前，早已在别的地方把她的手段施展过许多回了。她在爱尔兰京城都柏林的应酬场中出入过一年，在葛拉内、各克、玛罗各地方到底交际了几年谁也闹不清楚。她对本国军队总部里所有没娶亲的军官，乡下绅士中所有可能合格的光棍儿，个个都送过秋波。单是在爱尔兰一国，她就订过十来次婚；在温泉辜负她的牧师还不算在里面。她乘拉姆轻特商船到玛德拉斯去的时候，一路和船长和大副眉来眼去。当时她哥哥嫂嫂住在行政区，联队里的少佐却在驻扎地统带军队。她住在哥嫂家里，又出来应酬了一年。当地人人夸奖她，人人跟她跳舞，可是开口求婚的人全够不上资格做丈夫。一两个年纪极轻的下级军官和一两个没长胡子的文官对她十分倾心，无奈她认为他们配不上她，一口回绝了。别的姑娘——有的比葛萝薇娜还年轻，都出嫁了，只有她还是独身。世界上有好些女人一般长得很好看，不知怎么生来是这样的命。像那几个奥格兰地小姐，成天闹恋爱，军队里的人倒有一半是朋友，不是跟这个出去散步便是跟那个出去骑马，可怜她们快到四十岁了，还是原来的奥格兰地小姐。葛萝薇娜说来说去，只怪奥多太太和法官的夫人吵架坏了事，否则她在玛德拉斯准能结一门好亲事。民政处的首脑吉德尼老先生那时正在打算向她求婚，吵架以后就另外娶了别的人；新娘是个十三岁的年轻小姐，姓陶儿贝，刚从欧洲的学校里到印度来。

奥多太太和葛萝薇娜每天拌好几回嘴，不管什么都是她们吵架的好题目。还亏得麦格尔·奥多的性子和天上的安琪儿一样温和，否则一天到晚听这两个女人在耳朵旁边聒噪，准会发神经病。她们虽然时常吵闹，不过对于把都宾弄来做女婿这件事却是志同道合的。她们打定主意，亲事一天不成功，就一天不让都宾过太平日子。葛萝薇娜虽然经过三四十次的挫折，倒并不灰心，继续想法子笼络他。她不断地对他唱歌，歌儿全是《爱尔兰歌选》[1]里挑出来的。她老是可怜巴巴地问他"你愿意到凉亭里来吗？"真不明白一个感情丰富的人怎么能够挡得住这样的引诱。她又一遍一遍地探问他什么伤心事使你的青春黯然无光？像

---

[1] 爱尔兰诗人托玛斯·摩尔（Thomas Moore，1779—1852）所选。

苔丝迪梦娜①一样，她愿意倾听他过去遭到的危险和经过的战争，而且也愿意在听了故事以后掉眼泪。前面已经说过，我们这位亲爱的老实的朋友时常在自己屋里练习吹笛子。葛萝薇娜知道这事，一定要用钢琴跟他合奏。奥多太太瞧见他们年轻的一对儿在弹琴吹笛，故意装没事人儿，站起来往外就走。葛萝薇娜又逼着少佐在早上陪她骑马。整个军营的人瞧着他们出发，又瞧着他们回来。她老是写条子送到他家里去。她向他借书；每逢书上有她认为动人或者幽默的片段，就用铅笔在句子底下勾了许多道儿。她向他借马，借用人，借勺子，借轿子。怪不得外面谣传她要嫁给都宾少佐，也怪不得少佐在英国的妹妹以为哥哥打算娶嫂子。

　　女方虽然包围得这么紧，都宾本人却冷淡得可恶。联队里的小伙子因为葛萝薇娜明摆出对他倾心的样子，都来取笑他，他不过一笑置之，说道："得了！她不过是怕荒疏了自己的功夫，借我练练本事罢了，就好像她借陶泽太太的钢琴练手指头一样，因为在营里，还算我最凑手。我是个饱经风霜的老头儿，配不上葛萝薇娜这样的漂亮小姐。"他对小姐十分依头顺脑，照常陪她骑马，下棋，替她把诗歌和曲子抄在纪念册里，等等。在印度，好些军官有了空闲不过找这样简单的消遣，其余爱闹的人便打野猪，打竹鸡，赌钱，抽烟，喝酒。麦格尔·奥多爵士的妻子和妹妹要他催着都宾少佐把事情说说明白，她们说他这种行为简直是叫可怜的女孩儿无辜受罪，太说不过去。奥多老头儿斩截地表示不管这笔账，说道："少佐又不是小孩儿，他爱怎么样让他自己做主。倘若他要娶你，自会开口的。"有时他说几句顽话想法子把她们混过去，譬如说："都宾年纪太轻，还不能成家，所以写信回家请示他妈妈去了。"不但如此，他私底下还去取笑少佐，叫他小心。他嚷嚷道："都宾小子，

①莎士比亚悲剧《奥塞罗》中的女主角，奥塞罗大将向她求爱的时候，曾经把一生的经历讲给她听，就赢得了她的欢心。

当心啊！我家两个姑娘在捣鬼呢。我老婆刚从欧洲买了一箱子衣服来，里头一件粉红软缎的袍子是葛萝薇娜的。都宾啊，如果你瞧着女人跟软缎觉得动心的话，这一下就完了。"

其实呢，老实的都宾不是漂亮的脸蛋儿和时髦的新装所制得服的，他脑子里只有一个女人的影子，跟那穿粉红软缎的葛萝薇娜·奥多一点儿也不像。他的心上人体态温柔，浑身穿着黑，大眼睛，棕色头发，静静儿的不大开口，别人问一句，她才答一句，说话的声音也跟葛萝薇娜的截然不同，——她是个慈祥的年轻妈妈，守着孩子，笑哈哈地招手儿叫少佐过去看他——她是个粉红脸儿的小姑娘，住在勒塞尔广场，一面唱歌一面走到屋子里来；她兴冲冲地勾着乔治·奥斯本的胳膊，一心一意爱他，——这个影子日夜在老实的少佐脑子里盘旋，做他的主宰。大概少佐心里的爱米丽亚和她本人差得很远。在英国的时候，他在他妹妹的时装画报里看见一张女人的像，有些像奥斯本太太，便偷偷地铰了下来粘在自己的小书桌盖上。这画儿我也看见过，原来是一件细腰身的袍子上面装了个洋娃娃脸，脸上堆着假笑，叫人瞧着就讨厌。也许多情的都宾先生心目中的爱米丽亚和他视为至宝的、可笑的画儿一样，和爱米丽亚本人完全不像。可是正在恋爱的人谁不糊涂呢？就算他把爱人看穿了，承认自己上了当，他会觉得乐意吗？都宾已经着了迷了，不过他倒并不把心里的话对朋友或是一般人噜嗦个不完，也没有因此睡不着吃不下。自从我们上次和他告别之后，他的头发慢慢花白了，爱米那一头软软的棕色头发里也添了一两根银丝。可是他的感情没有改变，也没有衰老，像成年人记忆中的童年一样新鲜。

我们已经说过少佐从欧洲得到的信，都是两位都宾小姐和爱米丽亚从英国寄给他的。奥斯本太太最近写给他一封信，措辞非常亲热，非常诚恳，她听说他不久就要跟奥多小姐结婚，特地给他道喜。

爱米丽亚的信上说："你的妹妹待我真好，刚来看过我。她告诉我一个好消息，因此我在这儿诚诚心心地跟你道喜。我希望你娶的新夫人在各方面都配得上像你这样忠厚正直的好人。我是个苦命的寡妇，在别方面无能为力，只能替你多多祷告，并且千万分诚恳地希望你将来一帆风顺。乔杰向他亲爱的干爹请安，希望你别忘了他。我告诉他说你就要结婚了，娶的新夫人准是值得你倾心相爱的。夫妻之间的感情应当比一切都神圣和热烈，应当胜过其他一切的感情，可是我相信你一定肯在你心里留一个缝儿给你所保护和疼顾的寡妇和孤儿。"这封信的内容，前面也曾经说过，写信的人从头至尾都是这样的口气，竭力表示她听到喜信以后多么高兴。

　　这封信和奥多太太从伦敦买来的一箱衣服一条船上寄到印度。不消说，都宾一看见这封信，来不及地拆开来看，哪里还管别的信。哪知道一看之下，恼得他想起葛萝薇娜就恶心，她的粉红袍子，她的一切，都叫他恶心。他恨恨地埋怨女人们多嘴多舌，没有一个不讨厌。那天什么都惹他生气，来回阅兵累得他又热又倦，直觉得受不住。天啊，他的责任是什么？天天操练一大群糊涂蛋，检查他们身上挂着的子弹带子。他是个有脑子的人，难道一辈子就这样糟蹋了不成？在食堂里，小伙子们说来说去全是无聊透顶的闲话，那天听着格外刺耳。他转眼就是四十岁的人了，谁高兴管斯密士

中尉打了几只竹鸡，白朗旗手的马显了什么本领呢？大伙儿的说笑打诨弄得他只有羞惭的份儿。他老了，外科医生的助手和人打牙撩嘴儿，年轻小子们满口俗语土话，实在不能叫他感兴趣。奥多老爹的头都秃了，一张脸红喷喷的，他倒很随和，跟着大家一起打哈哈。这些笑话，他足足听了三十年，都宾自己也听了有十五年。饭堂里的打闹已经是够无聊的，再加上营里的太太们争闹相骂，背地里互相诋毁，那真是丢脸，怎么受得了？他暗想道："唉，爱米丽亚，爱米丽亚！我对你始终如一，你倒来抢白我。我为什么勉强自己一天天在这里瞎混，还不是因为你对我没有感情吗？多少年来我一心一意地爱你，你报答我的是什么？亏你相信我会娶这个轻薄浮浪的爱尔兰女人，居然来祝贺我婚后称心如意！"可怜的威廉闷上心来，那寂寞凄凉的滋味是以前从来没有尝过的。倘若咬着牙干下去吧，不但没有用，而且无味得很，前面是一片荒凉，没有使他振奋的东西。他恨不能一撒手撇开了人生的浮名浮利，甚至于对于生命本身，他也没有什么留恋。那晚他一夜没有合眼，只想回家。看了爱米丽亚的信，身心都麻木空虚。尽他赤心忠胆，拿出一片真情来爱她，她始终是冷冰冰的。看来她是执意不愿意知道他多么爱她。都宾在床上翻来覆去，对她说道："天啊，爱米丽亚！你难道不知道我爱的只有你？你对我就像石头一样冥顽不灵。你伤心害病的时候，我怎么样经年累月地伺候你来着？到临别的时候你笑眯眯地跟我说了声再会，门还没有关上就把我扔在脑勺子后头了。"躺在他阳台上的印度用人瞧见平时那么矜持冷静的少佐心里竟有这样的热情和痛苦，暗暗地纳罕。若是爱米丽亚看见了他当时的情况，不知道会不会可怜他？他拿出她所有的信来反反复复地看。有的信上是关于怎么处置她那一小笔财产的问题（他仍旧骗她说是丈夫留给她的遗产）；有的是从前给他的请帖；只要是从她那里寄来的，有她笔迹的小纸片，他都拿出来看了又看。她的口气多么冷淡，多么和蔼，多么自私，多么令人绝望！

如果邻近有个温柔敦厚的好女郎，能够了解他沉默而豁达的性格，赏识他的为人，也许爱米丽亚就不能再辖治他，他的爱情也就有了归宿。只可惜他看来看去只有黑头发的葛萝薇娜。这位时髦小姐关心的不是自己怎么去爱少佐的问题，而是要少佐对她倾倒。可怜她的法宝又并不高明，因此一点希望、一点办法都没有。她把头发卷成一卷儿一卷儿，露出肩膀，对着他卖弄，好像说："你看见过这么乌油油的头发和红粉粉的脸色没有？"她对他龇牙咧嘴地笑着，恨不能叫他知道她满口的牙齿个个没有毛病。他呢，对着这样一个妙人儿全不动心。新衣服寄到之后——或许就是因为有了新衣服的缘故，奥多太太和营里的太太们开了一个跳舞会，招待东印度公司的联队和驻屯区的文官们。葛萝薇娜卖弄着勾魂摄魄的粉红袍子；少佐也来了，不过他垂头丧气地在房间里走来走去，根本没有看见她的新衣服。葛萝薇娜气呼呼地当着他的面和本地所有的低级军官跳舞。可是少佐一点儿不吃醋；眼看着骑兵营的班格尔士上尉扶她进去吃晚饭，也不觉得生气。他不在乎漂亮的时装和肩膀，也不高兴和人争风吃醋，而葛萝薇娜除了这些解数之外一无所有。

他们两个人追求的全是不能实现的妄想，从他们的遭遇来看，就可以证明人生的空虚。葛萝薇娜这一回又碰了钉子，气得大哭。她抽抽噎噎地说她愿意嫁给少佐，那份儿急切真是"以前从来没有过的"。她跟嫂子和睦的时候，便呜呜咽咽地向她诉苦说："佩琪，他要使我心碎了，瞧着吧！我瘦得像个骷髅，所有的衣服都得重新改了。"她肥也罢，瘦也罢，喜也罢，愁也罢，骑马也罢，弹琴也罢，少佐只是不关心。上校一面抽烟，一面听他妹妹哭诉，提议说第二回到伦敦去买衣服的时候，应该给葛萝薇娜定做些黑衣服才好。他还讲了一个很神秘的故事，说爱尔兰有一位小姐，在没有找到丈夫之前，就因为失去了丈夫伤心得一命呜呼。

都宾少佐既不爱上葛萝薇娜，又不求婚，叫她干瞧着不能到手。不久又有一只邮船从欧洲来，这没有心肝的人收到几封家信，邮戳上的日期反而比前次信上的早几天。都宾少佐看了一看，发现有他妹妹的信。都宾小姐和她哥哥的信往往走交叉路。她写信的时候把所有的坏消息收集起来报告给哥哥听，而且因为她是妹妹，说起话来十分直爽，不时地便要责备他，教训他。因此"最亲爱的威廉"每次读了家信总是整天闷闷不乐。说实话，这一回最亲爱的威廉得了妹妹的信并不拆开来看，把它撩在手边等将来自己高兴的时候再说。两星期以前他写信回去责备她不该向奥斯本太太散播谣言；爱米丽亚那里他也写信去辟谣，告诉她说自己"眼前没有意思成家"。

第二批信到印度以后两三天，少佐晚上到奥多太太家里去做客，大家相当地高兴。葛萝薇娜唱歌给他听，像《两条河汇合了》《小歌手》等等，觉得他似乎比平常殷勤些。其实她这又是自己骗自己，她在屋子里唱歌，外面月亮底下好些豺狼在嗥叫，这两种声音都进不了少佐的耳朵。接着他和葛萝薇娜下了一回棋。奥多太太到黄昏常常跟营里的医生玩叶子戏。到了一定的时候，都宾就告辞回家。

他妹妹的信还搁在桌子上，仿佛在责备他。他自己也觉得惭愧，远隔重洋的妹妹写了信来，自己却不当一回事，只得拿起这封笔迹潦草的信来，准备受一小时罪。那时少佐离开上校家里大概有一点钟光景，麦格尔·奥多爵士已经沉沉地睡着了；葛萝薇娜依照每天的习惯，用许许多多小纸条儿把她的黑头发一绺儿一绺儿卷起来；美丽的奥多太太也上了床（她和奥多的卧房在楼下），把蚊帐在床的四周严严地塞好。正在这时候，高级军官住宅区的哨兵看见都宾少佐慌慌张张地在月光下飞奔而来，走过哨兵身旁，直冲到上校卧房的窗口。

都宾一叠连声地叫道："奥多！上校！"

葛萝薇娜头上尽是卷头发的纸条儿，从窗口伸出头来说道："天哪！

少佐啊！”

上校以为营里失火，或者是司令部下命令要他们上前线，问道：“都宾，好孩子，有什么事？”

都宾答道：“我——我要请假。我要回英国——我家里有要紧的事。”

葛萝薇娜满头的卷发纸条儿索索地抖，心里暗想：“天哪，不知出了什么事？”

都宾接着说道：“我要回家——现在就动身，今儿晚上就动身。”上校只好从床上起来和他开谈判。

都宾小姐那封走了对叉路的信后面附加一段消息，上面说：“昨天我去看你的老朋友奥斯本太太。自从他们家败落以后，住的地方真是破烂，你也知道的。赛特笠先生的小茅屋（那房子实在比小茅屋好不了多少）——赛特笠先生的门上新钉着一块铜牌子，看来他又成了个卖煤的了。你那干儿子长得真不错，就是喜欢逞能，而且脾气倔强，不大懂规矩。我们听你的话，时常照顾他，并且找机会让他和他的姑妈奥小姐见过一回。看来她很喜欢那孩子。说不定他的祖父——我说的是勒塞尔广场的奥斯木先生，不是外祖父，他外祖父是老糊涂了——他祖父可能回心转意，不计较他儿子从前怎么倔强荒唐，重新把孙子领回去。爱米丽亚不会不愿意的；她现在很快乐，快要跟一个教会里的人结婚了。说是白朗浦顿的一个副牧师，名叫平尼先生。这门亲事没有什么好，可是奥太太年纪不小了，我看见她头上好些白头发。她样子很高兴，你的干儿子在我们家里吃得太多，撑坏了。妈妈问候你。你的亲爱的安痕·都宾。”

# 第四十四章　在伦敦和汉泊郡的曲折的情节

在大岗脱街上，我们的老朋友克劳莱家的府第门前仍旧挂着报丧板，表示追念毕脱·克劳莱爵士，不过这块木板上面漆着世袭的纹章，本身就非常灿烂鲜明。宅子里外焕然一新，从男爵生前从来没有把屋子修葺得这么整齐。砖墙外面本来涂着黑颜色，如今磨洗干净之后，是红砖白线，显得精神。门环上的铜狮子镀了金，非常漂亮，铁栅栏也重新漆过。这样，大岗脱街上最黑不溜秋的房子成了全区最光鲜的了。毕脱·克劳莱老爵士的棺材给抬出女王的克劳莱大厦的时候，树上的叶子正在渐渐转黄，现在那一带树上还没有长出新的绿叶子来，却已经有了这么些变迁。

一个小个子女人老是坐了马车在这儿进出。另外有一个年纪很大的老小姐，带着个小男孩儿，也是天天来。这两人就是布立葛丝和小罗登。布立葛丝小姐的责任是收拾屋子，监督女用人缝窗帘和幔子。上两代的克劳莱夫人塞在壁橱和抽斗里的肮脏旧东西，成堆中看不中用的垃圾，也责成她清理出来，并且把储藏宰和小间里的瓷器和玻璃杯等等录成清单。

罗登·克劳莱太太发号施令，总揽一切大事。关于家具的买卖、交换、查封，毕脱爵士全权委托她办理。这件任务恰好能够让她施展才能，发扬她高明的见解，因此她心里也喜欢。修理房子的计划还是上一年十一月里定下的，当时毕脱有事情和律师接洽，特地到伦敦来，还在克生街住了差不多一星期，弟弟和弟妇招待得十分殷勤。

起先他住在旅馆里；蓓基一听得从男爵在伦敦，立刻一个人先去欢迎他。过了一点钟，毕脱爵士果然坐在她马车里一起到克生街来了。如果利蓓加立意要请人回家款待的话，被请的就很难推辞，因为她一片真心，说的话又恳切，态度又和蔼可亲。她劝得毕脱爵士转了口，感激得了不得，捏着他的手，紧紧地瞅着他说道："多谢你，这一下罗登可乐了!"毕脱爵士的脸也红了好半天。她忙忙碌碌地领着用人抬箱子到毕脱房里去，又笑着亲手从自己屋里搬了一个煤斗子来。

毕脱的屋子里已经暖暖地生了一炉子火；这一间本来是布立葛丝住的，毕脱爵士一来，她就上楼住在女用人屋里。蓓基高兴得眼睛发亮，说道："我

知道你一定会来的。"毕脱爵士肯来做客，她真是诚心诚意地欢喜。

毕脱住在他们家里的时候，蓓基叫罗登只做有事，在外面吃一两次晚饭，家里只剩她和布立葛丝陪着从男爵，一黄昏空气非常融洽。她亲身下厨房给他做菜。她说："这野鸡肉不错吧？是我特地给你炸的。比这个好的菜我也会做。下回你来看我，我就做给你吃。"

从男爵献媚说道："只要你肯动手，没有事做不好的。这野鸡的滋味真是了不起。"

利蓓加活泼泼地回答道："穷人的老婆什么事都得自己动手呀。"她的大伯子听了这话，赌神罚誓地说她"配得上做皇帝的正宫娘娘。善于管理家务的女人才是最招人爱的"。毕脱爵士想起家里的吉恩夫人，心里着实惭愧；有一回她再三要亲手做饼给他吃，做得简直不能入口。

野鸡是在斯丹恩勋爵斯帝尔白鲁克的小别墅附近打下来的。除了野鸡，蓓基又请大伯子喝一瓶上好的白酒。这瓶酒是斯丹恩侯爵家里拿来的白葡萄酒。她却撒谎说是罗登在法国捡来的便宜货。侯爵藏的酒是有名的，从男爵一喝下去，苍白的脸上立刻泛红，他那虚弱的身子里也觉得暖融融的有了力气。

蓓基等他喝完了酒，伸出手来挽着他的胳膊拉他到楼上客厅里，请他在火炉旁边的椅子上坐下来，把他服侍得周身舒服。她让他说话，自己坐在旁边静静地听，表示对他说不出来地关心，手里拿着儿子的小裙子一针一针地缝。每逢罗登的老婆做张做致装贤慧，便把这条小裙子从针线篮里拿出来缝着。裙子没有完工，小罗登早已穿不下了。

毕脱愿意说话的时候，她耐心地听着，不然的话，她就跟他聊天，给他唱歌，甜言蜜语地哄他，体贴入微地照料他，弄得他心里熨帖，每天在格蕾法学协会的律师事务所办完了公事，巴不得快快回家烤火。那几个律师也恨不得他早走，因为他最喜欢高谈阔论，开了口就没个了结。毕脱动身回家的时候，很有点儿依依不舍。利蓓加看他上了邮车找着位子，便在自己马车窗口对他送吻，摇手帕，那风姿真是妩媚动人。有一回她还拿起手帕来擦眼泪。开车的时候毕脱把海狸皮帽子拉下来遮住眼睛，靠着椅背坐好，心里想到利蓓加对自己多么尊敬，而自己又多么值得她尊敬。他觉得罗登是个没脑子的糊涂东西，竟不能赏识老婆的好处。他又想到自己的老婆和聪明能干的蓓基不能比，真正是拙口笨腮，一点不伶俐。说不定这些事情都是蓓基点醒了他才想起来的，可是她的话说得又婉转又不着痕迹，听的人简直不知道她在什么时候，在什么场合之下说过这些话。他们分手以前，约定把伦敦的公馆重新装修，下一季就可动用，又说好到圣诞节两家再见面。

从男爵告别以后，罗登垂头丧气的，对他老婆说道："可惜你没有从他那里弄些钱来。咱们应该把拉哥尔斯老爹的账还掉一部分才好呢。你想，那老头儿一个子儿都不能到手，怎么说得过去？ 再说，这样下去对咱们也不利，没准他把房子租给别的人，咱们怎么办？"

蓓基道："你跟他说，等到毕脱爵士把事情办妥当之后，所有的账都要付的。暂时先付他一点儿。毕脱给了我这张支票，说是给孩子的。"说着，她从钱袋里拿出一张支票来交给丈夫，这笔钱是他哥哥给克劳莱家二房里长子的见面礼。

实情是这样的，她丈夫要她做的事，她自己也尝试过。她的话说得非常委婉，可是一开口就知道这事行不得。她提到家计艰难，毕脱·克劳莱爵士就着忙了。他说了一大堆话，说自己手头怎么短钱使；佃户又不肯交租；父亲生前的纠葛，死后的丧葬费，又给他重重地牵累。债主们在土地上的权限，他想收买回来，银行和代理人那里的款子偏又透支了许多。结果，毕脱·克劳莱想出个折衷的办法，给了小婶子一笔极小的款子，算是送她儿子的见面礼。

他弟弟家里艰难到什么地步，毕脱很明白。像他这样镇静老练、经验丰富、有手段的人，当然看得出罗登家里一无所有，而且连房子带马车，开销一定不少。他知道他的财产按道理是他弟弟的名分，如今被他霸占过来，心里未始不觉得惭愧。他明白自己害得弟弟弟妇的希望落了空，应该还他们一个公道待遇，或者说应该拿一部分儿钱出来补偿他们的损失。像他这样的人，为人公正，行事顾大体，也不能算没有头脑，平时又懂教理，又做祷告，表面上克尽己责，当然知道在道义上说起来，他欠了罗登一笔债，有义务给他一些好处。

咱们的财务大臣时常在《泰晤士报》上发布一种稀奇古怪的通告，承认受到某人五十镑，某人十镑。这些人在通告底下声明因欠税未缴，于心不安，特缴良心税若干，恳求财政大臣查收之后正式登报承认。财政大臣和看报的人都知道那些人只付了欠缴的总数里面极小的一部分。那个欠税的人送进去二十镑钱，实际上大概欠了国家成千成万镑的税收呢。当我看到他们送虚情似的赎罪补过，心里常有这种感想。毕脱·克劳莱沾了弟弟那么些光，因为良心上过不去——你要说他待弟弟厚道也未尝不可，居然拿了几个钱出来；我想如果把这笔款子和他从罗登手里夺过来的数目比一比，一定小得可怜。不过就算是这种极小的数目也并不是人人都肯脱手的。要知道把钱送人是一种牺牲，凡是明白事理的人谁肯做这样的傻事？世上的人谁不是施舍了五镑钱就自以为功德无量呢？有一等人不惜钱财，并不是因为他们乐善好施，不过是散散漫漫地爱花钱。他们一点儿不肯委屈自己，歌剧院里定着包厢，又要买好马，又要吃好菜，哪一样能少？就连布施五镑钱给癞皮化子的乐趣也不愿意放过去。又有一等人，为人正直，不欠账，不布施穷人，不借钱给穷亲戚，雇了车子还得和车夫斤斤较量讲价钱。这两种人究竟谁更自私，我也难下断语，因为一样的金钱，在不同的人看起来就有不同的价值。

总而言之，毕脱·克劳莱本来打算帮弟弟一个忙，后来再想了一想，便又延宕下去。

蓓基呢，倒向来不指望别人对她怎么慷慨，毕脱·克劳莱肯这样对待她，已经使她心满意足。反正一家的首脑已经正式承认她的地位，即使他不肯出钱，将来在别方面帮忙总可以的。再说，蓓基的大伯子虽然没出现钱，她却得到实惠，因为她又可以继续赊账了。拉哥尔斯看见两兄弟这样和睦，自己又到手了一笔小款子，对方又答应不久就还他一大笔钱，觉得很放心。布立葛丝借款上圣诞节一期的利息已经到期，蓓基欣欣然付了钱，仿佛她库里的金银多得堆不下似的。她私底下告诉布立葛丝一个秘密，叫她切不可张扬出去。她说毕脱爵士是财政经济方面的专家，她为布立葛丝打算，特地和毕脱爵士商议，问他布小姐余下的资本应该怎么投资最有利。毕脱爵士再三考虑之后，已经想出一个好办法，本金最稳当，利息又厚。布立葛丝是克劳莱小姐忠心的朋友，和家里的人都有交情，所以毕脱爵士关心她，到乡下去之前，早就说过叫她把所有的钱都预备着，只等有好机会，就可以把他看中的股票买下来，可怜的布立葛丝听得毕脱爵士那么提携她，感激得了不得。她说难得他肯自动帮忙，她自己压根儿没想到把原来的公债出卖；而且他这件事做得那么委婉，越显得他待人有情有义。她答应去看那替她经手办事的人，把她那一小笔款子预备好，随时要，随时就有。

布立葛丝是个好好人，她觉得利蓓加在这件事上为她尽力，上校对她又是恩深义重，心里感激，便送给小罗登一件黑丝绒外套，把半年的利钱花掉了一大半。那时小罗登已经长得很大，穿黑丝绒外套不大合适了。照他的年龄和高矮，正该像大男孩一样穿长裤子和短外套才对。

他眉目开朗，身体很健全，碧蓝的眼睛，波浪形的淡黄头发，四肢长得结实，心地十分忠厚。谁和他好，他就和谁好。他爱自己的小马，也爱送他小马的莎昊塞唐伯爵，一看见这位和气的青年公子，便把一张脸涨得通红。给他管马的马夫，晚上给他讲鬼故事、白天喂他吃好东西的厨娘莫莱，被他嘲笑磨缠的布立葛丝，也是他的朋友。他尤其爱自己的爸爸，而那做爸爸的对儿子那份儿疼爱也使人纳罕。小罗登长到八岁，喜欢的人只有这几个。他小的时候把母亲当天仙一样崇拜，过后也就淡然了。两年来她差不多从来不理孩子。她多嫌他。他一会儿出痧子，一会儿害百日咳，好不麻烦！有一天，蓓基在客厅里对斯丹恩勋爵唱歌，孩子听见妈妈的歌声，从楼上偷偷地溜下来，躲在楼梯转角听得着了迷。不料那时客厅的门忽然开了，门外的探子当场现了形。

他母亲走上来啪啪地打了他两个耳刮子。他听得斯丹恩侯爵在里面笑，原来侯爵看见蓓基一时忘情，这样大发脾气，忍不住发起笑来。他挨了打又气又苦，哭哭啼啼逃到厨房里去。

小罗登一面哭一面说道："我不是怕痛，可是——可是——"他抽抽噎噎，眼泪鼻涕，哭得说不出话来。这孩子的心给伤透了。他又气又怒，一面哭，一面断断续续地嚷嚷道："为什么不许我听她唱歌？她干吗不唱给我听？干吗唱给那大牙齿的秃子听？"厨娘瞧着丫头，丫头又瞧着听差使眼色。无论在哪一家，厨房里的用人不但知道主人的秘密，而且判断主人的是非，竟像庭上的法官一般严正可怕。那天，他们判决了利蓓加的罪名。

经过这事之后，母亲对儿子的嫌恶成了仇恨；每逢她想到孩子和她住在一家，良心好像受了责备，老大不痛快，因此一看见儿子就着恼。孩子心里也是疑惧不安，跟妈妈势不两立。从打耳刮子那天起，娘儿两个心里便生了嫌隙。

斯丹恩侯爵也是从心里讨厌孩子。有时碰得不巧，两人拍面相撞，侯爵总摆出一副尖酸嘴脸，有时假模假样对他鞠躬，有时抢白他几句，再不然就恶恶实实瞪他几眼。罗登也不让步，握紧拳头和侯爵两个对瞪眼。他认得清谁是他的冤家对头；所有到家里来的客人，他最恨这位先生。有一天，听差看见他在过道里对斯丹恩爵士的帽子伸拳头，把这事当作有趣的笑话，说给斯丹恩勋爵的马车夫听。马车夫又把这笑话转告斯丹恩勋爵的跟班和家里别的用人。不久以后，罗登·克劳莱太太到岗脱大厦去做客，开门的门房，穿着各色号衣在厅堂里站班的听差，穿着白背心站在各个楼梯口唱名通报的侍者，人人都知道她的秘密——至少他们自以为知道她的秘密。站在她椅子后面给她斟酒上菜的听差早已和他旁边那穿五色号衣的胖子讨论过她的人品。老天啊，用人们的判决真可怕！好些烫头发抹胭脂的漂亮女人，身上穿戴得无懈可击，在富丽堂皇的客厅里当贵客，对着一大群为她倾倒的男人流目送笑，旁观的人看她笑眯眯的不知多么福气。却不料她的底细全握在旁边那个听差手里——就是那身材高大、小腿长得又粗又壮、头发里洒了粉、捧着一盘子冷饮恭恭敬敬送到她面前来的一个。另外一个笨手笨脚的家伙，端着一盘子松饼跟在后面；只要他一开口，这位漂亮太太少不得名誉扫地，因为闲人嘴里的一句流言就会坐实你的罪名，好比给人拿住了真凭实据一样。我的太太，今天晚上这些家伙准在酒店里（也就是他们的俱乐部里）把你的秘密当作闲谈的资料。詹姆士和却尔斯一面抽烟斗喝啤酒，一面便要议论你的短长。在名利场中，有好些主子雇用人的时候应该只挑哑巴，而且是不会写字的哑巴。干过坏事的人哪，小心吧！你椅子背后的听差说不定是仇人的爪牙，在他的丝绒裤子袋里藏着弓弦，随时会把你绞死。至于没有干过坏事的人，也应该随时检点行为，若是坏了体面，你的名声再也洗不清了。

“利蓓加为人清白不清白？”下房里的裁判所判她不清白。

说出来难为情，如果他们相信她清白无辜，她早就没处赊账了。拉哥尔斯后来对别人说起他受骗的原因，他说利蓓加的手段和甜言蜜语倒在其次，主要的还是因为他老看见斯丹恩勋爵的马车停在她家大门口，马车上的大灯半夜三更还亮晃晃地点着，所以才一误再误地上她的当。

说不定她是清白的，不过她钻营拍马，千方百计想在“上流社会”里插一脚，惹得下人们指指点点，把她当作失足堕落的女人。譬如说，莫莱早上收拾屋子，看见门柱上一个蜘蛛在结网，好不容易沿着细丝儿往上爬。她起先觉得有趣，后来看厌了，举起笤帚连蜘蛛带网一下子扫个精光。下人们对利蓓加的态度也是这样。

圣诞节前一两天，蓓基和她丈夫儿子准备动身到女王的克劳莱老家去过节。蓓基本来想把那小鬼留在伦敦，可是吉恩夫人再三要她带着孩子一起去，罗登也因为她心里没有儿子，大不高兴，对于老婆犟头倔脑起来，她也只好罢了。罗登埋怨她说："蓓基，他是全英国最好的孩子，怎么你竟一点儿不疼他，对他还不如你那条小狗。他又害不着你，到了乡下，他自然在孩子们屋里，不会来麻烦你。在路上，我可以带着他坐在邮车顶上。"

罗登太太答道："你自己也愿意坐在外头，因为你要抽你那臭味熏天的雪茄烟。"

她丈夫道："我记得从前你倒挺喜欢雪茄烟那股子味儿。"

这话说得蓓基笑起来。她差不多从来不发脾气。她说："那时候我要向上爬呀，傻子！你爱带着罗登在外边坐也由你，你要给他抽雪茄也由你。"

路上虽然冷，罗登倒并没有依着老婆的话给儿子抽雪茄烟取暖。他和布立葛丝用披肩和围巾把孩子严严地裹起来。车夫对于小罗登非常客气，把他抱到车顶上。那时天还没有亮，白马酒店里点着灯，他就坐在灯底下。他看着天色渐渐发白；这是他第一回到他父亲的"老家"去，高兴得了不得。他一路欢天喜地，路上碰见的事都没有一件不新鲜，他问了许多问题，他父亲一一回答，告诉他右边的大白房子里住着什么人，那大花园又是谁家的。他的母亲坐在车子里面，穿了皮衣披着外套，带着一瓶瓶的香水香精，还有一个女用人专诚服侍她，动不动大惊小怪，竟好像一辈子没有上过邮车，谁想得到十年之前她到乡下去坐的就是这辆车子，而且还给毕脱爵士从车子里赶到车顶上，把位子让给出钱的旅客坐。

　　邮车到墨特白莱的时候天又黑了，小罗登给摇醒了领到伯父的马车里坐下来。他一路东张西望，看见大铁门豁然大开，刷过石灰水的树干在马车窗口飞快地往后倒退，心里好不奇怪。最后他们总算到了，马车在大厦发亮的窗户前面停下来。里面灯烛辉煌，暖融融喜孜孜的正是过节时候的气氛。家人开了正门请他们进去，厅上的旧式大壁炉里生着熊熊的大火，黑白相间的砖地上铺了地毯。利蓓加暗想："这块土耳其地毯从前铺在太太们使的长廊里的。"一面想着，一面迎着吉恩夫人吻她。

　　她和毕脱爵士也一本正经地行过同样的礼。罗登因为恰才抽过烟，缩在后面躲着嫂子。吉恩夫人的两个孩子上来欢迎堂哥哥；玛蒂尔达不但和他拉手，并且吻了他一下。承继长房宗祧的毕脱·平葛·莎吴塞唐却不凑上来，只像小狗认大狗似的对他细细端详。

　　和蔼的主妇把客人让到客房里，里面也生着火，并且安排得十分舒服。两个姑娘下来敲罗登太太的门，假装来帮忙，其实是想看看她盒子和箱了里的帽子衣服，因为她虽然仍旧穿孝，衣着穿戴全是伦敦最新的款式。她们告诉她说家里比以前舒服得多了；莎吴塞唐夫人如今不住在这里，毕脱在区里很有地位，克劳莱家里的人，原该如此才对。后来下面打钟开饭，一家老小都聚在一起吃饭。小罗登挨着大娘坐，这位主妇对他非常慈爱。毕脱爵士请弟妇坐在右手，着实殷勤了一番。

　　小罗登胃口很好，而且没有错了规矩。

　　吃完晚饭之后，他对大娘说道："我喜欢在这儿吃饭。"饭后毕脱爵士做了个很得体的祷告，然后他的儿子也进来了，坐在爸爸旁边的一张高椅子里。女儿的位子设在妈妈旁边，前面搁着她自己的小酒盅。小罗登瞅着大娘慈祥的脸儿说道："我喜欢在这儿吃饭。"

　　忠厚的吉恩夫人问道："为什么呢?"

小罗登答道："在家的时候我在厨房里吃，或是跟布立葛丝一起吃。"蓓基正忙着应酬她的主人从男爵，满口奉承的话儿，自己心里那份儿喜欢高兴，更是说也说不完。她说毕脱·平葛又聪明，又漂亮，气度又尊贵，跟父亲长得一个样儿。她忙着应酬，哪里还顾得到发亮的大桌子另一头的事？所以自己的骨血说的话竟没有听见。

小罗登因为是客，又是刚到，长辈们特准他比平常晚一点儿上床。喝过茶之后，毕脱爵士拿出一本金边的大书，搁在面前，所有的用人们排着班走进来，由毕脱爵士领头儿祷告。这样的仪式，可怜的孩子还是第一回看见，第一回参加。

从男爵当家不久，房子里外已经改善了许多。蓓基跟着他一处处参观，一面称赞说这屋子布置得真是漂亮典雅，尽善尽美。小罗登由孩子们领着，也走了一转，恍惚觉得进了神仙洞府。屋里有长廊，有旧式的大卧房，有画儿，有古董瓷器，还有盔甲。有一间屋子是爷爷死在里面的，孩子们走过的时候怕得厉害。他问道："谁是爷爷呢？"他们告诉他说爷爷很老，从前老是坐在轮椅里面给推来推去。有一天他们把外面小屋子里的轮椅指给他看；自从老头儿给抬到教堂下葬之后，那椅子一直撂在那里，越堆越破烂。教堂就在近边，尖顶在园里的榆树顶上矗出来，亮晶晶地发光。

兄弟俩费了好几个早晨巡视庄地上改善的部分，不至于白闲着。庄地上能有这些成绩，全靠毕脱爵士会理财，能办事。他们有的时候骑马，有的时候走路，两个人到处查看，倒也有话可说，没有觉得气闷。毕脱特地告诉罗登，说是这些工料着实费钱，又说越是有田地有产业的人，手头越是拮据，有时连二十镑钱都拿不出来。毕脱做出无可奈何的样子，举起竹杖指着说道："就拿这门房来说，新近装了门，钱还欠着没有付，总得明年一月里的股息到手以后才能还清。现在叫我拿钱出来，等于叫我飞上天。"

罗登垂头丧气地答道："这几个钱我还借得出，毕脱，你到一月还给我得了。"他们又去看门房的小屋；屋子修理刚完，前面的石牌上雕着世袭的纹章。洛克老妈妈在这家子当了多少年差，直到如今才有了关得严的门，完整的窗户和不漏的屋顶。

# 第四十五章　在汉泊郡和伦敦发生的事情

毕脱·克劳莱爵士除了在女王的克劳莱庄地上补篱笆和修理破败零落的门房之外，还做别的工作。他为人明理，当家以后连忙和以前得罪过的街坊邻舍重修旧好。他死了的父亲一辈子荒唐，不知道当家立计，弄得家里声名狼藉，这残局全靠他来收拾。父亲死后，他不久就当选了本区的国会代表。他身为区里的行政长官，有名儿的大人物，又是国会议员，世家后裔，因此自己担起责任，时常在汉泊郡的公共场所出面。区里的慈善事业，他资助得多，区里的邻舍，他拜访得勤。总之，他自以为是个奇才，在区里，以后甚至于在全国，都会出人头地，所以忙着为将来的事业打根基。他吩咐吉恩夫人和邻近的弗特尔斯顿和活泊夏脱等几个有名的从男爵家里多相与相与。这几家的马车如今常常在女王的克劳莱路上来去，这几家的主人也常常在大厦里做客人（他们的席面着实讲究，显见得吉恩夫人是不大下厨房的）。毕脱夫妻出去回拜或是吃饭，不管天气好坏，路程远近，向来不辞劳苦。毕脱身体弱，胃口不好，为人又拘谨，不喜欢吃喝作乐，不过他认为在他地位上，应该随和些，少不得时常和人来往来往，请请客。每逢他在外面应酬，饭后坐得太久了头痛，他就觉得自己为责任而牺牲。他跟区里最有名的乡绅们谈论本年的收成、政界的新闻，还有限制谷类入口的法令。关于防止偷窃野味和养育鸟兽、厉行狩猎法的措置，他非常卖力，虽然从前在这方面他是个不可救药的自由主义者。他不打猎，而且根本不爱打猎，只喜欢文绉绉地看看书，可是他觉得住在乡下的人，有义务保持马匹的优良品种，因此对于狐狸的好坏也该留心。弗特尔斯顿家里的爷们爱打猎，毕脱的老朋友赫特尔斯顿·弗特尔斯顿从前常常带着一大群猎狗到女王的克劳莱的猎场上来打猎；如今毕脱表示对于他和他的朋友们都很欢迎。讲到宗教一方面，他的见解和正统教会的教理越来越接近，弄得莎昊塞唐夫人无法可施。他不再到处聚会讲道，毅然决然地上普通的教堂去做礼拜，而且还去拜访温却斯脱地方的主教和教会里的牧师。有一回，脱伦泊副总主教要和他一起玩牌，他竟一口应允。莎昊塞唐夫人眼看着女婿做出这样亵渎神明的事来，只当他成了个不可救药的罪人，心里那份儿烦恼也不消说了。毕脱从温却斯脱教堂听了圣乐回来，对两个妹妹说第二年区里开跳舞会的时候，他准备带她们一起去；姑娘们听了乐得感激涕零。吉恩夫人是一向对丈夫唯命是听的，而且看来她自己也愿意去。老夫人写了一封信到好望角给《芬却莱广场的洗衣妇》的作者，狠狠毒毒地形容小女儿利欲熏心。那时她在布拉依顿的房子空出来了，她就一个人住到海边去，她的女儿女婿也没有觉得割舍不下。利蓓加第二次到女王的克劳莱，守着药箱的老太太已经走了，利蓓加虽然并不惦记她，居然写了一封信给她拜节。信上的口气非常恭敬；她说不知莎吴塞唐夫人可还记得她；她前次在乡下，老夫人对她说的话给她不少安慰，她至今觉得感激；她再三提到上次病中多承老夫人照应，而且说女王的克劳莱的一切都使她想念她。

毕脱·克劳莱爵士怎么会改变作风，大得人心的呢？这件事大半得归功于克生街的主妇。毕脱在伦敦住在她家里的时候她劝他说："难道你只要一个从男爵的爵位，一辈子在乡下做做寓公就算了不成？毕脱·克劳莱爵士，你瞒不过我的。我知道你的才干和野心。你以为人家看不出，可是骗不了我。我把你那本关于麦芽的小册子给斯丹恩勋爵看过了。原来他老早知道这本书；他说内阁里的官儿都认为它是这方面最出色的作品。部长们看上了你了。你的志向我也知道，你想在国会里出头露角。人人都说你是全国最了不起的演说家，因为你在牛津的演讲大家都没有忘记。我知道你想做你们区里的国会代表；这样，你自己有选举权，又有区里的人给你撑腰，还有什么事不成的？我也知道你想做女王的克劳莱的男爵；这件事，总有一天会成功。毕脱爵士，你的心思我都明白。如果我的丈夫不但有你的名字，而且有你的才干，我想我也能够配得上他，可是——可是我是你的本家，"她笑着加了一句道，"我是个一个子儿都没有的小可怜儿，可是我也有些小势力。谁说得定，也许小耗子也有帮助狮子的去处呢？"

毕脱·克劳莱一听这话，又喜又惊。他想："这女人才是真正懂得我的。我那本关于麦芽的小册子吉恩再也看不满三页。我的大才，我的壮志雄心，她也不知道。哦，原来他们还记得我在牛津的演讲。这些坏东西！他们看我做了区里的代表，或许还能做国会的议员，就想起我来了。斯丹恩勋爵去年在宫里见了我睬都不睬。原来他们现在才发现毕脱·克劳莱是个人才。哼！这些人小看我，我的才干可一向不小，不过没有机会出头罢了。现在我得把本事拿出来，叫他们知道我不但能写，而且能说能做。亚基利斯[1]虽然英雄，也得有了宝剑才能大显身手啊。我的宝剑已经到手了，将来全世界的人都会听见毕脱·克劳莱的名字。"

因为这样，这手段刁滑的家伙才变得那么好客。他对于歌咏团和医院的代表谦恭有礼，对于副主教们和牧师们也十分和气。他放开手大张筵席请客，别人请他他也不推辞。在市集上遇见种地的庄稼汉，他全副精神敷衍他们，并且为区里的事务尽心奔走。到圣诞节，大厦里装点得花团锦簇，多少年来没有看见这景象了。

圣诞日那天合家欢聚。所有牧师家里的人都来吃饭。利蓓加对别德太太又诚恳又和气，竟好像和她向来无冤无仇。她怪亲热地问起亲爱的妹妹们近来好不好，说她们在音乐方面有惊人的进步，而且在她们双人合唱之后再三请她们再唱一遍（她们用的那大唱歌本儿还是詹姆士从家里挟过来的，恨得他一路上不住地咕唧）。别德太太虽然恨利蓓加到处钻营，可是看她那么大方，自己倒也不得不以礼相待。回家以后，她当然对女儿们批评毕脱爵士，说他对小婶子那么敬重，真是可笑。詹姆士在吃饭的时候坐在利蓓加旁边，极口夸她了不起。牧师全家的人众口一辞，都称赞小罗登长得好。万一那瘦弱苍白的毕脱·平葛有三长两短，世袭的前程少不了是他的，所以牧师家里的人对他很敬重。

三个孩子的感情非常好。毕脱·平葛不过是一只很小的小狗，配不上和罗登这样的大狗一起玩；玛蒂尔达又是个女孩儿，也不够资格和这个年纪将近八岁、快要穿短上装的青年公子做伴。这样，罗登立刻拜了大王。只要他肯赏脸带着堂弟弟堂妹妹一起玩，那两个小的便依头顺脑地跟着他。他在乡下过得快活高兴，心满意足。厨房后面的院子好玩得不得了；种着的花儿也不错；家里又养着鸽子、鸡鸭，有时大人还准他去看马房里的马，这些东西没有一样不有趣。他不让两位克劳莱小姐

---

[1] 特洛伊战争中最勇敢的英雄。

吻他；不过有时吉恩夫人要抱抱他，他还不反对。晚饭后太太们先到客厅里去歇着，让先生们留在饭间里喝红酒，小罗登跟着出来，宁可坐在吉恩夫人身边，不愿意跟着自己的妈妈。利蓓加看见大家全是温温柔柔的，一天晚上把小罗登叫到身边，弯下身子当着太太小姐们在儿子脸上吻了一下。

罗登立刻回过身来，对面瞧着妈妈。他脸上涨得通红，身上索索地抖，每逢他受了激动，就是这样。他说道："妈妈，你在家里从来不吻我。"一听这话，大家都吃了一惊，半晌不说话，蓓基眼睛里的神色着实难看。

罗登因为嫂子待自己的儿子好，所以很喜欢她。吉恩夫人和蓓基两个人的感情似乎不怎么融洽，上校的老婆第一回到乡下的时候，一心要讨主妇的好，这一回可不同了。吉恩夫人听了孩子的两句话心里已经凉了一截；说不定又嫌毕脱爵士对弟妇太殷勤。小罗登这样年龄，这样大小的孩子，总喜欢跟着男人，每逢他父亲到马房里去抽雪茄烟，他老是跟着一块儿去，从来不觉得厌倦。牧师的儿子詹姆士，有时来找堂哥哥，或是一起抽烟，或是找别的消遣。他和从男爵的猎场看守人气味相投，都喜欢养狗，因此合得来。有一天，詹姆士先生、上校和看守猎场的霍恩出去打野鸡，把小罗登也带着一块儿去。又有一天早上，好乐呀！这四位先生到仓房里去打耗子，小罗登一辈子没见过比这个更有意思的游戏。他们先把水管的一头堵死了，又把老鼠从没有堵死的一头放进去，然后静静地举起棍子等着。詹姆士先生有名的小狗福息泊斯兴奋得了不得，举起了一条腿，屏住气一动也不动，静听着地底下吱吱的耗子叫。那些耗子给赶得走投无路，只好拼死逃命，从管子里直窜上来。狗拿住了一只，看守猎场的霍恩也打死了一只，罗登因为太兴奋太紧张，没打着耗子，反而把一只老鼠[①]打得半死。

①上文"老鼠"一词原文为 ferret，应为一种鼬科动物。——编者注

又有一天，赫特尔斯顿·弗特尔斯顿爵士出去打猎，他的一群猎狗到女王的克劳莱草坪上会合。那才是最了不起的日子。

小罗登看得着迷了。到十点半，赫特尔斯顿·弗特尔斯顿爵士的猎户汤姆·牡迪骑着马一路跑来，后面跟着一群贵种猎狗，紧紧地挤在一起。后面是两个管猎狗的小猎人，穿着大红衣服。这两人是小个子，长相很难看，都骑着好种的瘦马。倘或猎狗里面有敢离群跑散的，或是看见野兔家兔在它们面前跳出来而不能把持的——即使对兔儿白看一眼或是把眼睛眨巴了一下都不行——这两人就举起又长又重的鞭子，把鞭梢向狗身上皮薄的地方抽，手法真是巧妙极了。

压队的是汤姆·牡迪的儿子贾克。他只有七十磅重，四十八英寸高，而且以后也没有希望长高长胖。他骑一匹瘦骨伶仃的大马，用的鞍子很大，把马背遮掉了一半。这是赫特尔斯顿·弗特尔斯顿爵士心爱的猎马，名叫大老官。还有好些别的猎马，上面坐着身量瘦小的男孩子，也陆续来了，只等主人来临。主人们走在后面，也到此地会合。

汤姆·牡迪一直来到大厦门口，管酒的拿出酒来请他喝，可是他不喝，自己带着猎狗在草坪上有遮拦的犄角里去歇着。那些猎狗有的在草地上打滚，有的气势汹汹地对吠，有的在一处玩，不时会狠狠地打起架来。汤姆呵斥的声音是谁也比不上的，他开口一喝，或是把蛇一般的鞭子一挥，猎狗就不敢闹了。

许多青年公子骑着普通用的马跑来了，这些马虽不能打猎，也是上好的纯种。出猎的人齐膝裹着护腿，有的到屋子里去和太太小姐应酬一下，喝些樱桃白兰地；有的比较怕羞，而且爱动不爱静，忙着脱了泥污的靴子，下了坐骑，换上猎马，沿着草坪先跑一圈活活血。这以后他们聚在犄角上那群猎狗旁边和汤姆·牡迪聊天，谈到从前的猎事，野外的情形，嗅香和金刚钻这两条狗的好坏，又抱怨目前狐狸的品种多么糟糕。

不久，赫特尔斯顿爵士骑着一匹伶俐的矮种肥马来了。他一直跑到大厦门口下了马，先进屋子和太太们应酬了一番。他向来不爱说话，敷衍过几句之后便去干正经事。一群猎狗给赶到门口，小罗登走下去，那些猎狗便挨着他的身子擦过来磨过去，表示好意，大伙儿乱摇着尾巴，劈劈扑扑打在他身上，有的叫着闹着打架，汤姆·牡迪的呵斥和鞭子也不怎么有用。小罗登又兴奋，又有些害怕。

赫特尔斯顿爵士费了一把力气爬到大老官背上骑好，说道："汤姆，今天到沙吴斯脱树林子去试试吧，种田的孟加尔告诉我说里头有两只狐狸藏着呢。"汤姆把号角一吹，骑着马先跑，后面跟着猎狗、小猎人和温却斯脱的少爷们。还有邻近种地的和教区里做工的也来了；那天算他们的大节日，所以他们一起在后面跟着走。赫特尔斯顿爵士和克劳莱上校压队；大队人马一会儿跑得无影无踪。

别德·克劳莱牧师不好意思到侄儿家里来参加大会合（汤姆·牡迪还记得四十年前的事，那时牧师先生身材很瘦，最喜欢骑着烈马四处乱跑，不论多宽的溪流都要跳过了才罢，看见新装的园门也不肯放过去）——我刚才说到牧师不好意思上侄儿家里来，凑着赫特尔斯顿爵士路过他家，便骑着强壮的黑马从家里的弄口跑出来，跟着从男爵一队人马出发。猎狗和骑马的人已经走远了，小罗登仍旧站在台阶上，又惊奇，又快乐。

小罗登在乡下过了一个难忘的圣诞节，对于大伯伯却没有什么感情，因为他总是冷冰冰的令人害怕，不是锁在书房里用功，便是和地保农夫在一起排解区里面各种纠纷。孩子的大娘、姑妈、堂弟堂妹，和牧师家的詹姆士，人人喜欢他。毕脱爵士要詹姆士在两个妹妹之中挑一个做老婆，大约早已和他说开，在这样的条件之下，到他爱打猎的父亲去世之后，让他补上去做牧师。如今詹姆士不猎狐狸了；不过找些无伤大雅的消遣，譬如打打竹鸡野鸭，或是在圣诞节偶然捉一两回老鼠，一点儿也不惊师动众。他准备圣诞节之后回到学校里去用功读书，勉强得个及格分数。他现在不穿绿外衣，不戴红领带，一切花哨的打扮都撩开手了。将来要做牧师，现在少不得有个准备。毕脱爵士独占了大家的财产，愿意补偿他们的损失，想出这样又省钱又上算的法子来。

快乐的圣诞节还没有过完，从男爵就鼓起勇气签给弟弟一张支票，送了他整整一百镑。起先他觉得扎心地难受，后来想想自己这份儿慷慨真是世上少有，又得意起来。罗登爷儿俩回家的时候心里沉重极了，蓓基却没什么舍不得，干干脆脆地和太太小姐们道了再见。她回到伦敦之后便开始工作；她的成绩在本章开始的时候已经说过。大岗脱街的克劳莱大厦给她料理得焕然一新，只等毕脱爵士一家上城的时候住进去。从男爵不久便搬到伦敦来，开始上国会办公，像他这样胸怀大才的人，应该在国会里占个重要的地位才是。

毕脱爵士城府很深，议院第一期开会的时候，他没有把满腹的韬略让别人知道，除了代墨特白莱的居民请愿之外一句不开口。他勤勤谨谨，逢会必到，把议院里的惯例公事学了个透熟。在家的时候，他孜孜不倦地研究蓝皮书，吉恩夫人又佩服，又着急，想他睡得晚，又用脑子，只怕他伤了身体。他结识了各位部长和本党的首脑，立志在不多几年以内爬到和他们一样的地位上去。

利蓓加最瞧不起的是吉恩夫人这样温良贤淑的女人，她心里的轻蔑可不是容容易易遮掩得起来的。吉恩夫人的纯朴和敦厚使我们的朋友蓓基瞧着老大不耐烦，往往脸上便要带出来。吉恩夫人一看就知道自己不入她的眼，在她面前觉得手足无措。她的丈夫老是和蓓基说话；他们两个好像另外有暗号，谈论的全是正经大事，毕脱一辈子不会对老婆说的。外面的事，吉恩夫人当然不大懂，可是愣着不说话总觉得面子上不好看。最糟糕的是她明明知道自己没的可说，只好干瞧着罗登的女人侃侃而谈，天南地北地大发议论。利蓓加和随便什么人都有话可谈，说的笑话没有一个不对景儿。自己是主妇，反而只能一个人坐在火炉旁边，眼看着所有的男人簇拥着利蓓加献殷勤，心里怎么会不懊恼呢？

有一回在乡下，孩子们围着吉恩夫人听她讲故事。小罗登最喜欢她，也挨着她。蓓基走进来，一双绿眼睛里满是尖酸刻薄的表情，可怜的吉恩夫人看她眼色来得恶毒，一句话都说不出来，她自己编的简单的故事也像童话里的神仙碰见了恶魔，吓得影踪全无。利蓓加声音里带着一丝冷笑，再三请她把那怪有趣的故事说下去，可是她再也不能继续下去了。蓓基不耐烦忠厚人，讨厌家常的乐趣，因为这和她格格不入，谁喜欢这一套东西的少不得也要遭她的白眼。譬如小孩子和喜欢小孩子的人她就恨不得一脚踢开。她对斯丹恩勋爵模仿吉恩夫人的举止，故意夸张她种种可笑的地方，而且每次总加上一句："有些人乏味得像白水煮豆腐，我可不喜欢。"

勋爵嬉皮扯脸地对她一鞠躬，回答道："犹之乎魔鬼不喜欢圣水。"说完，他哈哈大笑，声音响得刺耳。

妯娌两个不大见面，除非利蓓加有求于嫂子，才去找她。她们两人你叫我亲爱的，我叫你亲爱的，表面上和睦得很，可是平时难得来往。毕脱爵士虽然事情一天比一天忙，却是每天抽空去拜望弟媳妇。

毕脱爵士在国会第一次登台演说以后请客，特地穿上大礼服（就是他在本浦聂格尔领事馆做参赞时穿的外交官服饰），到弟媳妇家里去走了一转。

蓓基满口奉承，称赞他的衣服，像他自己的妻子儿女一样崇拜他——他出发之前先给家里人看过的。她说只有真正的上等人穿上官廷礼服才敦品；这种裤子，除了出身旧家的公子谁也不配穿。毕脱低头望望自己的腿，觉得很得意，其实他的腿长得既不匀称，上下又没有粗细，跟他身边挂着的宝剑差不多。他望望自己的腿，自以为有勾魂摄魄的能耐。

他告辞之后，蓓基太太替他画了一张全身的讽刺画，后来斯丹恩勋爵来了，她就拿给他看。勋爵一看那画儿和毕脱一模一样，心里好笑，

向蓓基讨了带回家去。他对于这个新袭爵位新当议员的毕脱爵士十分赏脸，居然在蓓基家里见了他一面，而且对他很客气。毕脱看见了不起的贵族对着自己的弟媳妇那么恭敬，而且她谈吐洒落风趣，宴会上人人喜欢听她说话，心里也觉得敬畏。斯丹恩勋爵和毕脱爵士应酬了一回，说起他还是初入官场，很希望不久就能听见他演说。勋爵又说他们两家既然是紧邻（大岗脱街直通岗脱广场，大家都知道单是岗脱大厦就占了广场的一边），等斯丹恩夫人到伦敦之后希望见见克劳莱夫人。过了一两天，他又在毕脱家里留了一张名片。毕脱老爵士在世的时候，他从来没有睬过他，虽然一百年来这两家一向是邻居。

豪华的宴会，聪明出众的大人物，一切弄权术耍手段的事，都和罗登格格不入，他自己只觉得一天比一天寂寞。现在他尽不妨常到俱乐部去，和单身朋友一块儿吃饭，爱什么时候回家，什么时候出门，从来没有人过问。他和小罗登常常散步到大岗脱街和嫂子、侄儿、侄女做伴。毕脱爵士不论到国会之前或是从国会出来，总是去找利蓓加。

上校时常悄没声儿地坐在他哥哥家里，一坐好几个钟头，能够不用脑子的时候就不用脑子，能够不做事的时候就不做事。他很愿意给人使唤出去跑跑腿，找找房子和用人，或是在孩子们吃饭的时候帮他们切切烤羊肉。他仿佛给人折磨得没了脾气，现在是人说什么，他做什么，人拨他一下，他才动一动。大利拉[1]不但软禁了他，而且把他的头发也剃光了。十年前天不收地不管的花花公子已经给人制得服服帖帖，成了个麻木、顺从、肥胖的中年汉子。

可怜的古恩夫人明明知道自己的丈夫也着了利蓓加的迷，不过每逢罗登太太和她见面的时候，她们两人还是你叫我亲爱的，我叫你亲爱的，相处得非常和睦。

---

[1] 见上册第 209 页注释 ①。

# 第四十六章　风波和灾难

住在白朗浦顿的朋友们这时也在对付着过圣诞节，不过说不上有什么快乐。

奥斯本太太守寡之后，每年有一百镑的收入，这里面倒得拿出四分之三来贴在家里做他们娘儿两人的食用。乔斯一年给父母一百二十镑。一家四口，雇了个包做一切杂事的爱尔兰女用人（她也兼做克拉浦夫妇的用人），过得还算舒服，不必去求亲告友，有客的时候也能拿点儿茶点出来。他们经过了早年的风波苦难，居然能够安稳度日。赛特笠从前的书记克拉浦先生和他家里的人依旧很尊敬他。克拉浦还没有忘记当年赛特笠先生在勒塞尔广场摆了丰盛的酒席请他们吃，他恭恭敬敬坐在椅子边上，喝着酒祝"赛特笠太太，爱米小姐，还有在印度的乔瑟夫先生"身体健康。日子隔得一久，这忠厚的书记越想越觉得当年真是盛况空前。有时他从楼下兼做会客室的厨房里走上来，坐在赛特笠先生的小客厅里，两个人一起喝茶或是搀水的杜松子酒，他就说："你老人家从前过的可不是这样的日子。"他喝着酒替太太小姐上寿，那又恭敬又正经的样子，和她们飞黄腾达的时候没有差别。在他心目之中，爱米丽亚弹的琴便是最美妙的音乐，她本人也是最尊贵的少奶奶。当着赛特笠先生，他从来不肯先坐，甚至于在他们的俱乐部里也是这样。随便什么人批评了赛特笠的人品，他决不罢休。他说他曾经瞧见伦敦第一流的人物跟赛特笠先生拉过手；他又说："我从前认识赛特笠先生的时候，他在证券市场常常跟有名的大财主洛施却哀尔特在一起的。我有今天，还不是全靠他！"

克拉浦品行端方，一笔字又写得好，因此主人坏了事以后不久就找到了别的工作。他常说："像我这样的小鱼，随便在什么水桶里都能游来游去。"赛特笠老头儿脱离出来的商行之中有一个股东雇了克拉浦先生，而且给他相当丰厚的薪水。总之，赛特笠的有钱朋友慢慢地都不理他了，只有从前靠他讨活的穷职员对他忠诚不变。

爱米丽亚自己留下的一部分进款数目极小，尽量地节省，才能把亲爱的儿子打扮得合乎乔治·奥斯本的儿子的身份。此外她还得付小学的学杂费。乔杰进学校之前，爱米丽亚多少个不放心，又着急，又心疼，最后才勉强让他去了。她晚上熬夜读书，苦苦地抱着烦难的文法书和地理书，指望自己给乔杰补课。她甚至于学着念拉丁文的文法入门，痴心妄想地准备教儿子读拉丁文。爱米丽亚是个软弱的人，胆子又小，又生成多愁善感的性格，现在和儿子一天到晚不见面，想着老师也许会打他，同学们又粗野，说不定要欺负他，真像给他断奶的时候一样心疼。孩子是巴不得换换环境，急着要进学校，离了家里高兴得不得了。做母亲的自己舍不得儿子，看着孩子那么高兴反而觉得伤心。她心底里宁愿孩子也觉得难受些。可是转念一想自己这样自私，竟会希望儿子不快乐，又悔恨起来。

乔杰的校长，就是忠心耿耿追求爱米丽亚的平尼牧师的朋友。乔杰在学校里进步很快，时常带着许多奖品回来，足见他能力是高的。每天晚上，他对母亲滔滔不绝地议论同学的事情：里昂士是个了不起的好人；斯尼芬斯是个鬼鬼祟祟的家伙；校里吃的肉全是向斯蒂尔的爸爸买的；高尔汀的妈妈每星期六坐了马车来接他；尼脱的裤脚上装着皮带，可以绕着鞋底扣起来，他也想要；卜尔·梅杰真厉害，大家都说连助教窝德先生都打他不过，虽然他班次不高，现在不过念幼脱劳比斯的罗马史。渐渐地，爱米丽亚对于学校里的孩子竟和乔杰一样熟悉了。到黄昏，她帮他做习题，用尽心思替他准备功课，竟像第二天早上她自己要去交代功课似的。有一次，乔治和一个叫斯密思的同学打架，眼睛都打青了。他对母亲和外公信口开河，把自己的勇气大吹了一通，外公听了十分得意。其实打架的时候他很泄气，而且老大吃亏。那个斯密思现在在雷士德广场附近做医生，为人很和平，可是爱米丽亚至今没有饶恕他。

温柔的寡妇就这样不声不响地管家和抚养孩子，为无关紧要的事情操操心，慢慢地老了。日子一天天过去，她的头发里面已经夹了一两根银丝，漂亮的脑门儿上面也有了一点儿小皱纹。她瞧着岁月留下的痕迹，只微笑一下说道："怕什么？我反正已经是个老婆子了。"她的希望就是能瞧着儿子显声扬名，在她看来，他是生来要做大人物的。她把儿子的抄本、图画、作文，都好好藏着，时常拿出来给她的亲友们看，仿佛这些全是大天才超凡入圣的杰作。她把乔治的成绩挑了些交给都宾小姐，好让她拿给乔治的姑妈奥斯本小姐看；再让奥斯本小姐拿给奥斯本老先生看；这样，老头儿也许会想起从前对于死去的儿子太忍心、太严厉，慢慢地回心转意。丈夫的毛病和短处，她都忘掉了，只记得他不顾一切和自己结婚，只记得他气度尊贵，相貌出众，在战场上又勇敢——那天早上他出去打仗，光荣地为国战死，动身以前还拥抱着她。了不起的英雄留了一个模范儿子安慰她陪伴她，自己上天堂去了，想来他一定是笑眯眯地往下面对儿子瞧着呢。

上文已经说过，乔治的祖父奥斯本先生还在勒塞尔广场，坐在他的安乐椅里，性情一天比一天暴戾，心绪一天比一天恶劣。他的女儿虽然有漂亮的车马，虽然伦敦城里的慈善事业倒有一半受她资助，其实不过是个又寂寞又可怜、受尽虐待的老小姐。自从她见过侄儿以后，时常惦记着那漂亮的孩子。她渴望能够坐着华丽的马车到他家里去，每天一个人在公园里兜风的时候，老是东张西望希望遇见他。她那做银行家太太的妹妹偶然也肯赏脸到勒塞尔广场的老家来望望老姐姐。她带着两个瘦弱的孩子，另外跟着一个穿戴整齐的女用人。她嘻嘻地笑着，说起话来扭扭捏捏，轻声轻气，卖弄她那些上流社会里的朋友。她说她的小弗莱特立克和克劳特·劳莱波泊勋爵长得一个样儿，又说有一次他们坐着驴车在罗汉浦顿走过，有一位男爵夫人特别注意她的漂亮的玛丽亚。她再三催促姐姐叫爸爸撒开手花点儿钱在她儿女身上。她说她打定主意要叫弗莱特立克进禁卫军；如今白洛克先生正在省吃俭用地抽出钱来买田地，家里给他榨得一文不剩；弗莱特立克是长子，将来家里或许会把产业传给他，可是她那宝贝的女儿还是没有着落。她总是说："亲爱的，我希望你帮她的忙，因为爸爸给我的一份财产当然得交给我们当家的管。亲爱的萝达·墨默尔说了，只等可怜的亲爱的卡色托第勋爵一死（他一直害羊癫疯），她就准备把所有卡色托第产业上的牵累都花钱弄个清楚，那么她儿子麦克德芙·墨默尔将来少不得就是卡色托第子爵啦。明新街两位白勒迪叶先生都预备把产业传给法尼·白勒迪叶的儿子。我那宝贝儿弗莱特立克无论如何得算家里的继承人才好。还有——还有，请你叫爸爸把款子仍旧提到朗白街我们的银行里去，好不好，亲爱的？

他把钱都存在思登比和罗迪的银行里，我们脸上到底不好看。"她说了半天，一半是卖弄，一半是为切身的利益打算。她的亲吻使你觉得仿佛给蛤蜊肉碰了一下。说完话，接过吻，她就把她那两个浑身浆得挺硬的孩子叫过来，一路假笑着回到马车里去。

这位上流社会里的尖儿回家的次数越多，情形就越不利。她父亲存在思登比和罗迪银行里的钱有增无减，玛丽亚的贵妇人架子也越来越让人受不了。白朗浦顿小屋子里的寡妇小小心心地捧着她的宝贝，不知道有人正在算计她。

那天晚上，吉恩·奥斯本告诉父亲说她看见他的孙子，老头儿没有回答，可也不表示生气。睡觉的时候，他和女儿道了晚安，声音相当地和软。她说的话他一定细细想过了，关于她到都宾家里做客的情形他也一定去问过了；两星期之后，他忽然问起她常戴的法国表和金链子在什么地方。

她吓得战战兢兢地答道："那表是我自己出钱买的。"

老头儿说道："你可以到铺子里去定一个跟本来一样的，如果你要买个讲究些的也随便你。"然后他又不说话了。

近来两位都宾小姐已经和爱米丽亚说过几次，请她让乔治到她们家里去玩。她们说他的姑妈很喜欢他，说不定爷爷也愿意重新认了这个孙子。乔治有这么好的机会，爱米丽亚难道忍心一手推掉不成？

爱米丽亚当然不能一手推掉。她虽然依了她们的话，心里沉甸甸的疑惧不定。只要孩子不在身边她总不放心，直要等他回到家里才觉得他脱了险。他带回来许多玩具和钱，他的妈妈看了又妒忌又着急，问他可曾看见什么男人没有？他说："只有威廉老爵士，他带我坐四个轮子的马车。还有都宾先生。他下午骑着一匹漂亮的栗色马儿回来了。他穿一件绿外套，打一条粉红的领带，手里拿一根金头的鞭子。他答应带我去看伦敦的钟楼，还要带我和那些色雷猎狗一起去打猎呢。"最后有一天他说："今儿我看见一个老先生，眉毛很浓，戴着一顶宽边的帽子，挂着怪粗的金链子，底下还有一嘟噜印戳子。"那天马车夫恰巧把乔治骑在小灰马身上绕着草地学骑马，老头儿来了。乔治晚上告诉妈妈说："他老是瞧着我，身上直哆嗦。吃过饭，我把'我的名字叫诺佛尔'那段诗背了一遍①，我姑妈就哭起来了。她老是淌眼抹泪的。"

爱米丽亚听了这话，知道孩子已经见过祖父。她猜想他们那边准会开口，天天坐立不安地等待着。过了几天，奥斯本先生果然正式提议领养孙子，并且让他承继他父亲名下的一份财产。他愿意供给乔治·奥斯本太太足够的生活费用。据说乔治·奥斯本太太有意再嫁，如果她结婚的话，生活费仍旧照给。不过孩子必须跟着祖父住在勒塞尔广场或是奥斯本先生指定的地点，偶尔也可以到奥斯本太太的家里来看看她。这封信由奥斯本差人送来读给她听。那天她的母亲恰巧不在家，父亲照例在市中心办公。

她一辈子不过发过两三回脾气，而奥斯本先生差来的律师可可地就碰上了。那位波先生读完来信，把它交给爱米丽亚。她马上站起来，满脸通红，浑身哆嗦着接过信纸一把撕得粉碎，踩在脚底下。"'我再嫁！我出卖孩子！谁敢说这种话！谁敢这样侮辱我！你去告诉奥斯本先生，说这封信太卑鄙，实在太卑鄙，我不愿意写回信。再见了，先生'——说完这话，她鞠着躬送我出来，那样子简直像悲剧里的皇后。"这是那律师告诉奥斯本的话。

她的父母并没有觉察她那天大失常态，她也不把经过告诉他们。两个老的各操各的心，老太太如今糊里糊涂，全副精神都在自己的事情上面。老先生仍旧喜欢东撩撩西拨拨地做投机买卖。我们知道他经营煤公司和酒公司都一败涂地，可是他还是不甘心，时常在市中心四处打转，

---

① 约翰·霍姆（John Home，1722—1808）的悲剧《德格拉斯》（*Douglas*）中的一节。

想法子找门路。有一天，他又找到一样新的买卖，打定主意要投资，克拉浦先生劝着也没有用，其实他老早给拖了进去退不出来了，根本没敢把真相全盘告诉克拉浦。赛特笠先生的座右铭是决不和妇人女子谈银钱出入的事，所以家里人对于未来的灾难影儿都不知道，直到那倒霉的老头儿逼得走投无路才招供了实情。

他们这家的账目向来一星期一结，如今忽然付不出来。赛特笠先生愁眉苦脸地告诉妻子说印度的汇款没有来。可怜的老太太只得到各家铺子里去要求展期付账。因为她向来准时付账，有一两家铺子反而因为收不到钱而对她发脾气，其实这种情形在好些不守规矩的顾客是极平常的。还亏得爱米总是高高兴兴地付出她的一份钱，从来不去过问家里的账目。这样，这一家子勉强吃着一半口粮过日子，总算平平安安对付了半年，赛特笠老头儿还在希望他的股票上涨，一切复归顺利。

可是半年过去，并不见什么地方生出六十镑钱来帮他们渡过难关。家计是越来越艰难了。赛特笠太太病病歪歪的，比以前衰弱了许多。她不大说话，时常躲在厨房里对着克拉浦太太掉眼泪。卖肉的对她丧声歪气，菜蔬铺的掌柜也不把她当一回事。有一两回小乔杰抱怨饭不好吃。爱米丽亚自己只要吃一片面包就能当一餐饭，可是觉得孩子太受委屈，从私房里拿出钱来买了东西给他吃，免得他身体受影响。

到后来两个老的不得不把实情告诉她，可是说的话还是藏一半露一半的。处境十分窘迫的人往往是这样子。有一天，爱米丽亚自己的钱来了，便准备把贴补给父母的费用交出来。她平时的开销都有账目，这次要求把股息留下一部分，因为她已经给乔治定了一套新衣服。

她的母亲这才开口，告诉她乔斯的汇款没有来，家里难过日子，而且责备着说她早该看出爹娘的苦处，可气的是她除了乔杰之外谁也不管，什么也不管。爱米听了这话，一言不发，把桌子上所有的钱都推到母亲面前，自己走到房里哭得泪干肠断。那天她不得不到铺子里去把衣服退掉，心里无限的感触。她一心要叫孩子在圣诞节穿上新衣服，已经和她的朋友，一个第二三流的女裁缝，讨论过好几回，商量应该怎么裁，做什么式样。

最为难的，就是要把这事婉转告诉乔杰。乔杰听了大闹；他说人人到了圣诞节都穿新衣服。人家不要笑话他吗？他无论如何要穿新衣服，妈妈老早答应的。可怜的寡妇吻着儿子，一点办法也没有，只好一面补旧衣服一面掉眼泪。她把自己的几件首饰衣服东翻西弄，看看有什么可以换钱买新衣服的没有。她还有一块都宾送给她的印度细羊毛披肩。她记得从前跟着母亲到勒特该脱山一家漂亮的印度铺子里去过，那儿常有太太小姐们把这些货色买进卖出。她想到有这条路可走，高兴得脸上发红，眼睛里放出光来。早上乔杰上学之前，她吻着他，满面喜色地目送他动身。孩子觉得她的笑脸准表示有好消息。

她把披肩包在一条大手帕里（这手帕也是好心的少佐送给她的），藏在斗篷下面，红了脸儿慌慌张张地往勒特该脱山那边去。她一路沿着公园的墙匆匆地走，过街的时候，索性奔跑起来，引得好些人在她旁边走过的时候回过身来对着她红喷喷的俊俏的脸儿瞧个不住。她心里筹划究竟把披肩换来的钱买什么好。除了新衣服之外，她打算买些他所渴望的故事书，替他留下下半年的学费，余下的给父亲买一件斗篷，省得他老穿着那件旧外套。她对于少佐的礼物并没有估计错误。那披肩精美轻软，铺子里的人给了她二十个基尼，还大大地沾了她的便宜。

她得到了这么些钱，又惊奇，又兴奋，慌忙跑到圣·保罗教堂一带的大登商店，买了一本《父母的帮手》[1]、一套乔杰渴望的《三福和麦登》[2]，就在那里上了公共马车，一路捧着包儿回家，得意得了不得。她

---

[1] 英国女作家玛丽亚·埃杰窝斯（Maria Edgeworth，1767—1849）的作品。
[2] 十八世纪末著名的儿童读物，汤姆士·戴（Thomas Day）1748 年至 1749 年所作。

在故事书的空白页上整整齐齐地写着"乔治·奥斯本，亲爱的母亲赠给他的圣诞礼物"。这本书到今天还在，笔迹娟秀的题存也照旧。

她拿着书从自己屋里走出来，打算把它们搁在乔治的书台上，好等他回家时瞧着乐一下，哪知道在过道里可可地碰见她母亲。老太太看见那七本漂亮的金边小书，问道："这是什么？"

爱米丽亚答道："给乔杰的几本故事书，我——我老早答应在圣诞节给他的。"

老太太立刻发作起来，嚷嚷道："故事书！家里面包都没有，你还买书！我为着把你跟你那儿子供养得舒服，为着叫你亲爱的爸爸不至于坐监牢，把自己的首饰和常披的印度羊毛披肩都卖光了。连匙子也卖了。为的什么？就为着叫做买卖的不至于欺负咱们，为着要付克拉浦先生的房租——付租也是该当的，他做房东向来不勒揸人，做人又客气，而且他自己也有孩子得养活。唉，爱米丽亚！你一天到晚顾着儿子，又买什么故事书，真把我活活气死了。儿子给你宠得不成样子，你还死拉住他不放。唉，爱米丽亚！但愿你福气比我好，上帝会赏个孝顺孩子给你。如今你爹上了年纪，乔斯反而不顾他了。乔杰呢，尽有人愿意照顾他，给他钱花。他像大少爷似的上学校，脖子上挂着链子和金表。可怜我亲爱的老伴儿，连一个先——先令都没有。"赛特笠太太越说越苦，制不住号啕大哭起来。整幢房子里都是她的声音，克拉浦家的几个女的把她们娘儿俩说的话听了个逼清。

可怜的爱米丽亚答道："唉，妈妈，妈妈！你以前又没有告诉我。我——早就答应买书给他的。我——我今天早上才卖掉了披肩。钱拿去吧——什么都拿去吧。"她哆嗦着把所有的小银圆大金镑——她宝贵的金镑——掏出来全塞在母亲手里，手里搁不下，又掉到地上，一直滚到楼梯底下。

她回到自己屋里，倒在椅子里，绝望伤心到了极点。现在她什么都看清楚了。她这么自私自利，正是牺牲自己的儿子。如果没有她，乔杰就能受好教育，享荣华富贵，地位和他爸爸当年一样。从前乔治不是就为她丢掉了这一切吗？只要她一开口，父亲就不用愁柴愁米，孩子马上就是阔大少。温柔的爱米丽亚想到这里，觉得自己罪孽深重，扎心地难受。

# 第四十七章　岗脱大厦

谁都知道斯丹恩勋爵伦敦的府邸在岗脱广场。岗脱广场通过去就是大岗脱街；当年毕脱·克劳莱老爵士当权的时候，我们曾经带着利蓓加到那里去过。广场中间有个小花园，靠栅栏黑黝黝的好多树，再往里一瞧，就看见几个可怜巴巴的女教师领着脸色青白的小学生在那里兜来兜去，绕着当中荒凉的草坪散步。草地中心是岗脱勋爵的像，头上戴着假头发，后面三根小辫子，其余的装束又活像罗马的皇帝；这位勋爵从前在明登打过仗[1]。岗脱大厦几乎占了广场的一面。其余三面的房子，又高又大，看上去黑不溜秋，全有些寡居的太夫人的风味。

---

[1] 明登在西法利亚，七年战争时，法国军队给英、德、俄三国联军在明登打败。

窗框是石头的，有的嵌着淡红的花纹，窗户是又窄又不舒服。如今这些房子里不大瞧得见灯光，好客的风气仿佛已经过时，穿花边号衣的听差和举着火把送客的小僮儿也一去不返了。台阶上面几盏大灯的旁边至今装着用来熄灭火把的空铁盘儿。在广场里现在也看得见铜牌子了；有几块是医生的，有一块刻着是笛特尔塞克斯郡地方银行的西部支行，还有一块上刻着英国和欧洲基督教各派大统一促进会办事处，另外还有些别的牌子。整个广场看上去凄凉得很，斯丹恩勋爵壮丽的第宅也不见得比别的房子有生气。我只看见过宅子前面高高的围墙和大铁门上生了锈的小棍子，他家的老门房往往在铁门后面向外东张西望，一张脸又红又肥，老是愁眉哭眼的样子。围墙遮不了的阁楼和卧房的窗户也露在外面，还有好些烟囱，现在连烟都不大出了。现在的斯丹恩勋爵嫌岗脱广场太寂寞，宁可住在意大利的那波里，欣赏加波立和维苏维斯的风光。

　　新岗脱街下去百来步，通岗脱皇家马房的地方，有一扇并不引人注目的后门，看上去和别的马房的门没什么两样，可是时常有门窗紧闭的小马车停在门口。这话是无所不知的汤姆·伊芙斯告诉我的，他还带我去看过那地方。他说："亲王和波迪泰①时常在这扇门里进出。玛丽安·克拉克②和某公爵也到这儿来。这扇小门直通斯丹恩勋爵有名的私室。里面有一间屋子是用象牙和白软缎装饰的，另外一间摆着乌木家具，配上黑丝绒的窗帘幔子等等，还有一间小小的饭厅，全套陈设都是意大利庞贝古城中萨勒斯特③住宅里搬来的古董。墙上的壁画是考思威④的手笔。他有一间小厨房，里面银的是煎锅，金的是烤肉的叉子。

---

① 波迪泰（Perdita）是莎士比亚戏剧《冬天的故事》里女角色的名字。女伶玛丽·罗宾逊（Mary Robinson，1758—1800）因演这角色而得名。当时的威尔斯亲王（后来是乔治第四）对她非常倾倒。
② 玛丽安·克拉克是约克公爵的情妇。
③ 庞贝古城在公元 79 年被维苏维斯火山灰埋葬，发掘出来的时候街道房屋原封未动，有几家陈设极其典雅华丽，萨勒斯特（Sallust）的宅子就是其中之一。
④ 考思威（Richard Cosway，1740—1821），英国画家。

当年'开明的奥莱昂'①和斯丹恩侯爵两个一起跟翁白勒地方的某某大人物赌钱，赢了他十万镑；那天晚上奥莱昂公爵就在那厨房里烤野鸡来着。这笔款子一半用来发动法国大革命，一半用来贿买岗脱家侯爵的封号和勋章。剩下的——"汤姆·伊芙斯是个包打听，下剩的款子里面每一个先令的去路他全知道，另外搜寻了一肚子掌故，都愿意说给你听，不过这些都不在本文的范围之内。

除了伦敦的公馆之外，侯爵在英格兰、苏格兰和威尔斯各地都有古堡和府邸。关于他各处的产业，旅行指南里全有记载。他在夏能海岸有强弩堡，附带还有个树林子。在威尔斯南部加马登郡有岗脱堡，英王理查第二当年就在那里被俘。在姚克郡有岗脱莱大厦，里面据说单是供客人吃早饭的银茶壶就有两百个，其余的一切也都穷奢极侈，跟这势派相称。在汉泊郡还有个静流别墅，算是所有的住宅之中最简陋的。侯爵死后，别墅里的家具什物由一位有名的拍卖专家当众拍卖，想来大家还记得那些东西多么讲究；现在那拍卖专家也已经去世了。

斯丹恩侯爵夫人姓开厄里昂。她出身望族，是卡默洛侯爵的一支。他们家的祖先一直可以追溯到白鲁脱王②到达英伦三岛之前。第一个祖先是古赛尔脱族的教主，后来信奉了天主教，侯爵家里的人世代相传，没有变过信仰。他们家里的大儿子都有"潘特拉根"③的封号。男孩子的名字都是亚瑟、厄托、加拉多克，还是从古以来传下来的老规矩。这些人在历史上参加过皇室阴谋以致丧命的也不少。伊丽莎白女王就斩了一个叫亚瑟的，因为他不但是腓力普和玛丽④的御前大臣，还替苏格兰的

---

①"开明的奥莱昂"（Louis-Philippe-Joseph，又名 Philippe-Egalité，1747—1793），法王路易十六的堂兄弟，是法国大革命中极重要的角色。1790 年他在英国，和威尔斯亲王常在一起吃喝玩乐。
②相传是英国开国之祖。
③潘特拉根（Pendragon）的意思是"为首的毒龙"，古来英国的极权首领都有这封号。
④玛丽（Mary I，1516—1558），伊丽莎白女王同父异母的姊姊，在 1553 年至 1558 年间做英国女王。她维护天主教，残杀新教徒，退位后由伊丽莎白接位。

玛丽女王① 传信给她舅舅们，也就是古依斯家的那几个人。这家子还有个子弟是那了不起的古依斯公爵的手下人，在有名的圣巴塞罗缪阴谋之中② 很显了些身手。玛丽女王被监禁的一段时期里面，卡默洛全家暗底下为她出力。后来英国和西班牙争夺海上霸权，伊丽莎白派他们捐出钱来装配舰队，又因为他们收容神父在家，咬紧牙关不肯信奉国教，并且和教皇通同一气干些不好的勾当，便时常没收他们的财产或是派他们出罚金，因此他们也就穷了。到詹姆士接位，他们家出了一个不长进的儿子，听信了那有名的神学家③，改奉新教。他这一软软得正是时候，家里居然恢复了一部分元气。可是等到却尔士第一登基，那时的卡默洛子爵又重奉天主教，而且从此继续为他们的信仰斗争和赔钱。只要还有一个司徒亚特带头作乱或是煽动叛变，他们就跟着干。

　　玛丽·开厄里昂小时在巴黎一个修道院办的学校里读书。她的教母就是法国储君的妃子玛丽·安东尼④。在她最年轻美貌的时候，嫁给了——也有人说是卖给了——岗脱勋爵⑤。他那时正在巴黎，在腓力普·奥莱昂的家里做客，和小姐的哥哥狠狠地赌了几次，赢的数目实在太大了。岗脱伯爵和灰衣火枪营的特·拉·马希伯爵（他小时候在宫里当皇后的侍者，一直是皇后的宠臣）那一回的决斗闹得沸沸扬扬，据说就是因为争夺漂亮的玛丽·开厄里昂小姐。伯爵躺着养伤的时候，她就和岗脱伯爵结婚了。婚后她住在岗脱大厦，在威尔斯亲王豪华的宫廷里出入，时候虽然不长，风头是健极了。福克斯特地为她干杯。莫里斯和

---

① 玛丽·司徒亚特（Mary Stuart，1542—1587），苏格兰女王，是伊丽莎白女王的才貌双全的表妹，被伊丽莎白监禁十二年以后处死。她的母亲是法国古依斯家里的人。
② 当时欧洲新旧教斗争得很剧烈，法王却尔斯第九受了母后的怂恿，在 1572 年 8 月 24 日圣巴塞罗缪节日大规模屠杀全国的新教徒。古依斯公爵曾在幕后煽动这次屠杀。
③ 指英王詹姆士第一，因为他以神学家自居。
④ 路易十六之后，在大革命中上断头台处死。
⑤ 就是指斯丹恩勋爵，因为当年他还没有得到侯爵的封号。

谢立丹①写了诗颂扬她。莫姆士白莱②拿出最娴雅的风度对她鞠躬。华尔泊尔③夸奖她妩媚。德芬郡公爵夫人④差不多有些妒忌她。无奈她过不惯这种疯狂享乐的生活，心里总觉得害怕，生过两个儿子之后，便隐居起来，只顾念经修行。斯丹恩勋爵最爱热闹，向来是寻欢作乐惯了的，如今娶的少奶奶却是这么寡言少语，郁郁不欢，成天乞乞缩缩的样子，再加她又有许多迷信的习惯，怪不得夫妇俩合不来。

前面提到的汤姆·伊芙斯（他并不是这本历史里面的角色，不过他认识所有伦敦的大人物，熟悉每家的秘密和新闻）——前面提到的汤姆·伊芙斯还知道斯丹恩夫人许多别的事情，是真是假，却不得而知了。汤姆常说："这位太太在她自己家里受到的委屈说出来气死人。斯丹恩勋爵逼着她和那些邪女人一桌吃饭。拿我来说，我是宁死不准老婆跟她们来往的。像克拉根白莱太太、契本纳姆太太，还有那法国秘书的老婆克吕希加茜太太，总而言之，所有他得宠的姘头，侯爵夫人都得招待。"（汤姆·伊芙斯只要有机会巴结这几位太太，把自己的老婆杀了做祭献也没什么不愿意；她们对他哈哈腰，或是请他吃顿饭，他就受宠若惊。）"你想，她自己的出身跟波朋王族一样尊贵，在他们看起来，斯丹恩家里的人不过是做用人的材料，只好算暴发户罢咧。说穿了，斯丹恩他们又不是岗脱家的正宗，他们那一支地位既不显要，来历也不大明白。我且问你，"（请读者别忘了，说话的一直是汤姆·伊芙斯）"斯丹恩侯爵夫人是全英国最尊贵的命妇，如果没有特别的原因，难道肯对丈夫那么依头顺脑吗？哼！告诉你吧，里面还有个秘密呢。大革命以后不是有好些法国人逃到英国来吗？中间有个特·拉·马希神父，跟比以

---

① 谢立丹，见上册第 457 页注 ①。莫里斯（Charles Morris，1745—1838），诗人。
② 这里指第一代的莫姆士白莱伯爵（Earl of Malmesbury，1746—1820），英国外交家，出名地风度娴雅。
③ 华尔泊尔（Horace Walpole，1717—1797），作家。
④ 德芬郡公爵夫人（Georgiana Cavendish，1757—1806），当时有名的美人，极有才气，能写诗。

赛和丁德尼亚一起牵涉在居贝龙事件①里面，原来他就是一七八六年和斯丹恩决斗的灰衣火枪营的上校。他一到英国，和斯丹恩侯爵夫人又碰头了。这位又做神父又做上校的特·拉·马希在白立脱内枪毙之后，斯丹恩夫人才变得极端地虔诚，至今还是这样。当年她每天去找她的神师神父，一早就上西班牙广场去望弥撒，我还特地去监视她来着——我是说我凑巧去过那儿，刚刚碰见她。我看她这辈子准做过些不可告人的勾当。一个人要是没有亏心事，怎么会那样痛苦呢？"汤姆·伊芙斯一脸意味深长的表情，摇摇头说道："瞧着吧，如果侯爵没有拿住她的把柄，她也不会那么好说话。"

伊芙斯先生的话也许是靠得住的，看来这位夫人地位虽然高，在家里却着实受委屈。她外貌尽管镇静，背地里不知怎么受苦呢。弟兄们，谁保得定有钱有势的大人物不是天天在受罪啊？咱们这些没有地位的人这么一想，倒可以聊以自慰。大莫克利斯②背后靠的是软缎的靠枕，吃起饭来使的都是金盘子金杯子，可是头顶上可有一把剑挂在那里，譬如像要债的地保，或是遗传的恶病，或是不可告人的丑事。这柄剑不时从绣花的幔子后面露出来，好不可怕。它总有一天会掉下来，不偏不倚，刚刚打中要害。

根据伊芙斯先生的意见，穷人还有一头比大人物放心。如果你家里产业很少，或是干脆没有产业，那么家人父子之间感情一定融洽。在斯丹恩那样权势赫赫的王公勋戚家里就不同了，做儿子的巴不得自己当

---

① 居贝龙是法国西部的小岛。大革命以后逃难在伦敦的法国贵族受了英国首相毕脱的煽动，企图依靠英国的军力从居贝龙向大陆反攻，比以赛伯爵便是主谋，事败后逃回英国。丁德尼亚原是法国海军军官，英政府和逃亡的法国贵族之间的关系就是他拉拢的。
② 大莫克利斯（Damocles）是公元前四世纪西西利暴君戴奥尼西斯王（Dionysius）的朝臣，传说他羡慕戴奥尼西斯的尊荣富贵，戴奥尼西斯叫他尝尝做君主的滋味，请他坐在首位享用好酒好菜。他抬头一看，只见头顶上挂着一把剑，只用一根头发吊住，随时可能掉下来，这才明白在高位的人也有多少危险和苦处。

权，只嫌父亲霸占着位子不放，心里有不生气的吗？伊芙斯老头儿冷笑说：“我这话百无一失，在王室里，父亲和长子没有不互相仇恨的。做太子的不是和父亲捣乱，就是想占王位。亲爱的先生，莎士比亚对于人情世故懂得最透彻，他描写海尔王子怎么试戴父亲的王冠①，就把储君的心理描写出来了。（岗脱一家硬说他们就是海尔王子的后裔，其实他们和你一样，跟岗脱的约翰②全无关系。）倘若你能承袭公爵的地位和一天一千镑的收入，难道你不急急乎希望安享这份富贵吗？那些大人物既然当年都嫌自己的父亲碍事，当然猜得着儿子的心理，因此没一个不对小辈猜忌厌恶的。”

“我们再谈谈长子对于弟弟们怎么个看法。亲爱的先生，你要知道每个大哥哥都把底下的兄弟看作与生俱来的冤家，因为他觉得家里的现钱本来是他的名分，只恨弟弟们分了他的财产。我常听得巴杰齐勋爵的大儿子乔治·麦克脱克说，如果他袭了世爵以后能够任所欲为的话，他准会仿照土耳其苏丹的办法，立刻把弟弟们的头砍下来，只有这样才能把庄地上的纠葛料理清楚。他们这些人全差不多，没有一个不是手辣心狠，都有一套处世的手段。”如果说到这里，恰巧有个大人物走过，汤姆·伊芙斯便会慌忙脱下帽子，咧着嘴，哈着腰，赶上去打招呼，可见他也有一套汤姆·伊芙斯式的处世手段。他把自己一身所有悉数存在银行里，变成固定的年金，这样一来，身后没有遗产，对于侄儿侄女倒也不生嫌隙。他心胸宽大，看见地位高出于自己的人，没有别的心思，只想时常到他们家里去吃饭。

侯爵夫人和她两个儿子因为宗教信仰不同，感情上起了一道障碍，为娘的空有一片痴情，却无从发挥出来。她信教极其虔诚，胆子又小，

---

① 见历史剧《亨利第四》第二卷第四幕。海尔（Prince Hal）是亨利的小名。
② 岗脱的约翰（John of Gaunt，1340—1399）就是兰加斯脱公爵，爱德华第四的儿子，亨利第四的父亲。

因为爱子心切，心里格外不快活，格外替他们担忧。这也是他们母子命里注定，要给这么一条不可跨越的鸿沟分隔在两边。她力量有限，虽然深信只有天主教才是真教，却不能伸出手来挽救儿子的灵魂，把他们拉到自己这边来。斯丹恩勋爵非常博学，是个诡辩家。两个儿子小的时候，他在乡下吃过晚饭以后没有别的消遣，便挑拨他们的教师屈莱尔牧师（现在已是以林的主教）向侯爵夫人的神师莫耳神父提出宗教上的问题互相辩论。三个人一面喝酒，勋爵便鼓动牛津和圣阿舍尔[1]的代表斗口争吵。他一会儿说："妙哇，拉铁麦[2]！"一会儿说："说得对，

---

[1] 圣阿舍尔（St. Acheul），是法国亚眠昂斯地方耶稣会会员的大学。
[2] 拉铁麦（Hugh Latimer，1485—1555），英国的天主教神父，当时的教会认为他的见解中很多异端邪说，在 1555 年将他烧死。

罗耀拉①！"他答应莫耳说如果他肯改奉新教就给他做主教，又对屈莱尔赌神发咒地说如果他肯改奉旧教，他就设法替他谋到红衣主教的位置，可是他们两个都不肯放弃原有的信仰。痴心的母亲本来希望宝贝的小儿子有一天会皈依真教，回到慈爱的教会的怀抱里来。可怜这位虔诚的侯爵夫人注定还得受到一个极大的打击，好像是上天因为她婚后不守闺范，给她这个惩罚。

所有阅读《缙绅录》的人都知道，岗脱勋爵娶的就是尊贵的贝亚爱格思家的白朗茜·铁色尔乌特小姐；在我们这本真实的历史里面，也曾提到她的名字。他们夫妻住了岗脱大厦侧面的房子，因为这家的家长喜欢使一家人都受他辖治，一切由他摆布。他的长子和老婆不合，不大住在家里，父亲给他的钱有限得很，他为弥补不足起见，把将来的遗产做抵押，向别人借钱来花。他欠的每一笔债侯爵都知道。在侯爵死后，大家发现他生前把大儿子盖印的债券买回来好些，指明把这份财产传给小儿子的儿女享用。

岗脱勋爵没有孩子，他自己觉得气馁，他的父亲——也就是他天生的冤家，却暗暗得意。因为他没有孩子，家里只好把正在维也纳忙着做外交官和跳华尔兹舞的乔治·岗脱勋爵召回家来，替他娶了一房媳妇，就是第一代海尔维林男爵约翰·约翰士的独生女儿琼恩小姐。男爵同时又是穿针街上琼斯、白朗和罗宾逊合营银行的大股东。这对小夫妻生了几个儿女，可是这些孩子和本文没有关系。

他们的婚姻起初很美满。乔治·岗脱勋爵不但识字，写的也还不大有错，法文说得相当流利，又是欧洲跳华尔兹的名手。他有了这些才干，在本国又有靠山，不用说一定能在外交界做到最高的位置。他的妻

---

① 罗耀拉（St. Ignatius Loyola, 1491—1556），西班牙人，首创耶稣会，当年天主教的势力在各地扩展，全靠他的力量。

子觉得按自己的身份，应该在宫廷里出入才对，所以丈夫在欧洲大陆各城市做外交官，她就时常请客。她自己家里有的是钱，所以请起客来排场阔得了不得。外面谣传说政府将要委派乔治·岗脱做公使，好些人在旅客俱乐部下赌注赌输赢，说他不久就要做大使。忽然，又有谣言说他举止失常。有一回他的上司大宴宾客，请的都是外交界要人，他突然站起来说鹅肝酱里面是搁过毒药的。又有一回，巴伐里亚的公使斯泼灵卜克·霍亨拉芬伯爵在旅馆开跳舞会，他也去了，把头剃得光光的，打扮得活像个行脚僧。有些人帮他掩饰，说那一回开的是化装跳舞会，其实何尝是那么回事呢？大家暗底下都说这里面有些蹊跷。他的祖父就是这样的。这是遗传的恶病。

他的妻子儿女回到本国，在岗脱大厦住下来。乔治勋爵辞掉了欧洲的职务，公报上登载说他到巴西去了。可是外面大家知道得很清楚；他一直没从巴西回来，也没有死在巴西，也没有住在巴西，根本就没有到过巴西。哪儿都瞧不见他，仿佛世界上从此没有他这个人了。背地里嚼舌头的人嬉皮笑脸地说："巴西，巴西就是圣·约翰树林子，里约·热内卢就是四面围着高墙的小房了。乔治·岗脱日夜有人守着。看护送了他一条绶带，那就是疯子穿的紧身衣。"在名利场中，身后受到的批评不过是这样。

每星期中有两三次，可怜的母亲清早起来，先到神父那里忏悔，然后去探望苦恼的疯子。他有时笑她，那笑声竟比他的啼哭还凄惨。这个公子哥儿派头的外交官以前在维也纳大会上出足风头，如今只会拖着小孩的玩具走来走去，或是抱着看护的孩子的洋娃娃。他头脑清楚的时候，也认得母亲和她的神师和朋友莫耳神父，不过糊涂的时候居多。一糊涂起来，就把母亲、老婆、孩子、爱情、虚名浮利、壮志雄心，一股脑儿都忘光了。吃饭的钟点他可记得，如果酒里搀的水太多，酒味淡薄，他就哭起来。

　　这莫名其妙的恶病是胎里带来的。可怜的母亲那一方面是个旧族，上代一向有这种病，父亲这一方面，也有一两个人发过疯。那是老早的事了，当年斯丹恩夫人还没有失足，她也还没有用眼泪来洗刷自己的污点，还没有刻苦吃斋地给自己补过赎罪。这一下，体面的世家气焰顿减，那情形仿佛法老的大儿子突然被上帝击毙似的[1]。这家子高高的大门上面刻着世袭的纹章，镂着王冠，可是已经给命运打上了黑印，注定要倒霉。

　　离家的勋爵还留下几个儿女，这些孩子混混沌沌，不知道自己也难逃劫数，管自有说有笑地活得高兴，慢慢地也长大了。起步他们谈到父

----

[1] 见《圣经·出埃及记》。埃及法老屡次阻挠犹太人移民出埃及，上帝震怒，把所有的埃及人的大儿子都杀死。

亲，想出各种计策防他回来。渐渐地，那虽生犹死的人的名字就不大听见他们说起了，到后来简直绝口不提。他们的祖母想起这些孩子不但会承袭父亲显赫的品位，同时也传着他的污点，心里忧闷。她成天战战兢兢，唯恐祖上传下来的灾祸有一天会临到他们身上。

斯丹恩勋爵本人也觉得将来凶多吉少，暗下里害怕。那恶鬼不离左右地缠在他卧榻旁边，他只好借喝酒作乐把它忘掉。有时一大群人闹哄哄的，那鬼也就隐没了。可是到他一个人独处的当儿，它又来了，而且面目一年比一年狰狞。它说："我已经拿住了你的儿子，谁说将来不能拿住你呢？也许我会把你像你儿子乔治一般关到监牢里。没准我明天就在你头上啪地打一下，那么名位、享受、大宴会、美人儿、朋友、拍马屁的人、法国厨子、骏马、大厦，一切都化为乌有。只剩下一所监牢，一个看护，一床草荐，叫你过过乔治·岗脱的日子。"勋爵不服它的威吓，因为他有法子使它失望。<sup>①</sup>

这样看来岗脱大厦这两扇镂了花、刻了王冠纹章的大门后面，有的是财势，可是没有多少快乐。他们家里请起客来是全伦敦最阔气的，坐着吃饭的除了客人以外不觉得有滋味。如果斯丹恩勋爵不是权势赫赫的豪贵，恐怕没有几个人愿意到他那里去走动。好在在名利场中，大家对于大人物全是宽宏大量；就像一位法国太太说的，我们总得细细斟酌过之后才肯攻击勋爵那样有身份的人物。有些吹毛求疵的道学先生和蓄意挑剔的小人可能对于勋爵不满意，可是只要请客有他们的份，他们是一定会去的。

斯林斯登夫人说："斯丹恩勋爵的人品真是不成话，可是他请客人人都去。女孩儿们反正有我带着，不妨事的。"屈莱尔主教想到总主教活不长了，说道："勋爵帮了我不少忙，我有今天，全靠他的恩典。"屈

---

① 这里意思是他在未疯之前可以自杀。

莱尔太太和屈莱尔小姐宁可误了上教堂，断不肯不到斯丹恩家里去做客。莎吴塞唐勋爵的妹妹从前听见妈妈谈起岗脱大厦各种骇人听闻的传说，因此很谦和地劝他不要去。勋爵答道："他这人全无道德，可是他的息勒里浓香槟酒是全欧洲最上等的货色。"至于毕脱·克劳莱从男爵呢，这位文质彬彬的君子，传道会的主持人，根本没想到谢绝勋爵的邀请。从男爵说："吉恩，像以林的主教和斯林斯登伯爵夫人能到的地方，你就知道去了没错。斯丹恩勋爵品位又高，又有身份，能够辖治咱们地位上的人。亲爱的，区里的行政长官是个体面的人物，而且从前我和乔治·岗脱很熟。我们在本浦聂格尔做参赞的时候，他的位子比我低。"

　　总而言之，人人都去趋奉这位大人物——只要有请帖。就是你这看书的（别抵赖！），我这写书的，如果收到请帖的话，也会去的。

# 第四十八章　社会的最上层

蓓基对于克劳莱的一家之主那一番关切和殷勤，总算得到了极大的酬报。这虽然不过是个空场面，她倒看得比任何实在的好处还重，眼巴巴地盼了多少时候了。她并不想过良家妇女的生活，却喜欢有良家妇女的名声。我们知道在上等社会里的女人如果要具备这个条件，一定得穿上拖地的长裙，戴上鸵鸟毛，进宫朝见过国王才行。经过这次大典之后，她们就算身家清白，好像御前大臣给了她们一张德行完美的证书。比方说，凡是可能带传染病菌的货物和信件，检疫所只要把它们搁在汽锅里烘焙一下，然后洒上些香醋，就算消了毒；以此类推，名声不大好听，可能把别人沾带得不清不白的女人也只要经过一次有益身心的考验，在国王面前露过脸，所有的污点也就洗干净了。

贝亚爱格思夫人、德夫托夫人、乡下的别德·克劳莱太太，还有好些跟罗登·克劳莱太太打过交道的奶奶小姐们，听说这可恶的江湖女骗子竟敢对着王上屈膝行礼，不消说心里大不服气。她们断定如果亲爱的夏洛特皇后[①]还在的话，决不准这样一个品行不端的女人走到她玉洁冰清的客厅里去。可是你想，当年正是"欧洲第一君子"[②]当政的时候，罗登太太这一进宫，仿佛是在他面前经过考试而得到了名誉上的学位，你如果再信不过她的品德，岂不是等于对国王不忠诚吗？至少拿我来说，每逢回想到这位历史上的大人物，心上就觉得又敬又爱。我们帝国之中有教育有修养的人一致颂扬我们至圣至尊的王上为"国内第一君子"，可见君子之道在名利场中还是受到极高的敬仰。亲爱的麦——，我幼年的朋友！你还记得吗？二十五年前，一个幸福的晚上，《伪君子》[③]在特鲁瑞戏院上演，当时爱立斯顿是经理，陶登和里思登是演员，屠宰场学校[④]里有两个孩子得到老师特准，爬到戏台上挤在人堆里面欢迎王上，这事你想来还没忘掉吧？王上？喏，他就在那儿。他的尊贵的包厢前面排列着护兵，尚粉大臣斯丹恩侯爵和许多政府里的大官儿站在他椅子背后。他端坐在自己位子上，满面红光，身材高大，头发又多又卷，满身挂了勋章。唉，我们唱"天佑我王"唱得多起劲啊！雄壮的音乐在戏院里响成一片，真正是声震屋宇。所有的人都在欢呼、叫嚷、摇手帕。女客们有掉眼泪的，有搂着孩子的，有些人感动得甚至于晕过去。坐在戏院后面的人差点儿没闷死，大伙儿一面扯起嗓子嚷嚷，一面推推挤

---

① 夏洛特皇后（Queen Charlotte），指夏洛特·莎菲（Charlotte Sophia），乔治第三之后，1818 年死。
② 指英王乔治第四。
③ 爱赛克·别克斯大夫（Isaac Bickerstaffe，1735—1812）的有名讽刺剧，在 1810 年上演，在当时算是盛事。
④ 萨克雷小时进的学校是国家下特许状设立的查特豪斯公立学校（Charter House），他时常称它为屠宰学校（Slaughter House），因为他认为这学校的制度摧残儿童身心，学生们仿佛在受宰割。

挤，还有些人闷得受不住，叫的叫，哼唧的哼唧。在场的人人都肯为国王陛下牺牲性命；照当时的情形看来，他们真的准备为他死了。我们竟看见了王上，连命运之神也不能剥夺我们那一回的经验。有些人见过拿破仑，还有几个积古的老人见过弗莱特烈大帝、约翰逊博士、玛丽·安东尼等等，将来我们也能对下一代夸口，说我们见过圣明的、威严的、了不起的乔治。别人总不能说我吹牛吹得没有道理吧？

罗登·克劳莱太太的好日子来了。这位贤慧的妇人由她嫂子做引见人，进宫朝拜了王上，好比踏进了久已渴望的天堂。到指定的一天，毕脱爵士夫妇坐了家里的大马车（这车子刚刚造好，到从男爵选上了区里的行政长官马上就能拿出来用），一直到克生街的房子前面停下来。这一下，连拉哥尔斯也托赖着见了世面。他正在自己的菜蔬铺子里，只见马车里好多漂亮的鸵鸟毛，跟班的全穿上新号衣，胸口戴着一大把花儿。

毕脱爵士一身光鲜的礼服，身旁挂着宝剑，从车上下来一直走到屋子里面。小罗登正在客厅靠窗站着，把个脸儿贴着玻璃，笑嘻嘻地使劲对马车里的大娘点头打招呼。过了一会儿，毕脱爵士扶着一位夫人从屋里走出来，她身上是洁白松软的鸵鸟毛，披着白披肩，一只手轻轻巧巧地提起了贵重的缎子长裙。她走上马车，仪态雍容地向门口的听差和跟她进车子的毕脱爵士微笑着，那风度竟好像她是向来在宫廷里出入的公主娘娘。

不久，罗登也跟着出来了。他穿了先前禁卫军的制服，这身衣服不但嫌紧，而且旧得难看。本来说好让他迟走一步，坐着街车到宫里会合。可是他好心的嫂嫂一定要请他和大伙儿一起去。反正他们的车子很宽，两位太太个儿又不大，只消把长裙兜过来放在膝盖上就行了。结果他们四个人坐了一车，显得兄弟和睦。过了一会儿，车子给夹在一长行华丽的马车中间，一起由毕加迪莱和圣·詹姆士街向皇宫那边走。白伦息克的显赫的大人物便在这座砖砌的圣·詹姆士皇宫里等着接见他治下的贵族和绅士们。

蓓基这遭真是踌躇满志；她如愿以偿，总算挣到了非常体面的地位，深深地感到得意，乐得她直想祝福路上的行人。原来连我们的蓓基也有她的弱点。我们常见有些人自以为有出人头地的本领，殊不知这种本领除掉自己之外别人却不大看得出来。譬如说，考墨斯绝对相信自己是全英国最了不起的悲剧演员；有名的小说家白朗不在乎别人把他当作天才，只求上流社会里有他的地位；了不起的律师罗宾逊不稀罕自己在国会议事厅里的名声多么响，却自信是打猎的能手，以为骑马跳栏的本领比什么人都高强。拿蓓基来说，她的志向就是做个体面的正经女人，同时也希望别人把她当体面的正经女人看。她学着上流妇人的一套儿做作，学得努力，学得快，学得好，成绩是惊人的。上面说过，有的时候她当真以为自己是个高贵的太太，忘了家里的钱柜空空如也，大门外面等着要债的，自己非得甜嘴蜜舌地哄着做买卖的才过得下去，简直是个没有立足之地的可怜虫。那天她坐在马车里——自备的马车里，仪态雍容，气度大方，又得意，又威风，看着她的张致，连吉恩夫人也忍不住觉得好笑。她走进皇宫的时候，高高地扬起了脸儿，那样子活像个皇后。我相信即使她真正做了皇后，举止行动一定也是非常得体的。

罗登·克劳莱太太觐见王上那天穿的礼服真是又典雅又富丽，这是千真万确的事实。出入宫廷的贵妇人只有两种人看得见，一种是戴着宝星、挂着绶带、有资格出席圣·詹姆士皇宫集会的豪贵，另一种是穿着泥污肮脏的靴子在帕尔莫尔大街上游荡的闲人。一辆辆马车载着用鸵鸟毛做装饰的贵妇人走过的时候，他们倒也有机会偷看一两眼。在宫廷集会的日子，下午两点钟，御前卫兵便吹起胜利进行曲来了。他们穿了钉花边的短外套，骑着跳跳纵纵的黄骠马，因为普通的乐师奏乐的时候坐在凳子上，他们可得骑在马上吹喇叭。在大白日里，时髦妇人实在说不上有什么迷人可爱的地方。六十岁的伯爵夫人，身段肥胖，穿了袒胸露肩的衣服，脸皮皱得满是褶裥，却搽得有红有白，单是胭脂就一直抹到宽得往下搭拉的眼皮底下，头上是假头发，里面亮晶晶的全是金刚钻。瞧着这样子，我们也算长了见识，可并不觉得顺眼。她那憔悴的容颜令人想起圣·詹姆士街上清早的光景，一半的路灯已经灭了，另外的一半一闪一烁，发出惨淡的黄光，好像黎明以前快要隐没的鬼魅。我们在伯爵夫人马车里瞧见的美人儿应该在晚上露脸才对。在下午，连月亮神沁茜亚都显得憔悴。现在是冬天，我们时常看见她和太阳神菲勃斯在天空里遥遥相对，菲勃斯光着眼瞧她，瞪得她脸上失色。沁茜亚尚且如此，卡色尔莫迪老夫人如何禁得起阳光从马车窗口直照着她的脸，把岁月留在上面的皱纹老态都暴露得清清楚楚呢？宫廷集会应该等到十一月里，或者是重雾开始的日子举行才是。要不然，名利场中有年纪的太太只好紧紧地关在轿子里抬着上皇宫，还得挑个头上有遮盖的地方下轿，然后在灯光的保护之下对国王朝拜。

亲爱的利蓓加还不需要靠灯光来衬托她的美貌。不管在多么强烈的阳光底下，她的脸色仍旧显得鲜嫩。至于她的穿戴，现在的时髦女子一定会嘲笑它荒唐可笑，可是二十五年以前，不但蓓基自己觉得漂亮，别人也公认她漂亮，竟和时下最有名的美人儿身上的华服艳裳不相上下。再过二十年，眼前最出风头的打扮也就和其他过时的装束一样，只好博大家一笑了。如今我们且言归正传。进宫是个大典，利蓓加穿戴得十分俏丽，引得人人夸赞。吉恩夫人是个老实人，她对小婶子打量了一番，不得不承认她修饰得动人，暗下自叹不及她手段高明。

罗登太太在她的衣服上费了多少心思、精神和天才，吉恩夫人是不知道的。利蓓加穿衣打扮的技术赛得过全欧洲最能干的时装专家。她的手又特别巧，吉恩夫人再也及不上。她对蓓基上下一看，立刻发现不但做后裾的硬缎非常贵重，衣服上的花边也着实精美。

蓓基说那缎子是旧东西，花边买来的时候便宜得少有，撂在手边有好多年了。

"亲爱的克劳莱太太，这花边总得要一大笔款子才买得动吧。"吉恩夫人一面说，一面低下头瞧着自己身上。她的花边，质地的确要差得多。她又细细瞧着罗登太太做礼服用的缎子，很想说自己做不起那么讲究的衣服。可是这话说出来似乎在刻薄小婶子，因此她努力忍住了没有开口。

虽然吉恩夫人心地宽大，如果她知道这些衣料的来历，恐怕未必忍得下这口气。事实是这样的，罗登太太替毕脱爵士收拾房子的时候，在一个旧衣橱里面找到了那花边和锦缎。推想起来，准是从前的主妇留下的东西。她悄没声儿地把这两样东西带回家去，配着她自己苗条的身材做了一套衣服。布立葛丝明明看见她拿东西，并没有问长问短，也不去搬弄是非。我想她在这件事上很同情蓓基。不但是她，就是别的诚实女人，见解一定也跟她一样的。

蓓基还有金刚钻。她丈夫看见她耳朵上是耳环子，脖子上是项圈，亮晶晶的戴了许多首饰，觉得真好看，只是自己从来没有看见过，便问道："蓓基，你的金刚钻首饰是哪儿来的？"

蓓基脸上红了一红，紧紧地对他瞅了一眼。毕脱·克劳莱脸上也微微一红，拿眼望着窗外。原来首饰里面有一件是他的礼物。蓓基的珍珠项圈上一个美丽的金刚钻扣子是他送的。这件事，他并没有对老婆说。

蓓基瞧瞧丈夫，又望望毕脱爵士，那刁钻得意的样儿好像在说："咱们抖出来怎么样？"

她对丈夫道："你猜吧！呆子，你细想去吧，我的首饰是哪儿来的？这小扣子是多年前一个好朋友送给我的纪念。除此之外，都是我在考文脱瑞街上波罗尼斯先生铺子里租来的。难道你以为所有进宫的奶奶小姐戴的金刚钻都是她们自己的吗？谁都像吉恩夫人自己有金刚钻首饰呢？我看吉恩夫人的比我的美多了。"

毕脱爵士神气又有些不自在，说道："这些全是上代传下来的头面。"他们一面叙家常，马车一面往前走，一直到皇宫门前停下来。然后他们下了车子往宫里去，国王已经在宝座上，准备接见他们。

罗登赏识的金刚钻首饰并没有回到考文脱瑞街上波罗尼斯先生的铺子里去，波罗尼斯先生也不来向她讨。原来这些首饰都给藏到一张旧书桌的抽屉里去了。这书桌还是许多年前爱米丽亚·赛特笠送给她的，蓓基手里几件有用，也许可以说值钱的东西，都瞒着丈夫收在这里。有些丈夫天生不管闲事，有时候什么都不知道。妻子呢，喜欢遮遮掩掩的可多的是。各位太太奶奶，你们里头喜欢私下做衣服买首饰的人有多少？有了新衣服新手镯不敢穿戴的有多少？有时穿上新衣戴上首饰还是战战兢兢，唯恐身旁的丈夫看穿了秘密，只能软语媚笑地哄着他。好在做丈夫的分不清新的丝绒袍子和旧的丝绒袍子有什么不同，今年的手镯和去年的手镯有什么两样，也不知道那一块拖拖拉拉的镂空黄披肩值四十基尼，也想不到波皮诺太太每星期都在写信要账。

罗登太太戴的耳环子，还有她那白嫩的胸口挂着的饰物，全是光彩耀目，珍贵得了不得。这些东西罗登虽然没有看见过，斯丹恩勋爵却知道它们的来历，也知道是谁花钱买下来的。斯丹恩勋爵身为尚粉大臣，算得上国家的柱石，又是御前显要的近侍，那天也在宫里当差。他全身挂满了绶带、宝星和各种勋章，特地迎上来招呼利蓓加。

他对她鞠了一个躬，微笑着援引了《一绺玷污了的鬈发》①里面美丽的诗句来奉承她，可惜这句子已经用得太多，成了滥调了。他夸奖蓓基的首饰像诗中女主角贝琳达的一般，"犹太人愿意亲吻，外教人愿意崇拜"。

利蓓加把脸儿一扬，答道："我可希望您大人是信奉正教的基督

---

① 十八世纪诗人蒲柏（Alexander Pope）的长诗"*The Rape of the Lock*"。

徒。”这位权势赫赫的贵人对于那江湖女骗子那么不避耳目地献殷勤，引得旁边的女客们交头接耳地谈论起来，先生们也在点头点脑，偷偷地批评。

利蓓加·克劳莱（娘家姓夏泼）和王上见面的时候究竟是什么情形，我不敢擅自描写，一则因为我没有写作经验，笔下也不高明，二则我想到这辉煌的人物，已经觉得眼花缭乱，何况我对于国王忠诚虔敬，不敢失了体统，在想像之中都没肯对那神圣的接见室瞧得太仔细、太大胆，只敢诚惶诚恐、肃静无声地快快退出来，一面接二连三深深地鞠躬。

我可以说那么一句话：自从蓓基进宫觐见之后，整个伦敦找不出比她对国王更忠诚的臣民。她口边老是挂着王上的名字，赞叹他风度出众，谁也比不上。她到高尔那奇画师那里去定了一张国王的肖像。凡是艺术能够创造、她的信用可以赊得动的作品，再没有比这张肖像更精美的了。我们最圣明的王上有一张像是很著名的。在画儿里面他穿着方扣子外套，上面一条皮领子，下身是灯笼裤，脚上穿了丝袜，头上戴着鬈曲的棕色假头发，满脸堆笑地坐在椅子上。蓓基挑的就是这一幅；她还叫画师在别针上也画了王上的像，戴在身上。她在熟人面前不断地谈起他态度怎么谦和，相貌怎么轩昂，听的人先是觉得好笑，到后来简直有些腻烦了。谁知道，说不定她还想做孟脱侬[①] 和邦巴图[②] 呢。

最妙的是听她模仿正经女人的谈吐。她本来也有几个女朋友。说老实话，这些女人在名利场上的名声不算太好。现在蓓基仿佛是做了良家妇女，不屑再和这几个不清白的人为伍。有一次克拉根白莱太太在歌剧院的包厢里对她点头，她睬也不睬；又有一次，华盛顿·霍爱德太太在

---

① 孟脱侬（Marquise de Maintenon，1653—1719），法国女作家兼教育家，法王路易十四十分推崇她，在 1684 年秘密娶她为续弦。
② 邦巴图（Pompadour），法王路易十五的情妇。

公园的圆场遇见她，她只装没有看见。她说："亲爱的，你总得让人家知道你的身份，不能随便跟不清白的人来往。我真可怜克拉根白莱夫人。华盛顿·霍爱德太太为人也不算坏。你是爱玩叶子戏的，如果你爱上她们家去吃饭的话，我也不反对。可是我不能去，也不愿意去。请你告诉斯密士说她们两人来拜访我的时候，只说我不在家。"

蓓基进宫时的穿戴，她的鸵鸟毛、耳垂子、漂亮的金刚钻首饰等等，都上了报。克拉根白莱太太看了这段新闻，心里气不过，对她的朋友们批评蓓基，骂她浑身臭架子。乡下的别德·克劳莱太太和她的女儿也得了一份伦敦的《晨报》，看得一肚子气，觉得越是邪道女人越是得意，大大发了一场牢骚。别德太太对她的大女儿说："如果你长了一窝子淡黄头发，两个绿眼珠子，"（她的大姑娘跟蓓基恰好相反，黑黑的皮肤，短短的身材，一个狮子鼻）"如果你的妈妈是个走绳索的法国女人，那么你倒能够戴着漂亮的金刚钻什么的，叫你嫂子吉恩夫人带着进宫。可怜的孩子，你只不过是个斯文人家的姑娘。你的血统是全英国最好的，你信仰虔诚，做人有节操，这就是你的嫁妆了。我自己呢，也算是嫁了从男爵的弟弟，我可从来没想到要进宫——如果贤明的夏洛特王后活着，我看有些人也就别想进得成。"牧师太太这样一说，宽慰了好些。她的女儿们叹口气，把《缙绅录》翻了一黄昏。

有名的觐见仪式过后几天，贤慧的蓓基又得到了不起的面子。有一天，斯丹恩侯爵夫人的马车来到罗登·克劳莱太太的门前，一个听差走下来，使劲地打门，竟好像打算把前半幢房子都给打下来似的，总算他发了慈悲心，只递上两张名片就转身走了。这两张名片一张是斯丹恩侯爵夫人的，一张是岗脱伯爵夫人的。如果这两张纸片儿是美丽的图画，如果纸片外面裹着一百码马林的细花边，一共值二百基尼，蓓基对它们也不会看得更重。在她客厅里的桌子上有一个专搁来客名片的瓷缸，不消说，这两张名片立刻在瓷缸里占了最显眼的地位。天啊，天啊！几个月以前，我们的蓓基还是浅薄得可怜，拿到了克拉根白莱夫人和华盛顿·霍爱德太太的名片就欣欣得意，如今她结识了宫廷贵妇，这两张不值钱的纸片儿立刻退居末位，没人理睬了。斯丹恩！贝亚爱格思！海尔维林的约翰士！卡默洛的开厄里昂！多响亮的名字！不消说，蓓基和布立葛丝在《缙绅录》中找出这些尊贵的名字，把他们各家的来历和支派查了个清清楚楚。

两个钟头之后，斯丹恩勋爵来了，他向来喜欢东瞧瞧西望望，什么都逃不过他的眼。这一天他发现他家里两位夫人的名片已经在瓷缸里占了首座，成了蓓基手里的王牌，忍不住笑起来。他对待世人向来是讥诮的态度，倘若你做人不老到，热衷的情绪落在他眼睛里，他可就乐了。

不久，蓓基从楼上走下来。只要她预先知道勋爵将要光临，一定会把自己修饰得十分俏丽，头发梳得一丝不乱，手帕、围身、披肩、软底鞋和许多女人用的零星东西都给安排得整整齐齐。连坐着的姿态都有讲究，不但动人，而且显得自然，这才等着迎接他。如果勋爵出其不意地来了，她当然只好三步并两步地跑到楼上，匆匆忙忙照照镜子，尽早地下来伺候这位大人物。

她看见侯爵正在对着瓷缸发笑，知道自己露了底，脸上不由得微微一红。她说："大人，多谢您啦。瞧，你家一位太太一位少奶奶都来过了。你对我太好了。我刚才不能出来，因为我在厨房里做布丁。"

老头儿答道："我知道。我来的时候在栅栏里看见你来着。"

她道："你的眼睛真尖！"

他和颜悦色回答道："漂亮的太太，我眼睛倒还尖，可就没看见你做布丁。你这小傻瓜就在扯谎！我明明听见你在楼上房间里，想来准在抹胭脂——你该送些胭脂给岗脱夫人，她的脸色难看得简直不成话。后来我听得你的卧房门开了，你就下来了。"

罗登太太如怨如诉地说道："难道说你来了，我不该把自己打扮打扮好看吗？"她把手帕擦抹自己的腮帮子，仿佛要证明她脸上没有胭脂，而是因为羞人答答的，所以有些儿红晕。谁知道这里面的把戏呢？我听说有一种胭脂是手帕擦不下来的，还有一种更好的，连眼泪都洗不掉。

老头儿把他妻子的名片绕着指头儿转，说道："好，你是打定主意要做个有身份的时髦太太了。你把我这可怜的老头儿逼得走投无路，一定要我拉扯你踏进上流社会。你这傻子，到了那儿你也站不稳啊！你又没有钱。"

蓓基插嘴道："你给我们找个事吧。越快越好。"

"你没有钱，何苦要跟有钱的阔佬争胜要强。你好比是个脆薄的小瓦罐儿，偏要跟大铜吊一块儿比个高下。所有的女人全是一样。人人都为没有价值的东西瞎卖力气。喝，昨天我和王上一起吃饭，我们只吃了个羊颈子，还有些萝卜。有的时候，素菜的味儿比肥牛肉还强呢。你是死活要到岗脱大厦去做客的。去不成的话，就闹得我这老头儿不得安生。其实岗脱大厦哪有这儿好。你去了准会腻烦。我就觉得腻烦。我们家那几个女的可真活泼可爱！我的太太跟麦克白夫人差不了多少，我的两个媳妇和里根和高诺瑞尔①不相上下。有一间屋子，说是我的卧房，我连睡都不敢睡进去。那张床就像圣彼得教堂里祭坛上的神龛，屋子里挂的画儿也够怕人的。我只能在梳妆间里搁了一张小铜床，上面铺了一床马鬃褥子，住在那里过隐士的生活。我现在真的成了隐士了，哈，哈！下星期请你来吃饭。你得站稳脚跟，小心那几位太太跟你为难。她们准会欺负你。"斯丹恩勋爵向来不大开口，这一席话算是长篇大章的了。那天他对蓓基还说了许多别的话。

布立葛丝正在屋子里另一头坐着做活，听得了不起的侯爵说起女人的时候口气那么轻薄，抬起头来深深地叹了一口气。

斯丹恩勋爵回头向她恶狠狠地瞪了一眼，对蓓基说："如果你不叫那可恶的牧羊狗出去，我就毒死她。"

利蓓加顽皮地笑道："不行，我的狗跟我在一个碗里吃饭的。"勋爵对俊俏的上校太太十分倾倒，可是碍着布立葛丝，不能说体己话，心里恼怒，利蓓加瞧着他那无可奈何的样子只觉得好玩。过了一会儿，总算她发善心，把布立葛丝叫过来，说是天气这么好，应该带孩子出去散散步。

等她出去以后，蓓基半晌不说话，然后悲悲戚戚地说道："我不能叫她走。"她一面说，一面眼泪汪汪地回过头去瞧着别处。

勋爵问道："我想你大概欠了她的工钱没付？"

蓓基依旧瞧着地下，答道："比这更糟糕，她给我弄得一个子儿都不剩了。"

"一个子儿都不剩了？那么干吗不赶她出去呢？"

蓓基气恨道："男人才肯这样坏心肠，我们女人可不跟你们一样。去年我们钱都花完了，亏得她倾其所有帮我过了关。我是不肯撵她走

---

① 莎士比亚悲剧《李尔王》中两个凶恶的女儿。

的，除非我一个子儿不欠她，至少也得等我们自己也到了山穷水尽的地步再说——照目前的情形，这日子可也不远了。"

勋爵咒骂了一声说："你欠她多少？"蓓基一想，侯爵有的是钱，便开口说了一个大数目，差不多比她欠布立葛丝的总数多了一倍。

斯丹恩勋爵听了她的话，又冲口而出骂起人来，虽然只有几个字，却来得有斤量，可见他非常生气。利蓓加把头垂得更低，伤心地哭着说："叫我怎么样呢？我只有这一条路啊。我又不敢告诉我丈夫。倘或给他知道我干的事，我还有命吗？除了你，我对谁都不敢说。要不是你逼着我，我连你也不告诉的。唉，斯丹恩勋爵，叫我怎么办呢？我真急死了。"

斯丹恩勋爵不回答，一会儿咬咬指甲，一会儿把指头咚咚地敲着桌子。后来他突然按上帽子，一摔手就出去了。利蓓加仍旧可怜巴巴地坐在那儿不动，一直到斯丹恩勋爵走出去砰的一声碰上了房门，又听着他的马车也从门口走掉以后才站起身来。她站起来的时候，一双绿眼睛亮晶晶的，又顽皮，又得意，那表情老大古怪。后来她坐下来做活，有一两次忽然哈哈大笑。讨了一会儿，她坐在钢琴前面弹起琴来，随手编了一段欢乐的曲子，窗外的行人听得她出色的音乐，都停下来听。

当晚从岗脱大厦送来两封信。一个信封里面是请帖，原来斯丹恩侯爵和侯爵夫人请她下星期五到岗脱大厦吃晚饭。另外一个信封里面是一张灰色的小纸条，上面有斯丹恩勋爵的图章和朗白街琼斯、白朗和罗宾逊合营银行的地址。

罗登半夜听得蓓基失声大笑了一两次。她说她想着能到岗脱大厦去吃饭，跟那家子尊贵的太太奶奶见面，觉得真好玩，所以高兴得笑起来。其实她心里还在盘算许多别的事。还是把布立葛丝的债付掉了打发她走呢，还是叫拉哥尔斯惊奇一下子，跟他清一清账？她睡在枕上，把这些事细细想过。第二天早上，罗登到俱乐部去了，克劳莱太太穿了一

件普通衣服，戴上面网，坐了街车一径来到市中心那家银行里，拿出支票来交到柜台上出纳员的手里。出纳员问她："怎么样拿法？"

她温柔地答道："一百五十镑小票子，其余的做一注打一张大票给我。"她经过圣·保罗公墓附近，替布立葛丝买了一件贵重的黑绸袍子。她把这份礼物送给那忠厚的老小姐，并且吻了她一下，对她说了些好话。

然后她走到拉哥尔斯家里，亲亲热热地问候他的孩子，又给了他五十镑，算是付了一期账。过后她又去找出租马车的车行主人，也给他五十镑。她说："斯百文，我希望你从此得到一个教训。上一回我到宫里去，自己没有车，我们四个人只能一起挤在我哥哥毕脱爵士的车子里，多不方便啊！下一回我再进宫，你该放明白点儿了。"原来上次进宫的时候那车行主人对他们很不客气，所以上校差些儿只能坐了街车去朝见国王，这当然是大失体统的事。

这些事情办完之后，蓓基上楼去开了前面说过的书桌，——这书桌是多年以前爱米丽亚·赛特笠送给她的，里面搁着好多有用和值钱的零星小东西。银行出纳员给她的那张大票，她也收在这私人贮藏所里。

# 第四十九章　三道正菜和一道甜点心

那天早晨，岗脱大厦里的几位太太奶奶正在吃早饭，斯丹恩勋爵忽然来了。平常的时候他早上总是独自一人喝他的巧克力茶，不大去打搅妻子和媳妇。事实上，他和那几个女的难得在一起，除非在公众集会上打个照面，或是在过道里偶然相遇；再不就是在歌剧院了；他自己的包厢在底层，她们在楼上贵宾座里，倒还有机会看见一两面。那天婆媳三人和孩子们围着饭桌子喝茶吃烤面包，他大人进来了，接着他们一家就为利蓓加起了一场混战。

他说："斯丹恩夫人，让我看看你星期五客人的名单，还要请你写一张请帖，邀克劳莱上校夫妇来吃晚饭。"

斯丹恩夫人慌慌张张地答道："请帖是白朗茜写的——是岗脱夫人写的。"

岗脱夫人仪态庄重，身量很高，她道："我不愿意写请帖给那个人。"她抬头看了一看，立刻又垂下了眼睛。谁要是得罪了斯丹恩勋爵，他那眼色可不好受。

"叫孩子们出去。走！"他一面说，一面拉铃。孩子向来怕他，马上出去了。他们的母亲也想跟出去。侯爵说："你别走。坐下。"

他说："斯丹恩夫人，我再说一遍，请你过书台那边去，给我写张请帖请他们星期五来吃饭。"

岗脱夫人说道："勋爵，我星期五不出席，我回家去了。"

"再好也没有，你去了也别回来。你跟贝亚爱格思那儿的地保做伴儿准觉得愉快，也省得我再借钱给你家里的人。打量我爱瞧你那愁眉哭眼的样子吗？你是什么人，就敢在这屋里发号施令？你没有钱，也没有脑子。娶你来就为的是叫你生孩子，可是到今天也没生出来。岗脱早已对你腻味了。这家子里头，除了乔治的老婆，谁不希望你赶快死了拉倒？你死了，岗脱倒能再娶一个。"

"我宁可早死了。"岗脱夫人一面说，一面气得眼泪在眼眶子里打转。

"人人都知道我的太太是个洁白无瑕的圣人，一辈子没有一个错缝儿。连她都愿意招待我那年轻的朋友克劳莱太太，倒要你来装模作样假正经吗？斯丹恩夫人很明白，最贤德的女人也会遭到嫌疑，最清白的女人也会被人诽谤。太太，你妈妈贝亚爱格思夫人倒有几个故事落在我耳朵里，要我说给你听吗？"

岗脱夫人道："您要打我也行，要侮辱我也行。"勋爵瞧见他妻子和媳妇心里气苦，脾气也就和顺了。他说："亲爱的白朗茜，我是个君子，除非女人需要我帮助，不然我不会挨她们一指头。我只是因为见你性情不好，希望你改过罢了。你们太太们都过于高傲了，做人应该谦和些。如果莫耳神父在这儿的话，准会这样教导斯丹恩夫人。我的好人儿，你们切不可拿架子，凡事虚心下气才是正理。连斯丹恩夫人也拿不准，也许这位心地忠厚、性情和顺、不幸受人毁谤的克劳莱太太根本是个清白的好人——说不定比她本人还清白呢。克劳莱太太的丈夫名声不大好，可也不比贝亚爱格思的名声更坏。你想，你父亲也爱赌赌钱，也不大付赌债，连你承继到手的唯一的财产还给他骗了去，结果把你弄得成了个叫化子，还得叫我为你操心。克劳莱太太出身不好，可是也不见得比法尼的祖宗更差。你的显贵的祖先，那第一代的特·拉·琼斯，也跟她不相上下。"

乔治夫人嚷起来道："我给您家里带过来的嫁妆——"

侯爵恶狠狠地答道："你的钱等于买了一个未来的承继权。如果岗脱死了，他的爵位就是你丈夫的，将来还能传给你的儿子。除此以外，说不定还有别的好处。太太们，在外面，随你们怎么趾高气扬，怎么假装贤慧，我全不管。可是在我面前摆架子可不行。至于克劳莱太太的品行，根本不必我出头说什么话。如果说她这样冰清玉洁、无可责备的完人还需要别人代她辩护，反而玷辱了她，也降低了我的身份。她来了之后，你们得殷殷勤勤招待她。我请到这所房子里来的人，你们怎敢怠慢？这房子？"他笑了一声，"这房子是谁的？这房子是什么？我就是这所贤德庙堂的主人。如果我把纽该脱监狱里的犯人和贝德冷疯人院的疯子请回家，你们也得招待。"

每逢他"后宫"里的女人有不服管束的行为，斯丹恩侯爵便结结实实地教训她们一顿。挨骂的人垂头丧气，除了服从之外，一点儿办法都没有。岗脱夫人依照他的命令写了请帖。她和婆婆两人满心气恼委屈，亲自坐了马车把名片送到罗登太太家里。那位清白无瑕的少奶奶得到名片之后，那份得意就不用说了。

在伦敦有好些人家，只要这两位夫人肯这样赏脸，就是牺牲一年的进款也是愿意的。拿着弗莱特立克·白洛克太太来说，她就愿意从梅飞厄膝行到朗白街，只要斯丹恩夫人和岗脱夫人在市中心等着扶她起来，并且对她说："下星期五请上我家来玩。"这里所说的不是岗脱大厦的大跳舞会或是来客熙攘的大集会，因为这些倒不难进去；而是神圣的、奥妙的、意味无穷、不可攀接的小宴会。能够踏进这重门的，才算得上有体面享特权的贵客。

美丽、端庄、洁白无瑕的岗脱夫人在名利场中占了最高的地位。斯丹恩勋爵对她礼貌非常周到，引得在场的人人称扬。连最爱说长道短的人也不得不承认他近人情，行出事来有绅士的风度。


岗脱大厦的太太奶奶们要打退共同的敌人，特地请了贝亚爱格思老太太来帮忙。岗脱夫人有好几辆马车，打发了一辆到赫尔街去接她母亲来。老夫人自己的车子被地保扣押起来了，据说连她的珠宝和细软都在放债的犹太人手里，而他们这些人是不讲情面的。贝亚爱格思堡和堡里面贵重的名画、家具、珍奇古玩，也没有剩下一件。像凡杜克[①]的气象雄伟的作品、雷诺兹[②]的富丽堂皇的画像，还有劳伦斯[③]画的肖像，艳丽里面带些俗气，二十年前被人和真正的天才作品一样看重的，都在其内。还有一件艺术作品是卡诺伐[④]给贝亚爱格思夫人塑的像，叫作"跳舞的仙女"。当年她正在全盛时代，品位、财富、美貌，都占全了。这位贵妇人如今成了个头童齿豁的老婆子，好像是当年的盛服穿烂了剩下的破布块儿。她丈夫的肖像是劳伦斯在同时画的；在那画儿上，他穿了

---

① 凡杜克（Van Dyck，1599—1641），比利时北部法兰达著名画家。
② 雷诺兹（Sir Joshua Reynolds，1723—1792），英国肖像画家，皇家艺术学院第一任院长。
③ 劳伦斯（Sir Thomas Lawrence，1769—1830），英国肖像画家。
④ 卡诺伐（Antonio Canova，1757—1822），意大利雕刻家。

铁色尔乌特义勇骑兵队上校的服色，手里举着短刀，背景就是贝亚爱格思堡。如今他也老得又瘦又干，身上披着大衣，头上戴着粗糙的假头发，一早上偷偷摸摸地在格蕾法学协会附近磨蹭，到中午时分，一个人在俱乐部独吃午饭。现在他不愿意常跟斯丹恩勋爵一起吃饭。当年他们两个一块儿寻欢作乐的时候，贝亚爱格思的地位高得多。谁知道斯丹恩比他有长力，结果抢过了他的头。今天的侯爵比一七八五年的岗脱勋爵地位高出十倍，贝亚爱格思却是穷愁潦倒，只落得一场空。他向斯丹恩借了不少钱，因此和老朋友见面的时候总觉得尴尬。每逢斯丹恩爱说爱笑的当儿，便去讥刺岗脱夫人，问起她父亲怎么不来探望女儿？他总是说："他已经有四个月不来了。我只要查查支票本，就知道贝亚爱格思几时来看过我。太太们哪，我自己的钱存在亲家翁的银行里，另外一个亲家翁却把我家当作他的银行。你们说妙不妙？"

蓓基第一次踏进上流社会所遇见的显要人物，写书的也不便一个个细说。有一位彼德窝拉亭的大公爵，带着他的王妃一起在那儿做客。大公爵的腰里束得紧，胸膛却宽得像个武夫，胸口挂着灿烂辉煌的大勋章，他又得过金羊毛勋章①，因此绕着脖子戴一个红领圈。据说他家里的羊群多得数不清。蓓基偷偷地对斯丹恩勋爵说道："瞧他的脸。没准他的祖先就是一只羊。"说老实话，他大人的一张脸又长又白，表情又一本正经，再加脖子上套着那红圈儿，活像戴上铃铛领队的大公羊。

另外有一位约翰·保罗·杰弗逊·琼斯先生，名义上在美国大使馆供职，实际还是《纽约雄辩家》报纸的通讯员。他想讨好斯丹恩夫人，吃晚饭的时候特地提起他的好朋友乔治·岗脱，问他喜欢不喜欢吃巴西胡桃。这当儿刚好大家都不在说话，因此把他的话听得很清楚。他说他和乔治在那波里来往很密，还曾经一起逛过维苏维斯火山。后来琼斯先

---

① 奥地利和西班牙最高的勋章。

生写了一篇文章，细细地报道这次宴会的详情，不久便在《雄辩家》报上登出来。他把客人的名字和品位都记下来，在几位要人的名衔底下还加上几句介绍他们的家世和经历。关于女眷们的外表，他形容得淋漓尽致。他又描写听差们的穿戴和身量；他们怎么伺候客人，吃饭的时候上了什么菜，喝了什么酒，食品橱顶上有什么摆设，碗盏大概值多少钱，没有漏了一项。按他的计算，请这么一顿饭，每个客人总要摊到十五到十八块美金的费用。这位琼斯先生后来常常提拔新进，叫他们带了介绍信来见当今的斯丹恩侯爵，说已故的侯爵和他是很好的朋友，一向相熟云云，直到最近才不大写信了。那天晚上他对于一位年轻位卑的贵族名叫莎吴塞唐伯爵的非常不满，因为正当大家按照次序走进饭厅的时候，伯爵走上一步抢在他前面。他写道："我走到那位聪明可喜的、口角俏皮的、杰出的、时髦的罗登·克劳莱太太前面，打算扶她到饭厅里去，不料一个年轻的贵族突然插在我和克劳莱太太中间，出其不意地把我的海伦[1]抢去了，而且竟没有向我道歉。因此我只得和那位太太的丈夫克劳莱上校殿后。上校身材壮大，脸色红红的，据说在滑铁卢战役中大大地显了一番身手。他的运气比那些在纽奥里昂作战的红衣军士好得多。"[2]

　　上校是初次在上流社会里露脸，不好意思得直脸红，仿佛十六岁的男孩子遇见了姊妹的同学。前面已经说过，忠厚的罗登向来不惯和女人们打交道。他在俱乐部和军营的食堂里碰见的全是男人，倒觉得很自在，时常和他们在一块儿骑马，赌赛，抽烟，打弹子，哪怕是跟最撒野的家伙周旋也不觉得为难。从前他也有过女相好，可是那已经是二十年

---

[1] 依照希腊的传说，海伦是全世界最美丽的女人，也是希腊和特洛伊开战的原因。
[2] 1815 年英国军队在纽奥里昂给美国人打得大败。

前的事了。我们在戏里看见过[1]，玛罗那小伙子见了哈德卡色尔小姐虽然局促不安，以前倒也是在女人堆里混惯的，克劳莱上校的相好和玛罗的朋友便是一类的人物。时下的风气谨严得很，大家不敢提起这种女人。其实名利场上千千万万的小伙子天天跟她们在一起追欢作乐，到晚上，各个跳舞厅里到处是她们的踪迹。谁能否认跳舞厅的存在？它们还不是和圣·詹姆士皇宫的宫廷集会，还有海德公园里的圆场，一般是人所共知的吗？可是上流社会里的人偏偏假装不知道，可笑他们本身虽然不见得讲什么道德，对于别人可吹毛求疵得厉害。总而言之，克劳莱上校活了四十五岁，除了他自己的模范太太之外统共没见过五六个正经女人。他的嫂子心地忠厚，待人温柔，因此他佩服她，喜欢她。除了吉恩夫人和蓓基之外，别的女人都叫他害怕。他第一次上岗脱大厦吃饭的时候，只开了一次口，批评天气太热，除此之外，一直没有说过话。蓓基本来很想把他撇在家里，可是她是个腼腆怕羞的小可怜儿，又是第一回踏进上流社会，如果没有丈夫在身边保护着，恐怕失了体统。

她刚一进门，斯丹恩勋爵就上前拉了她的手，非常客气地欢迎她，并且把她介绍给斯丹恩夫人和她两位媳妇。三位夫人正颜厉色地和她打了招呼，斯丹恩夫人还和她拉手，可是那只手又冷又僵，简直和大理石一样。

蓓基又感激又谦逊地拉着斯丹恩夫人，她行礼的姿态非常优雅，连第一流的跳舞教师也比不过她。她说勋爵是她父亲最早的主顾，给过他不少恩惠，因此她，蓓基，从小就尊敬斯丹恩府上的人。她说这话，当然是表示对斯丹恩夫人低头伏小的意思。原来斯丹恩侯爵曾经向夏泼买过两张画，夏泼的女儿是个热心人儿，始终没有忘记他的好处。

然后蓓基和贝亚爱格思夫人也见了面。上校太太的态度十分恭敬，

---

[1] 指英国作家哥尔斯密（Oliver Goldsmith，1728—1774）的喜剧《屈身求爱》(*She Stoops of Conquer*)。

那位贵妇人却是冷冰冰地摆足了架子。

蓓基拿出最妩媚的姿态说道："十年前我跟您在布鲁塞尔已经见过了。真是荣幸得很，滑铁卢大战的前夜我在里却蒙公爵夫人的跳舞会上还看见您来着。我还记得您跟您的小姐白朗茜坐在马车里面，在旅馆门口等着买马。您的金刚钻首饰没给人抢走吧？"

一听这话，旁边的人不约而同地彼此使个眼色。原来有名的金刚钻首饰已经落在债主手里，这件事人人都知道，看来只有蓓基没有听见风声。罗登·克劳莱和莎吴塞唐勋爵两人走到一个窗户旁边，罗登把贝亚爱格思夫人怎么想法子买马，怎么对克劳莱太太让步的事情说给莎吴塞唐听，引得他乐不可支，哈哈大笑起来。蓓基心想："我看我可以不必怕这婆子了。"果然不错，贝亚爱格思夫人又气又怕，和她女儿面面相觑，过后只好退到一张桌子旁边，假装全神贯注地看画儿。

多瑙河畔的贵客一到，大家改说法文。贝亚爱格思夫人和几位年轻女眷发现蓓基的法文说得比她们高明得多，口音也准确，更加添了一重烦恼。在一八一六到一八一七年之间，蓓基在法国遇见过几个随军的匈牙利要人，因此很关切地问起老朋友的近况。这两个外国客人以为她是个有地位的贵妇人。后来斯丹恩侯爵扶着王妃，亲王扶着侯爵夫人一同到饭厅里去，两位贵客分别向主人主妇探问那位能言善道的太太究竟是谁。

最后，宾主都按照美国外交官方才说的次序排好，一对对走进饭厅去。我原先已经说过，这次宴会读者也能参加，他爱吃什么酒菜，只管按照自己的口味点好了。

蓓基很明白最激烈的斗争在男女宾客分开之后才真正开始。她落在这么难堪的境界之中，方才体味到斯丹恩勋爵警告她的话实在不错，原来有地位的贵妇人的确难缠。据说对于爱尔兰人仇恨最深的就是爱尔兰本国人；同样地，对于女人最不放松的也就是女人。可怜的蓓基看见那几位尊贵的夫人聚在壁炉旁边，便也跟上去。等她一到，她们转身就走，管自围着一张搁图画本儿的桌子说笑。蓓基跟到桌子那儿，她们又一个个地回到火炉旁边。她想要找孩子说话（她在众人面前总表示非常喜欢孩子），可是乔治·岗脱少爷立刻给他妈妈叫走了。大家对于这个陌生人半点儿不留情，到后来连斯丹恩夫人也觉得不过意，可怜她没人理睬，特地找她说话。

侯爵夫人苍白的脸儿涨红了，她说："克劳莱太太，斯丹恩勋爵告诉我说你弹琴弹得好，唱歌也唱得好。不知你肯不肯唱给我听。"

利蓓加衷心觉得感激，说道："斯丹恩勋爵和您要我做什么，我无不从命。"说罢，她坐在钢琴边唱起歌来。

她唱的是斯丹恩大人早年最喜欢的莫扎特的圣诗。她的歌声甜美温馨，斯丹恩夫人原来站在钢琴旁边，后来索性坐了下来，直听得眼泪扑簌簌地往下掉。其余的太太存心跟蓓基过不去，不断地谈话，嘤嘤嗡嗡的，声音着实不小。可是斯丹恩夫人什么都听不见。她回忆到小时候的情形，好像是跳过这四十年悲凉的岁月重新回到了修道院的花园里。教堂里的风琴当年就曾经奏过这曲子。弹琴的修女是全修道院中跟她最好的一个，这歌儿也是从她那儿学的。从前的日子真幸福啊！她又重新成了个小姑娘，瞬息即逝的好时光又回到她身边勾留了一小时。直到房门吱呀一声开了，她才如梦初醒。斯丹恩勋爵大声笑着，和一群兴高采烈的男人们一起走进来。

他一看就明白自己不在的时候是怎么样的情势。这一回，他居然感激妻子，特地走过来和她说话，而且用小名儿叫她，使她苍白的脸上起了红晕。他对蓓基说："我太太说你唱歌唱得像天使。"我们知道天使有两种，据说各人有各人迷人的地方。

不管前半个黄昏多么难堪，蓓基接下来大大地出了一场风头。她施展全身本领唱歌给大家听，那曼妙的歌声把所有的男人都引到她的钢琴旁边。和她做冤家的女人完全给冷落在一边。约翰·保罗·杰弗逊·琼斯先生走到岗脱夫人面前，称赞她那可爱的朋友唱歌唱得出色；他以为这么一说，岗脱夫人一定喜欢。

# 第五十章　平民老百姓家里的事

我写这篇滑稽的故事，不知是掌管哪一司文学艺术的女神在监督指挥——反正不管她是谁，现在必须离开高雅尊贵的环境，转到白朗浦顿约翰·赛特笠家里，描写描写穷人小户过日子的情形了。这家子的生活是够清苦的，他们也有他们的烦恼和心事，也免不了互相猜忌。克拉浦太太因为房租不能到手，在厨房里偷偷地对丈夫抱怨，挑唆他去跟房客闹一场，虽说赛特笠是老朋友、老东家，也顾不得许多了。赛特笠太太如今不再下楼去找克拉浦太太说话，而且也不敢在她面前摆架子。她欠了房东四十镑房钱，房东又不时地指东话西，她怎么还能拿大呢？那爱尔兰女用人还是像以前一样和顺殷勤，可是赛特笠太太觉得她一天比一天没规矩没良心。做贼的人心虚，看见树丛便疑心后面藏着警察；赛特笠太太也是这样，不论那女孩儿怎么说话，怎么回答，她总觉得语中有刺，而且疑心她要抢自己的东西。克拉浦小姐也长成个大姑娘了，尖酸的老太太说她老脸皮，不尊重，看着叫人讨厌，不明白爱米丽亚为什么喜欢她，老是留她在屋里做伴，又常常和她一起出去散步。赛特笠太太从前是个忠厚乐天的好人，可惜过的日子太苦，所以老是没好气。爱米丽亚对于母亲始终如一地孝顺，却得不到好报。每逢她在母亲面前凑趣帮忙，那老的反而使劲吹毛求疵。她骂女儿糊涂，放着父母不管，只知道瞧着儿子臭得意。自从乔斯舅舅不寄钱回来之后，乔杰的家里毫无生气，大家吃的东西只能勉强维持不饿死而已。

爱米丽亚绞尽脑汁想法子赚钱。目前的一点儿收入只够叫大家挨饿，她想找个私馆教书，又想靠着画名片架子或是做细巧手工贴补家用。她发现别的女人比她耐劳能干，也不过挣两便士一天。她在发卖点缀品的文具商那里买了两架金边白纸板的小照屏，尽心尽力地在上面画了画。一张上是铅笔风景画作背景，前面一个粉红脸儿、穿红背心的牧羊人站着微笑；另外一张上面一个牧羊女正在过桥，后面跟了一条小狗，两张画都是细心上过颜色的。这两架小照屏是白朗浦顿艺术品经销处买来的。她痴心妄想，以为画好以后可以重新卖给原铺子。不料那掌柜的细细把拙劣的图画一看之下，差点儿冷笑出来。他斜过眼去对铺子里一个女店员瞧了一眼，把那两张画系好，仍旧递给可怜的寡妇和克拉浦小姐。克拉浦小姐一辈子没有看见过这么美丽的东西，以为铺子里至少肯出两基尼。她们又到伦敦城里去卖，心里越来越失望。一家铺子里的人说："不要这种东西。"另一家的人恶狠狠地说·"滚出去！"这样，三先令六便士又白丢了。只有克拉浦姑娘仍旧觉得那两幅画儿好看，爱米丽亚把小屏风送给她搁在卧房里做摆设。

爱米丽亚费了许多心思力气，用最端正的字体写了一张牌子，上面说："今有女教师擅长英文，法文，史地，音乐，因有余暇，愿招收年幼女学生若干。有意者请通知爱·奥，信件可由白朗先生转交。"发卖艺术品的那位先生答应让她把牌子摆在店里；因此她拿去交了给他。牌子一直搁在柜台上，到后来变得又旧又脏。爱米丽亚时常愁思默默地在店门外面徘徊，希望白朗先生有消息给她，可是他再也不招呼她进去，有时她进去买些小东西，也还是得不到回音。可怜她是个忠厚人，在这个竞争剧烈的世界上是没法奋斗下去的。

她一天比一天憔悴抑郁，时常急煎煎地瞪着孩子，她眼睛里的表情，孩子并不懂。有时她睡到半夜，霍地跳起来，走到他房门口偷偷地张望，看见他好好地睡着，没有被人偷去，才放了心。现在她睡得很少。可怕的预兆日夜缠绕着她。在漫漫的寂寞的夜里，她哭着祈祷，竭力躲避那不断袭来的心思——她觉得自己挡着孩子的前途，没有她，孩子就会有好日子，因此她应该让他走。可是叫她怎么硬得起这心肠啊？至少眼前是割舍不下的，只好等几时再说吧。她受不了这个苦痛，连想着都难受。

她忽然想到一个办法，不由得脸上发红，自己对自己不好意思起来。她想不如把年金给了父母，反正副牧师肯娶她，她母子俩也有了归宿。可是乔治的照片，温馨的回忆，又似乎在责备她。她对丈夫的爱情和羞恶之心不准她这样牺牲自己。她想到这件事，就感到畏缩，好像怕沾染了不干净的东西，因为像她这样纯洁温柔的人根本不允许自己有再嫁的心思。

我们这里三言两语描写完毕的斗争，梗在可怜的爱米丽亚的心里竟有好几个星期。在这段时期之内，她没有一个知心的人可以说说话。事实上她也不能跟人商量，因为她不愿意给自己一个软化的机会。虽如此说，她天天在对敌人让步。难堪的事实接踵而来，站在她面前，对她是一种无言的威胁。全家穷愁交迫；父母不但衣食不周全，而且处处受到委屈；再说这样下去对于孩子也太不公平。可怜她虽然把自己唯一的宝贝藏在坚固的城堡之中，外垒却一个个地被占领了。

在困难开始的时候，她曾经写过一封信给加尔各答的哥哥，婉转恳求他继续给父母寄钱回来。她描写家里落泊无援的情形，说的话没半点儿矫揉做作，叫人看着觉得凄惨。其实个中的真情她并不知道。乔斯的年金倒是不错日子寄来的，不过收钱的却是市中心一个放债的家伙。原来赛特笠老头儿为着实行他那些无用的计划，把年金卖掉了。爱米急煎煎地计算着她的信几时可以到达印度，哥哥的回音几时可以到达家里。在寄信的那一天，她特地在记事本上注了一笔。对于儿子的保护人，那驻扎在玛德拉斯的好心的少佐，她的困难苦恼一句也没有提。自从她写信预祝他新婚快乐之后，就没有和他通过音信。她想到他是唯一看重自己的好朋友，现在也断绝了，心里说不出地灰心懊恼。

有一天，家里到了不堪的局面。债主们紧紧勒逼，母亲呼天抢地地号哭，父亲比平时更加消沉。家里的人你躲着我我避开你，各人心上压着自己的烦恼和委屈。爱米丽亚凑巧和父亲在一起，就想法安慰他。她告诉父亲说她已经写信给乔斯，再过三四个月一定会有回音。乔斯虽然糊里糊涂，为人是慷慨的。如果他知道父母家计艰难，决不能拒绝帮忙。

可怜的老头儿这时才对她吐出了全盘的实情，他说乔斯倒仍旧按时寄钱，只怪他自己糊涂，生生地把年金扔掉了；他以前没肯说，为的是实在鼓不起勇气。他低声下气地认了错，声音直发抖，又瞧着爱米丽亚惊慌失措、脸色惨白的样子，以为女儿怪他早不说实话，难过得嘴唇哆嗦起来，背过脸去说道："唉！你现在瞧不起你爸爸了。"

爱米丽亚嚷起来说："啊，爸爸！我并没有这个意思，"说着，她勾住老头儿的脖子连连吻他，"你待人总是那么忠厚好心，你卖了年金可不也是为我们好吗？我不是舍不得钱——我是为——唉，天哪，天哪！求你对我慈悲，给我力量忍受苦难！"她神色激动地吻着他，转身走开了。

她父亲还是不懂她的意思，也不知道可怜的女儿临走为什么哭得那么伤心。爱米丽亚明白自己不得不向命运低头。这就是她的判决书：孩子非离开她不可，他将来跟着别人，慢慢地就把她扔在脑勺子后头。孩子是她的心肝，她的宝贝，她的快乐和希望。她爱他，崇拜他，差一些就把他当神道似的供奉起来。而现在她竟不得不跟他分手。以后呢？以后她就到丈夫那儿去；他们两夫妻守护着孩子，在天堂里等着与他重逢。

她神不守舍地戴上帽子，向乔杰从学校回家的必经之路那边走去。平常她老是打这条路去接他回来的。那天正是五月一日，只上半天课。树上的叶子渐渐长齐了，天气温和明媚。孩子跳跳蹦蹦地跑过来，脸色红红的，口里唱着歌，书本子用皮带捆成一包挂在身边。他来了，做妈妈的马上搂着他。她想，这不可能！他们娘儿两个怎么能分开呢？乔治说："怎么了，妈妈？你脸上白得很。"

"没什么，孩子。"说罢，她俯下身子吻着他。

当晚，爱米丽亚叫儿子把《圣经》上撒姆尔的故事读给她听。故事说撒姆尔的母亲哈娜给他断奶之后，就带他上祭师埃利那儿，把他奉献给上帝。乔杰把哈娜唱的感谢天恩的诗朗读出来。诗里说一个人的贫富穷通，全凭上帝的意志；不依靠上帝的人，力量是有限的。然后他读到撒姆尔的母亲怎么替他缝小外套。她每年向上帝祭献的时候，就把外套带给儿子。读完之后，乔治的母亲给他讲解这篇动人的故事包含的深意，那口气又温柔又恳切。她说哈娜虽然爱她的儿子，可是因为有约在先，所以只能让他走。当她在家做外套的时候，她准在想念远方的儿子，撒姆尔也一定没有忘记自己的母亲。她又说哈娜后来去探望儿子，看见他又聪明，又善良，心里多么高兴，而且光阴过得很快，一年一年并不显得怎么长。她讲这篇道理的时候，声音轻柔严肃，也不愁眉泪眼。然后她讲到娘儿俩怎么会面，忽然泪如泉涌，说不下去了。她紧紧地搂着孩子百般摩弄，靠在他身上默默地流了许多神圣的心酸的眼泪。

这寡妇主意已定，马上着手把她认为必要的手续办理起来。她写了一封信到勒塞尔广场，那家子的地址姓名她已经有十年不写了，开信封的时候不由自主地想起自己年轻时的遭遇。那天奥斯本小姐收到爱米丽亚的来信，一看之后，兴奋得满面通红，转眼向父亲瞧着。那时奥斯本正坐在桌子另一头自己的位子上，嗒丧着脸儿发愣。

爱米丽亚的来信措辞很直率，解释她为什么对于处置儿子的事情上改变了原意。她的父亲又遭了一场横祸，已经到了倾家荡产的地步。她自己的收入微薄，只能勉强奉养父母，不能使乔治得到他应该享受的权利。她虽然舍不得和儿子分离，为了他的缘故，愿意忍受这次苦难，只求上帝给她力量！她相信领养乔治的人一定会尽力使他快乐。她按照自己所见描写乔治的性格，说他脾气急躁，是个吃顺不吃强的孩子，只要对他体贴一些、温和一些，不难叫他听话。在信后她附带要求事先立一张约，说定她随时能和儿子见面，如果不依她这项条件，她是无论如何不放手的。

奥斯本小姐读信的时候，兴奋得声音直打抖。奥斯本老头儿听了说道：“什么？这位骄傲的太太也低头了吗？哦，他们快饿死了。哈，哈！我老早就知道会有这么一天。”他假装镇静，想要照常看报，可是怎么也看不进去，只把报纸挡着脸，一会儿赌神罚咒，一会儿呵呵地笑。

最后他把报纸一扔，照平常的样子怒目横眉地对女儿瞪了一眼，走到隔壁书房里去。不多一会儿，他又出来，手里拿了个钥匙扔给奥斯本小姐。

他说：“把我书房上面那间屋子——就是他的屋子——给收拾收拾干净。”他女儿哆嗦着答道：“好的。”那间屋子本来是乔治的，这十年来一直关着。他的衣服、信件、手帕、帽子、钓鱼竿，还有各色运动装仍旧在里面。一张一八一四年的军人名单，信封外面还写着他的名字，一本他写东西时常用的小字典，还有他母亲给他的《圣经》，还在壁炉架上。旁边还搁了一副马刺和一个墨水壶，里面的墨水干了，外面积了十年来的尘土。从墨水还没有干掉的时候到今天，经过的事情，去世的人，该有多少啊！他的记事本依旧在桌子上，里面斑斑点点的还有他的手迹。

奥斯本小姐带着用人走进房间的时候，心里的感触很深。她脸色苍白，一屁股坐在小床上。管家娘子说道："这真是好消息，小姐。是吧，小姐？像从前一样的好日子又来了，小姐。那小宝贝儿将来多有福气，小姐！可是有些住在梅飞厄的人，小姐，他们可不会喜欢他，小姐。"说着，她托地拔了窗上的插销，把新鲜空气放进来。

奥斯本先生临走对女儿说："给那女的送点儿钱去。不能让她缺一件少一件的。给她一百镑钱。"

奥斯本小姐问道："我明天去瞧瞧她吧？"

"那随你的便。可是你听着，别让她到咱们家里来。哼！哪怕你把伦敦城里所有的钱都给了我，我也不能让她来。当前的问题是得叫她衣食周全。你留点心儿，瞧着办得了。"奥斯本先生说完这几句话，按老路到市中心去了。

当晚爱米丽亚把一张一百镑的票子塞在父亲手里，吻着他说："爸爸，这些钱拿去用吧。呃——妈妈，别跟乔杰过不去，他——他反正不会在这里住多久的。"她说不出别的话，一言不发回到自己屋里。我们还是让她独自一人去伤心，去祷告吧，关于这样深厚的母爱，这样强烈的痛苦，我有什么可说的呢？

奥斯本小姐在前一日写的短信里说过要来拜访爱米丽亚，第二天果然来了。她们两人倒很相得。可怜的寡妇对奥斯本小姐端详了一下，听她说了几句话，知道她不会在自己儿子的心里占第一位。奥斯本小姐心地明白，不容易动情，可也不刻薄。倘或对方年轻漂亮，待人和气热心，做母亲的大概就没有那么放心。奥斯本小姐回想到从前的情景，看着爱米丽亚落到这步田地，心里不由得惨然。爱米丽亚已经屈服，低首下心地放下武器，向敌人投降了。当天她们一起把订约以前的手续先办好。

第二天，乔治没有去上学，留在家里和姑妈见面。爱米丽亚让他们两个在一起说话，自己回到卧房里去。她正在预先咀嚼和儿子分别的滋味，就像那可怜的温柔的琴·格蕾夫人①，在临刑之前看见那把将要落到她脖子上取她性命的大斧，先摸摸锋口，看有什么感觉。此后，连着好多天开谈判，家里时常有人来，还得做种种准备。爱米丽亚小心翼翼地把消息告诉乔杰，留心看他有什么表示。哪知他听了只觉得得意，可怜的母亲十分失望，闷

闷地背过脸去。那天乔杰在学校里大吹其牛，把消息告诉同学，说他就要跟着爷爷去住了——是他爸爸的父亲，不是有时来接他回家的外公。他说他将来有钱得了不得，有马车、小马，还要换一个有名儿的学校。到他有了钱，他就去买里德铅笔匣，还打算跟卖甜饼的女人清清账。痴心的姑妈估计得不错，这孩子跟他爸爸真是一模一样的。

我心里真为我们亲爱的爱米丽亚难过，实在没有心肠把乔治最后几天在家的情形絮絮叨叨地说给大家听。

分别的一天终究到了。马车也来了。好几个旧衣包儿早已搁在过道里等着，做母亲的在上面花了不少心血，而且在包里塞了不少纪念品。

---

① 琴·格蕾·特德莱夫人（Lady Jane Grey Dudley，1537—1554），英王亨利第七的重孙女儿，极富才华，曾经做了九天女王，被处死时只有十七岁。

乔杰穿了新衣，这套衣服还是早几天爷爷特地差了裁缝来给他定做的。他大清早从床上一骨碌跳下来，忙着穿好新衣服。他母亲正在隔壁房里躺着伤心。她睡不着觉，也说不出话，静听着他房里的动静。好几天来她就在做分别的准备，为孩子买些日用东西，在他的书本和衬衣上做记号，常常和他说说话，让他对于未来的改变有个心理上的准备。做妈妈的一片痴心，以为他需要心理上的准备。

乔治是只想换换空气，什么也不在乎，巴不得赶快离家才好。他幻想着将来住在爷爷家里以后要干些什么事，一遍遍说个不完，由此可见他对母亲并没有什么舍不得。他说他将来可以常常骑着小马来探望妈妈，还要坐着马车接她到公园去兜风；她爱什么就能有什么。可怜的妈妈听见儿子对她这么孝顺（虽然表现的方式自私些），也就觉得满意。她努力哄着自己，说儿子真心诚意地爱她。她想，他心上怎么会没有娘呢？天下的孩子全是一样，喜欢新鲜事情，而且——不，也不能说他们自私，不过是任性一点。她的孩子当然应该过好日子，将来还能有一番作为，只怪她自己太自私、太不聪明，耽误了儿子享福和上进的机会。

只有女人肯自己贬抑，自己认错，那种精神真是令人感动。她们把一切错处都揽在自己身上，却不怪男人不好，竟好像喜欢代人受过，打定主意保护那真正的罪人。女人天生懦弱，也天生不讲道理。你越是虐待她们，她们越待你好；虚心下气的男人，反倒受她们欺负。

可怜的爱米丽亚含悲忍泪地准备打发儿子出门，她费了许多许多时间，独自把未了的事情办完。乔治站在母亲旁边，瞧着她一样样地安排，半点儿不动心。她一面给他收拾箱子，一面掉眼泪。她在他最心爱的书本子里把要紧的段落摘出来。她为他把玩具、纪念品、宝贵的零星小东西都收拾得整整齐齐。可是孩子什么都没有注意。母亲伤心得肝肠摧裂，孩子却笑眯眯地走了。好可怜啊，在名利场中，母亲的爱换得了什么好处呢？

几天过去，爱米丽亚一生中的大事就算告一段落。上帝并没有叫天使下凡来帮她的忙。孩子给做了祭献，供奉给命运之神了。那寡妇只剩下孤身一人。

孩子当然常常来看她。他骑着小马，后面跟了马夫。老外公赛特笠先生得意极了，兴兴头头地陪着他在街上走。儿子虽然还能跟她见面，可是已经不是她的了。譬如说，他也骑着马去探望学校里的同学，借此向大家卖弄自己有钱有势。虽然只隔了两天，他的态度已经有些盛气凌人，仿佛与众不同似的。他的母亲想道，他和他爸爸一样，天生应该是在万人之上的。

现在天气很好。在乔治不来看她的日子，到傍晚她不顾路远，散步到城里，一直走到勒塞尔广场。住在奥斯本先生对面的人家有个花园，她就坐在花园栅栏旁边的石头上。那儿又凉快又舒服，她一抬头就看得见客厅里的灯光。到九点钟左右，楼上孩子的卧房里也点上灯了。她知道哪间是他的卧房，因为他曾经告诉过她。灭灯以后，她还坐在那里祈祷——虚心下气地祈祷；然后乞乞缩缩、不声不响地走回家去。到家的时候她已经很累了。也许因为走得太累，她反而睡得好些，在梦里还能够和乔杰相见。

有一个星期日，她恰巧在勒塞尔广场散步。那儿离着奥斯本先生的房子有一大截路，远远的还看得见。各处教堂的钟声响了，乔治和他姑妈出来做礼拜。一个扫烟囱的小孩上来求布施，跟在他们背后拿圣书的听差想要赶他走，可是乔杰站住了，掏出钱来给他。求上帝保佑他吧！爱米急急地绕着广场跑过去，追上那扫烟囱的孩子，把自己的钱也施舍给他。到处是礼拜堂里的钟声，她跟在他们后面，一直走到孤儿教堂里面。她挑了一个位子，从那儿可以看见孩子的头，恰好在他父亲的墓碑底下。歌咏团里有几百个孩子，他们那清脆的声音唱起圣诗来赞美慈悲的上帝。悠扬而雄壮的音乐听得小乔治心旷神怡。那时候他的母亲泪眼模糊，看不清他了。

# 第五十一章　字谜表演<sup></sup>[1]

贤慧的蓓基自从在斯丹恩勋爵招待贵客的宴会上露过脸之后，她在上流社会里的地位就算奠定了。伦敦好几家权势赫赫的豪贵立刻请她去做客。这几家全是大官大府，亲爱的读者和我这写书的休想进他们的大门。亲爱的弟兄们，我们站在这么庄严的大门前面，应该诚惶诚恐才对。在我想像之中，里面准有站班的侍从官，他们手里拿了亮晃晃的银叉了，看见有不合格的闲人进来，举起叉子就刺。外

---

[1] 当时英国通行猜字游戏，通常在宴会以后当作余兴。譬如拣中做谜底的字有好几个音节，便由一部分宾客客串几幕极短的表演，首先分别将每个音节作为中心题目，然后把整个字作为中心题目，其余的客人就根据表演猜字。

厅里不是总坐着个新闻记者，等着记录那些大人物的名字吗？据说这些可怜的家伙是活不长的，因为他们受不住豪门的气焰，一下子给烤焦了，就好像不懂事的茜美莉[①]碰上了全副武装的朱彼特大神。这糊涂东西像乱飞乱扑的灯蛾，不安本分，妄想攀高，结果白白葬送了自己。住在泰勃尼亚和蓓尔格蕾微亚[②]的人应当把这个神话作为前车之鉴；不但如此，连蓓基的故事也该使他们警惕。唉，太太小姐们！蓓尔格蕾微亚和泰勃尼亚这些响亮的名字还不是像铜锣铙钹的声音一样空洞？富贵和荣华还不是过眼云烟，谁能保一辈子呢？不信你去问都里弗牧师，他准是这么跟你说。总有一天，海德公园这名字说不响了，落到巴比伦郊外盛极一时的山水那样默默无闻的地步[③]；总有一天，蓓尔格蕾微亚广场会跟贝克街一样冷落，甚至于像旷野里的泰特莫[④]一样荒凉。谢天谢地，这种日子我们是看不见的了。

太太小姐们，你们可知道那了不起的毕脱从前就住在贝克街吗？他的公馆现在虽然零落不堪，当年海斯德夫人[⑤]在里面请客的时候，你们的祖母变着法子还进不了她的大门呢。不骗你，写书的曾经在那所房子里吃过饭。在我幻想之中，那批有名儿的古人也都出席了。我们活人正正经经地坐着喝红酒，他们的魂魄也走到屋里绕着深棕色的饭桌子坐下来。战胜风涛的驾驶员[⑥]一大杯一大杯地喝着没有实质的葡萄酒。邓达斯[⑦]

---

① 大神朱彼特爱上了茜美莉，大神的妻子朱诺非常妒忌，便去哄骗茜美莉，叫她恳求大神第二回下凡时拿对待朱诺的礼节对待她，于是朱彼特带了霹雳和闪电同来，茜美莉便给烧死了。

② 伦敦比较贵族化的住宅区。萨克雷的小说中时常提到泰勃尼亚。

③ 巴比伦本是平原，有一朝的王后怀念故乡的山水，因此在城的四围都造了假山，在当时是很有名的。

④ 所罗门在叙利亚的旷野中建立的城市，曾经繁荣过一时，后来便成了废墟。

⑤ 海斯德夫人（Lady Hester），毕脱的侄女儿，曾经替他当过家。

⑥ 指毕脱，因为他和拿破仑的一场斗争着实剧烈。诗人乔治·凯宁（George Canning，1770—1827）献给他的一首诗就称他为战胜风涛的驾驶员（The Pilot That Weathered the Storm）。

⑦ 邓达斯（Henry Dundas，Lord Melville，1742—1811）以及底下提到的爱亭登（Henry Eddington，Lord Sidmouth，1757—1844）和斯各脱（John Scott，Lord Eldon，1751—1838）都是毕脱当政时手下的健将，同时又是他的朋友。

干了杯，连酒脚都没剩下一点儿。爱亭登坐在那儿鬼模鬼样地哈着腰假笑，大伙儿悄没声儿地把酒瓶传来传去，他也没肯少喝。斯各脱从他两道浓眉底下瞧着陈年的葡萄酒（或者该说这酒的幽灵），眨巴了一下眼睛。威尔勃福斯两眼看着天花板，仿佛不知道满满的酒杯举到唇边，搁下来的时候已经空空如也。唉！不久以前我们不是还坐在这块天花板底下吗？从前的大人物谁没有对着它出神？这所公馆如今已经成了寄宿舍。海斯德夫人从前住在贝克街，现在却躺在旷野里长眠不醒了。以奥登① 还在那儿见过她来着——此地说的不是在贝克街，而是在旷野里。

这一切都是过眼浮华，可是谁不贪恋呢？神志清明的人难道因为烤牛肉不能流传到后世就不吃它不成？烤牛肉当然不是什么有价值的东西，可是我却希望读者多吃些，因为它最能滋养身体，就是读者活到五万岁，还是少不了它。先生们，坐下请用吧！请你们放开胃口，把肥肉、瘦肉、做浇头的肉汤，还有煮在里面的萝卜，统统吃下去，什么都别留下。琼斯，我的孩子，再喝杯酒，尝些最好的排骨。咱们把这些虚浮无聊的东西多吃些，能够尝到这样的菜，应该心满意足才是。如今蓓基的生活贵族化了，我们也该跟着她受用受用。这种快乐好像世界上其他一切，都是不能长久的。

她在斯丹恩勋爵家里做客以后第二天，彼德窝拉亭的大公爵在俱乐部碰见克劳莱上校，马上跟他攀谈。不但如此，他还在海德公园的圆场里对着克劳莱太太脱了帽子深深地鞠躬。当时莱文脱大厦的尊贵的主人不在英国，大公爵暂时借住在那里。不久他招待贵客，也请了克劳莱夫妇。饭后蓓基唱歌给一小簇贵客听。斯丹恩侯爵也在场，像父亲一般地

--------

① 以奥登（Eothen）是十九世纪英国作家金雷克（A.W. Kinglake）所著近东游记中的人物。这里指金雷克本人。

督促着蓓基一步步往上爬。

在莱文脱大厦，蓓基遇见了特·拉·夏伯蒂哀公爵。他是欧洲第一流的绅士，而且位极人臣，当年正是那"至虔极诚基督教大王"[1]的大使，后来又做他的宰相。当我笔下写出这么威风的名字，想起亲爱的蓓基竟能够和这么体面的人物来往，真叫我得意洋洋。从此她成了法国大使馆的常客。如果可爱的罗登·克劳莱太太不在场的话，那次请客就显得黯然无光。

大使馆的两个参赞，一位特·脱吕菲尼先生（贝利各一族的），一位香比涅克先生[2]，一见上校的美貌太太，登时着了迷。谁都知道，无论什么法国人离开英国的时候，总已经破坏了六七个家庭的幸福，带走了六七个女人的心；这两位按照法国人的习惯，告诉别人说那妖媚的克劳莱太太已经跟他们好得难分难舍。

这话我不大相信。香比涅克很喜欢玩埃加脱，晚上蓓基唱歌给斯丹恩勋爵听，他往往在隔壁房里和上校打牌。脱吕菲尼呢，大家知道他欠了旅客俱乐部的茶房好些钱，因此不敢到俱乐部去。如果大使馆不供饭食的话，这位人品高尚的大爷准会挨饿。所以我不相信蓓基会对这两位垂青。他们替她跑跑腿，买买手套花球，借了钱给她定歌剧院的包厢，在各种各样的小事情上巴结她。他们说的英文简单得逗人发笑，蓓基时常当面模仿他们，或是奉承他们英文有进步，和斯丹恩侯爵两人借此取个笑。蓓基的靠山斯丹恩侯爵最喜欢挖苦别人，瞧她绷着正经脸儿打趣他们，乐得了不得。脱吕菲尼指望讨好蓓基的心腹布立葛丝，送给她一条披肩，求她送信。哪知道这老姑娘实心眼儿，竟把这封信当着众人交给蓓基。在场的人看了这信大发一笑。斯丹恩勋爵和其余的人传

---

[1] 这是当时教皇特赐给法王的封号。
[2] 脱吕菲尼（Truffigny）和香比涅克（Champignac）使人联想到香槟酒；香槟酒是豪华的生活的象征，
　　这里指两位参赞是上流社会里的花花公子。

观了一遍，只有罗登不知道。原来梅飞厄的小房子里发生的事情并不全告诉他。

蓓基家里不但招待"最高尚"的外国人，而且也招待"最高尚"的英国人。"高尚"这两个字在我们这高贵的、非凡的上流社会中用得很广泛，这意思并不是说品行最好的，或是品行最坏的，或是最聪明的，或是最愚蠢的，或是最有钱的，或是家世最好的，而是最"高尚"的；换句话说，就是地位最牢靠的人。像了不起的荠滋威廉斯夫人（她称得上阿耳马克的聚会处的主保圣人）[1]、了不起的斯洛卜夫人、了不起的葛立泽儿·麦克贝斯夫人（她父亲就是葛拉瑞的葛瑞勋爵）等等，都算在里面。荠滋威廉斯伯爵夫人属于大王街的一支，只要查特白莱和伯克编著的《缙绅录》就知底细。如果她肯和某人来往，某人的地位就稳了。我倒并不是说荠滋威廉斯夫人有什么出人头地的去处；她干枯憔悴，年纪已经五十七岁，既无貌，又无财，谈吐也并不风趣，可是大家公认她"高尚"，到她家里去的人自然也是"高尚"的。她是上流社会里鼎鼎大名的贵妇人，芳名叫作乔治安娜·荠莱特莉加。当年她父亲朴登雪笠伯爵是威尔斯亲王的宠臣。她年轻的时候很想戴斯丹恩侯爵夫人的冠冕，因此和现在的斯丹恩夫人不对。大概因为这缘故，她特别抬举罗登·克劳莱太太，竟在她自己主持的宴会上，和克劳莱太太打招呼，故意让大家看见。她不但鼓励她的儿子葛滋爵士（他的位子是靠斯丹恩勋爵谋来的）时常到克劳莱太太家里去走动，而且把她请到自己家里，吃饭的时候在大庭广众之前赏脸跟她说了一两回话。这件重要的新闻当晚就传遍了伦敦城。原来唾骂克劳莱太太的人不敢再响。那有名口角俏皮的威纳姆律师，斯丹恩勋爵的左右手，逢人便颂扬她的好处。从前打不定主意

---

[1] 阿耳马克的聚会处（Almack's Assembly Rooms）在圣·詹姆士皇宫附近的大王街，十八、十九世纪上流社会的大宴会在此地举行。

的人如今毫不迟疑地欢迎她。汤姆·托迪这小子本来劝告莎吴塞唐不要和这样放浪的女人来往，现在反而求别人带着去见她。总而言之，她也算"最高尚"的人物之一了。且慢，亲爱的读者们，亲爱的弟兄们，咱们暂且不必羡慕可怜的蓓基。据说这样的荣华是靠不住的。大家都说上流社会里最阔的红人并不比在外面欲进无路的可怜虫快乐多少。蓓基当年相与的全是最最有权有势的达官贵人，甚至于面对面地见过那了不起的乔治第四，可是连她也承认这些不过是虚场面。

蓓基的这一段经历，我不再细说了。社会上各宗派团体里面的内幕秘密，我不大清楚，不过我很明白这些不过是骗局。对于上流社会中的形形色色我是门外汉，描写不会准确，就是有什么见解，也只能在心里藏着罢了。

蓓基后来常常谈起她当年在伦敦和豪贵周旋的情形。那时她的目的已经达到，满心得意高兴，可惜到后来对于这玩意儿也觉得厌倦了。一起头的时候她成天不是忙着设计衣服首饰，添置新装（像她这样收入微薄，这可不是容易的事，不知得花多少心血，费多少精力）——我刚才说到她不是忙着添置最漂亮的衣服首饰，就是坐着马车到时髦的场合去赶宴会，受大人物的欢迎，还能不乐吗？她从最上乘的小宴会换到最上乘的大集会，刚才在一起吃饭的人还是碰在一块儿。第一天晚上遇见的是这批人，第二天白天遇见的又是这批人。年轻的打着漂亮的领巾，穿着又亮又精致的鞋子，戴着白手套，修饰得一点毛病都挑不出来。年纪大的长得魁梧奇伟，衣服上整排的铜扣子，气宇又轩昂，礼貌又周到，只是说的话淡而无味。小姐里面黄头发白皮肤的居多，穿着浅红的袍子，见了人非常腼腆怕羞。太太们没一个不戴金刚钻首饰，真是雍容华贵，仪态万方，又美丽，又端庄。这些人虽然是贵族，倒并不像那种小说里形容的，用不通的法文来交谈，大家全说英文。他们议论别人住的房子，家里过活的情形，人品的好坏，也不过像张三议论李四似的。蓓基从前的熟人又妒忌她，又恨她。她自己呢，可怜虫，却对于这种生活腻味极了。她自己对自己说："我真不想过这日子！如果我是个牧师的老婆，每星期天教教主日学校，还比现在强。或者嫁个军曹，坐了货车随着部队满处跑，那也不错。唉！我恨不得穿上长裤子，衣服上缝着水钻片儿，在赶市的日子跳舞挣钱。"

斯丹恩勋爵笑道："你一定跳得不错。"蓓基对这位大人物毫无矫饰，常常把心里的烦闷说给他听，逗他笑一笑。

"罗登做马戏团的领班一定合适——那种穿了大靴子和制服在场子里面打响鞭子的人——叫什么司礼官什么的？他长得高大魁伟，很像个大兵。"她默默地想着从前的事，说道："小时候我父亲带我到白鲁克村公共草地上的市集去看戏，回家以后我自己做了一副高跷，就在父亲图画间里跳舞，所有的学生都佩服我。"

斯丹恩勋爵道："我很想看看。"

蓓基接下去说道："我巴不得现在就跳。这样一来准把白林该夫人和葛立泽儿·麦克贝斯夫人吓得目瞪口呆。嘘，别说话！巴斯达[1]要唱歌了。"这些豪门请客的时候，往往特约职业艺人去表演，蓓基故意当着大家和他们应酬。有时他们悄悄默默地坐在犄角上，她特地跟上去，笑眯眯地和他们握手。她说得不错，她自己也是个艺人。她并不隐瞒自己的出身，说的话很直率，也很虚心。旁观的人有的瞧着她不顺眼，有的觉得她可笑，有的反倒因此原谅她。一个说："瞧那女人钝皮老脸，居然装出特立独行的腔调来。像她这样，还是乖乖地坐着去，有人肯理她就算便宜她了。"一个说："她为人老实，脾气也好。"一个说："真是个诡计多端的狐狸精！"这几个人说的话，都有些道理。好在蓓基我行我素，什么都不在乎，把那些职业艺术家哄得心悦诚服，甘心白教她唱

---

① 巴斯达（Giuditta Negri Pasta，1796—1865），意大利歌舞家。

歌，或是在她宴会上表演，即使本来说喉痛，为了她，情愿不装病。

她有时候在克生街的小房子里请客，一下子来了几十辆马车，点着明晃晃的大灯，把街上塞得水泄不通。隔壁一百号和一百零二号两家的人恨透了——一百号给打雷似的敲门声音闹得不能睡，一百零二号是妒忌得睡不着。车上的跟班全是大高个儿，她的小过道里坐不下，给打发到附近的酒店里去喝啤酒，该他们当差的时候自有传话的小童儿来传他们回去。几十个伦敦的豪华公子在小楼梯上推推挤挤，你踩我我踩你的，觉得到了这么个地方来真有意思。许多最受尊敬最有体面的贵妇人坐在那小客厅里听歌唱家表演。这些人在戏台上唱惯了，一开口就使足了劲，竟好像要把窗户一口气吹下来。第二天，《晨报》上关于时髦集会的新闻里面写道：

"罗登·克劳莱上校夫妇昨天在梅飞厄公馆里大宴贵宾，赴宴的有彼得窝拉亭大公和大公夫人，土耳其大使赫·依·巴布希·巴夏和他的翻译员基卜勃·贝，斯丹恩侯爵，莎吴塞唐伯爵，毕脱·克劳莱爵士和吉恩·克劳莱夫人，滑葛先生，等等。饭后又有集会，到会的有思蒂尔顿老公爵夫人，特·拉·葛吕以哀公爵，却夏侯爵夫人，亚莱桑特罗·斯特拉希诺侯爵，特·勃里伯爵，夏泊组葛男爵，托斯蒂骑士，斯林斯登伯爵夫人，萧·麦卡登夫人，麦克贝斯少将，葛·麦克贝斯夫人，两位麦克贝斯小姐，巴亭登子爵，贺拉丝·福葛爵士，撒兹·贝德温先生，巴巴希·巴霍特——"其余还有许多客人，随读者爱填什么名字就填什么名字，恐怕得添上十来行密密的小字才写得完呢。

我们这亲爱的朋友对待大人物和她对待地位低微的人一样直爽。有一天，她在一家体面人家吃饭，和一个法国著名的男高音用法文谈话，很有些故意卖弄的意思。葛立泽儿·麦克贝斯夫人回过头来，直眉瞪睛地瞧了他们一眼。

葛立泽儿夫人道："你的法文说得多好啊。"她自己说起法文来满口爱丁堡的土音，听上去老大刺耳。

蓓基垂下眼睛谦恭地答道："我应该说得好。从前我在学校里教过法文，我妈妈是法国人。"

葛立泽儿夫人见她这样谦虚，心里很喜欢，从此不讨厌她了。葛立泽儿夫人认为时下闹阶级平等的趋势最要不得，如果各等各色的人都跑到上流社会里来，成什么体统呢？可是连她也承认利蓓加懂规矩，没把自己的地位忘掉。这位太太是个贤慧妇人，对穷人很慈悲。她生成个实心眼儿，虽然没脑子，却不做亏心事。她自以为比你跟我高出一等，可是这也不能怪她。她的祖宗全是大贵族，几百年来一直有人跪在地上吻他们的袍子边儿。据说一千年前邓肯家里了不起的祖先在苏格兰登基的时候，他手下的王公大臣做衣服就用葛立泽儿夫人老祖宗家的格子布花样。

斯丹恩夫人自从听利蓓加唱歌之后，对她服服帖帖，说不定还有些喜欢她。岗脱大厦里两位年轻的太太也不得不对她让步。她们曾经有一两回指使别人去攻击她，没有成功。厉害的斯登宁顿夫人曾经和她交过锋，可是她也不是好惹的，一顿把敌人杀得一败涂地。蓓基逢到敌手，偏会装得天真烂漫，这时候一张嘴才厉害呢。她的表情是最诚恳最自然的，说的话可也是最刻毒的。她骂完了人，还故意装出如梦初醒的样子道歉，好让旁人知道她刚才说过什么话。

有名口角俏皮的滑葛先生是斯丹恩勋爵的食客和帮闲，岗脱大厦的两位太太撺掇他向蓓基开火。一天晚上，这位先生对太太们挤眉弄眼地涎着脸儿笑，仿佛说："瞧着吧，好戏上场啦。"接下来就去取笑蓓基。那时她正在吃饭，没有想到有人算计她，还亏她随时都有准备，虽然出其不意地受到袭击，反手就能招架，立刻还敬了滑葛一句，刚刚揭穿他的心病，羞得他脸上热辣辣地发起烧来。蓓基说完了话，不动声色地喝汤，脸上淡淡地挂着一丝儿笑。滑葛有了斯丹恩勋爵这样一个有权有势的靠山，平时总有饭吃，不时还能借些钱，逢上选举给勋爵办办差，编写编写他的报纸，有杂事的时候插一手帮帮忙。哪知道这一下得罪了勋爵，恶狠狠地瞪了他一眼，慌得那倒霉鬼儿几乎哭起来，恨不能钻到桌子底下去。他可怜巴巴地瞧着勋爵，可是勋爵一顿饭吃完没有睬他；他望望太太们，太太们也不理他。后来还算蓓基发慈悲，对他说了几句话。此后一个半月里头，勋爵没请他吃过饭。勋爵有个亲信叫非希的（滑葛当然一向竭力讨他的好），奉命告诉他，如果他以后再敢顶撞克劳莱太太，说那些无聊的笑语讽刺她的话，侯爵立刻把他所有的借票都交到律师手里结果了他，决不通融。滑葛对非希痛哭流涕，称他好朋友，哀求他在侯爵面前说几句好话。他编写的杂志叫《杂说集》的，在底下一期里面登载着他颂扬罗·克夫人的诗歌。每逢滑葛在宴会上碰见利蓓加，就向她求情。他在俱乐部里又对罗登献媚奉承。过了几时，居然又得到侯爵的恩典，准他回到岗脱大厦来。蓓基对他总是客客气气，脸上挂着笑，从来不生气。

勋爵的第一号亲信要人叫威纳姆先生；在国会里有他一席，勋爵请客的时候也不漏掉他。这位先生就不同了，说话行事都比滑葛先生谨慎得多。侯爵的这位帮手是个十足道地贵族化的保守党（他父亲是北英国一个做煤生意的小商人），当然痛恨一切暴发户。虽然如此，他可从来没有对于侯爵的新宠表示不满。他暗底下帮她的忙，对她恭而敬之，虽然神情里带那么一两分狡猾，不知为什么，蓓基不怕别人彰明昭著和她挑衅，对于威纳姆这番好意倒有三分怕。

克劳莱夫妇究竟哪里弄来这么些钱招待贵客呢？当时的人猜测纷纭，说不定使他们家的宴会显得有无穷的意味。有人说毕脱·克劳莱爵士按时贴家用给他弟弟，数目着实不小。如果这话可信，那么从男爵准给蓓基捏在手里凭她驱遣，而且他的性格一定也跟着年龄起了极大的变化。有人风言风语地说蓓基常常到丈夫的朋友那儿去借钱，不是哭哭啼啼地说房子要给没收了，就是给人家跪着诉苦，求他代付某某账单，说是不这样的话，她一家子不坐牢就得自杀。据说她靠着这些苦戏骗了莎吴塞唐勋爵好几百镑的款子。另外一个叫飞尔顿姆的小伙子，是第——联队的骑兵，父亲是专卖帽子和军服的泰勒和飞尔顿姆合营公司的大股东。他能够踏进上流社会，全靠克劳莱夫妇的力量，听说在银钱方面也常常受到蓓基的剥削。据说她还假说能够贿买机密差使，叫好些傻瓜白送钱给她。人家究竟造我们这位清白无辜的好朋友什么谣言，谁也说不上来。总之这句话是不错的，如果她真有了别人谣传她出去讨来、借来、偷来的钱，她一定坐拥厚资，下半辈子也不必干不老实的营生了，事实上——不过这些全是后话，留着慢慢再说。

事实是这样的，只要持家精明，会打算盘，现钱用得俭省，差不多什么账都不付，就能用极小的进款撑极大的场面，至少在短时期内可以这样支持过去。蓓基的宴会引起的飞短流长真不少；说穿了，她究竟并不常常请客；就是请客的日子，除了墙上的蜡烛之外也并不费什么。静流别墅和女王的克劳莱两处地方可以供给她许多野味和水果。酒是斯丹恩勋爵的洒窖里拿来的。这位大老官待人真好，特地使唤他家有名的厨子到蓓基的小厨房里来当差，而且吩咐把自己厨房里的珍馐美味送过来敬客。老实人往往遭到唾骂，像蓓基就是一个，说来真是可气。其实外面人说她的坏话，十句里信不得一句。如果欠了债还不起的人都得受到排斥，如果我们仔细检查每个人的私生活，推测他有多少收入，因为他花钱不得当就不睬他，那么，这名利场就成了阒无人烟的旷野，谁还能在这儿住下去呢？亲爱的先生，照这样下去，大家全成了冤家对头，行为变得非常野蛮，成天拌嘴，吵架，躲着不见面。我们的房子渐渐沦为地洞，而且既然大家彼此不关心，也就不必讲究外表，只穿破破烂烂的衣服。房租地税从此收不着，宴会从此不举行，做买卖的都得破产。所以说，倘若人人横着荒谬的成见，凡是自己不喜欢的或是痛骂过的人都回避不见的话，人生的乐趣还剩下什么呢？好酒，好食，精致的蜡烛，胭脂，硬衬裙，金刚钻首饰，假头发，古瓷器，路易十四式的玩意儿，公园里的出租马车，高视阔步的拉车骏马，一概取消了。反过来说，彼此容忍宽恕，这日子才有意思。我们尽管痛骂某人混帐，说他是恶棍流氓，应该绞刑处死，其实我们何尝真的愿意绞死他？见面的时候还拉手呢！如果他的厨子手段高明，我们就不跟他计较，到他家里吃饭去。我们这样待他，希望他也这样待我们。于是商业发达了，文明进化了，和平也有保障了。每星期有新的宴会，新衣服就卖得出，辣斐德地方隔年陈的葡萄酒有了销路，老实的葡萄园主人也托赖着多赚几文钱。

我所描写的时代，刚刚是伟大的乔治当政，太太小姐们时兴穿羊腿式的袖子，头上插着铲子似的玳瑁大梳子，不像时下风行的装束，简简单单的袖子，漂亮的束发花圈。两个时代的打扮虽然不同，看来上流社会里的风气却没有多大的改变，作乐消遣的方式也大致相同。我们这些见不着大场面的人，只能在那些打扮得目迷五色的美人儿进宫觐见或是上跳舞会的时候在巡警背后偷偷地瞧一眼，总觉得她们像天仙一样漂亮，不知怎么遂心如意，享的福气都是常人得不到的。为着安慰这些不知足的人，我才写了这部书叙述蓓基怎么打天下，怎么得意，后来又怎么失望。她像一切有本领的人一般，世路上的甜酸苦辣样样尝过。

正当那时，演字谜戏的风气从法国传到英国，相当地流行。许多相貌好的太太小姐借此露露脸，几个脑子好的太太小姐也借此卖弄聪明。蓓基呢，大约自以为又聪明又好看，一力撺掇斯丹恩勋爵在岗脱大厦请客，连带着演几幕短戏。如今我把读者也带去参加这次灿烂辉煌的宴会。我欢迎读者的时候，心情是很悲惨的，因为这恐怕是请你参加的最后一次大宴会了。

岗脱大厦富丽堂皇的画廊给划出一半来做戏院。在乔治第三在位的日子，这房子里就演过戏。斯丹恩侯爵当年演爱迪生[1]《凯托》一剧的主角，头发里洒了粉，脑后系着粉红的蝴蝶结——从前所谓罗马式的蝴蝶结；至今还有这样一幅肖像留下来。这出悲剧是演给威尔斯亲王、奥斯那勃主教和威廉·亨利亲王看的，那时他们像演员一样，还是小孩子。用过的道具从那时起就给摞在阁楼上，现在又拿了一两样出来，修一修，新一新，在做戏的时候好用。

撒兹·贝德温那时还是个文雅的年轻公子，刚从东方回来，这一回演戏就由他主持。在从前，在东方游历过的也算个人物。爱冒险的贝德温在沙漠里勾留了好几个月，住过篷帐，回家后出过游记，更比别人了不起。他的游记里还有他自己的几张像，穿着各种不同的东方衣服。他到处旅行，总有一个相貌丑恶的黑人伺候着，竟是白拉恩·特·波阿·吉尔勃[2]第二。岗脱大厦的人认为贝德温、他的黑奴和他的东方服饰非常有用，很欢迎他。

第一段戏就由他领导演出。幕一开，只见台上一个土耳其军官，头上戴着大大的一绺儿羽毛。这幕戏的背景显然不是现在的土耳其，由服饰上看得出旧式禁卫军还没有取消，回教徒也还没有时兴戴那种没有边的小帽子，仍旧裹着巍巍然的旧式头巾。那军官躺在榻上假装抽水烟。为着有太太小姐们在场，不能真的抽烟，只好焚一种香饼子。这土耳其大老爷打了个呵欠，做出种种困倦懒散的姿态。他把手一拍，那个努比亚黑人梅斯罗[3]就出来了。他光着胳膊，戴着钏环，佩着长刀短剑和许多东方饰物，看上去又瘦又高又丑。他以手加额，对大老爷鞠了一个躬。

满堂的看客又害怕又兴奋，女眷们交头接耳地谈论起来。这黑奴是

---

[1] 爱迪生（Joseph Addison，1672—1719），英国散文家，《凯托》（Cato）是他唯一的悲剧，1713 年上演。
[2] 十九世纪英国小说家司各特历史小说《艾凡赫》（Ivanhoe）中的骑士，他的两个跟班都是黑人。
[3] 《天方夜谈》里有一个喜欢微服夜行的国王，他手下执刀剑的侍从叫梅斯罗。

贝德温用三打樱桃酒向一位埃及大官换来的。据说后宫的妃嫔犯了事就给他缝在麻袋里丢下尼罗河去，死在他手里的不知有多少。

贪恋酒色的土耳其人把手一挥，说道："叫人牙子进来。"梅斯罗把贩奴隶的牙子领到军官面前，后面还跟着一个戴面纱的女奴。他把面纱拿掉，屋里的人立刻啧啧地赞叹起来。扮演女奴的是温克窝斯太太（她娘家姓亚伯索朗），眼睛头发美丽极了。她穿一件华丽的东方衣服，乌油油的头发编成辫子，满头珠翠，衣服上挂着一个个大金洋钱。可恶的回教徒表示为她倾倒。苏拉嘉双膝下跪，哀求他放她回到故乡山里去，因为她的息加新爱人正在为她伤心。铁石心肠的哈撒不但不理她，说起息加新的新郎，乐得直笑。苏拉嘉凄楚动人地掩着脸倒在地上。在山穷水尽的当儿，基色拉大人走了进来。

他大人特地传苏丹的旨意。哈撒接过圣旨，顶在头上，惶恐得颜色大变，传旨的黑人却恶狠狠的满面得意（他还是梅斯罗，不过换了一件衣服）。军官叫道："饶命！饶命！"基色拉大人狞笑着从口袋里掏出一根弓弦来。[①]

他刚刚拿起这凶器预备下手，幕下来了。哈撒在里面大声叫道："前面二个音节有了！"罗登·克劳莱太太即刻也要上场，这时特地走出来恭维温克窝斯太太，说她的衣服又美丽，又典雅。

接着，第二幕开始了。布景仍旧带着东方色彩。哈撒换了一件衣服，摆足功架坐在苏拉嘉身边。在这一幕里苏拉嘉和他融洽得很，基色拉大人也变了个和顺的奴隶。开幕时太阳在沙漠里升起来，所有的土耳其人匍匐在沙地上，向东顶礼膜拜。没有骆驼可以上台，只好由乐队奏了一支滑稽的曲子，叫作《骆驼来了》。后面摆着一个硕大无朋的埃及

---

① 相传古代土耳其人用弓弦当作处死犯人的刑具。

人的脑袋①。这脑袋还会唱歌，而且唱的是滑葛先生作词的滑稽歌。这一下，连戏台上的旅客也吃了一惊。那些东方的旅客像《魔笛》②中的摩尔王和派格奇诺，舞着跳着，下台去了。那脑袋大声嚷道："最后的两个音节也有了。"

然后是最后的一幕。这一回，布景是希腊的篷帐。一个魁梧奇伟的男人睡在卧榻上。旁边的墙上挂着头盔和盾牌。这些武器如今不必要了。因为伊里安③已经打下来，伊菲琪娜亚④做了牺牲，卡桑特拉⑤也给他掳来关在外厅。万人之上的君王⑥（是克劳莱上校扮演的，虽然他对于伊里安陷落在卡桑特拉被俘的故事一点也不知道）——万人之上的君王正在亚各斯，幕开时他睡熟在一间屋子里。戏台上点着一盏灯，他那肥大的影子摇摇晃晃地照在墙上。灯光里，特洛伊的剑和盾牌闪闪烁烁地发亮。演员进来之前乐队奏着《唐璜》⑦中惨厉的音乐。

伊杰斯德思⑧脸色苍白，踮起脚尖偷偷地走进来。幔子后面露出一张怪可怕的脸，恶狠狠地往外瞧。他举起匕首准备下手，睡熟的人在床上翻了个身，敞开又宽又大的胸口，仿佛准备让他行刺。他瞧瞧床上那尊贵的首领，实在下不了毒手。克里蒂姆耐丝德拉光着雪白的膀子，棕黄的头发从两肩披下来，像幽灵一样又轻又快地溜到屋里。她脸色惨白，眼睛里带着点儿微笑，那险恶的表情看得大家哆嗦起来。

---

① 在埃及底比斯（Thebes）附近有一个巨大的人像，传说塑的是在希腊和特洛伊十年战争中显过身手的梅农。日出的时候，人像里会发出音乐来。

②《魔笛》（*The Magic Flute*）是莫扎特的歌剧，派格奇诺是歌剧里专能利用魔铃捉鸟的人。

③ 伊里安就是特洛伊。这里述说的是希腊和特洛伊十年苦战的故事。所说的君王就是希腊军一方面的首领亚加梅农。

④ 亚加梅农的女儿，见上册第 165 页注①。

⑤ 特洛伊王泼拉哀姆的女儿。

⑥ 荷马在他的史诗里称亚加梅农为万人之上的君王。

⑦ 莫扎特的歌剧。

⑧ 亚各斯王亚加梅农出战时将国家和妻子克里蒂姆耐丝德拉托给伊杰斯德思，伊杰斯德思自己做了克里蒂姆耐丝德拉的情人，两人同谋杀死亚加梅农。

全堂一阵骚动，一个看客说道："老天哪，这是罗登·克劳莱太太。"

她轻蔑地从伊杰斯德思手里夺下匕首，走到卧榻旁边。在灯光里，只见高高举起的匕首在她头顶上发光，然后——然后呼的一声，所有的灯都灭了，全场一片漆黑。

场子里又暗，刚才演的戏又怕人，弄得大家心惊肉跳。利蓓加演得太好、太逼真、太可怕了，看客一时连话都说不出来。然后全场的灯一起大放光明，看客们轰然喝彩。斯丹恩老头儿的声音大得扎耳朵，比谁都嚷得高兴，连声叫道："好啊！好啊！"他咬着牙说："天啊，她真做得出来。"所有的看客齐声欢呼着请演员出台，只听得一片声的"请后台经理！请克里蒂姆耐丝德拉！"亚加梅农王不愿意穿着罗马式的紧身衣服出来，只肯和伊杰斯德思等几个演员躲在后面。贝德温先生拉着苏拉嘉和克里蒂姆耐丝德拉走到台前谢幕。一位了不起的大人物一定要和迷人的克里蒂姆耐丝德拉见见面。"赫赫！一刀把他刺个透明窟窿。再嫁别的人，是吗？"这就是亲王大人的恰到好处的批评。

斯丹恩侯爵说："罗登·克劳莱太太扮演那角色真有勾魂摄魄的力量。"蓓基活泼泼地、娇俏地笑了一声，屈着膝行了个最妩媚的礼。

听差托进一盘盘精巧的冷食。演戏的进去准备底下一幕戏。

第二个谜底有三个音节，演的是哑剧，剧情如下：

第一个音节。下级骑士罗登·克劳莱上校戴着一顶软边帽子，拄着拐棍儿，穿了大衣，手里提了一盏马房里借来的灯，高声叫喊着在戏台上走过去，仿佛是报时辰的更夫。底下一个窗户前面有两个兜销货物的行商坐着玩牌，看样子玩的是叶子戏。两个人一面玩一面尽打呵欠。然后旅馆里替人刷皮鞋的来了。葛·林乌德把这角色扮演得惟妙惟肖，给两个客人脱了鞋。一会儿，打扫房间的女用人（莎吴塞唐勋爵）拿了两支蜡烛、一个暖壶，走到楼上，给客人暖了床铺。两个行商调戏她，她举起暖壶把他们赶开，然后自己也出去了。旅客们戴好睡帽，拉下窗帘。擦鞋的走到楼下房间里关了百叶窗。外面人还听得见他在里头关门加闩上链子的声音。戏台上所有的灯都灭了。乐队奏着《睡吧，我的爱》。幕后一个声音说："第一个音节有了。"

　　第二个音节。台上的灯光忽然亮起来。奏的曲子是《巴黎的约翰》[①]里面的一支老调《啊，我爱旅行》。布景没有换。在一楼和二楼之间挂了一块牌子，画的是斯丹恩家里的纹章。全屋子里铃声钟声响成一片。在楼下的一间屋子里，一个人拿着一张长长的单子给另外一个人看；那

————————

① 由十五世纪的法国讽刺小说《巴黎的约翰》（ _Jean de Paris_ ）改编的歌剧。

人看了伸出拳头，赌神罚咒地威吓他，骂他混帐。还有一个人在门口叫道："当槽的，把我的小马车赶过来。"他摸摸女用人（莎吴塞唐勋爵）的下巴，那侍女做出恋恋不舍的样子，就像嘉莉泊索丢不下那出众的俄底修斯[①]。擦鞋的（葛·林乌德先生）拿着一木匣子的银杯子走过，口里叫着"留心盆儿罐儿呵！"，演来又自然又幽默，博得满堂彩声，还有人丢了一束花给他。忽然听得马鞭子啪啪地响，旅馆主人、侍女、茶房，一股脑儿冲到门口。贵客刚要上台，幕下来了。后台经理在后面叫道："第二个音节有了。"

禁卫军中的葛立格思上尉说道："我看谜底是'旅馆'吧？"大家听得他说出这么聪明的话，都笑起来，他猜得的确离答案不远。

里面准备第三幕的时候，乐队奏的是许多水手歌曲综合成的杂拌儿，包括《英伦海峡中的航路》《刺人的北风，歇歇吧》《不列颠，统治吧》《啊，在贝斯开湾》等等。由此知道戏里准有关于航海的情节。开幕的时候听得里面打铃。一个声音叫着："先生们，靠岸啦！"旅客们互相告别。他们似乎很焦急，对着天边的云（实在是一块深颜色的布幔）指指点点，一面提心吊胆地点着头。斯基姆士夫人（莎吴塞唐勋爵）带着她的小狗和丈夫一起坐下来，旁边搁着她的手提包和一个个口袋。她伸出手来紧紧拉着身旁的绳索。这显然是一只船。

船长（克劳莱上校）戴着三角帽子，拿着望远镜走出台来。他一手按着帽子，对着天边瞭望。他的衣服飘飘荡荡，仿佛那时正在刮风。他松了手去用望远镜，帽子登时给风吹掉，台下的看客大声叫好。风越来越大。音乐也越奏越响，像风的呼啸。水手们走过戏台的时候东倒西歪，似乎船身动荡得非常厉害。船上的总管（葛·林乌德先生）趔趄着

---

[①] 俄底修斯是荷马史诗《奥德赛》的主角，特洛伊战争中的英雄。他半生浪游在外，有许多奇险的经历，在特洛伊战争结束后的归途中曾漂到海上女神嘉莉泊索的岛上，羁留了七年。

脚，捧了六七个盆儿走出来。他很快地搁了一个在斯基姆士勋爵身旁。斯基姆士夫人把小狗捏了一把，捏得它呜呜地哀叫。她用手帕掩着脸，急急忙忙地跑出去，大概到船舱里去了。这时音乐急促强劲到极点，真像在刮大风下大雨。第三个音节也算有了。

当时法国有一支芭蕾舞名叫《夜莺》，蒙戴需[1]和诺勃莱在剧中演出的时候非常出风头。滑葛先生善于写诗，就着剧中悦耳动听的曲调配上自己的诗歌，把它改成一出歌剧，搬上了英国的舞台。戏里的角色全穿上法国古装。莎吴塞唐勋爵这一回演一个老婆子，拄着一根弯弯的拐棍，扮得惟妙惟肖，在台上一瘸一点地走。

台后有人在颤声唱歌。台上一所用硬纸板做成的小屋子，上面搭着花棚，长满了玫瑰花，装饰得非常美丽，歌声就从屋后发出来。老太婆叫道："斐洛梅儿，斐洛梅儿！"斐洛梅儿应声而出。

下面又喝彩，原来出台的是罗登·克劳莱太太。她头发里洒了粉，脸上贴着美人斑，这样令人销魂的侯爵夫人真是天下少有。

她笑吟吟地哼着歌儿，一面跳跳蹦蹦，活是戏台上传统的小姑娘。她行了个礼。妈妈说："孩子，你干吗老是又唱又笑的？"她一面走，一面唱——

### 月台上的玫瑰

月台上的玫瑰—清早香气芬芳，
她一冬想念春天，把叶子掉光，
你问我为何她如今又红又香，
无非是太阳出了，鸟儿在歌唱。

---

[1] 蒙戴需（Pauline Montessu，1805—1877），法国跳舞家。

　　请听树林里婉转歌唱的夜莺，

　　到冷风吹落树叶，他也噤了声，

　　妈妈，你知道他如今为何高兴？

　　无非是太阳出了，树叶颜色新。


　　盛开的玫瑰把脸儿染得红喷喷，

　　鸟儿开了口，大家各尽本分，

　　我心中阳光普照，我鼓舞欢欣，

　　因此我歌唱，我脸上起了红晕。


　　那个做妈妈的看上去是个和气不过的人，她留着两大把连鬓胡子，帽子遮不了，从帽边下露出来。她的女儿每唱完一段，她就去摩弄她，把那天真烂漫的小姑娘搂在怀里，引得台底下表同情的观众大声哄笑起来。结尾的时候乐队奏着一支交响乐，仿佛成千累万的鸟儿一起在唱，全场一致欢呼"再来一个！"大家尽情地鼓掌叫好，花球像雨点一般落到当晚的夜莺身上。喝彩喝得最响的是斯丹恩勋爵。蓓基，那夜莺，接住他抛过来的花朵儿，紧紧搂在胸口，那样子活像是个小丑。斯丹恩侯爵高兴得如醉如狂，他的客人也一样兴奋。第一出戏里颠倒众生的黑眼睛美女到哪里去了？蓓基的模样远不如她，可是光芒万丈，把她压倒。所有的人齐声夸赞蓓基，把她跟斯蒂芬士①、加拉陶里②、龙齐·特·贝尼③相比，说是如果她上台演戏的话，准会把所有的女戏子比下去。看来这话很有些道理。她已经登峰造极，暴风雨一样的掌声喝彩声压不下她颤抖嘹亮的歌声。她的声音洋溢着喜气，越唱越高——正像她的地

---

① 斯蒂芬士（Catherine Stephens，1792—1884），英国的歌唱家，又是名演员。
② 加拉陶里（Caradori-Allan，1800—1865），意大利女歌唱家。
③ 贝尼（Ronzi de Begnis，1793—1849），意大利女歌唱家。

位一样越升越高。戏做完之后，接下去便是跳舞会。蓓基是当夜最出风头的人，大家都围着邀她跳舞。前面说起的那位皇室贵胄赌咒说她的一切全是尽善尽美，再三找她说话。蓓基脸上这样光彩，眼见金钱、名誉、地位指日可以到手，心里说不尽的得意。斯丹恩勋爵对她十分倾倒，到东到西跟着她，除了她以外差不多不和别的人说话，而且满口恭维，当众向她献殷勤。她穿着侯爵夫人的戏装，和特·拉·夏伯蒂哀公爵的参赞特·脱吕菲尼先生跳了一支宫廷舞。公爵对于从前宫廷里的传统非常熟悉，极口称赞克劳莱太太配得上做维丝德丽[1]的学生，甚至于有资格在凡尔赛宫里出入。他大人那时正在害痛风，一方面顾全自己的尊严，一方面切记着自己的责任，忍住了没有和她一起跳舞，心里可觉得这是很了不起的自我牺牲。他当着众人说，有了罗登·克劳莱太太那样的谈吐和舞艺，无论在欧洲哪一个宫廷里面都够得上大使夫人的格。他听说克劳莱太太有一半法国血统，才觉得心平气和，说道："这种庄严的跳舞，只有我们法国人跳起来才有这么优美的姿态。"

然后蓓基又和彼得窝拉亭大公的表弟，又是他的参赞克林根斯博先生跳华尔兹舞。大公本人也是兴高采烈，他究竟比不上和他同行的那位法国外交家，没有多大涵养功夫，再三要和那可爱的太太跳一场，拉着她在舞池里的溜溜地打转，把自己靴子流苏上和制服上饰着的金刚钻洒了一地，直跳得上气不接下气才罢。巴布希·巴夏本来也想和她一同跳舞，可惜这玩意儿在他们本国是没有的。所有的人站成一圈，把她围在中间，发狂似的拍手叫好，竟好像她就是诺白莱或是泰格里昂尼[2]。人人都高兴得出神忘形，蓓基本人不消说更是欣欣得意。她走过斯登宁顿夫人身旁，满脸不屑地瞟了一眼。她对着岗脱夫人和她的小婶子态度非常

---

[1] 维丝德丽（Lucia Elizabeth Vestris, 1797—1856），当时最有名的女低音。
[2] 泰格里昂尼（Maria Sophia Taglioni, 1804—1884），意大利芭蕾舞家。

傲慢，乔治·岗脱的太太没想到她有这一手，气得了不得。所有年轻貌美的太太小姐竟没有一个比得上她。温克窝斯太太在刚开始演戏的时候倒有人捧场，因为大家赞赏她的长头发和大眼睛，可怜她哪里赛得过蓓基，简直没有风头可出。就是她气得把长头发扯下来也没人理，把大眼睛哭瞎了也没人疼。

蓓基最得意的还是吃晚饭的时候。她给派在贵客一席，和前面说过的亲王大人同坐，其余同桌的也是大名鼎鼎的权贵。她使的是金杯金盏。如果她要把珍珠化在香槟酒里也办得到，简直和克里奥佩特拉女王[①]不相上下。彼得窝拉亭的大公只要能够得到美人肯睐，情愿把缝在衣服上的金刚钻送一半给她。夏伯蒂哀写给政府的信中也提到她。其余别桌的太太们只能用银碗银盏，眼看着斯丹恩勋爵不时向她献殷勤，都赌咒罚誓说他给蓓基迷昏了头，行出事来不成体统，对于有地位的夫人们是个极大的侮辱。如果尖酸的口角可以杀人，斯登宁顿夫人准会当场叫蓓基送命。

罗登·克劳莱看着妻子风头这样健，心里惶恐，觉得她和自己越离越远。他·想到老婆本领高强，比自己不知厉害多少，心里有一种类似痛苦的感觉。

蓓基回家的时候，一大群年轻小伙子簇拥着她一直送到马车里。府里的规矩，凡是有客回家，外面的听差就大声传马车，门外接应送客的人也跟着吆喝。这些人站在岗脱大厦的大门外面，每逢有客出来，就凑上去道喜，希望勋爵们在这次大宴会上快乐。

听差们吆喝了一阵，罗登·克劳莱太太的马车轰隆隆地走进灯火通明的院子，一直来到门口有遮盖的跑道上。罗登扶着太太进了马车，眼

---

①克里奥佩特拉（Cleopatra），公元前一世纪埃及托洛密王朝的女王，罗马帝国后三头执政官马克·安东尼和她相好的时候，她曾经把珍珠耳环溶在酒里，干杯替他上寿。

看马车先走，因为威纳姆早已约好和他步行回家。他们两个一面走，威纳姆一面递给他一支雪茄烟。

外面有的是举火送客的用人，罗登和威纳姆就在他们灯上点了雪茄，一起步行回家。这时有两个人从人丛里走出来跟在他们后面。大概在岗脱广场走了百来步光景，两人中的一个走上前来碰碰罗登的肩膀，说："对不起，上校，有话跟您说。"这时另外一人呼哨了一声，岗脱大厦附近停着的街车之中就来了一辆，那助手赶快跑到克劳莱上校面前站好。

勇敢的军官立刻知道自己落在地保手里。他托地往后一退，刚好撞上了在先碰他的那个人。

后面的一个说："我们一起有三个人，要跑也跑不了的。"

上校似乎认识说话的人，说道："莫斯，是你吗？我一共该人家多少？"

莫斯先生是密特儿赛克斯郡州官的助手，一向在却瑟莱街可息多巷内办公，他轻轻答道："小意思，就是那登先生的一百六十镑六先令八便士。"

可怜的罗登说："威纳姆，看老天面上，借我一百镑吧。我自己家里有七十镑。"

可怜的威纳姆说："我所有的财产加起来不满十镑。再见吧。"

罗登垂头丧气地答道："再见。"威纳姆自管自回家。罗登·克劳莱的车子经过法学院大门的时候，他刚把雪茄抽完。

# 第五十二章　体贴入微的斯丹恩勋爵

只要斯丹恩侯爵有意帮忙，他做事可真彻底。而且他眼光很清楚，行好事并不是不分好歹一视同仁；他对于克劳莱一家百般照顾的情形就是证明。勋爵主张好好地栽培小罗登，劝他的父母送他进公立学校。他说孩子长到这么大，应该上学校，一则能够培养竞争心，二则可以打下拉丁文的底子，三则有体育活动，四则有机会交朋友，对孩子的益处可大了。他的父亲回说他没有钱，上不起好的公立学校。他的母亲认为布立葛丝是个头等的女教师，在英文、初级拉丁文和一切普通学科上把小罗登教导得很有成绩（这话倒是真的），不必再进学校。可是斯丹恩侯爵慷慨大量，再三要送他上学，他的父母也没的说了。勋爵是一所有名学校的校董；这所学校历史悠久，名叫白袍僧学院。在从前，息斯德新派的修道院就在这儿，旁边便是斯密士广场，当比武场用的。信奉异端邪说的人若是固执不化，就给带到此地活活烧死，因为这儿空地大，行刑时可以方便些。保卫正教的亨利第八[1]没收了修道院的财产，凡是不肯听他命令立刻改奉新教的神父有的上绞台，有的受酷刑。后来一个有钱的大商人把那房屋和附带在旁的空地买下来，连上别的有钱人捐的地皮和现钱，建立了一所专为老人和儿童治病的慈善医院。这历史悠久而且几乎是修道院性质的慈善机关慢慢地发展成一所走读学校，至今保留着中世纪的服饰和制度。所有息斯德新派的修士都祈祷上苍，保佑这学校永远兴盛。

校董里面好几个是国内最有势力的贵族、主教和大官僚。学生吃得好，住得好，教育得好，将来在大学有丰足的津贴，大学毕业之后在教会里又有好差使，因此许多小不点儿的小爷已经定下终身职业，准备为教会服务。想在这儿读书的人着实不少，竞争得相当剧烈。这学校本来是为清寒子弟设立的；无论教会内外的人，凡是贫寒有为的，有资格送孩子入学。可是许多有体面的校董行好事的范围很广，而且没有一定的标准，由着自己的性儿把各等各样的孩子介绍进来。不花钱而能受到教育，将来还稳稳地有职业有收入，实在是个巧宗儿，连好些最有钱的人也不小看这种机会。不但大人物的亲戚，连大人物本人，也愿意叫家里的孩子来沾这个便宜。学生里面有大主教们的亲戚本家，有他们手下牧师的儿子，也有达官贵人的亲信用人的孩子。进了这所学校，无论什么阶级、什么行当上的人都接触得到。

罗登·克劳莱看的书只限于"赛马日程"，关于学问文章，他只记得小时在伊顿学校挨打和这东西有密切的关系。话是这么说，他和所有的英国绅士一样识大体，真心诚意地尊敬古典文学。他想到儿子能够成

---

[1] 英国从亨利第八时脱离罗马教廷，改奉新教。

为有学问的人，前途有了保障，或许一辈子不用再操心，不消说十分高兴。儿子是他最大的安慰，他们爷儿俩感情融洽，不管在什么小事情上都谈得投机。这些事他从来不和老婆说，因为蓓基一向不管儿子的事。罗登望子成人得心切，虽然舍不得，却马上答应送他上学，为了他，就是放弃自己最大的慰藉和乐趣也是愿意的。以前他不知道自己疼儿子疼到什么程度，现在送他出门，才辨出滋味来。他走了以后，罗登闷闷不乐，然而心里的烦恼又不愿意对人说。小罗登不比父亲，他到了一个新的环境，还有年龄相仿的同伴，倒很快乐。上校对老婆表示他舍不得儿子，心里难受，结结巴巴的话也说不完全，蓓基看他这么多情，有一两回忍不住笑起来。这可怜的家伙好像失去了最大的快乐，最亲近的朋友，时常对着梳洗间里的空床（小罗登的卧床）无精打采地发愣。每天早上他想念孩子，心里闷得慌，有时候打算一个人上公园散步，可是怎么也打不起精神来。小罗登离了家，他才知道自己一向失亲少友。凡是喜欢小罗登的人，他全愿意亲近，常常在他好心的嫂子家里一连坐几个钟头，叨叨地夸赞儿子心地忠厚，相貌出众，还有其他各色各样的好处。

前面已经说过，小罗登的大娘和堂妹妹很喜欢他。小姑娘因为他要走了，伤心得眼泪鼻涕地痛哭。大罗登感激她们娘儿俩的好心，知道她们对自己表同情，放心大胆地倾吐他对于儿子的一片痴心，让他心里最真挚最敦厚的感情流露出来。因为这样，吉恩夫人不但愿意帮他的忙，而且真心看得起他。他这些衷肠话儿，对老婆是说不出的。妯娌两个尽量避免见面。蓓基刻毒地嘲笑吉恩又多情，又温柔。吉恩是个善良老实的好人，对于蓓基这种没有心肝的行为看不顺眼。

因为孩子的关系，罗登夫妇之间的隔阂一天比一天深。这事实罗登不但不肯对自己承认，而且并不知道。蓓基反正不放在心上，说句实话，罗登也罢，别的人也罢，在她都不是少不了的。在她看来，罗登不过是跑腿的用人，不值钱的奴才。不管他怎么心事重重，嗒丧着脸儿，她根本不注意，最多不过冷冷地讽刺他几句。她忙着为自己筹划，一心只想寻欢作乐，抢地盘，一步步向高枝儿上爬。她应该在上流社会里占一个重要的位子，这是错不了的。

老实的布立葛丝给孩子收拾了一只小箱子带到学校里去。女用人莫莱送他出门，在过道里忍不住哭起来。莫莱是个好心肠，虽然工钱已经好多时候没有到手，她对主人家还是忠心耿耿。蓓基不让丈夫用家里的马车送孩子上学。她说她的马是不能到市中心去的，谁听见过这么荒谬的事！孩子上学只消雇一辆街车就行了。小罗登动身的时候，她没去吻他，罗登也不来和她拥抱，只吻了布立葛丝一下子（平常他很怕羞，难得跟她这么亲热）。他安慰布立葛丝，叫她不必发愁，他每星期六回家，照常能够见面的。爷儿两个坐着街车向市中心走，蓓基自管自坐上家里的马车上公园兜风。爷儿两个踏进校门的当儿，她正忙着和二十来个花花公子在曲池旁边说笑。罗登送孩子进了学堂，自己回身出来。可怜这久经风霜的家伙凄凄惶惶，一心顾恋儿子，大概自从他懂事以来，还不曾有过这么纯洁的感情。

他闷闷不乐地走到家里，和布立葛丝两人一起吃了饭。他想到布立葛丝很疼小罗登，凡事照顾得周到，心里非常感激，所以对她特别客气。他又想起自己借了布立葛丝的钱，并且帮着骗她，一时良心发现，老大不过意。他们两人谈了半天，说来说去，全是关于小罗登的事。蓓基回家换了衣服，又出去吃饭了。下午，他心上还是不痛快，又到吉恩夫人家里去喝茶，告诉她小罗登上学的经过；形容他怎么勇气百倍地离开家里；告诉她学校的制服是长袍子和灯笼裤。他从前部队里的同事贾克·勃拉克鲍尔的儿子也在那里，答应照顾小罗登。

不到一个星期，小罗登已经成了勃拉克鲍尔的小打杂，替他擦皮鞋，烤面包。勃拉克鲍尔教给他拉丁文法里面的奥妙，而且揍了他三四回，不过揍得不算重。罗登的脸相老实，看上去脾气也好，因此到处有人缘。他虽然挨打，看来并不太厉害，对他倒是有益处的。至于给人擦皮鞋，烤面包，打杂，那更不算什么，大家早已公认这是英国公子哥儿们教育中不可缺少的一部分。

写书的不管底下一代的事，罗登少爷的学校生活，我不多说了，要不然这本书永远写不完。不久之后，上校去探望儿子，看见他身体很好，也很快乐，穿着黑袍子和灯笼裤对着人笑。

他的父亲很聪明，送给他的头领勃拉克鲍尔一个金镑，这位少爷收了这份礼，从此对于他的打杂另眼相看。孩子的保护人是权势赫赫的斯丹恩勋爵，他的伯父是国会议员，父亲是个上校，又有下级骑士的封

号，《晨报》上描写最了不起的大宴会，也常常提到他的名字；由此种种，学校当局大概很看重他。他的零用钱很多，可以大手大脚地请朋友们吃杨梅饼。到星期六，他往往得到准许回家探望爸爸。做爸爸的到这一天就像过节似的，非得庆祝一番才罢。他有空的时候亲自带孩子上戏院看戏，要不然就叫听差带着他去。到星期日，孩子跟着布立葛丝、吉恩夫人和堂弟堂妹一起上教堂。他讲到学校里的情形，怎么打架，怎么给人当差，罗登听了赞叹个不完。不久，小罗登的老师叫什么名字，同学里面谁最有势力，他都知道得很清楚——跟儿子一样清楚。他又把儿子的心腹朋友请到家里来，看完戏以后给他们吃糕点、蛤蜊和麦酒，把两个孩子吃得害病。小罗登拿出拉丁文法书给他看，告诉他教到什么地方，他假装内行，郑重其事地说："孩子，你得用功啊。古典文学对你益处可大了。"

蓓基一天比一天瞧不起丈夫。她说："你爱干什么就干什么，你爱上哪儿吃饭就上哪儿吃饭。到亚斯脱莱马戏场里去喝姜汁啤酒吃木屑也行①，跟着吉恩夫人去唱圣诗也行，就是要我管孩子不能够。我还得为你操心打算呢，你呀，根本就没有本事自己打天下。如果没有我，你哪儿有今天的日子，今天的地位？你细想去吧！"说真的，蓓基到得去的宴会，可怜的罗登慢慢地没有份了。竟有不少人家单请太太不请先生。蓓基一开口就是某某勋爵某某大人，那口气竟好像她生来就是贵族。宫里有了丧事，她没有一回不穿孝。

对于克劳莱一家子又可爱又可怜的穷人，斯丹恩勋爵像父亲一样地照顾。他安顿了小罗登之后，又想把布立葛丝打发出去，以便节省家里的开支。蓓基那么能干，还怕不会管家吗？前面已经说过，这位慈悲的

---

① 马戏场的地上通常铺木屑，以免表演的人摔跤受伤。马在场子奔跑的时候木屑飞扬，看客免不了呼吸到不干净的空气。

大人物曾经帮过蓓基好些钱，让她和布立葛丝清账，不知为什么布立葛丝至今没有走。看来克劳莱太太把这笔款子用到别的地方去了，她那慷慨的恩人借钱给她就是叫她还债，这番意思她竟没有理会，想起来真气人。话虽这样说，斯丹恩勋爵是讲究礼貌的，并没有对蓓基提起他心里的疑团。一则恐怕为了银钱小事争论起来，惹得她心里不痛快，二则也许她别有苦衷，不得不把勋爵借给她的一大笔钱挪用一下。他决心把事情弄个水落石出，于是使出委婉的手段细心做了一番少不了的探访工作。

第一步，他立刻找了一个机会去盘问布立葛丝小姐。这件事并不难，因为布立葛丝只要人家稍微助助她的兴，马上滔滔不绝把一肚子的话和盘托出。有一天，罗登的老婆出门去了（勋爵的亲信非希先生只要到马车行里去一问便知道，因为克劳莱家里的马和马车是由车行代管的，或者应该说车行里有几匹马和一辆车子是专为他家白效劳的）——罗登的老婆出门以后，勋爵假装偶然到克生街来玩儿，问布立葛丝要一杯咖啡喝，顺便告诉她说孩子在校成绩很好。这样，不到五分钟的工夫，他就发现罗登太太只送给布立葛丝一件黑绸衫子，已经叫她感激涕零。

他听了这些天真的话，心里暗笑。原来亲爱的蓓基曾经细细地讲给他听布立葛丝拿到了钱（一共是一千一百二十五镑），心里怎么高兴，后来怎么投资，她自己把这了不起的一大笔款子交给布立葛丝的时候又怎么心疼。亲爱的蓓基当时心里准在想："谁知道，也许他还会再给我一点儿呢。"勋爵大概觉得自己已经够慷慨了，并没有接口说再送钱给这个诡计多端的蓓基。

他心里觉得好奇，接下去就去探问布立葛丝小姐的景况。她很直爽地把自己的处境讲给勋爵听：克劳莱小姐怎么传给她一笔遗产，她自己的亲戚怎么花她的钱，克劳莱上校怎么把余下的钱给她存出去收高利钱，另外有靠得住的抵押品，罗登夫妻俩又怎么为她在毕脱爵士跟前说好话，只等毕脱爵士有了空，就会把剩下的款子用最有利的方式给她安排妥当。勋爵问她克劳莱上校究竟替她存出去多少钱，布立葛丝立刻把实在的数目告诉他，一共是六百镑带些零头。

多嘴的布立葛丝把话说完之后，立刻觉得懊悔，再三恳求勋爵别在克劳莱先生面前提起这件事。"上校对我真好，可是没准他会生我的气，如果他把钱又还给我，叫我上哪儿去得这么高的利息呢？"勋爵笑着答应决不搬嘴。他和布立葛丝分手的时候，笑得更高兴。

他想道："这小鬼真有神通。装腔的本事又大，在经济上又会周转。那天她甜嘴蜜舌的差点儿又哄我拿出钱来。我这一辈子见过的女人不能算少，竟没有一个赶得上她；跟她一比，谁都成了奶娃娃。只怪我自己容易上当，像傻瓜一样给她牵着鼻子走，真是老糊涂。她那一套撒谎的本领比谁都厉害。"勋爵赏识蓓基本领高强，对她更加佩服。会弄钱不稀奇，可是除掉自己需要的一份之外又多到手一倍，临了欠的债仍旧一文不付，这手段真正高明。勋爵想道："还有克劳莱，别看着他那样，他可并不傻。他那方面的工作也安排得够巧妙的。这件事无疑是他指使的，钱也是他花的。可是从他的外貌举止上看，谁也想不到他在里面插过手。"我们知道，在这一点上勋爵猜得不对。他心上横着这成见，对于克劳莱上校的态度比以前更加倨傲，连面子也不大顾。克劳莱太太的靠山一点没有想到她自己在藏私房；原因是这样的，他活了大半辈子，见的世事很多，因此看破了人情，又因为他和许多做丈夫的打过交道，错把克劳莱上校也看作他们一流人物。这位勋爵一生不知收买过多少人，难怪他自以为有眼光，估准了上校的身价。

第二回他和蓓基两个见面的时候，马上就盘问她这一点。他脾气很好，开口只恭维她办事能干，除了该还的债不算，另外得了一笔收入。蓓基小小地吃了一惊。我们这亲爱的朋友除非万不得已，从来不扯谎，不过在事势紧逼的时候，她也会滔滔不绝地编一篇话。一眨眼的工夫，她又想出一篇巧妙、合理、详尽的故事说给她靠山听。她承认从前说的全是谎话——混帐的谎话。可是谁逼她扯谎呢？"唉，勋爵，"她说，"你哪里知道我暗地里受多少的苦啊！在你面前，我又活泼又高兴，没人保护我的时候，我受的罪你再也想不到。我丈夫威胁我，虐待我，逼着我向你骗钱使。他知道你会问我要钱干什么，逼我对你扯谎。钱是他拿去的。他告诉我说布立葛丝的钱已经还清了，我不愿意对他起疑，根本不敢对他起疑。他是穷途末路，只好干这些不老实的勾当，只求你宽免他，也求你原谅我这不得出头的苦命人儿。"她一面说，一面哭。真正受了欺压的贤慧女人也不能有她当时那样悲切动人的风神体态。

他们两人在克劳莱家的自备马车里绕着亲王公园兜风，谈了半天。他们究竟谈些什么呢，这里不必细说，总而言之，蓓基回到家里，笑吟吟地赶上来搂着布立葛丝，说她有好消息报告。她说斯丹恩勋爵那份儿慷慨大量真是少有的，他老是想法子帮忙别人，从来不肯错过机会。如今小罗登进了学校，她自己也不需要亲爱的布立葛丝做伴儿了。她实在舍不得离开布立葛丝，心里说不出地难受，无奈她收入有限，必须在各方面紧缩开支。她的宽宏大量的恩人给布立葛丝找了一个好差使，比待在她这样贫寒的家里做女伴强得多，因为这样，她心里也宽慰了一些。原来岗脱莱大厦的管家娘子毕尔金登太太现在上了年纪，身体衰弱，又害痛风，实在没有精力看管这么一个大公馆，想要找个接手的人。这是个了不起的好缺。侯爵家里的人难得上岗脱莱大厦，两年也不过去一回。主人不在的时候，管家娘子住着富丽堂皇的大房子独当一面，一餐吃四个菜，区里的牧师和有体面的人物都来拜访她，地位和岗脱莱真正的主妇不相上下。毕尔金登太太以前两任管家娘子全嫁了岗脱莱的牧师——毕尔金登太太不能嫁牧师，因为现任的牧师就是她的外甥。这件事眼前还没有定规，布立葛丝不妨先去拜访毕尔金登太太一次，看看愿意不愿意接她的手。

布立葛丝乐得出神忘形，那感激涕零的样子，不是言语所能形容的。她提出来的唯一的条件就是要求让小罗登到那边去看她。蓓基一口答应——什么都答应。丈夫回家的时候，她跑上去迎接他，把好消息报告给他听。罗登听了很高兴——高兴得要命。他花了可怜的布立葛丝一笔钱，心里老是不安，现在才算一块石头落了地。不管怎么样，她总算有个着落，可是再一想呢，又有些不放心，总觉得这件事不妥当。他告诉莎吴塞唐子爵斯丹恩勋爵怎么提携他们的话，那位爷瞅了他一下，眼色老大蹊跷，叫他捉摸不着。

他把斯丹恩勋爵第二回帮忙的事讲给吉恩夫人听。她听了神情慌张，有些变颜变色。毕脱爵士也是这样。他们两人都说："她太聪明，呃——也太活泼，单身一个人出去赴宴会是不妥当的，总得要个人陪着。罗登，不管她上哪儿，你得跟她一块儿去。你非得给她找个伴儿不可。我看还是到女王的克劳莱去叫个妹妹上来吧，虽然她们自己也没有头脑，帮不了多少忙。"

蓓基应该有个女伴。不过事情很清楚，总不能让老实的布立葛丝错过了一辈子的好饭碗，因此她收拾好行李，上道去了。这样，罗登的两个步哨都落在敌人手里。

毕脱爵士去看弟妇，提到关于辞退布立葛丝以及家里各种难以启齿的事情，着实劝谏了一番。她向他解释，说她可怜的丈夫没有斯丹恩勋爵提拔照顾是不行的，至于布立葛丝呢，有了这么好的差使，如果不许她去的话不是太没有心肠了吗？这些话全无效验，她哭也罢，笑也罢，甜言蜜语地讨好也罢，毕脱爵士只是不满意，结果他和他从前最佩服的蓓基很像吵了一次架。他谈到家门的体面和克劳莱家里洁白无瑕的名声。他气虎虎地责备她不该和那些年轻的法国男人来往，说他们全是花花公子，行为不检点。他又提到斯丹恩勋爵，说是他的马车老停在她门口，他本人每天陪着她好几个钟头，惹出许多飞短流长。他以家长的身份恳求蓓基行事小心谨慎，因为她外面的名声已经很不好听。斯丹恩勋爵纵然地位高，才识丰富，可是和他来往的女人名誉上少不得受到牵累。他再三恳求，甚而至于用命令的口气，叫他的弟妇往后步步留心，少和那位大佬打交道。

毕脱的劝告，蓓基一股脑儿接受下来，可是斯丹恩勋爵还是照常在她家里。这一下，毕脱爵士生了大气，终究多嫌了他心爱的利蓓加。吉恩夫人究竟是喜是怒，我就不知道了。斯丹恩勋爵继续去拜访蓓基，毕脱爵士却决计不上她的门。毕脱的妻子很想从此和那位大人物断绝来往。她收到侯爵夫人请他们参加猜谜表演那一次宴会的请帖，竟打算写信回绝，可是毕脱爵士认为他们怎么也得到那儿露露脸，因为亲王大人也去的。

毕脱爵士虽然到会，很早就告辞回家，他的太太也巴不得早走。蓓基没跟大伯说话，对于嫂嫂更是睬都不睬。毕脱·克劳莱说她行止轻浮得简直不成话说，又痛骂时下做戏化装的习气，说对于英国妇女是绝对不合适的。戏演完之后，他把兄弟结结实实地教训了一顿，责备他不该上台演戏，也不该让妻子在这么不成体统的场合之下抛头露面。

罗登答应以后再也不许她参加这种表演。而且自从哥哥嫂子点醒了他以后，他一直留神，竟成了个模范的看家丈夫。他不上俱乐部，不打弹子，一步不离老婆。他陪着蓓基出去兜风，不辞劳苦地跟着她到所有的宴会上去。斯丹恩勋爵无论什么时候到他家拜访，总看得见他。他不准蓓基自由行动，如果收到单请她吃饭的帖子，斩钉截铁地命令她回信拒绝。他的老婆察言观色，不敢不服从他。说句公平话，她看见丈夫那么殷勤，倒是非常喜欢。丈夫的嘴脸尽管不好看，她从来不计较。不管在人前也好，夫妻俩相对也好，她总是和和软软，脸上挂着笑，把他伺候得十分周到，哄他高兴。她成天活泼泼兴冲冲，对丈夫殷勤体贴，全心全意信赖他尊敬他，像新婚的时候那样。她常说："出门有你陪着真好，比那糊涂的布立葛丝强多了。亲爱的罗登，咱们俩永远这么过下去吧。可惜少两个子儿，要不多美啊，咱们再也不会有烦恼了。"饭后，他靠在安乐椅里打瞌睡，没看见对面那张疲倦、憔悴、神色可怕的脸。他一醒过来，蓓基顿时眉眼开朗，脸上重新堆着坦白的笑，活泼泼地吻他。他自己也闹不清以前究竟对她犯过疑没有。他心想一定不会有那回事。那逐渐压在心上的说不出来的疑团，恼人的忧闷，全是自己吃飞醋。蓓基怎么会不出风头呢？像她那么又会说又会唱、件件出众的女人千万个里挑不出一个。罗登只怨她不疼儿子。不论他怎么努力，他们娘儿俩再也合不到一块儿。

当下罗登正是疑神疑鬼，左右为难的时候，恰巧又发生了上面所说的意外之变。倒霉的上校干瞧着自己成了囚犯，回不了家了。

# 第五十三章　一场营救引出一场大祸

我们的朋友罗登坐了街车来到可息多街上莫斯先生的大房子里，正式给带进这阴森森的招待所。当下正是拂晓时分，辘辘的车声在空荡荡的却瑟莱街激起回响，所有的屋顶浴在朝阳里，沾着点儿喜气。开门的是个红眼的犹太孩子，一头头发红得像日出时的天空。这孩子把一行人让进屋子，罗登的旅伴又兼主人莫斯先生当下请他在楼下的房间里安顿了，又满面堆笑，问他说赶了一程路，要不要喝一盅暖暖身子。

换了别的人，刚刚离开华丽的府邸，撇下可爱的妻子，立刻给关进拘留所，准会觉得灰心丧气，幸亏上校倒还看得开。说句老实话，他曾经在莫斯先生这里住过一两回。以前我觉得没有必要提到这些家常琐事，所以没对大家说。读者想一想，悬空过日子的人，这种遭遇自然不会少的。

上校第一回拜访莫斯先生的时候还是单身，靠他姑妈一撒手就把他救了出来。第二回却全亏蓓基给他奔走。她魄力又大，待丈夫又体贴，一面向莎吴塞唐勋爵借了一笔款子，一面哄得丈夫的债主回心转意（丈夫是她的买办，凡是她的披肩、丝绒袍子、抽丝花手帕、零星首饰等等，全由他经手采办）——她哄得丈夫的债主回心转意，答应先收一部分现钱，其余的由罗登重新出了债票展期付款。因此虽有两次的入狱和释放，大家客客气气，莫斯和上校彼此很相得。

莫斯先生说道："上校，您还是睡本来的床铺。我可以老实说一句，床铺什么都安排得很舒服。床上的被褥是常常晒晾的，想来您也知道。因为来这儿住夜的人很不少，而且都是顶上等的先生。前天晚上第五十二骑兵联队里的法密希上尉还在那床上睡觉来着。他在这儿耽了两星期，他妈才来赎他出去。她说这样也算治他一下。哟，求老天爷保佑，我跟您说吧，我的香槟酒可给他灌掉不少啊。他每天请客，客人全是顶刮刮的阔佬，从什么俱乐部呀，伦敦西城呀，赶到这儿来的。拉哥上尉和住在法学院附近的杜西思先生都在这儿，另外几位也是识得好酒的爷们，这一点我可以担保。如今楼上住着一位神学教授，咖啡室里还有五位先生。到五点半，莫斯太太招待大家用饭，以后还奏音乐，玩纸牌，希望您来参加。"

"我要什么会打铃的。"罗登说罢，很镇静地走到卧房里去。我以前说过，他是上过阵仗的人，些些不如意事吓他不倒。换了一个没有能耐的，一进监牢少不得马上就写信给太太求救。罗登想道："何苦害她一夜睡不稳？反正我不回家她也不得知道。等我歇一会儿再写不迟，也让她好好睡一觉。好在欠的数目不大，通共一百七十镑。连这些钱都弄不到手，那才见鬼呢！"上校心里惦记着小罗登，直怕儿子知道自己关在这么不体面的地方，一面上了法密希上尉新近睡过的床睡着了。他醒来的时候恰好十点钟。红头发的孩子欣欣得意地端着一只漂亮的银子梳妆匣儿进来，伺候他刮胡子。说实话，莫斯先生的屋子里虽然不干净，家具陈设可真是富丽堂皇。碗盏柜上搁着肮脏的盘子和冰酒的器皿。檐板特别大，虽然满是泥垢，却是描金的。底下挂着褪色的黄缎窗帘，窗上装了铁条，临窗便是可息多街。屋里还挂着许多图画，有的是圣像，有的是行乐图，配着又大又脏的金漆框子。这些全是名画家的杰作，在一次次转手时价钱抬得极高。上校吃早饭用的碗碟，也是使得黑煤污嘴的尊贵物儿。一时，莫斯小姐端着茶壶进来，这位黑眼睛的姑娘满头卷发纸，笑眯眯地问他睡得可香甜。她带进来一份《晨报》，上面列举了隔夜在斯丹恩侯爵府上做客的大人物，另外有篇报道文章描写宴会花絮，形容美丽多才的罗登·克劳莱太太演技怎么出众，说得天花乱坠。

莫斯小姐随随便便地坐在饭桌子边上，底下的袜子和塌鞋跟的缎鞋——从前原是白颜色的——露在外面。克劳莱上校和这位姑娘畅快地谈了一会儿，就问她要纸笔墨水。莫斯姑娘端过文具，两个指头捻着一叠信纸，问他要多少，他就手抽了一张。黑眼姑娘常常当这差使，在这间屋子里，多少作孽的家伙写过字迹潦草、墨污斑斑的急信向外面人求救。他们在这可恨的屋子里踱来踱去，直到信差带了答复回来才罢。这些可怜东西喜欢专差送信，不肯把信札付邮。这类的信大家都收到过——信封上的封糊还没有干，送信的专差在过道里立等着要回音。

罗登满以为自己所求不奢，心里并不着急。他的信上写道：

　　亲爱的蓓基：——我希望你睡得好。如果我不给你送咖啡进来，你不要害怕。昨夜我一路回家，正在臭烟，于到衣外之变了。可息多街的莫斯把我捉了来，现在我正在他的金碧灰黄的客堂里写这封信。两年以前我住的也是这一间。莫斯小姐送茶给我喝。她很胖；她的袜子像平常一样，掉下来堆在鞋跟上。

这一回是那登的债，一共是一百五十镑，加上讼费，一共一百七十镑。请你把我的小书台送来，我有七十镑在里面。我还要几件衣服，因为我现在穿的是薄底跳无鞋，我的白领带脏得和莫斯小姐的袜子差不多。收信后你快到那登那儿去，先给他七十镑，请他再盐期，根他说我愿意再买他的酒，反正咱们要些雪利酒在吃饭的时候喝。图画太贵了，不必买。

如果他不肯，你把我的表拿去，还有你不大用的首试，都押给包而士。当然今晚非要钱不可，不能再单各，因为明天是星期日，这里的床也不干净。我又怕别的人也找上我。

幸而今天罗登不回家。愿天保佑你。

罗·克匆匆上

你快来吧——又及。


这封信用封糊封了口，马上由专差送回去，反正莫斯先生屋子里总有几个信差等着听候使唤。罗登眼看着送信的去了，自己走到院子里去抽雪茄。他并不怎么心焦，虽然一抬头就看见墙顶上的铁栅栏。原来莫斯先生恐怕寄宿在他家里的先生们不愿意在他家里打扰，忽然逃走，所以在围墙上加了栅栏，整个院子便像一个笼子。

罗登计算下来，最多不过三小时，蓓基便会来搭救他，所以心上舒泰，一面等待，一面抽抽烟，看看报。他有个熟人叫窝格上尉的，凑巧也在那里；两人在咖啡室里赌了几个钟头，赌注只有六便士，两边没有什么胜负。

一天过去了，送信的没有回来，蓓基也影踪全无。莫斯先生的客饭到五点半开出来，就摆在前面描写的陈设华丽的前客厅里，通过去便是克劳莱上校暂时动用的房间。寄宿在莫斯家里的先生们只要是付得起钱的都来参加。莫斯姑娘（她爸爸叫她莫姑娘）去掉头上的卷发纸，也来了。莫太太尽主人之谊，请客人吃极好的煮羊腿和萝卜，克劳莱上校却没有胃口。大伙儿要求他开一瓶香槟请客，他答应了。莫斯太太母女俩喝酒替他上寿；莫斯先生毕恭毕敬注目看着他。

大家正在吃喝，听得外面门铃响。红头发的莫斯小子拿着钥匙去应门。不久他回来告诉上校说送信的带了一张小书台、一只口袋和一封信回来了。说着，他把信交给上校。莫斯太太把手一挥，说道："上校，您请不必客套，看信罢。"这封信漂亮得很，粉红的信纸，淡绿的火漆，扑鼻的香水味儿。他战战兢兢地开了信封，克劳莱太太的信上说：

我亲爱的宝贝儿：——昨儿晚上整整一夜没有合眼，只惦记着我的丑巴怪。我一夜发烧，到早上请白兰却医生处方，喝了安神药水，才睡着一会儿。我告诉斐奈德说不管发生什么事都不准惊吵我，因此我可怜的老头儿派来的信差在过道里呆等了好几个钟头，等着我打铃。斐奈德说他脸相凶恶，一股子杜松子酒味。我看了你那封别字连篇的亲亲的宝贝信以后急成个什么样儿，你当然想像得出。

我虽然身子不好，可是立刻就吩咐套车。我一滴巧克力茶都没喝，没有我的丑巴怪给我端茶，叫我怎么喝得下？我一穿好衣服就急急忙忙地坐了车子赶到那登那里。我找着了他，哭哭啼啼央求了半天，临了还向那可恶的家伙下跪。那混帐东西说什么也不肯让步。他说如果不能如数付清，就得叫我可怜的丑巴怪坐监牢。我一路回家的时候就想着，没奈何只好到亲爱的大叔那里去当东西啦。我的首饰当然一股脑儿拿出来，不过一起当不着一百镑，因为有些已经在他那儿，还没有赎回来呢。到了家里，我看见勋爵大人带了那个保加利亚的羊脸老怪物等着我。那怪物专诚来给我道贺，奉承我隔夜的表演精彩。巴亭登也来了，一面抚弄头发，一面拉长声音习嘴咬舌的说不清。还有香比涅克和他的厨子也来了。人人都说了一套恭维我的漂亮话，可怜我烦得要死，只希望他们快走，时时刻刻挂念着我可怜的囚犯。

客人走了之后，我向勋爵下跪，告诉他说我打算把家中所有一切当掉还债，哀求他给我两百镑。他焦躁得不得了，啐呸呀呀地闹了一阵，叫我别糊涂，别当首饰，等他想想法子再说。他临走答应明早借钱给我。钱到手之后我马上就来看我那丑巴怪，同时还送他一吻。

爱你的蓓基

我躺在床上写信。因为我头痛如裂，快痛死了——又及。

罗登一看这信，登时满面通红，脸上杀气腾腾，同席的猜着他准是得了坏消息。以前他努力屏退的猜疑这会儿一起涌上心头。她竟连卖掉首饰赎他出狱都不肯吗？丈夫关在牢里，她居然还能嘻嘻哈哈地谈到人家奉承她的话！究竟是谁把他关进拘留所的？威纳姆跟他一起散步来着。难道是——这底下的事就不堪设想了。他匆匆忙忙地离开饭厅，跑到卧房里打开书台，草草写了一张条子给毕脱爵士和克劳莱夫人，命令送信的立刻坐车再到岗脱街去，答应他如果在一小时以内赶回来的话，赏他一基尼。

他在信上恳求亲爱的哥哥嫂子看上帝面上，看他亲爱的儿子分上，赶快来帮忙他解决困难，因为这事关系到他的体面。他目下关在拘留所里，非得要一百镑才能脱身。他哀求他们去救他。

把信差打发掉之后，他回到饭间里重新叫了酒喝着。大家觉得他嘻

天哈地，扯开嗓门嚷嚷，样子老大不自然。他疯疯傻傻地讥笑自己无中生有自吓自，连着喝了一个钟头的酒，一面机伶起耳朵，等着马车带消息回来决定他的命运。

过了一小时，只听得车声辚辚，很快地在门前停下来。年轻的小门房拿着钥匙去开门，在地保进出的门口放进来一位太太。

她浑身发抖，说："克劳莱上校。"管门的会意，锁上头门，开了二门，叫道："上校，有客！"一面把她领到上校住的后客厅里去。

当下大家在那间兼做客堂和饭厅的屋子里吃喝，罗登起身回到后面自己的卧房里，一道昏黄的灯光跟着他照进去。新来的太太惊魂未定，站在屋子中央。

"罗登，是我——是吉恩。"她的声音很羞缩，可是说话的时候竭力叫自己的口气显得轻松愉快。她的表情那么慈祥，声音那么和软，不由得罗登不感动。他跑过来一把抱住她，上气不接下气地向她道谢，连话也说不清楚，到后来老实不客气地伏在她肩膀上呜呜咽咽哭起来。她莫名其妙，不懂他为什么这样激动。

她把莫斯先生的账目立刻结清。莫斯大约很失望，因为他算准上校至少也要过了星期日才走。吉恩乐得眼睛放光，欢天喜地地把罗登从地保家里接出去。她赶来搭救的时候匆匆忙忙雇了一辆街车，这时两人便乘原车回家。她说："今天议员聚餐，信送来的时候毕脱不在家。所以呢，亲爱的罗登，我——我只好亲自来了。"说着，她和蔼地握着罗登的手。说不定毕脱出去吃饭倒是罗登的造化。罗登向他嫂嫂谢了又谢，软心肠的吉恩夫人看他那样感激涕零，非但感动，简直有些心慌。他的口吻朴质真诚，说道："唉，你——你不知道自从我认识你以后——自从有了小罗登以后，我变了多少。我——我也想痛改前非。我想——我想做个——"话虽然没有说完，意思是揣摩得出的。当晚两人别过，吉恩夫人坐在儿子小床旁边，低心下气地为那迷途的罪人祷告。

罗登和嫂嫂分手之后，上劲步行回家。当下已经是晚上九点钟。他撒开腿奔跑起来，一路穿过名利场中的街道和广场，最后上气不接下气地在自己屋子对面停下来。他抬头一望，立刻托地向后倒退一步，抖索索地撞在栅栏上。客厅的窗口一片光亮。她不是说过她生病不能起床吗？他呆呆地站了几分钟，自己房子里射过来的灯光照着他苍白的脸。

他拿出钥匙，自己开门进去，只听得楼上嘻嘻哈哈。他身上还是隔夜被捕时穿的晚礼服，悄没声儿地上了楼，在楼梯顶上靠着扶手站定。别间屋子里静荡荡的没有人声，所有的用人全给打发出去了。罗登听得里面有人在笑，还夹了唱歌的声音。原来蓓基在昨夜唱过的曲子之中挑了一段正在唱，另外一个粗嘎的声音喝彩道："好哇，好哇！"一听正是斯丹恩勋爵。

罗登开门直入。一张小桌子上杯盘罗列，摆着晚饭，还有酒。蓓基坐在安乐椅上，斯丹恩勋爵弯腰向着她。该死的女人盛妆艳饰，胳膊上戴着镯子，手指上套着指环，亮晶晶地发光，胸口还有斯丹恩勋爵给她的金刚钻首饰。他拉着蓓基，低下头打算吻她的手。正在这当儿，蓓基忽然看见罗登苍白的脸，霍地跳起身来有气无力地叫了一声。她勉强装出笑容，表示欢迎丈夫回家，那笑脸煞是可怕。斯丹恩站起来，咬牙切齿，铁青了面皮一脸杀气。

他也想装笑，迎上来向罗登伸出手来说道："怎么的，你回来了？你好啊，克劳莱？"他没奈何向那碍他道儿的罗登龇牙咧齿地笑了一笑，嘴角的肌肉一抽一牵地动。

蓓基一看罗登脸色不对，立刻冲到他面前，说道："我是清白的，罗登。我对天说实话，我是清白的。"她拉住他的外衣，握住他的手，她自己的手上戴满了戒指手镯和各种饰物。她央求斯丹恩勋爵说："我是清白的。请你告诉他我是清白的。"

斯丹恩勋爵以为这是他们做好的圈套，对于这对夫妻一样痛恨，分不出高下。他尖声叫道："你清白！他妈的！你还清白吗？你身上每一件首饰都是我买的。我给了你好几千镑。这家伙把钱花了，等于把你卖了给我。清白，哼！你跟你那做舞女的妈妈一样清白，跟你那专充打手的丈夫一样清白！你惯会吓唬人，可别想吓得倒我。让开，让我走。"斯丹恩勋爵眼内出火，一手抓起帽子，恶狠狠直瞪瞪地瞧着对头冤家，笔直地向他走过去，以为那边准会让步。

不料罗登·克劳莱跳起身来一把拉住他的领带不放，差些儿把他掐死。斯丹恩疼得站不直，扭来曲去地直弯到他胳膊底下。罗登说："你这狗头！你胡说！你胡说！你是个没胆子的混帐东西！"他揸开五指啪啪地在勋爵脸上打了两个嘴巴子，不顾他受伤流血，把他推倒在地。他出手迅速，蓓基来不及阻挡，只站在他面前索索地抖。她佩服她的丈夫，因为他又有胆气又有力气，敌人打不过他。

他说："过来。"她立刻走过去。

"把这些东西除下来。"她一面哆嗦，一面从手臂上褪下镯子，从打战的手指上拉下指环。她把首饰并做一堆，捧在手里，望着他发抖。他说："把首饰丢下地。"她就把首饰丢下地。他把她胸口的金刚钻一把拉下来向斯丹恩扔过去。金刚钻划破了他的秃顶，头上的疤到死还留着。

罗登对他老婆说："上楼来。"她说："罗登，饶我一条命。"他恶狠狠地笑着说："他骂我的话全是胡说，究竟他有没有贴钱给你，等我看过便见分晓。他到底给你钱没有？"

利蓓加说道："没有。不过——"

罗登说："把钥匙给我。"他们两人一起走出去。

利蓓加把钥匙都交给他，只扣下一个；她希望罗登不会注意。这个钥匙是从前爱米丽亚给她的小书台上的，书台本身就给藏在一个秘密的地方。罗登用力打开箱子柜子，把里面许多花花泡泡的东西四面乱丢，最后发现了她的书台。那女的只得把书台也打开。里面有文件、多年以前的情书、各种的小首饰和女人用的记事本儿。还有一只皮夹子，藏着钞票；上面的日期标得明白，有些是十年前攒下的，有一张却是新近的，一共一千镑，是斯丹恩勋爵送她的礼。

罗登说："这是他给你的吗？"

利蓓加答道："是的。"

罗登道："我今天就给他送回去。"（他搜查了好几个钟头，天已破晓了。）"布立葛丝对孩子很厚道，我打算把钱还她。还有些别的债务也得清一清。剩下的给你，你愿意我把钱送到什么地方先通知一声。你有了那么些钱，竟连一百镑都不肯给我。我哪一回不是跟你共甘苦的？"

蓓基道："我是清白的。"他一言不发，转过身就走。


他们分手的时候利蓓加心头是什么滋味呢？罗登走掉之后，她一个人呆呆地坐在床沿上发了半天怔，直到阳光满屋还没有动弹。抽屉个个打开，里面的东西散了一地，衣服、羽毛、披肩、首饰，一切出风头的必需品乱糟糟堆成一堆，全糟蹋了。她闹得披头散发，衣服撕了一大块，就是罗登把钻石首饰从她身上拉下来的当儿扯破的。他走出屋子不久，她就听得他下楼出门，砰的一声把大门碰上。她知道他一去不返，从此和她决绝了。她想道："他会自杀吗？看来跟斯丹恩勋爵决斗以前决不肯死。"她回想过去半辈子的升沉，一件件全是不如意的事。唉，人生多么悲惨，多么凄凉，多么寂寞空虚！一念转着不如吞些鸦片结果了自己完事。以后再也不必使心用计、争胜要强，什么前程，什么债务，全都丢开手吧。她的法国女用人进来的时候就见她这样呆坐着，两手紧紧攥在一起，眼睛里没有一滴眼泪，四面散满了乱七八糟的衣服什物。这法国女人是她的心腹，早给斯丹恩买通了的。她说："天哪，太太，出了什么乱子啦？"

很难说出了什么乱子。谁也不知道蓓基究竟有没有失节。她当然为自己洗刷，可是从她嘴里说出来的话，谁敢断定是真是假？谁闹得清脏心坏肺的女人这一回是不是遭了冤枉？她的谎话，她的阴谋诡计，她那些自私的打算，她的机智和天才，一股脑儿破产了。女用人拉上窗帘，做出一副和善嘴脸哄着主妇躺下休息，然后走下楼去，把散在地板上的首饰捡起来。这些珠宝钻石还是隔夜利蓓加遵照丈夫的命令丢在地下的，后来斯丹恩勋爵走了，竟没人去碰过一指头。

# 第五十四章　交锋后的星期日

　　大岗脱街上毕脱·克劳莱爵士公馆里的人刚刚起身，衣服还没有穿好，罗登已经来了。他身上的晚礼服两天没有更换，擦洗台阶的女用人瞧他那样子直觉得害怕。他在那女用人身旁跨过，一直跑到哥哥的书房里。那时吉恩夫人穿着晨衣，正在楼上孩子屋里打发两个小的梳洗，并且监着他们跪在自己身边做祷告。这是他们娘儿三人私下的日课，没有一天早上间断的。接下来是毕脱爵士领导的合家大祈祷，家下人人都得出席。罗登在从男爵的写字台前面坐下来。写字台上整整齐齐地排列着蓝皮书，来往的信件，一叠叠的议案摘要，堆放得两面相称的小册子；还有上锁的账本、公事包、《圣经》、每季评论杂志、《宫廷指南》，好像排着队等候上司来检阅。

每逢星期日早上，毕脱爵士按例要和家人讲道。常用的一本训戒已经搁在桌子上等着他。他的眼光准确，挑选的题目个个合适。那本训戒旁边是一份折叠得端端正正的《观察报》，油墨还没有全干。这份报是给毕脱爵士一人独看的，全家只有他的亲随是例外，报纸没搁上主人的写字台以前，他总要偷看一遍。那天早上，他已经在报上读到一篇淋漓生动的岗脱大厦宴会花絮，里面列举了各位贵客的姓名，这些人全是斯丹恩侯爵邀来给亲王大人做陪客的。当时那亲随和管家娘子，还有她侄女儿，都在管家娘子屋里喝早茶，吃滚热的烤面包和黄油。他把自己对于这次宴会的见解讲给她们两位听，并且说他觉得罗登·克劳莱一家的生活来源是个谜。接下来他把报纸打湿，重新叠好，看上去笔挺浆硬的仿佛没人碰过，专等主人来看。

可怜的罗登等他哥哥不来，只好打开报纸来看，可是一个字也看不进去，不知道上面说的是什么。报上有官方的消息和新任命的官员的姓名，毕脱爵士因为在官场里出入，不得不留心这种新闻，要不然他决不在星期天看报。另外有剧坛的批评文章和关于拳击的新闻，两位拳击家一个叫怒吼的屠夫，一个叫德德白莱城的小宝贝，赌的输赢共是一百镑。再下去就是岗脱大厦的宴会花絮，写文章的把有名的猜谜表演渲染了一番，对于主角蓓基夫人竭力恭维，虽然那口气辞令相当地审慎。当下罗登坐着等一家之主下来，报上的记载如在云里雾里模模糊糊在眼前飘过。

书房里一只黑大理石的钟叮叮咚咚打了九下，毕脱爵士准时进来了。他精神饱满，穿着整齐，刚剃了胡子，一张淡黄脸儿显得干净，稀稀朗朗的头发上了油，梳理得非常平整。他戴着硬领和浆过的领巾，穿着灰色法兰绒的晨衣，容色庄严，一步步走下楼来，一路还在修指甲。他周身没一处不雅观，没一处不合规矩，只有老派的英国绅士才有这种气度。他看见可怜的罗登在他书房里，衣服皱得一团糟，眼睛里全是血丝，头发直披到脸上，不由得吓了一跳，以为他整夜在外大玩大乐，喝醉了酒没醒，呆着脸儿说道："天哪！罗登，怎么一早就来了？干吗不回家？"

罗登道："还提回家的话！别怕，毕脱，我没有醉。关上门，我有话跟你说。"

毕脱关了门回进来。桌子旁边有张扶手椅子，凡是总管和账房要见他，或是客人有机密事情商量，这就是他们的位子。毕脱在这椅子上坐下来，使劲修指甲。

半晌，上校开口道："毕脱，我什么都完了，没有救了。"

从男爵一听这话，焦躁起来。他那修饰得干净的指甲忒儿伦伦地敲着桌子，嘴里嚷嚷道："我早就料到你会闹到这步田地，警告过你不知多少回。我不能再帮忙了，家里的钱每个先令都派了用处，连昨儿晚上吉恩给你的一百镑也是硬扣下来的。原定明天早上付清律师的公费，现在给了你，又是饥荒。我并不是说以后不帮你。可是你的债我可付不了，那倒不如叫我给政府还外债呢。你这样的打算简直是胡闹，根本就是胡闹！我看你只能和债权人到法庭上订个仲裁契约。这一来家里的名声当然不雅，不过也没法了，反正人人都走这条路。上星期拉格伦勋爵的儿子乔治·该德莱就上法庭办了现在所谓'解债复权'的手续。拉格伦勋爵一个子儿不给，后来——"

罗登打断他说道："我要的不是钱。今天我不是为自己来的。别管我遭了什么倒霉事儿——"

毕脱心里一松，问道："那么究竟是什么事情呢？"

罗登哑声说道："我是为着孩子才来的。只求你答应一声，我走了以后好好照应他。你那忠厚的好太太一向疼他。他跟大娘也亲热，比他自己的——唉！毕脱，你也明白，克劳莱小姐的钱本来应该归我承继。

我不比普通一般的小儿子，从小手里阔绰，家里人尽着我花钱，什么事都不叫我做。倘若我从前没过惯那日子，到今天也许不是这个形景。我在军队里就混得不坏。你知道遗产本来该是我的，你也知道后来谁得了好处。"

毕脱道："我这样克扣自己，处处帮你的忙，你还能责备我？娶亲是你自己的主意，可不能怪我。"

罗登道："这段姻缘已经完了，已经完了。"他使劲迸出这些话，忍不住哼哼起来，把他哥哥吓了一跳。

毕脱认真同情弟弟，惊讶道："天啊，她死了吗？"

罗登答道："但愿我自己死了！若不是为了小罗登，我今天早上已经抹了脖子，也决不饶那混蛋的狗命。"

毕脱爵士立刻猜着罗登要杀死的准是斯丹恩勋爵。上校语不成声，三言两语把经过的情形说了一遍。他说："这是那混帐东西和她做好的圈套。那几个地保是他叫来的。从他家里出来，我就给他们逮住了。我写信问她要钱，她推三阻四说病着不能起床，要到第二天才能来赎我。等我回到家里，看见她戴满了金刚钻首饰陪着他，屋里一个别人都没有。"接着他草草地描写自己怎么和斯丹恩争闹打架。他说，在这种情形之下，只有一条路可走，那就是和对手决斗一场；他打算和哥哥别过之后马上把决斗前一切必需的手续办一办。罗登断断续续地说道："决斗下来也许是我送命，孩子又没有了母亲，我只能把他托给你和吉恩。毕脱，如果你答应招呼他，我就没什么不放心了。"

他的哥哥非常感动，一反平时冷漠的态度，热烈地和他拉手。罗登抬起手来抹着自己又浓又粗的眉毛，说道："谢谢你，哥哥，我知道我能够相信你的话。"

从男爵答道："我把名誉担保，一定遵命。"这样弟兄两个彼此心里有了默契。

罗登从口袋里把蓓基书台里搜着的皮夹子掏出来，抽出一叠钞票。他说："这儿是六百镑——你大概不知道我这么有钱吧？这笔款子是布立葛丝借给我们的，请你还给她。这老婆儿真疼我那孩子，我一向觉得对不起她，不该使她的钱。剩下的这些钱——我想给蓓基过日子，我自己只留了几镑。"他一面说，一面把其余的钱交给哥哥。他的手簌簌地发抖，心里又焦躁，一失手把皮夹掉在地下，倒霉的蓓基最后得来的一千镑便从里面滑出来。

毕脱弯下身子把票子捡起来，看见这么大的数目，诧异得不得了。罗登说："这张不算在内。我希望一枪把这一千镑的主儿打死。"照他的心思，恨不得把这张银票裹着子弹，一枪结果了斯丹恩，这段冤仇才报得爽快。

兄弟两人说完了话，重新拉拉手，彼此别过。吉恩夫人早已听见上校来了，在隔壁的饭间里等她丈夫出来。她有的是女人的直觉，知道准是出了乱子。饭厅的门开着，兄弟俩一出书房，吉恩夫人迎上去，假装无意之中从饭间里出来。她和罗登拉手，欢迎他留下吃早饭。其实她一看他形容憔悴，胡子也不刮，又见丈夫脸色阴沉沉的，很明白这会子不是吃不吃早饭的问题。罗登紧紧握着他嫂子怯生生地伸过来的小手，支支吾吾推托另外有约会。她无可奈何地瞧着他，越看越觉得凶多吉少。罗登没有再说话就走掉了，毕脱爵士也不向她解释。孩子们上来见了父亲，毕脱像平常一样冷冰冰地吻了他们。做母亲的把两个孩子紧紧地搂在身边，跪下来祈祷的当儿还一手牵着一个不放。祈祷文是毕脱爵士念的，不但他们娘儿三个跟着祈祷，所有的用人也参加，有些穿着号衣，其余的身上全是礼拜天穿的新衣服，一排排坐在饭间的那一边。主仆两起人中间隔着个茶吊子，吊子里的开水嘶儿嘶儿地响。因为有了意外的耽搁，早饭特别迟，大家还没有离座，教堂的钟声已经打起来了。吉恩夫人说她身上不快，不上教堂，刚才家下人一起祷告的时候她心不在焉，一直在想别的事情。

罗登·克劳莱匆匆忙忙出了大岗脱街来到岗脱大厦。门上的偌大一个青铜门环塑的是梅丢沙①的头，叩着门环，府里面的门房出来应门。这门房漆紫的一张脸，像个沙里纳斯，穿着银红二色的背心。他看见上校蓬头乱服，心里着忙，生怕他闯到府里去，连忙挺身挡住他的去路。不料克劳莱上校只拿出一张名片，切切实实嘱咐他把名片交给斯丹恩勋爵，请勋爵认清名片上的地址，并且说克劳莱上校从下午一点钟一直到晚上都在圣·詹姆士街亲王俱乐部等着勋爵，请勋爵不要到家里去找他。说完，他大踏步走了，红脸胖子在后面满面诧异望着他。那时街上已经有好些人，全穿着新衣服。孤儿院里的孩子一个个脸儿擦得发亮，蔬菜铺子的老板懒懒地靠在门口，酒店主人因为教堂的仪式已经开始，不能再做买卖，正在阳光里关百叶窗，大家瞧着他心里纳罕。他走到街车站，附近的人也都笑他。他雇好车子，吩咐车夫赶到武士桥军营去。

他到达武士桥的时候，所有礼拜堂里的钟声响成一片。如果他留神的话，准会看见从前的老相识爱米丽亚正从白朗浦顿向勒塞尔广场出发。一队队的学生排着队往教堂去。郊外发亮的石板路上，发亮的马车里，满是星期日出来作耍的游人。上校心里有事，来不及注意这些形形色色。他到了武士桥军营，一径找到老朋友麦克墨笃上尉的房间里去，发现他没出门，觉得很高兴。

麦克墨笃上尉资格很老，曾经参加滑铁卢之战。他在联队里最有人缘，若不是少了几个钱，稳稳是个高级将领。当时他躺在床上，打算静静儿地歇一早晨。隔天晚上，乔治·新伯上尉请客，邀了联队里几个年轻小伙子和好些跳芭蕾舞的女士，在他白朗浦顿广场的寓所里放怀作

---

① 希腊神话中的蛇发女怪。

乐，麦克老头儿也跟着闹了一晚上。他天生的随和脾气，和各种年龄各种阶层的人物都谈得投机，不管是将军、狗夫、舞女，还是拳击家，拉来就是朋友。他隔夜累了，星期日又不值班，所以躺在床上睡觉。

他的房间里挂满了伙伴们的相片，有在运动的，有在打拳的，也有在跳舞的。这些人从军队退休，成了家打算安居一方，临别少不得送张相片做做纪念。他今年快五十岁了，在军队里已经混了二十四年，因此他的收藏既丰富又稀奇，房里倒像博物陈列所。他是全英国数一数二的好枪手，在体胖身重的人里面，算得上第一流的骑师。克劳莱离开军队之前，麦克墨笃和他两人便是劲敌。闲话少说，麦克墨笃先生躺在床上看《贝尔时装画报》里面记载的拳击比赛，也就是上面说起的德德白莱城的小宝贝和怒吼的屠夫两人的一场搏斗。看来这个久经风霜的老军官不是好惹的。他的头不大，灰色的头发给剃光了，头上戴一顶绸子睡帽；红红的脸，红红的鼻子，留着染过颜色的菱角大胡子。

上尉一听罗登需要朋友帮忙，立刻知道帮什么忙。这一类的差，他替朋友们办过好几十回，做事又缜密又能干。已故的总司令，那亲王大人，因为这缘故对于麦克墨笃非常看重。不管谁倒了楣，总先找麦克墨笃。

这位老军人说道："克劳莱，我的孩子，为什么事吵架？总不成又为赌钱跟人闹翻了吧？从前咱们一枪打死马克上尉，可不就为这缘故吗？"

克劳莱绯红了脸，眼睛瞧着地下，答道："这一回——这一回是为我老婆。"

上尉唿哨一声，说道："我早就说过她是没长心的，早晚和你撂开手。"原来克劳莱上校的伙伴们和一般人全在议论他老婆不正经，猜不准他这事如何了局，往往在营里和俱乐部里打起赌来。罗登一听这话，脸上布满杀气，麦克墨笃便忍住没再说下去。

上尉接下去正色说道："好孩子，这件事有没有别的法子解决？说不定是你自己疑神疑鬼，到底——到底有没有凭据呢？捏住了她的情书吗？我看最好掩密些。关于这种事情，还是别张扬出去为妙。"他想起一次次在食堂里听见的飞短流长，大家说起克劳莱太太，就把她糟蹋得一钱不值。他心里暗想道："真奇怪，他到今天才把老婆看穿。"

罗登答道："现在只有一条路。麦克，我跟他非拼个你死我活不可，你懂不懂？他们把我支使开了——关我在监牢里。后来我发现他们两个在一块儿。我骂他不要脸扯谎，骂他是个没肝胆的懦夫。我把他推倒在地上，揍了他一顿。"

麦克墨笃说："干得好！他是谁呀？"

罗登回说是斯丹恩勋爵。

"见鬼！还是个侯爵！他们说他——呃，他们说你——"

罗登大声嚷道："你这是怎么说？难道你听得别人疑心我老婆不规矩，反而瞒着我吗？"

上尉答道："孩子啊，世上的人全爱信口批评。糊涂虫背后嚼的舌头告诉你有什么意思呢？"

罗登这一下泄了气，说道："麦克，你太不够朋友了。"一面把两手捧着脸哭起来，他对面那位身经百战的老粗心软得不忍看他。上尉说道："好小子，忍着点儿。妈的！不管他是什么大人物，咱们一枪打死他。至于女人呢，也不用说了，她们全是一路的货色。"

罗登口齿模糊，哼哼着说道："你不知道我多疼我老婆。我就像她的听差，成天跟着她伺候。凡是我的东西，任凭她处置。我闹得两手空空，还不是因为当初娶了她？老天在上！她看中了什么玩意儿，我当了自己的表给她买回来。而她呢，一直瞒着我藏私房，甚至于求她拿一百镑赎我出监牢都不肯。"

他恨恨地把详细情形告诉麦克墨笃，气得话也说不完全。他的顾问还是第一遭看见他这么愤慨。后来麦克墨笃抓住他偶然漏出来的几句话，说道："说不定她真是清白的。她自己这么说。而且斯丹恩向来三日两头在你家，可不老和你太太两个在一块儿吗？"

罗登闷闷地说道："你说得也许对，可是这东西看上去不对劲儿吧？"说着，他把蓓基皮夹里的一千镑拿给上尉看。"麦克，这是他给的。我老婆瞒着我藏起来了。她手里有这么些钱，却不肯拿些儿出来赎我出监牢。"上尉无话可对，只好承认偷藏私房这件事太不对眼。

罗登一面和朋友商量对付的办法，一面打发麦克墨笃上尉的跟班到克生街去问家里的听差要一包衣服来，因为他身上的衣服实在不成样子。那人动身之后，罗登和他助手费力劳神地写了一封信给斯丹恩勋爵，一面写一面查约翰逊博士的字典，还好这字典有用，帮了他们不少忙。这封信由麦克墨笃去送给斯丹恩勋爵。信上说，麦克墨笃上尉代表罗登·克劳莱上校来拜访斯丹恩勋爵，觉得十分荣幸。隔夜的纷争唯有用决斗的方式来解决，想来勋爵必然同意。决斗前的一切布置，由麦克墨笃代表克劳莱上校全权办理。麦克墨笃上尉恳求斯丹恩勋爵委派一位代表和他（麦克上尉）谈判一下，并且希望决斗能够尽早举行。那语气是恭敬到极点。信尾说起在他手里有一张数目极大的银票，据克劳莱上校的推测，大约是斯丹恩侯爵的，因此他愿意代上校将银票交还原主。

他们把这封信写完，上尉的跟班也从克生街办完差回来了。他傻登登的满脸诧异，包袱行囊什么都没有拿来。

他说：“他们不肯把东西交给我。屋里乱七八糟，简直闹翻了天了。所有的用人全在客厅里喝酒。他们说——他们说您卷了金银器皿逃走了，上校。”半晌，他又道：“有一个用人已经走了。另外有个叫新泼生的喝得烂醉，在那儿大呼小叫，说是工钱不付清，什么东西都不准拿出屋子。”

罗登和麦克墨笃本来谈得心里凄惨，听说梅飞厄的房子里来了这么一个小小的革命，反倒乐了。他们想到这些倒霉的事儿，忍不住笑起来。

罗登咬着指甲说：“亏得孩子不在家。麦克，想来你还记得他在骑马学校上课的那回事吧？他骑的是一匹劣马，成绩真不错。对吗？”

好脾气的上尉答道：“孩子，他骑得真不错。”

当时小罗登和其余四十九个穿长袍的孩子坐在白袍僧学院的教堂里做礼拜。他无心听牧师讲道，一心想着下星期六回家的时候爸爸一定会给他零用钱，说不定还会带他上戏院看戏。

做父亲的念念不忘自己的儿子，接下去说道：“我那孩子真了不起。麦克，如果我有个三长两短——如果我死了，——你能不能去——去看看他？告诉他我很喜欢他——这一类的话。老兄，请你把这一副金扣子给他。除此以外我真是一无所有了。"他把黑不溜秋的手掩着脸，眼泪从手指缝里淌下来，在黑手背上添了许多白道儿。麦克墨笃心里不忍，拉下绸子睡帽抹着眼睛。

接下去他放大声音欢欢喜喜地对跟班说："下去预备早饭！克劳莱，你吃什么呢？炒腰子和鲱鱼好不好？克雷，给上校预备下衣服。罗登，我的孩子，你的身材一向跟我差不多。如今咱们俩都发了胖，骑在马上远不如刚进部队的时候那么轻便了。"说完这话，麦克墨笃让上校进去换衣服，自顾自翻身向着墙壁，继续看《贝尔时装画报》，直到朋友收拾完毕，叫他去梳洗，才把画报搁下来。

他因为准备去见一位勋爵，打扮得特别仔细，在菱角胡子上加了蜡，擦得发亮，然后戴上一条窄窄的领巾，穿上一件整齐的黄皮背心。克劳莱先到食堂，他跟着进去，所有的年轻小伙子都恭维他穿戴得漂亮，问他是否当天就要结婚。

# 第五十五章　还是本来的题目

隔夜的变故把天不怕地不怕的蓓基弄得狼狈不堪。她昏迷恍惚，沉沉睡到克生街上的教堂打起大钟开始做下午礼拜的时候才一觉醒来。她从床上坐起来，拉着铃子叫她的法国女用人。几小时以前，她还在女主人身旁伺候呢。

罗登·克劳莱太太打了半天铃子没有人答应。最后一次，她使猛了劲，把铃带子一拉两截，菲菲纳小姐还是不上来。这一下她真冒火了，披着头发，手里拿着拉下来的铃带子，气呼呼地走到楼梯口，扯起嗓子，一次次提着名字叫她，还是没有用。

原来菲菲纳早已走了好几个钟头了，也就是我们所谓像法国人一样地不别而行了①。这位小姐先把客厅里的首饰捡起来，回身走到楼上自己屋里收拾了箱子，用绳子捆好，跑出去雇一辆街车，亲自把箱子拿到楼下。她没请别的用人帮忙（他们都从心里恨她，大概根本不会肯帮忙），也不跟他们告辞，自顾自离开了克生街。

在菲菲纳眼内，这家子已经完蛋，她也就雇辆街车一走拉倒。法国人碰到这种情形往往一走了之，我知道好些比菲菲纳有地位的人行出事来也像她。她运气比她一般的同国人好，或许也是凑得巧，临走时不但带着自己的东西，还卷了女主人的财产——不过这些算不算她女主人的财产还是问题。上面说过的首饰给她拿去之外不算，她还偷了几件早已看中的衣服。另外还有四架华丽的路易十四式的镀金蜡台，六本金边纪念册，好些小纪念品和讲究的书籍，一只金底珐琅鼻烟壶（还是杜巴莉夫人②的遗物），一只漂亮的墨水壶，一只装吸墨纸的螺钿架子——蓓基那些写在粉红信笺上的、措辞妩媚动人的短信，没有这两件法宝就写不成——这几件家当跟着菲菲纳小姐一起离了克生街。桌子上还有银子的杯盘刀叉，原是为筹备隔夜让罗登冲散的小宴会才摆出来的，也给她拿了去。菲菲纳小姐撂下的器皿没一件不笨重。还有火炉旁的铁叉铁棒呀，壁炉架上的镜子呀，花梨木的小钢琴呀，她也没有要，想来是因为携带不方便的缘故。

后来有一位和她非常相像的女士在巴黎杜·海尔德街上开了一家时装店。她的名誉很好，斯丹恩勋爵时常到她那儿去买东西。这女人谈起英国，总说它是全世界最混帐的国家，并且对她手下的学徒们抱怨，说她从前给英国人骗掉了许多钱。斯丹恩侯爵对于这位特·圣·亚玛朗蒂太太照顾得十分周到，想来就是可怜她身世不幸。但愿她善有善报，从

---

① 英国人称"不别而行"为"法国式的告辞"，法国人也称"不别而行"为"英国式的告辞"。
② 法王路易十五的情妇。

此一帆风顺。在我们国内的名利场上，她不再露脸了。

　　克劳莱太太听得楼下闹营营的分明有人走动，然而用人们可恶得很，全不听她使唤。她心里生气，匆匆忙忙披上一件晨衣，昂着头走到楼下。说话的声音便从客厅里发出来。

　　那厨娘乌烟煤嘴，傍着拉哥尔斯太太坐在漂亮的印花布面子的安乐椅上，正在劝拉哥尔斯太太喝樱桃酒。家里的小打杂把手指戳在奶油碗里捞奶油吃。这孩子老穿一件钉圆锥形扣子的号衣，平时的差使就是替蓓基送送粉红信笺写的条子，每逢她出门时站在马车后面伺候着；他上马车的时候那一跳才有劲儿呢。拉哥尔斯满面愁容，神色惶惑，家里的听差正在跟他说话。客厅的门开着，蓓基在几尺之外大声叫唤了六七次，她的底下人竟没一个睬她。她身上裹着白色细绒的晨衣，裙上一层层的褶子。她走到客厅里，听那厨娘说道："拉哥尔斯太太，喝一点儿吧，喝一点儿吧！"

　　主妇怒气冲冲地说道："新泼生！脱洛德！你们听得我叫人为什么不上来？我在这里，你们怎敢坐着！我的丫头在哪儿？"小听差着了忙，把手指头从嘴里拿出来。那时拉哥尔斯太太已经喝够了樱桃酒，那厨娘自己在金边小酒盅里斟上一杯，一面喝，一面睁起眼睛瞪着蓓基，这可恶的婆娘借酒仗着胆子，对主人越发无礼。

　　厨娘说："这是你的椅子吗？哼！我坐的是拉哥尔斯太太的椅子。拉哥尔斯太太，您别动。我坐的拉哥尔斯先生和拉哥尔斯太太的椅子，是他们老老实实挣了钱买的，这价钱可不轻！拉哥尔斯太太，我心里正在想，如果我坐在这儿等工钱，可不知道得等到几时呢？我偏坐这儿，哈哈！"说完这话，她又斟了一杯喝着，那副尖酸的嘴脸比以前更难看。

　　克劳莱太太扯起嗓子尖声嚷道："脱洛德！新泼生！把这混蛋的酒鬼给我赶出去。"

　　当听差的脱洛德答道："我可不干，要走还是你自己走。给我工钱，我也走。打量我们愿意待在这儿吗！"

蓓基怒不可遏地说道："你们眼内都没有我这主子吗？等到克劳莱上校回来以后，我就——"

所有的用人一听这话，都哑声大笑起来，只有拉哥尔斯愁眉苦脸，并不和着大家一起笑。脱洛德先生说道："他不回来了。他叫人回来拿东西，拉哥尔斯先生倒肯给，可是我不答应。我看他也不是什么上校，就跟我不是上校一样。他已经走了，大概你也打算跟着他一块儿去。你们两个简直就是骗子。你别拿大话来压我，我不买账。给我们工钱。我说呀，给我们工钱！"脱洛德先生脸上发红，声调忽高忽低。一望而知他也喝多了酒。

蓓基又气又怒，说道："拉哥尔斯先生，难道你瞧着那醉鬼顶撞我吗？"小打杂新泼生瞧他太太实在可怜，心里不忍，说道："脱洛德，别说了，别说了。"脱洛德听人说他是醉鬼，大不服气，正要反驳，总算给新泼生劝住了没开口。

拉哥尔斯说道："唉，太太，我真没想到会有今天。从我生出来到现在，我就和克劳莱一家有交情。我在克劳莱小姐家里当了三十年用人头儿。没想到本家的子弟反而害得我倾家荡产。嗳，害得我倾家荡产！"这可怜虫眼泪汪汪地说："您到底给钱不给呢？您住这房子整四年。我的碗盏器皿，上下使用的布料，我所有的东西，全归您受用。牛奶黄油的账已经欠了上两百镑。炒蛋非得新鲜的鸡子儿，小狗还得吃奶油。"

厨娘插嘴道："自己的亲骨肉吃什么她管不管哪？要不是我，孩子不知挨饿挨了多少回了。"

"厨娘，他如今在慈善学校求布施呢！"脱洛德先生说着，醉声醉气笑了两声。拉哥尔斯唉声叹气，数落他的不幸。他说的话一些不错，蓓基夫妻两人害得他倾家荡产。下星期的账单他就不能对付。他的家产连铺子带房子全得拍卖出去，无非因为他太信任克劳莱一家。他的眼泪和诉苦使蓓基更加焦躁。

她气恨道："看来人人跟我作对。你们究竟要怎么样呢？今天是星期日，我不能付钱。明天再来，我一定把账目结清。我以为克劳莱上校早已付过钱了，反正再迟迟不过明天。我把名誉担保，今天早上他离家的时候口袋里还带着一千五百镑钱。他什么都没有留给我，你们要钱得去问他。给我把帽子和披肩拿来，我马上出去找他回来。今天早上我们吵了一架，这件事好像你们都知道。我一言为定，账是一定会付的。他刚得了一个好差使。我现在就出去找他去。"

拉哥尔斯和其余在场的人一听她这番大胆无耻的话，惊讶得面面相觑。利蓓加说完这话，撇下他们自顾自上楼去。她没有法国女人帮忙，只好自己穿戴起来。她先到罗登房里，看见一只箱子和一个行囊已经收拾整齐，旁边还有一张用铅笔写的字条，吩咐有人来取行李的时候把这两件东西交出去。然后她走到阁楼上法国女人的卧房里，只见屋子里干干净净，所有的抽屉倒得一物不剩。她想到扔在地上的首饰，猜准那女人卷了东西逃走了。她想："老天啊！谁还能比我更倒霉呢！刚刚要交大运，偏又落得一场空。不知道现在还有没有挽回的余地。"她想了一想，断定目前还有一个机会。

她打扮得停当，一个人出了门，虽然没人伺候，倒也没人拦阻。那时刚四点钟，她没钱雇车，只得急匆匆地往前走，一直到大岗脱街上毕脱·克劳莱爵士门口停下来。吉恩·克劳莱夫人在家吗？门上回说她上教堂了。蓓基并不引以为憾。毕脱爵士呢？他在书房里，吩咐家人不许去打搅他。她说她非见他不可，立刻在穿号衣的门房身旁溜过，一直闯到毕脱爵士的书房里。从男爵大吃一惊，还来不及放下手里的文件，蓓基已经进来了。

他急得脸上通红，又嫌恶又慌张地往后闪。

她说："毕脱，亲爱的毕脱，别这么着！我是清白无辜的。你从前不是跟我很有交情吗？我对天起誓，我是无辜的。件件事情都对我不利，表面上看起来，竟是我丧失了名节。唉，真不巧，我的打算刚刚有了指望，好日子就在前头，偏来这一下！"

"这么说来，我在报上看见的消息是真的了？"原来毕脱爵士在报上看见一段消息，吃了一大惊。

"可不是真的！星期五晚上，在那个倒霉的跳舞会上，斯丹恩勋爵就把这消息通知我了。这六个月来，上面早就答应让他安插一个人。昨天殖民部的秘书马脱先生通知他说位子已经出来，哪知罗登可可地给地保逮了去，然后就是他回来大闹，闹得不成话说。我错在哪儿啊？还不就是为罗登太尽心尽力吗？在以前，我和斯丹恩爵士两人在一块儿的时候多的是。我也承认有些钱是罗登不知情的。你知道他花钱多么随便，我怎么能把所有的钱都交给他呢？"这样，她编出一套前后连贯的话来，滔滔不绝地讲给大伯子听，弄得他莫名其妙。

蓓基说的话大意是这样的。她痛悔前非，真诚坦白地承认早已看出斯丹恩勋爵对自己很有意思（她一说这话，毕脱脸红了），可是她把握得住自己的贞操，这位权势赫赫的贵人既然对她垂青，她就借此为自己和家里的人从中取利。她说："毕脱，我原想叫他帮你加官进爵。"（她大伯子脸又红了）"我们曾经谈起这件事。你自己有天才，再加上斯丹恩勋爵的力量，简直就有八九成把握。不想这场飞来横祸坏了事。我一向心心念念要把我亲爱的丈夫解脱出来，免得他挨贫受苦，也免得他将来弄得身败名裂。虽然他虐待我，疑心我，我还是爱他的。我看出斯丹恩勋爵喜欢我，"她一面说，一面把眼睛瞧着地下，"我就千方百计得他的欢心。我的行事不失一个良家妇女的身份，可是我的确努力使他——使他器重我。考文脱莱岛上的总督的死讯是星期五早上才到的，勋爵立刻就把我亲爱的丈夫安插上去。我们本来想让他今天自己在报纸上发现这个消息，给他来个意外之喜。就在他给逮捕之后（斯丹恩勋爵慷慨极了，答应替我还债，所以我也就没有立刻去赎我丈夫出来）——就在他被逮捕之后，勋爵还笑呢，他说亲爱的罗登在那可怕的牢房——在地保家里看到委任他做总督的消息，不消说是喜欢的。以后——以后他回到家里，忽然犯了疑，结果勋爵和我那铁石心肠的罗登闹得一团糟。哎哟，天哪，不定以后还会闹别的乱子呢。毕脱，亲爱的毕脱！可怜可怜我吧，给我们做个和事佬吧！"说到这里，她跪在地下哀哀痛哭，一把拉住毕脱的手热烈地吻着。

吉恩夫人从教堂里回来，听得说罗登太太在和她丈夫说话，立刻赶到书房里。她进门的当儿，从男爵和他弟妇恰巧就是一个坐着一个跪着。

吉恩夫人面色苍白，四肢索索地抖个不住，发话道："我想不到这女的还有脸走到我们家里来。像克劳莱太太这样的人，清清白白的人家容不了。"那天早饭一完，吉恩夫人就打发她贴身女用人出去探听消息。那女用人碰见拉哥尔斯和克劳莱家里的用人，他们不但把这件事加油添酱地说给她听，还告诉她许多别的事情。

毕脱爵士看见自己老婆这么厉害，惊得呆了。蓓基仍旧跪着，紧拉着毕脱爵士的手。

她呜呜咽咽地道："亲爱的毕脱，告诉她呀，她不明白里面的详细情形，请你对她说我是清白的。"

毕脱爵士说道："真的，我想你有点儿冤枉克劳莱太太，亲爱的。"利蓓加听见这话，心上一块石头落了地。"说句老实话，我相信她是——"

吉恩夫人清脆的声音直发抖，她提高了嗓门说道："相信她是什么？"她一面说话，一颗心突突地跳个不住。"她这人不是正经货。她做娘没有心肝，对丈夫也不忠实。她不疼自己的儿子，那小宝贝儿总是跑到我这儿诉苦，说妈妈虐待他。无论她到哪一家，总要搅和得那家子鸡犬不宁。她拍马屁，撒谎哄人，破坏家人之间最神圣的感情，还不可恶吗？她对人没有真心，对丈夫也没有真心。她势利熏心，什么坏事都干得出来。她的灵魂是肮脏的。像这样的人，我自己不敢碰，也不愿意让孩子看见。我——"

毕脱爵士霍地站起来说道："吉恩夫人！这种话实在——"

吉恩夫人挺身答道："毕脱爵士，我做妻子的对你一向忠忠心心。结婚的时候咱们当着上帝起过誓，我说到做到，对你温和顺从，克尽妇道。可是正当的顺从是有限度的，我说明白了，我不准那个——那个女人住在我家里。如果她进来，我就带着两个孩子出去。像她这样的人，不配和基督教徒平起平坐。有她就没有我，你自己挑吧！"爵士夫人说到这里，摆起架子昂然出了书房。她行出事来这么辣躁，连自己心里都觉得发慌，利蓓加和毕脱爵士更是大出意外。

蓓基不但不气恼，反而觉得得意。她说："这是因为你把金刚钻别针送给我的缘故。"说着，她伸出手来跟毕脱握手告别。她动身之前，从男爵答应去找他弟弟劝和。不用说，吉恩夫人在楼上梳妆室的窗口等着瞧她出去。

　　罗登到饭堂的时候，有几个年轻军官已经在吃早饭。他们点的是煎鸡腿和苏打水，确是能够滋补强身的好东西。小伙子们拉他坐，他也半推半就一块儿吃起来。这几位谈论的话题和他们的年龄正相当，并且在星期日谈这些事情也最合适。他们说起下一回在白德西举行的鸽子竞赛会，有的说罗斯会得奖，有的说奥丝卜迪斯登会得奖，下了赌注赌输赢。他们又议论法国歌剧院的亚莉亚纳小姐，说是某某人涮了她，亏得有班脱·卡尔填空档。最后又讲到屠夫和小宝贝的拳击比赛，都说这里面恐怕有些不老实的花样。有个叫坦迪门的小伙子，虽然只有十七岁，着实了得，目下正在千方百计留胡子。他看过那次拳击比赛，把两个人的健康情况和交手的经过详详细细描写了一番。当天他亲自赶着马车送屠夫到比赛场去，隔夜还通宵陪着他。他说若不是对方使了不正当的手段，屠夫稳稳地能够得彩。比赛场里的老手都参与这次阴谋，所以坦迪门不肯认输，不愿意出钱，决不愿意出钱！这位小军官如今在克立白酒店里算得上老资格，可是一年之前，他对于牛奶糖还未能忘情，那时他在伊顿公学读书，常常挨打。

　　他们接着谈论舞女娼妓，打拳喝酒。后来麦克墨笃下来了，便也加入他们一块儿高谈阔论。他并不觉得对于青年人说话应该有所顾忌。他说的故事，和在场年纪最小的浮浪子弟所说的一样精彩，既不怕伤了自己有年纪人的体面，也不顾坏了年轻人的心术。麦克老头儿说故事的本领是有名的。他不是在小姐太太面前用功夫的男人，朋友们只带他上情妇的家里吃饭，不请他到母亲家里去赴宴会。他从来不上台盘，朋友们谁都比他高贵些，亏得他本人乐天安命，没半点儿虚骄之气，自顾自老老实实、快快活活地做人。

　　麦克吃了一餐丰盛的早饭。那时别人已经先吃完了。年轻的伐里那斯勋爵叼着个大大的海泡石烟斗；休斯上尉抽雪茄；坦迪门这小鬼是一刻不得安静的，一有机会就赌，正在用尽力气抛小银洋和杜西斯上尉两个打赌，他那条小狗给夹在他两腿中间。麦克和罗登从营里步行到俱乐部。他们跟大伙儿一起有说有笑，对于心里牵挂的事，一字不提。别人说得高兴的当儿，何必打断他们的谈话呢？吃喝、说笑、讲粗话，正和名利场中其他的事情一样，也得继续下去。罗登和他朋友沿着圣·詹姆士街走到俱乐部的时候，一群群的人刚从教堂里散出来。

俱乐部里有一批常客，有好些是过时的花花公子。这班人老爱站在沿马路的大窗子前面闲眺，一忽儿嬉皮笑脸，一忽儿目瞪口呆；那天这些人还没有到，他们的位子全空着。阅报室里只有寥寥的几个人。里面有一个是罗登不认得的，有一个曾经和他玩忽斯脱赢过他一些钱，赌账没有付清，所以罗登躲着不愿意跟他招呼。还有一个靠着桌子看《保皇党员》的星期特辑。这份刊物出名地忠于国王和教会，专登伤风败俗的新闻。这人抬起头来，很有含蓄地对克劳莱瞧了一眼，说道："克劳莱，恭喜你。"

上校道："你这话什么意思？"

斯密士先生答道："这消息在《观察者》和《保皇党员》都发表了。"

罗登满面通红，嚷道："什么！"他以为他和斯丹恩勋爵的一段纠葛已经闹穿，战战兢兢地拿起报纸来看，斯密士先生见他这么激动，有些诧异，抬起头来瞧着他微微地笑。

斯密士先生和白朗先生（就是和罗登赌账未清的那一位）在上校进门以前正在谈论他。

斯密士说："这件差使来得正合适，我看克劳莱穷得一文不名了。"

白朗说："这真是一阵好风，吹来的福气人人有份。他还欠我一匹小马，动身以前总得还我。"

斯密士问道："薪水有多少呢？"

白朗答道：“两三千镑一年。可是气候太坏，他们也受用不了多少时候的。里佛西奇去了一年半就死了。他的前任听说只做了一个半月就送了命。”

斯密士嚷道：“有些人说他哥哥厉害，我可觉得他语言无味。不过他一定有相当的势力，上校的位子准是他谋来的。”

白朗冷笑道：“他谋来的！得了吧。斯丹恩勋爵给安插的。”

“你这话是什么意思呀？”

白朗一面看报，一面打着闷葫芦说道：“贤慧妇人是丈夫的光荣。”

罗登在《保皇党员》上看到下面一段令人惊奇的新闻：

考文脱莱岛新总督即将上任——皇家邮船雅鲁贾克船长江特斯少校最近从考文脱莱岛携回信札文件多种，此间由是得悉赫·依·汤姆士·里佛西奇爵士不幸传染当地流行热病，已在斯汪浦登逝世。繁荣的殖民地上的各界人士，莫不深表哀悼。据悉总督一职将由下级骑士罗登·克劳莱上校接任。克劳莱上校在滑铁卢战役曾有杰出的战绩。统辖殖民地的长官不但应有过人的勇气，并须有特出的行政才能。预料此次由殖民部委任的克劳莱上校对于考文脱莱总督一职定能胜任愉快。

麦克墨笃上尉笑道：“考文脱莱岛在哪儿啊？这差使到底是谁派给你的？好小子，你把我带去做秘书罢！”罗登和他朋友坐着细看这条新闻，猜了半天摸不着头脑。正在这当儿，俱乐部里的茶房走来递了一张名片给克劳莱上校，上面写着威纳姆先生的名字，说是这位先生要见他。

上校和他的助手断定威纳姆是斯丹恩打发来的，便一同出去见客。威纳姆先生满面堆笑，很亲热地拉着克劳莱的手说道：“你好啊，克劳莱？”

“我想你是代表——”

威纳姆先生道："对极了。"

"既然如此，请让我介绍我的朋友麦克墨笃上尉，现在在绿衣禁卫军中服务。"

"啊，麦克墨笃上尉，我有缘跟您见面，觉得十分荣幸。"威纳姆先生说着，照他刚才招呼当事人的态度，笑眯眯的，跟麦克墨笃拉了一拉手。麦克只伸出来一个手指头，手上还戴着黄皮手套没脱掉。他冷冷地向威纳姆先生弯一弯腰；那天他的领带太紧，鞠躬的态度分外显得僵硬。说不定他觉得斯丹恩勋爵至少应该打发一个上校来传话，叫他和一个平民老百姓打交道，他是不乐意的。

克劳莱道："麦克墨笃是我的代表，我的意思问他就知道。我看我还是走出去让你们两个谈一谈。"

麦克墨笃道："当然。"

威纳姆先生道："不必不必，亲爱的上校，我的目的是和您本人谈一下，如果麦克墨笃上尉不嫌弃我，当然欢迎。说真话，上尉，我希望经过这次谈话得到很愉快的结果，跟我的朋友克劳莱上校所预料的完全不同。"

麦克墨笃道："嗨！"他心里暗想："哼！这些老百姓个个喜欢说空话，管闲事。"威纳姆不等人请，自己坐下来，从口袋里掏出一张纸，说道："上校，今天早上报纸上发表的差强人意的消息，想来你已经看见了。在政府一方面，收罗了一个有用的人才；在你一方面，如果你接受委任给你的职务，也得到一个很好的位子。我想你是没什么不愿意的。一年有三千镑的收入，天气又舒服，总督府的房子又整齐，在殖民地上一切由你做主，将来还准能高升。我全心向你道喜。我想你们两位一定知道这是谁的恩典。"

上尉道："我怎么会知道。"上校把个脸涨得通红。

"你的恩人是天下最忠厚、最慷慨的，数一数二的大人物。也就是我的好朋友斯丹恩侯爵。"

罗登放粗了喉咙嚷嚷道："见他的鬼！我才不稀罕他的位子。"

威纳姆先生不动声色地说道："请你把态度放公正一点，也请你用用常识。我竟不明白你究竟为什么缘故跟我那高贵的朋友生气。"

罗登诧异极了，高声说道："为什么缘故？"

上尉把手杖敲着地下，说道："为什么缘故？哼！"

威纳姆满面春风，答道："就是那话儿了。其实呢，假如你是老于世故的，或者是存心忠厚的，一看就知道错处在你。你从外头回到家里，看见——看见什么呢？看见斯丹恩勋爵在克生街和克劳莱太太一块儿吃晚饭。这件事有什么稀奇，有什么不得了？这种情形是向来有的。我是个君子人，说的话一老一实，我把自己的名誉担保，"说到这里，威纳姆先生把手按着背心，活像在议院里演说，"我认为你的猜疑真是荒谬绝伦，全无根据。对你关怀得无微不至的恩人是位有体面的君子人，你的太太更是白璧无瑕，你这一下子实在对不起他们。"

麦克墨笃说道："你的意思，难道是说——克劳莱弄错了吗？"

威纳姆切切实实地答道："我相信克劳莱太太和我自己的老婆一样清白。我相信我的朋友克劳莱全是因为吃醋吃得太厉害，所以不问是非出手伤人，把那位年老力衰、声望极高，而且平时不断照顾他的恩人打了一顿。不但如此，他又冤枉了自己的妻子，丢了自己的面子。这一下少不得会牵累他儿子将来的名声，连他自己的前途也会受影响。"

威纳姆一本正经地接着说道："让我把情形说一说。今天早上斯丹恩勋爵把我找了去。他的情形真太惨了。这话我也不必跟克劳莱上校说，你想，一个衰弱的老头儿跟你这样的大力士交过手以后，有不受伤的吗？克劳莱上校，不是我当面说你，你这样恃强打人，可真太狠心了。我的高贵的好朋友非但身体受伤，他的心，先生，他的心也在流血呀！他所喜欢的，又是平时受他栽培的人，竟会这样不留余地地糟蹋他！今天早上报上发表了政府委任你做总督的消息，这岂不就证明他对你的爱护吗？今天早晨我看见勋爵的时候，他真可怜。他也像你一样，急着要报仇，要用血来洗清他受到的侮辱。我想你知道他的勇敢是大家公认的，克劳莱。”

上校道：“他的确有胆量。谁也没批评他缺少勇气。”

“他第一道命令就是叫我写一封挑战书给克劳莱上校。他说昨天晚上发生的事太气人了，非得跟克劳莱拼个你死我活。”

克劳莱点点头道：“威纳姆，你这就说到本题了。”

“我使尽方法叫斯丹恩侯爵平下气来。我说：‘天啊，我真懊悔，早知如此，我和威纳姆太太一定接受了克劳莱太太的邀请，到她家吃晚饭了。’”

麦克墨笃道：“她请你们夫妇吃晚饭吗？”

“对呀，就在看完歌剧以后。喏，这就是请帖——哎呀——不是——这是另外一张纸，我还以为我带在身边呢。反正这没多大关系，我保证我说的全是真话。如果我们去了的话——只怪威纳姆太太又闹头痛——她一到春天就闹头痛——如果我们去了的话，那么你回家的时候决不会犯疑，也不至于出口伤人，和勋爵吵起架来。你瞧，就因为我那可怜的老婆犯了头痛，你就非要让两位体面的人物冒性命的危险。你们两家是国内最高尚的旧世家，这一闹不但扫尽面子，而且还会引起更大的不幸。”

麦克墨笃先生弄得莫名其妙，傻登登地瞧着他的朋友。罗登眼看掌中之物快要从他手里滑掉，勃然大怒。威纳姆的一席话他一个字都不相信，可是却没法揭穿他，证明他在扯谎。

威纳姆施展出在议院演说的口才，滔滔汨汨地说下去道：“我在斯丹恩勋爵床旁边坐了一个多钟头，再三央求他不要找你决斗。我解释给他听，我说当时的情形确实令人起疑——确实令人起疑。我承认，在你的地位上，是很容易误会的。我说一个人妒火中烧的时候，事实上就是个疯子，不能把他的一举一动当真。我说你们两人如果决斗的话，反而大家丢脸，我说当今时世已经有许多要不得的革命理论，在下等人里面流传，教他们闹什么阶级平等，这趋势是够危险的，因此像他勋爵那么位高望重的人物，不应该把这件不雅的事情闹得众人皆知。就算他是平白无辜的，可是普通一般的人总要怪他呀。总而言之，我求他不要送挑战书。"

罗登咬牙切齿地说道："你说的话我一句也不信。从头儿到尾是你胡扯，而且你也是同谋，威纳姆先生。如果他不送挑战书给我，那就让我送给他也行！"

上校插口说话的时候来势凶猛，吓得威纳姆先生脸如土色，两只眼睛只顾瞧着门口。

亏得麦克墨笃撑他的腰。这位先生站起身来，赌咒罚誓，责备罗登不该出言无状。他说道："你既然把这件事交给我办，就得听我吩咐，不能自作主张。你说这种粗暴无礼的话侮辱威纳姆先生，就是你的不是了。威纳姆先生，他应该向你道歉才对。如果你要给斯丹恩勋爵送挑战书，请你找别的人，我可不去。如果勋爵挨了打愿意不还手，那还不好吗？至于他和——和克劳莱太太的事，我认为根本没有凭据。你的太太是清白的，就像威纳姆说的那样清白。不管怎么着，我劝你闲话少说，赶快把位子接下来，要不然你就是个大傻瓜。"

威纳姆先生一块石头落地，高声说道："麦克墨笃先生，听你说话，就知道你是明白人。克劳莱上校气头上的话，我决不计较。"

罗登冷笑道："我早就知道你自己会收篷。"

上尉和颜悦色地说道："别多嘴，你这糊涂蛋。威纳姆先生是向来不跟人打架的，我认为他的行事很有道理。"

斯丹恩的使者大声说道："我认为大家该把这次的事件忘得干干净

净，不要让一字一句传到这重门外面去。我说这话一方面为我朋友打算，一方面也为克劳莱上校着想，虽然上校硬说我是他的冤家。"

麦克墨笃上尉说道："看来斯丹恩勋爵是不会多嘴的，我们这方面也不必再提。不管你怎么解释，这件事听起来总有点心不雅，所以还是少说为妙。反正挨打的是你们，不是我们，既然你们善罢甘休，那么我看我们也没什么可抱怨的了。"

话说到此地，威纳姆先生拿起帽子准备回去。麦克墨笃送到门口，把气呼呼的罗登关在屋里，自己跟出来。门关上以后，麦克墨笃紧紧地瞧着对方的代表，他那兴致蓬勃的圆脸上的表情可不大恭敬。

他说："威纳姆先生，你倒是不拘小节的。"

威纳姆微笑道："好说，好说，麦克墨笃先生。我把名誉和良心担保，克劳莱太太在看完歌剧以后的确请我们吃晚饭来着。"

"当然！只怪威纳姆太太又闹头痛。我这儿有一千镑，请你给我一张收条，我这就把钱封在信封里，让你转交斯丹恩勋爵。我的人不跟他决斗，可是我们不愿意拿他的钱。"

威纳姆做出一老一实的样子说："这是误会——整个儿是误会，亲爱的先生。"当下麦克墨笃上尉躬着身子在俱乐部门前和他告别。威纳姆下台阶的时候，毕脱爵士恰巧走上来。这两位先生以前也曾经见过几面。上尉一面把从男爵领到他弟弟那儿去，一路上偷偷告诉他说斯丹恩勋爵和上校两人中间的纠葛，他已经给解决了。

毕脱爵士听了这消息当然觉得很高兴。他满腔热忱给弟弟道喜，庆幸这件事情居然和平解决。他发挥一番又得体又含教训的议论，批评决斗的害处，并且说用这种方式来解决争端是非常不妥当的。

这篇话只算开场白，接着他大展口才打算给罗登夫妇俩劝和。他扼要地把蓓基的话重述了一遍，表示他自己认为她的话大致可靠，相信她是清白无辜的。

可是罗登把他的话置之不理。他说："这十年来她一直在偷偷地藏私房。昨天晚上她还赌神罚誓说她没有拿过斯丹恩勋爵的钱。那笔款子给我找到以后，她马上知道什么都闹穿了。毕脱，就算这次她是清白的，她的罪名也不能因此减低。我不愿意见她——永远也不要见她。"说罢，他低下了头，满脸是伤心绝望的表情。

麦克墨笃摇摇头说："可怜的家伙。"

起初罗登·克劳莱不愿接受这么一个混帐东西替他谋来的位置，并且主张叫孩子退学，因为当初小罗登进学校全仗斯丹恩勋爵的力量。他哥哥和麦克墨笃两人再三央求，他才答应不放弃这些权利。这主要还是麦克墨笃的功劳，他对罗登说斯丹恩想起自己白费力气，反叫仇人沾光，一定气个半死。

斯丹恩侯爵在这次事变以后重新露面的时候，殖民部的秘书恭而敬之地来见他，颂扬他选拔得人，庆幸殖民地上得到这么贤明的长官。斯丹恩勋爵听了这些称赞心里有多么感激，大概你也想得出来。

正像威纳姆所说的，勋爵和克劳莱上校的一场冲突已经给忘得干干净净。也就是说，这次事件中的主角和配角绝口不提它。至于在名利场上呢，当晚就有五十来个宴会上大家纷纷谈论这件事。克拉格儿贝这小伙子亲自出马，一晚晌走了七家宴会，把新闻讲给大家听，到一处加一些润色和批评。华盛顿·霍爱德太太心里那份痛快说也说不尽。以林主教夫人觉得这事伤风败俗，愤慨得不得了。主教当天就到岗脱大厦去在宾客签名本上留了名字。莎吴塞唐很难受；他的妹妹吉恩夫人当然也很难受。莎吴塞唐老夫人写了一封信到好望角给她的大女儿。这件新闻轰动全城，伦敦人议论纷纷，至少谈了三整天。渭葛先生受了威纳姆先生的嘱咐，着实奔走了一番，才算没让这消息登上报纸。

说也可怜，克生街上的拉哥尔斯落在地保和掮客手里。从前住在这所公馆里的美人儿却不知去向了。反正她的行踪无人过问，过了一两天，谁还管这些闲账？那么她究竟有没有干下什么丑事呢？我们知道世上的人心胸多么宽大，我们也知道名利场中对于这类的疑案有什么舆论。有人说她追随在斯丹恩勋爵之后，到那波里去了。有人说勋爵风闻蓓基追踪而去，立刻逃到巴勒莫。有人说她住在比厄斯大脱，做了保加利亚皇后的侍从女官。有人说她在波罗涅。又有人说她就住在契尔顿纳姆的一家寄宿舍里。

罗登给她一笔年金，勉强可以过日子，反正她会精打细算，花钱是俭省不过的。如果有保险公司肯给罗登保寿险的话，他离开英国之前准会把积欠还清。无奈考文脱莱岛上的气候太坏，虽然他把将来的薪水作抵押，也没人肯借钱给他。他汇给哥哥的款子每回准时寄到，每班邮船也总有他写给儿子的信。他经常供给麦克墨笃雪茄烟，又送给吉恩夫人许多殖民地上的出品，像贝壳、胡椒、辣菜、石榴酱等等。他定了一份《斯汪浦城公报》给哥哥看，报上把新总督大捧特捧。还有一份报叫《斯汪浦城步哨》，总督府请客的时候漏掉了那编辑的太太，因此报上指责他行事专制暴虐，说是跟他一比之下，尼罗王[①]算得上开明的慈善家。小罗登最喜欢阅读报纸上谈到他大人的文章。

小罗登的母亲并不想法子和孩子见面。他每逢星期日和假期总回到大娘家里。不久之后，女王的克劳莱庄地上所有的鸟窝他全看过了，而且常常骑着马跟赫特尔斯顿爵士的猎狗出去打猎。他第一次到汉泊郡做客的时候就十分赏识这群猎狗，那一回下乡的情景，他始终记得清清楚楚。

---

① 尼罗（Nero，公元 37—68），罗马著名的暴君。

# 第五十六章　乔杰成了阔大少

乔治·奥斯本如今在他祖父勒塞尔广场的公馆里面地位十分稳固。他住的是父亲从前的卧房，屋子里的一切财富，将来都由他承继。这孩子相貌俊美，举止高贵，态度文雅，叫他祖父看着疼爱。奥斯本先生对于孙子就像当年对于儿子那样得意。

孩子比他父亲小时候过得更奢侈，更没有管束。近来奥斯本先生的营业非常发达，在市中心，他的声望和财富都大大地胜过从前。在以前，他只要乔治进个像样的私立学校；看着儿子当了军官就志得意满。可是这老头儿对于小乔治的野心却要大得多。他常说要叫小家伙做个上流人物。他幻想自己的孙子进大学，做议员，说不定还能封从男爵。老头儿觉得要是能够眼看着孙子有希望安享这般的荣华，死也安心了。他一定得找个顶尖儿的大学毕业生来教导他，江湖骗子和冒牌学者他都不要，决计不要！几年以前，他还曾经恶狠狠地痛骂牧师和学究这一类的人，说他们全是骗子、混蛋，只配死啃着希腊文拉丁文挣几个钱活命。他骂这群狗目中无人，居然敢小看做买卖的上等英国人；他们这样的家伙，一时要买五十个下来也容易。可是现在他时常一本正经地慨叹自己以前没受过好教育，又摆起架子像演讲似的再三地对乔杰解释经典教育的优点和必要。

吃饭的时候见了面，祖父总要问问孙子那天读了什么书。孩子报告一天里做的功课，他老是表示十分感兴趣，假装自己也是内行。他到处露马脚，别人一看就知道他无知无识。这样并不能使孩子尊敬他的长辈。那孩子脑子快，在别处受过好教育，过了不久就发现爷爷是个蠢东西，因此看不起他，把他呼来喝去。乔治在老家虽然度日艰难，没机会开眼界，受的调教却是好的，比他祖父想出来的种种花样有益处得多。他是母亲带大的。他母亲是个忠厚无用的好人，除了为儿子得意之外，从来不骄傲自满。她心地干净，态度又谦逊，真正是大人家风范。她忙着服侍别人，悄悄默默地把该做的事情做好；她的谈吐并不惊人，可是心里想的嘴里说的无一不厚道。我们可怜的爱米丽亚诚恳，本色，待人又好，人品又高尚，还不是个有身份的太太吗？

小乔杰见他妈妈这样软弱好说话，便对她逞威作福。后来他跟着祖父过活，觉得那老头儿底子里愚蠢粗俗，又爱摆架子，哪里有他母亲那份儿秀气和纯朴，所以对他也作起威福来。如果他做了东宫太子，受的教育也不能叫他更加目中无人。

他的母亲在家里牵心挂肚地惦记着他。我看她白天是一日想到晚，到晚上，一个人凄凄惶惶的，说不定一想又是大半夜。这位小爷离开了母亲倒并不难过，因为祖父这边有各种消遣解闷的新鲜玩意儿。小孩儿上学以前哭哭啼啼，多半是害怕学校里有好多不乐意的事，很少为舍不得家里的人伤心个不完的。朋友们，弟兄们，如果你们回想到小时候看见一块姜汁面包就擦干了眼泪，拿到一个梅子饼就忘记了跟妈妈姐姐分别的苦痛，你们也就不会自以为清高了。

乔治·奥斯本少爷的日子过得穷奢极欲，凡是他那又有钱又阔绰的爷爷认为他该有的享受，没少了一件。奥斯本先生吩咐马车夫给他挑一匹最漂亮的小马，不必计较费用。于是乔治就开始学骑马了；他先在骑马学校里上课，练习不用马镫骑马和跳篱笆。学会以后，马夫就领着他到新街，到亲王公园，最后又到海德公园去显本领。他全副配备，骑在马上在海德公园兜圈子，马夫马丁在后面跟着。奥斯本老头儿如今在市中心的营业有一部分已经脱手交给手下人去办，自己比较空闲，时常和奥斯本小姐坐着马车到这种时髦地方去兜风。他每回瞧着乔杰浑身阔大少的气派，踩住马镫拍马迎上来的时候，便用手拐儿推推孩子的姑妈，说："你瞧他，奥小姐。"马夫对着车子行礼，车上的听差又向乔治少爷行礼，老头儿笑着对窗外的孙子点头，得意得脸放红光。乔杰另外一个姑妈弗莱特立克·白洛克太太是每天到圆场来兜风的，马具上和车身上都画着他家的纹章，是一头头金色的公牛。车里面坐着三个青白脸皮的小姑娘，戴着蝴蝶结，插着鸟毛，瞪着眼在窗口呆呆地看。白洛克太太看见这一步高升的

小子骑在马上跑过去，头上歪戴着帽子，一只手挂在身边，尊贵得像个大爷，不由得狠狠毒毒地对他瞅了几眼。

乔治少爷虽然还不到十一岁，穿的可是定做的骑马裤，底下有皮带子绕过鞋底扣住，脚上的靴子也十分精致，打扮得活像个成年人。他有镀金的马刺、金头的马鞭，领巾上还别着别针。他的羊皮小手套是刚特衣街上兰姆家铺子里最上等的出品。他的母亲本来也给他备了两条领巾，还为他缝了几件衬衫，特特地滚了边，可是撒姆尔回家看望妈妈的时候，里面都换了讲究的细麻纱衬衫了，上面还钉了宝石小扣子。她预备的一份东西太寒蠢，给撂在一边，大概奥斯本小姐已经把它们赏了马夫的儿子。爱米丽亚看见儿子换了穿戴，竭力叫自己觉得快活。反正孩子这样漂亮，她瞧着倒是真心地得意高兴。

她曾经花了一先令替他画过一个侧影，把它傍着另外一张画像挂在床头的墙上。有一天，孩子按时来探望妈妈。他骑了马在白朗浦顿的小街上跑，引得那些住在街上的人都像平常一样，凑到窗口来看他，羡慕他穿的使的都那么讲究。他满面得色，急急地把手伸到大衣口袋里（这件大衣是白颜色的，非常漂亮，上身还有小披肩和丝绒领子）——他把手伸到大衣口袋里，掏出一只红皮小盒子递给母亲。

他说："妈妈，这是我自己出钱买来的，我想你一定喜欢这东西。"

爱米丽亚开了盒子，高兴得叫起来，抱着孩子，不知怎么疼他才好，一遍又一遍地吻着他。盒子里是他自己的肖像，画得很好看，可是寡妇当然觉得它还赶不上本人一半那么俊。他的祖父偶然在沙乌撒泼顿一家橱窗里看见陈列着的肖像，觉得很合意，就要那画家给乔杰画一张像。乔杰有的是钱，想着还要一张小的，就去问画师要多少钱，说是他想自己出钱画一张送给母亲。画师听了很得意，只开了一个很小的价钱。奥斯本老头儿听见这事，大声夸赞他，赏给他许多钱，比孩子买画花掉的多了一倍。

爱米丽亚这一下可真乐坏了；一比下来，老头儿那点儿高兴真不算什么。这件事证明儿子心上有她，使她从心里喜欢出来，觉得全世界的孩子谁也没有他心地忠厚。这以后好几个星期，她一想起他的孝心就快乐。枕头底下压着他的肖像，她睡也睡得香甜些。她一遍遍地吻它，对着它淌眼泪，瞧着它祷告。这低心小胆的可怜东西！心爱的人给她一点儿好处，她就感激不尽。自从和乔治分手以来，她还没有尝到这样的快活和安慰。

乔治少爷在他爷爷家里真威风。吃饭的时候，他神气活现地请太太小姐们喝酒。他的老爷爷看着他喝香槟酒的样子十分得意。他高兴得脸上红里带紫，把手拐儿推推邻座的人说道："瞧他那样儿！这样的小家伙真是少有的。天哪！天哪！过不了多久他就要梳妆盒子和刮胡子的剃刀了，瞧着吧！"

可惜乔治的这些把戏，只有奥斯本先生欣赏，他的朋友们却不大喜欢。考芬法官的话讲到一半，给乔治打断，以致于说的故事一点也不精彩了，心上很不高兴。福该上校瞧着小孩子喝得半醉，也并不觉得有趣。他的手拐儿撞翻了酒杯，把一杯葡萄酒都洒在托非中士太太的黄软缎袍子上面，事后还在旁边打哈哈，托非太太也不会因此感激他。她的第三个儿子比乔杰大一岁，在以林学校铁格勒斯博士那里念书，偶然回家，一到勒塞尔广场就挨了乔治一顿好打。这件事虽然叫奥斯本老头儿高兴非凡，却不能使托非太太对孩子有什么好感。为这件事乔治的祖父特地赏给他两基尼，并且说如果他能够照样痛打年龄比他大身量比他高的孩子，还有重赏。老头儿究竟认为打架有什么好处，我们很难说。他恍惚觉得男孩子多打打架，以后做人就经得起风霜，学得蛮横霸道，也是一件有用的本领。不知多少年来，英国孩子就受到这样的教育。孩子们中间流行种种坏习气，像欺侮弱小，待人残暴，不讲公道；然而为这些恶习气辩护的，甚至于称扬它们的，何止千万？乔治打败了托非少爷，又受到爷爷赞赏，十分得意，当然还想多制服几个人。有一天，他穿了一套花哨透顶的新衣服，神气活现地在圣·潘克拉斯附近散步，一个面包店里的学徒说了几句尖酸的话讥笑他的打扮，尊贵的小爷登时发起脾气来，拉下上身的漂亮外套递给他的朋友（这位朋友就是拖德少爷，住在勒塞尔广场的大可兰街，是奥斯本股份公司里一个小股东的儿子）——他拉下外套递给他的朋友，准备把面包店学徒痛打一顿。无奈这一回情势不利，乔杰反叫那学徒打了。他回家的当儿，真可怜，一只眼睛给打青了，漂亮的衬衫皱边上洒满了斑斑点点的血迹，全是他自己的小鼻子里流出来的。他告诉祖父说他刚和一个大力士交过手。后来在白朗浦顿，他也说起这次打架的情形，讲了一大篇很不可靠的话，把他可怜的母亲吓得心惊胆战。

住在勒塞尔广场可兰街的小拖德是乔治少爷的好朋友，非常崇拜他。他们两人都喜欢画戏台上常见的角色，都爱吃太妃糖和覆盆子甜饼。冬天没有风雪的日子，他们一块儿在亲王公园和海德公园的曲池上溜冰。奥斯本因为他们爱看戏，特地命令乔治少爷的贴身用人罗生带他们去，三个人一起坐在后厅，舒服得了不得。

这位先生陪着两个孩子，把伦敦城里的大戏院都走遍了。从特鲁瑞戏院到撒特拉威尔斯戏院，戏子的名字他们统统知道。不但如此，他们自己也常常演戏给拖德家里的人和他们的小朋友看。他们有硬纸板搭成的戏台，还有惠斯脱有名的演员们帮忙。他们的听差罗生做人很大方，只要手里有钱，往往在看完戏以后请两位少爷吃牡蛎，还请他们喝甜酒——仿佛是人家临睡之前喝一杯的样子。当然，乔治小少爷感激罗生带头儿寻欢作乐，他自己使钱又散漫，罗生得的好处也不会少的。

奥斯本先生自己做衣服只请个市中心的裁缝，可是打扮孙子的时候，就嫌市中心的和霍尔朋的裁缝没有本事，特地从伦敦西城叫了一个有名的高手裁缝来，并且告诉他做衣服的时候不必省钱。刚特衣街的吴尔西先生奉了奥斯本先生的命令，挖空心思，给孩子做了许多式样花哨的裤子、背心、上衣。就算整个学校里全是花花公子，这些衣服也够他们穿的了。乔杰有专为晚上宴会穿的白背心、普通宴会穿的丝绒背心，还有披肩式的梳妆衣，做得十分精致，这些东西简直不像小孩儿的打扮。他天天吃晚饭之前一定要换衣服，他祖父说他"活脱儿是个西城的大爷"。家里专门拨了一个用人伺候他，服侍他穿衣服，每逢他打铃的时候跑上去答应，他有信来的当儿用银盘子托给他。

吃过早饭，乔杰就像成年人似的坐在饭厅的圈椅里面看《晨报》。用人们瞧他那么少年老成，都觉得有趣，说道："你听听，他已经会赌神罚誓地骂人啦！"他们里头有记得他父亲乔治上尉的，说他"跟他爹像得脱了个影儿似的"。他有的时候蛮横霸道，有的时候马马虎虎，常常开口骂人，一刻都不安静，有了他，屋里就热闹了。

附近有一个学究，开了个私馆教教孩子。他登广告说："本校为有志攻读大学、参加议院或是研究神学、法学、医学的贵族子弟做好准备工作。本校和一般旧式教育机构大不相同，避免戕害儿童身心的体罚制度。校内环境幽雅高尚，生活舒适，充满了家庭的温暖。"

白鲁姆斯贝莱区赫德路的劳伦斯·维尔牧师（他又是贝亚爱格思伯

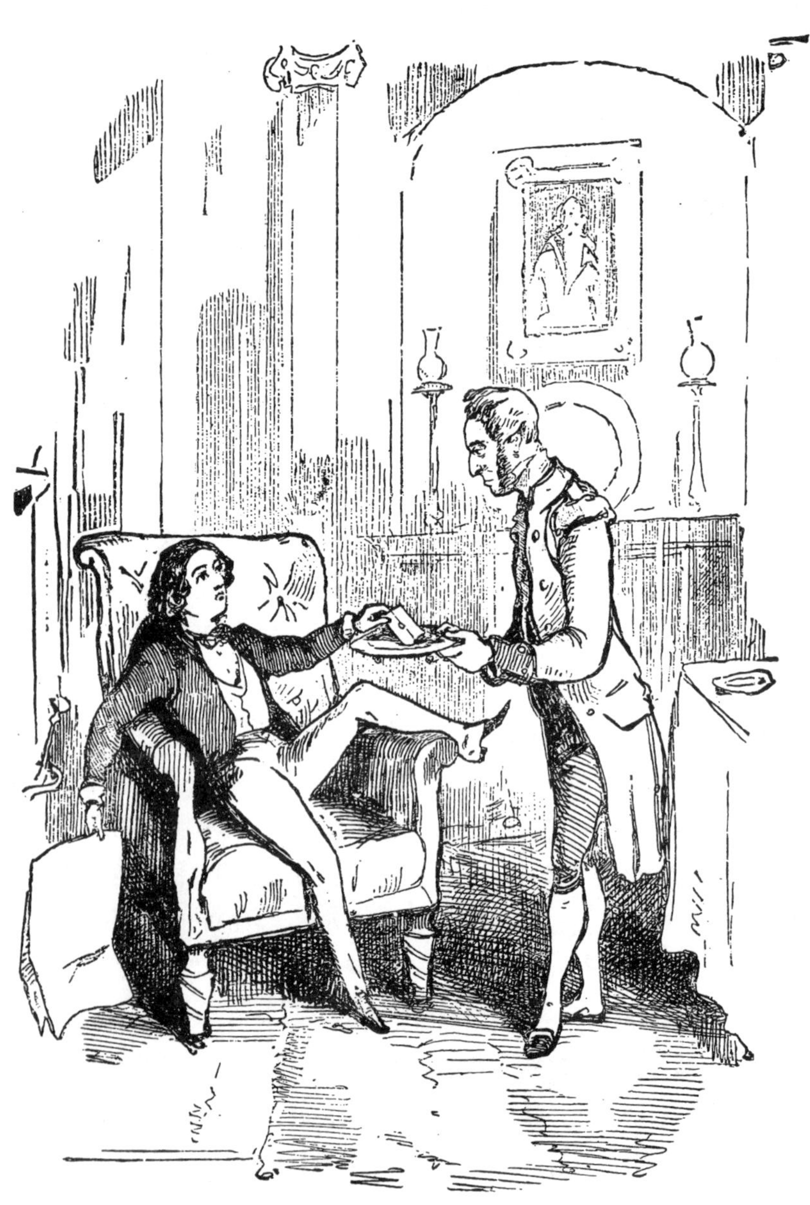

爵的私人牧师）就用这种方法来招徕学生。

私人牧师和他太太两人孜孜不倦地登广告和钻营，所以家里总有一两个寄宿生。这些学生出的学费很不少，大家公认环境是再舒服也没有了。寄宿生里头有一个是西印度群岛来的，向来没有家属来看望他。他长得又肥又大，黄黑面皮，头发乱蓬蓬的活像羊毛，一股子阔少爷的气派。还有一个粗粗笨笨的大孩子，已经二十三岁了；他以前没有受过好好的教育，维尔夫妇答应将来想法子把他介绍到上流社会里去。还有两个是东印度公司斑格尔上校的儿子。乔杰进学校的时候，他们四个已经寄宿在维尔太太高雅的家庭里了。

乔杰和其他十几个孩子一样，是走读生。早上，罗生先生陪着他上学。如果天气好，到下午就骑着马回家，后面有马夫跟着。学校里传说他的祖父阔得不得了。维尔牧师时常亲自对乔治恭维他爷爷有钱。他时常教诲乔治，说他是注定要做大人物的，应该从小准备起来，小时谨勤受教，长大后才能办大事。他说将来指挥下属的人现在必须先遵守规则，因此他请求乔治不要带太妃糖到学校里来，免得把那两个斑格尔少爷吃得害病，反正维尔太太预备的饭菜既精致又丰盛，他们两人并不少吃的。

他们读的书，或者像维尔先生说的"所包括的各项学科"，范围真广。凡是有名儿的科学，在赫德路读书的学生都可以学到一些。维尔牧师有一架太阳系仪、一架小型发电机、一个辘轳、一个剧场（就在洗衣房）、一套化学仪器，还有一个图书馆——据他说里面包括各国古今第一流作家的作品。他带着学生们到大英博物馆参观陈列着的古物和自然科学的标本，　面替他们讲解，引得旁人都围上来听。所有白鲁姆斯贝莱区的人都知道他的学问十分渊博，非常佩服他。只要他开口说话（他差不多老在开口说话），用的总是最深奥最文雅的字眼，因为他很有见识，知道那些响亮、动听、搁在嘴里有斤两的字眼是不费钱的，跟最平凡最没有气魄的字眼一样便宜。

他在学校里就用这种口气对乔治说话："昨天晚上，我和敝友包尔德思博士畅论科学——敝友包尔德思博士是一位名符其实的考古学家，先生们，他是一位名符其实的考古学家。从博士家里出来，我路过勒塞尔广场，发现令祖大人的富丽堂皇的府邸中灯烛辉煌，似乎正在进行宴乐。据我推测，奥斯本先生昨晚大宴贵宾，想来我没有猜错吧？"

小乔杰很幽默，常常当着维尔先生的面模仿他。他胆子又大，学得又像，回答说："您的猜测甚为准确。"

"既然如此，先生们，有光荣参加奥斯本先生宴会的宾客决计不会对于菜肴有所不满，这是我敢打赌的。我本人也承蒙奥斯本先生屡次相请——（真的，我想起来了，奥斯本，今天早上你没有准时到校，而且这种过失，你犯过不止一次了。）我刚才说起承蒙奥斯本先生不弃，尊我为座上客。虽然我以前也曾和国内的大人物和贵族在一起吃喝，——我的好朋友，又是我的恩人，乔治·贝亚爱格思伯爵，就是其中之一——可是我肯定地说，讲到酒菜的丰盛，接待的周到，气派的豪华，英国中等阶级的排场竟和贵族们一样。白勒克先生，请你把幼脱劳比斯书里的那一段继续念下去，刚才是因为奥斯本来迟了，所以打断的。"

有一段时候，乔治就在这位了不起的先生手下受教育。爱米丽亚听不大懂他说的话，以为他是个少有的大学问家。可怜的寡妇和维尔太太交朋友，自有她的打算。她喜欢到学校里去，因为可以看着乔治从家里来上学。维尔太太每个月开一次谈话会，粉红的请帖上用希腊文印着"雅典学院"。开会的时候，教授先生和学生跟家长联络感情，请他们喝几杯淡而无味的茶，对他们谈好些高深渊博的话。可怜的爱米丽亚最喜欢参加这种谈话会，一次都不肯错过。她只要能叫乔治坐在身边，就觉得这些会有趣极了。不管天气怎么坏，她总会从白朗浦顿一直走来。会后，客人散了，乔杰也由他的用人罗生陪着回家了，可怜的奥斯本太太穿上大衣，围上披肩，然后走回家去。动身以前她从来不忘记跟维尔太太拥抱着告别，感激涕零地向她道谢，因为她请她过了那么一个愉快的黄昏。

乔杰在这位有学问的万能博士手下究竟有什么进益呢？照他每星期拿给祖父的成绩单了来看，他的进步真是惊人。成绩单上印着二十几种有益的功课，由老师填上等级。乔杰的希腊文是优等，拉丁文是优等，法文是优等，别的功课成绩也相仿。到学期终了，每个学生每样功课都得奖。甚至于像那个叫施瓦滋的蓬头小后生（他是墨默尔太太同父异母的兄弟）、从乡下出来的二十三岁的失学青年白勒克，还有刚才说起的那个不长进的拖德少爷，也都有奖品。奖品是值十八便士一本的书籍，上面印着校名雅典学院，还有教授先生的拉丁文题赠，口气非常夸张。

拖德少爷一家人全是靠奥斯本吃饭的。拖德本来是个小职员，由老头儿一步步提拔上去，做到商行里的小股东。

奥斯本先生是拖德少爷的教父。拖德少爷长大之后在名片上印的名字是奥斯本·拖德先生，而且成了个非常时髦的公子哥儿。玛丽亚·拖德受洗的时候就请奥斯本小姐做教母。奥斯本小姐每年送给女孩儿一本圣书，许多传教册子，一本低教会派的诗歌，或是其他相仿的礼物，足见她待人厚道。奥小姐有时带着拖德家里的人坐马车兜风。他们生了病，她那听差，穿着一身大大的毛绒灯笼裤子和背心，就会从勒塞尔广场送糖酱和各种好吃的东西到可兰街去。对于勒塞尔广场，可兰街战战兢兢，十分敬重。拖德太太的手巧，会铰衬在羊腿旁边做装饰的纸花边，又会把红萝卜白萝卜刻成花儿鸭子等等东西，做得很不错。每逢奥斯本家大请客，她就上"厂场"帮忙（她家的人都那么称呼奥斯本家），压根儿不敢希望坐到席面上去。要是有什么客人临时不能来，拖德就给请来凑数。拖德太太和玛丽亚到晚上过来，轻轻地敲门溜进去，到奥斯本小姐带着女客到客厅休息的时候，她们已经等在那里。先生们上楼以前，她们娘儿就给太太小姐们弹个曲子唱个歌儿解闷。可怜的玛丽亚·拖德，可怜的女孩子！她在可兰街不知费了多少力气练习这些双人合奏和奏鸣曲，才敢到广场来当众表演。

这样看来，乔杰竟是命中注定，和他接触的人都得服他使唤。亲戚、朋友、用人，没一个不受他驱遣。说句实话，他本人很喜欢这种环境，大多数人的心理也像他一样。乔杰爱做大爷，看来他天生会做大爷。

在勒塞尔广场，人人都怕奥斯本先生，而奥斯本先生就怕乔杰。这孩子风度翩翩，开口就能谈书本子，谈学问，和父亲长得又像（他父亲至今葬在布鲁塞尔，到死不曾和老的讲和），这种种使老爷爷十分敬畏。这样一来，孩子当然更长了威风。小乔治的相貌，无意中说话的声音，往往使那老头儿呆呵呵地以为在他面前的不是孙子而是儿子。他从前对大乔治过分严厉，如今要补过赎罪，就一味地姑息孙子。别人瞧着他对乔治那么和软，都觉得诧异。他跟奥斯本小姐说话的当儿，仍旧是粗声大气咒一声骂一声的，如果乔治吃早饭迟到，他只笑笑就完了。

乔治的姑妈奥斯本小姐是个形容枯槁的老小姐。她四十多年来日子过得全无生趣，而且一向受父亲作践，折磨得一点刚性也没有了。一个脾气倔强的男孩子要制服她并不是难事。乔治不管要她什么东西，像壁橱里一罐罐的糖酱呀，画盒儿里面干裂的颜色呀（这盒颜色还是她跟着思米先生学画的时候使的，当年她还不算老，她的红颜还没有消退呢）——乔治不管要她什么，不问情由伸手就拿。东西到手之后他就把姑妈扔在一边不睬她。

他也有几个朋友和知己，譬如那一味说空话和拍马屁的老师就是一个，另外还有个比他大的同学拖德，也是成天趋奉他、甘心挨他揍的家伙。亲爱的拖德太太最喜欢叫她八岁的小女儿罗莎·贾米玛跟乔治在一块儿玩。她常说："这一对小人儿在一块儿真合适！"当然这话是不能当着"广场"那儿的人说的。痴心的妈妈心里暗想道："将来的事谁说得定？他们俩不是正好一对儿吗?"

可怜巴巴的外公也得受这位小霸王的驱遣。乔治的衣服那么漂亮，骑马的时候还有马夫跟在后面伺候，不由得老头儿不尊敬他。乔治却瞧不起他外公。约翰·赛特笠的老冤家奥斯本先生心肠最硬，背后不时对他讥笑谩骂，用的字眼又粗俗又下流，提起他的时候，总叫他老叫化子、卖煤老头儿、穷光蛋等等，那口气十分恶毒不堪。小乔治时常听见这些话，怎么怪得他瞧不起那倒霉鬼儿呢？他住到爷爷家里几个月之后，赛特笠太太死了。她活着的时候对外孙没有多大感情，外孙也不高兴表示伤心。他穿了一身簇新的丧服到母亲那里去送外婆的丧。那天他本来要去看一出盼望了好久的戏，为着要送丧，只得罢了，心里老大不高兴。

老太太的病给爱米丽亚添了忙，说不定也保全了她。女人受的苦，男人是不了解的。好多女人天天得忍气吞声地受折磨，如果我们担当了其中的百分之一，只怕已经要发疯了。她们不断地做苦工，却得不到一点儿酬报；她们忠厚待人，只落得老是遭人作践；她们掏出心来服侍别人，不辞劳苦，也不怕麻烦，结果连一句好话也换不着。多少女人口无怨言地忍受这种煎熬，在外面还得笑眯眯地装没事人儿。她们死心塌地做奴隶，硬不起心肠来反抗，还不得不顾面子。

爱米丽亚的母亲先是成天坐在椅子里，后来就上了床下不来了。奥斯本太太老是守在病床旁边伺候，难得溜出去看看乔治。虽然她并没有多少机会去探望儿子，老太太心上还不高兴。日子过得宽裕的时候，她原是个好心肠、好脾气、笑脸迎人的母亲，不幸后来贫病交逼，才变出这个偬丧的性子来。不管她怎么生病，怎么和女儿疏远，爱米丽亚始终孝顺她。母亲的病反倒帮她渡过了另外的一个难关，因为她给病人不停地使唤着，根本没有工夫想到自己悲惨的身世。爱米丽亚让她母亲发脾气，不去违拗她，只想法子减少她病中的痛苦。病人什么事都留心，丧声歪气地问这样问那样，她总是和和顺顺地回答。她自己信教虔诚，为人也本色，凡是她能够想到感觉到的，她就用来安慰受苦的病人，让她心上有个希望。她母亲（从前对她那么慈爱的母亲）临死的时候只有她在旁边送终。

母亲死后，她把所有的时间精力都花在伤心的老父亲身上，不时安慰他，伺候得他舒服。老头儿受了这个打击，心痛得神志糊涂。如今他是真的无依无靠；妻子、名誉、财产，一切他最心爱的东西都完了。这个龙钟的老头儿伤心绝望，身边只剩一个温柔的爱米丽亚，以后就得靠着她。这家子的事情实在沉闷无味，我不打算多写。我看见名利场上的人已经在预先打呵欠了。

有一天，贝亚爱格思伯爵的家庭牧师维尔先生正在书房里和学生上课，像平常一样滔滔汩汩地说个不完，校门口忽然来了一辆漂亮的马车，停在门前雅典女神的雕像旁边，接着就有两位先生从车子里走出来。那两个斑格尔少爷急忙冲到窗口，心里恍惚觉得或许爸爸从孟买回来了。那二十三岁的傻大个儿本来在对着书本子偷偷地哭，这时把脸贴在玻璃上往外看马车，把鼻子挤扁了也不管。他看见一个听差从车上跳下来，开了车门让车里的人出来，便道："一个胖子，一个瘦子。"他说到这里，只听得外面大声打门。

屋里从维尔牧师到小乔杰，个个人都对于这件事发生兴趣。牧师希望有人送儿子来上学，乔杰希望借此少上一会儿课。

学校里有个小听差，常年穿着破旧的号衣，上面的铜扣子都褪了色，每回出去开门，总披上一件又窄又小的外套。他走到书房里说道："有两位先生要见奥斯本少爷。"那天早晨，因为教授先生不准乔杰在上课的时候吃梳打饼干，两边争吵过几句。维尔先生听了这话，脸上恢复了原状，和颜悦色地说道："奥斯本，我准你去跟那两位坐马车来的朋友见面。请你代我和维尔太太向他们问好。"

乔杰走到会客室，看见两个陌生人。他抬起头，摆出他那目中无人的样子瞧着他们。两个客人里头有一个是留胡子的胖子。另外一个是瘦高个儿，穿一件蓝色外套，外面一排长方扣子。他脸上晒得黑黑的，头发已经灰白了。

瘦高个儿愣了一愣，说道："天啊，多像他！我们是谁你猜得着吗，乔治？"

孩子把脸绯红了——他一兴奋就脸红——他的眼睛也亮起来，说道："那一位我不认识，可是我想您准是都宾少佐。"

不错，他就是我们的老朋友。他和孩子招呼的时候，喜欢得声音发抖。他牵着孩子两只手把他拉近身来。

他说："你母亲大概曾经跟你谈起我来着，对不对？"

乔治答道："她谈起您好多好多回。"

# 第五十七章　近东的风光

奥斯本老头儿有不少理由可以自鸣得意。其中一条就是他以前的对头、冤家、又是恩人约翰·赛特笠到老来穷愁潦倒，竟要靠着他才能过活。当年害得赛特笠最苦，侮辱得他最厉害的就是奥斯本。他自己是世路上的得意人，时常咒骂那老叫化子，可是也不时周济他。每逢他把爱米丽亚的家用叫乔治带去的时候，就风言风语地让孩子明白他外公是个该死的穷光蛋，得靠人养活；又表示约翰·赛特笠从前欠了他那么多钱，如今又亏得他慷慨帮忙，应该知道感激；那口气真是又粗野又鄙俗。这份了不起的家用由乔治拿给母亲和外公。现在爱米丽亚主要的职务就是伺候和安慰那精神萎靡的老鳏夫。孩子瞧着他萎萎萃萃不得意的样子，不免对他摆出一副恩人架子来。

　　爱米丽亚竟肯从父亲的仇人手里拿钱，可见她没有骨气。无奈这可怜的女人是向来没有什么骨气的。她心地单纯，需要别人保护。自从她不幸嫁给乔治·奥斯本以后，简直可说自从她成人以来，过的就是穷苦的日子；她老是受气，老是短一样缺一件，听人闲言闲语责备她，做了好事没好报。我且问你，当你看见品性比你优美的人经常受到这样的委屈，虚心下气地向恶运低头——当你看见温柔而得不到同情的穷人，因为没有钱而遭人家的白眼，你肯不肯放下得意人的架子去伺候这些困顿苦恼的化子呢？ 没准你想起这些低三下四的人来就觉得讨厌。大依芙斯①一面呷着嘴喝红酒，一面说："阶级是非有不可的，贫富是应该有分别的。"如果他肯把碎肉屑儿扔给窗外坐着的拉撒路②吃，已经难为他了。他这话固然不错，可是你想，做人一辈子就好比打彩票，有的人得到的是紫红的细麻纱衣服③，有的人得到的却是破布条儿，而且只能把狗当作朋友，这件事岂不是非常玄妙、非常神秘的呢？

　　我不得不承认，爱米丽亚把她公公有时丢给她的面包屑捡起来喂她自己的父亲，心里不但不怨恨，反倒有些感激。这个年轻女人（太太小姐们，她才三十岁，我仍旧得称她年轻女人）——这个年轻女人，只要认清了责任，从来不怕牺牲自己，心服情愿地把一切都献给心坎儿上的人。小乔杰离家之前，她在漫漫的长夜里为他做针线，做得十指疲劳，真是费力不讨好的工作。为了父母，她吃尽辛苦，受了多少气恼，经历过各种困难。她逆来顺受，自我牺牲，可是她的苦处是没人见没人理的；不但世上的人瞧不起她，连她也瞧不起自己。我想她在心底里准以为自己是个没有刚性的脓包，应该给人小看，眼前有这种日子已经太便

---

① 见上册第 182 页注①。
②《圣经》里的癞皮叫化子。
③ 紫红色衣服是帝王或是大主教才能穿的。

宜了。唉，可怜的女人啊！在暗底下受压迫被牺牲的可怜东西啊！你们一辈子连绵不断地受罪，在卧房里就像在上拷问架子，到客厅里又像是上了断头台。无论什么男人，一旦明白你们怎么委屈烦恼，怎么暗地里受虐待，准会怜悯你们，并且感谢上天，总算他自己是个男子汉。我记得好几年以前，在巴黎附近皮赛脱地方监禁疯人和白痴的牢房里看见过一个可怜虫，他一来有病，二来在牢里坐久了，一股子萎萎萃萃的神气。我们一群人里头有一个送给他一纸卷鼻烟，大概值半便士，那个生羊癫风的病人感动得不知怎么才好。他快乐感激到极点，只好哭起来了。倘或有人给我们一年一千镑的进款，或是救了我们的命，我们也不能感动到那步田地。同样地，如果你把一个女人虐待得够了，只要给她一星儿的好处就能使她高兴得掉眼泪，竟把你当个慈悲的天使。

可怜的爱米丽亚！命运赏给她的不过是这类的小恩典。她早年的运气不错，后来竟沦落到好像进了个腌臜的监牢，永远给人做奴隶，遭人作践。有的时候小乔治来探探监，给她带来一线希望，勉强有些安慰。勒塞尔广场是她的监牢的尽头；她偶然也到那儿去走走，可是到晚上总回到自己的号子里来睡觉。她的职务全无情趣，服侍了病人听不见一句好话；年老的父母后半辈子不得意，动不动开口抱怨，对她蛮不讲理，磨得她左右为难。这样无休无歇受折磨的可怜东西在这世界上正不知有几千几万，而且大多数是女人。她们是不拿工钱的看护妇，像仁爱会的修女[①]一样舍己为人，却没有修女们献身教会时的热诚和理想。她们努力工作，废寝忘餐地伺候别人，甘心过苦日子，却连同情也得不到，到后来默默无闻地死掉，根本不算一回事。

上天的安排是奇妙莫测的、令人敬畏的，他分配世人的祸福，往往叫聪明仁厚的好人受糟蹋，让自私的、愚蠢的、混帐的人享福。得意的

---

① 仁爱会的修女专服侍病人。

弟兄们啊，虚心点儿吧！请你们对于潦倒的苦人厚道些，他们就算没比你好，可也不过是走了背运。想想吧，你的道德好，不过是因为没有受过多大的引诱；你的处境顺，不过是机会凑手；你的地位高，不过是恰巧有祖宗庇荫。你的成功，其实很像是命运开的玩笑，你有什么权利看不起人家呢？

爱米丽亚的母亲葬在白朗浦顿教堂的坟地上。下葬的一天天阴雨湿，爱米丽亚想起她和乔治结婚的时候就是这样，那会儿还是第一回上那教堂。她的儿子穿了一身讲究的黑衣服坐在她身旁。她还记得教堂里管座位的老婆子和书记。牧师念经的时候，她不知想到哪里去了。若不是她手里拉着乔治，真恨不得跟死了的人换个过儿。想到这里，她又像平常一样责备自己太自私，心里暗暗地祷告上天给她勇气，帮她尽责任。

她决定使出全副力量叫她的老父亲过得快活。她不辞劳苦地伺候赛特笠老头儿，替他缝，替他补，为他唱歌，陪他下棋，读报给他听，做菜给他吃，不厌其烦地带他上开恩新恩花园和白朗浦顿小街去散步。每逢他絮絮叨叨地说起从前的老话，她总是笑眯眯地假装爱听，好哄他喜欢。老头儿身子虚弱，一开口就爱抱怨；他常常坐在公园里的长凳上晒太阳，口里嘈嘈地诉说他的委屈和苦处，爱米丽亚便守在他身边想自己的心思，回忆从前的旧事。可怜这寡妇心里凄凄惶惶，多少的不如意。公园里好些孩子在山坡上和宽敞的路上跑来跑去，使她想起乔治来。人家把乔治抢去了。第一个乔治可不也是这么着离开她了吗？都是因为她的爱情自私、不正当，所以才有这样的报应，两次都受到严厉的惩罚。她责备自己罪孽深重，努力叫自己承认这种处分非常公道。在这个世界上，她差不多没有亲人了。

她的生活相当于单独监禁，我知道这种监牢里的故事，说来叫听的人心里闷得慌。除非另外有些风趣诙谐的穿插才能调和书里的气氛，譬如加添个把软心肠的牢头禁子，或是形容城堡里的指挥官怎么爱说笑话，或是描写老鼠怎么在拉丢特①的胡子里溜出溜进，脱兰克②怎么用十指和牙签在城堡下面挖隧道。无奈写书的没有这样的趣事可以穿插在爱米丽亚被监禁的故事里面。总之请你记住，在那一段时期里面，她心里只管悲苦，可是别人跟她说话的时候她总是笑脸相迎。她过的是贫穷苦恼的日子，不消说是寒伧极了；她为老父亲唱歌，做布丁，玩纸牌，补袜子。这样看来，不管她算不算本书的主角，也别管你我两人衰老、穷苦、唠叨到什么程度，但愿我们临死之前也有这么个善心人儿把软软的肩膀给我们靠着，怪体贴地伺候我们，让我们这些浑身骨头痛的老头儿老婆子少受些苦楚。

赛特笠老头儿自从妻子去世以后，对于女儿十分依恋。爱米丽亚觉得服侍父亲已经尽了心，自己也得到一些安慰。

不过我并不打算把这两个人永远安顿在这样寒伧低微的环境里。他们都还能安享一些荣华富贵，好日子还在后面呢。聪明的读者也许已经猜到那位跟都宾少佐一起上乔治学校里去探望他的胖子是谁。原来咱们的另外一个老朋友也回到英国来了。他来得正是时候，可以让他留在英国的父亲和妹妹心上有个安慰。

都宾少佐的上司脾气好，他请假立刻照准。他说他打算先到玛德拉斯，然后可能一直回欧洲，因为有要紧的私事要办。他日夜不停地赶路，一直到了地头才歇下来。哪知道赶路赶得太快，到玛德拉斯的时候竟发起高烧来。他原说在朋友家养好了病再回欧洲，可是跟他同行的用人们把他送到朋友家里，他已经不省人事了。这以后好些日子，大家都

---

① 拉丢特（Jean Henri Latude，1725—1805），因得罪法王路易十五的情妇邦巴图，被关禁了三十五年，换过四个监狱。
② 脱兰克（Friedrich Trenck，1726—1794），普鲁士冒险家，曾经被长期监禁。

以为即使他动身的话，也不过走到圣·乔治教堂的坟地上去。（有好多勇敢的军官都远远地离开家乡，给安葬在那儿。）军队里的人决定在他去世之后，在他坟上开礼炮致敬。

可怜的家伙发着高烧在床上翻来覆去，病中伺候他的人如果留心的话，一定听得见他在说胡话叫爱米丽业。清醒的时候，他想着这辈子见不着她了，心里难受。他以为自己快要死了，郑重其事地把未了的事情安排妥当，指明将自己的一小份财产传给几个平常最关心的人。留他住的朋友就在遗嘱上签名做了证人。他脖子上戴着一条小链子，是栗色的头发编成的；他吩咐死后要带着这念心儿一起下葬。老实说了吧，头发还是他在布鲁塞尔的时候，从爱米丽亚的用人那里讨来的。当年乔治·奥斯本在圣·约翰山附近的战场上打仗死了，年轻的寡妇伤心得害了一场大病，头发就是病中铰下来的。

他病好了又反复，医生几次三番地给他放血，吃轻粉，可见他的身体结实得很。那时东印度公司的拉姆轻特号商船从加尔各答路过玛德拉斯（船长姓白拉格），他就搭这船回家。他给送到船上的当儿，瘦得像个骷髅，身子虚瑟瑟的没一点儿力气。那位在病中服侍他的朋友预言老实的少佐到不了英国就要死了。他说总有一天早上他会给人用帆布和国旗卷起来海葬，跟他脖子上的那念心儿一起沉到水底里去。不知道是海上空气好，还是因为他心里重新有了希望，反正自从那艘船扯起风帆向家乡行驶的那一天起，我们的朋友就渐渐复原，他们还没有到达好望角，他已经很健全了，不过仍旧瘦得像一条猎狗。他笑道："这一回，葛克当不着少佐了。他准以为联队到家的时候，公报上已经发表了他高升的消息。"这里应该另注一笔，少佐急急赶到玛德拉斯以后躺在那儿生病的时候，英勇的第——联队奉命内调。第——联队本来已经在国外驻扎了好多年；当年从西印度群岛回家之后，恰巧滑铁卢有战事，又不能留在本国，后来又从弗兰德尔斯一直调到印度，现在才得回家。如果少佐愿意在玛德拉斯多等几时，他就能和军队里的弟兄们一起回家。

说不定他不愿意在自己那么虚弱的时候让葛萝薇娜来招呼他。他笑着向一个同船的旅客说道："如果奥多小姐在船上，那我就完蛋了。乔斯，我的孩子，她把我扔到海里去以后，准会抓住你，然后把你一直带到沙乌撒泼顿，你就成了她中的头彩。"

原来我们这位大胖子朋友果然就在拉姆轻特商船上。滑铁卢赛特笠在孟加拉住了十年，不断地出去吃晚饭，吃中饭，喝淡麦酒、红酒，衙门里的公事又忙得不可开交，而且又不得不常常喝些白兰地酒提提精神，因此他的健康受了影响。医生说他必须回到欧洲去一趟。他在印度工作了好多年，已经超过了任期，他的差使又好，手里很攒了几个钱。这样，他回到英国靠着丰厚的养老金过活也行，以后再回印度做事也行。他在印度的官职很高，因为他资格老，能力高，应该有这样的地位。

他比上次和读者相见的时候瘦些，不过样子更庄重，更威武。他的胡子又留起来了——他在滑铁卢战役中尽了那么多力，留胡子也是该当的。他浑身都是别针和珠宝，头上戴了一顶华丽的丝绒帽子，上面还有一道金箍，神气活现地在甲板上走来走去。早饭是拿到他舱里吃的，饭后他全副精神穿衣打扮，然后才到后甲板上来，竟好像他打算上邦德街兜风，或是在加尔各答看跑马。他带着一个印度用人，贴身伺候伺候，拿拿烟斗，这人的包头巾上用银线绣着赛特笠家里的纹章。乔斯·赛特笠专制得很，这印度人的日子可不好过。乔斯像女人一样爱俏，每天得花好半天穿衣打扮，半老的美人化妆也不过费这么些工夫。旅客里面有几个年轻后生，像第一百五十联队的却弗思，还有可怜的立该脱，因为害了三回热病，这一次回家休养——他们常常坐在房舱里的桌子旁边逗他说话，讲他自己怎么打老虎、怎么打拿破仑这类耸人听闻的掌故。他到龙活去参观拿破仑墓的时候真是得意极了。都宾少佐反正不在旁边，他就把滑铁卢大战细细地向这两个小军官描写了一番，恨不得说要是没有他，乔斯·赛特笠，拿破仑根本不会给幽禁在圣海里娜岛上。

过了圣海里娜，这印度官儿变得很慷慨，大手大脚地把自己带在船上受用的红酒、腌肉、整桶的荷兰水，拿出来请客。船上没有女客，少佐又肯让他占先，因此吃饭的时候他就坐了第一位。白拉格船长和拉姆轻特的军官们对他非常尊敬；他有这样的地位，也应该受人尊敬。有两天海上风浪很大，他吓慌了，躲在舱里不出来，用木板把舱口钉紧，躺在吊床上看《芬却莱广场的洗衣妇》。

这本小册子原是爱密莲·霍恩泊洛夫人跟着她丈夫沙勒斯·霍恩泊洛牧师到好望角去传道的当儿留在船上的。平常的时候，乔斯只看他随身带着的小说和戏剧，并且把这些书借给船上的人看。他待人厚道，又不摆架子，因此大家喜欢他。

在好些晚上，他们的船在黑沉沉的大海上行驶，波涛轰隆轰隆地响，天上星月交辉，船上的铃子叮叮当当报时辰，少佐和赛特笠先生便坐在后甲板上谈论家里的情形。少佐抽着雪茄烟，那印度官儿抽的是他用人给他装的水烟。

都宾少佐老是想法子把话题扯到爱米丽亚和她儿子身上，那份儿恒心和聪明真是了不起。乔斯本来因为父亲一直很潦倒，又不顾体面，屡次向他求救，心上很不高兴，亏得少佐一路劝解，说老头儿运气不好，年纪又大，他心里也就平了。少佐说起乔斯大概不喜欢和父母住在一起，因为老夫妻的习惯和他的两样，吃喝睡觉起身的时间也对他不合适。他究竟年纪轻，而且相与的人物也不同（乔斯听得少佐这样恭维他，把腰弯了一弯）。少佐说他应该在伦敦自己租一所房子，别像以前那样在公寓里布置一个单身汉子的小家庭。他又说如果把乔斯的妹妹爱

米丽亚请来当家，再合适也没有了；她的举止文雅温柔，态度又大方；举几个例来说，以前在布鲁塞尔，在伦敦，最上流的人物见了她都赏识的。他又向乔斯暗示了一下，说是最好把乔杰送进一个好学校，培养他成人，因为孩子的母亲和外公外婆准会把他惯坏了。总而言之，少佐诡计多端，竟想法子叫印度官儿答应照管爱米丽亚和她无依无靠的孩子。原来赛特笠的家里有些什么变动，母亲怎么去世，奥斯本的财富怎么把乔治从爱米丽亚手里抢去，他全不知道。这个中年男子十分痴心，天天惦记着奥斯本太太，一心只想帮她的忙。他甜嘴蜜舌地哄着乔斯·赛特笠，不停口地奉承。他拍起马屁来多么有常性，样子多么亲热，看来他自己并不觉得。凡是先生们家里有不曾出阁的姊妹或是女儿，想来都有过经验，知道上门求婚的小伙子对于这家子的男人多么殷勤周到。说不定滑头的都宾这番假仁假义也是因为这缘故。

都宾少佐初上拉姆轻特号的时候身体仍旧很不好。商船停在玛德拉斯碇泊所的三天之内，他并没有起色。甚至于在船上碰见了他的老朋友赛特笠先生也还是提不起兴致来，直到有一天他们畅谈了一番之后情形才有了改变。那天少佐没精打采地躺在甲板上。他说自己恐怕没有救了；在他的遗嘱里，他留了一点儿钱给他干儿子；他相信奥斯本太太一定会记得他，希望她这次的婚姻能够称心如意。乔斯答道："婚姻？没有的事。我有她的信，她并没有提起再嫁的话。我忽然想起来了，真奇怪，她倒说起都宾少佐要结婚了，而且说希望你快乐。"赛特笠的信是几时收到的呢？印度官儿把信拿出来一看，原来比少佐得的信迟两个月。船上的医生觉得自己医治新来的病人收效特别快，心里非常得意。玛德拉斯的医生把病人送上船的时候，并没有多少希望，而他一换了药方，都宾少佐就渐渐复原了。也因为这缘故，葛克上尉虽然很有功劳，却没有能够升到少佐的位子上去。

船过了圣海里娜之后，都宾少佐兴致又高，身体又好，同船的人看了都觉得诧异。他和候补少尉们在　块儿疯闹，和大副二副们耍棍棒，又去爬那护桅索，活像个大孩子。有一夜，晚饭后大家坐着喝酒，他还唱了一支滑稽的歌儿，引得大家都笑。人人都觉得他活泼有趣，招人喜欢。白拉格船长起先嫌他委靡不振，没多大能耐，后来也承认他很有见识，是个好军官，只是不大爱说话。白拉格对大副说："他没有什么风度。罗伯，如果在总督府里做客，他是不像样的。我在总督府的那一回，勋爵大人和威廉夫人对我真客气，当着大家和我拉手，吃饭的时候还请我跟他一块儿喝啤酒，那忽儿连总司令还没跟他对喝过呢。少佐的态度不够文雅，可是他有他的好处。"从他说的话里面，我们就知道白拉格船长不但是个有能力的军官，并且还很识人。

在拉姆轻特号离开英国大概还有十天航程的时候，海上没有风，都宾变得又暴躁又难说话，船上的伙伴们本来佩服他兴致好，脾气随和，见他这样都觉得纳闷。海上起风之后他的性情才恢复原状。领港的上船的一刹那，他兴奋得不得了。他看见沙乌撒泼顿的两个教堂尖顶，登时像见了朋友，一颗心在腔子里突突地乱跳。

# 第五十八章　我们的朋友都宾少佐

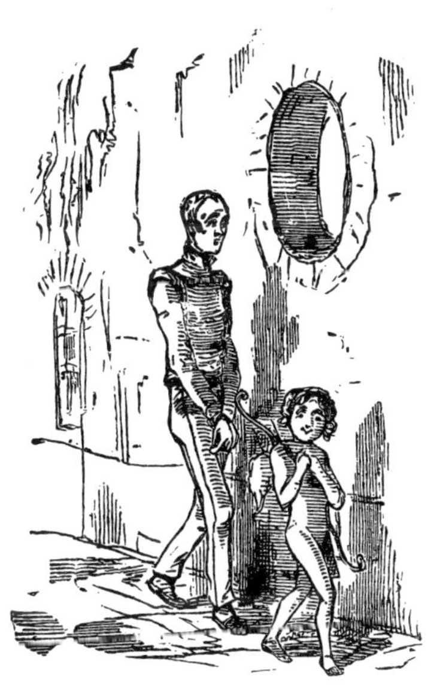

少佐在拉姆轻特船上的人缘真好。那天他和赛特笠先生欢欢喜喜地下了摆渡船准备上岸，全船的职员和水手，由了不起的白拉格船长带头，欢呼三声给都宾少佐送行。少佐满面通红，点着头表示给他们道谢。乔斯大约以为他们是为他欢呼，脱下金箍帽子神气活现地向朋友们摇晃着。他们给摆渡到岸边，很威风地上了码头，出发到皇家乔治旅馆去。

乔治旅馆的咖啡室里一年到头摆着大块肥美的牛腿肉，还有银子打的大酒杯，使人联想到真正英国家乡酿造的浓麦酒和淡麦酒。从国外回来的旅客一进门来看见这两样东西，自会兴致蓬勃、精神抖擞。如此说来，不论是谁，进了这样一个舒服愉快的英国旅馆，总愿意盘桓几天再走，哪知道都宾一到沙乌撒泼顿就想上路到伦敦去，立刻打算雇马车。乔斯呢，那天晚上是随便怎么也不肯动身的了。这位肥胖的孟加拉绅士一路只能睡在又窄小又不舒服的铺位上，如今刚有了宽敞的大床，上面铺着鸭绒被褥，软绵绵的一睡一个窝儿，他又何必在马车里过夜呢？他说行李没有整理好以前他不愿意动身；没有水烟袋，他是不高兴出门的。少佐没法，只能等过了那一夜再说。他写了一封信到家里，报告上岸的消息，又恳求乔斯也写封信通知他家里的人。乔斯嘴里答应，可并没有照做。船长、医生，还有一两个旅客，都从船上下来和我们这两位先生一同吃晚饭，乔斯非常卖力，点了许多好菜，并且答应第二天和少佐一起到伦敦去。旅馆主人说赛特笠先生喝第一派因脱浓麦酒的时候，他瞧着就觉得痛快。如果我有时间说闲话，准会另写一章，形容刚回英国时喝第一派因脱浓麦酒的滋味。喝，那滋味多好呀！单为受用这一次痛饮，特地离家一年也值得。

第二天早上，都宾少佐起来，照他平时的习惯，把胡子剃光，穿得整整齐齐。那时天色很早，旅馆里除了那擦鞋工人之外，都没有起身——这些擦鞋的仿佛从来不需要睡觉，真是了不起。少佐在朦朦胧胧的走廊里踱来踱去，皮鞋吱吱地响，到处听得客人们打呼噜的声音。那不睡觉的擦鞋工人躲躲藏藏地顺着各个房门走过去，把门前的长统靴、半统靴、浅口鞋都收集起来。然后乔斯的印度用人起身给主人把笨重的梳妆家伙拿出来，又给他收拾水烟袋。再过一会儿，女用人们也起身了，她们在过道里碰见这么个黑不溜秋的人，以为是魔鬼出现，都尖叫起来。她们打水擦洗旅馆的地板，印度人和都宾两个便失脚绊在她们的水桶上。等到第一个茶房带着隔夜的胡子去开大门的时候，少佐觉得可以动身了，吩咐下人立刻去雇一辆车来，打算上路。

他走到赛特笠先生的卧房里，只见乔斯睡在一张又宽又大的双人床

上，正在打呼噜。他把帐子拉开，叫道："赛特笠，起来吧，可以动身了。马车再隔半个钟头就来。"

乔斯在被窝里发怒，咕噜着问他几点钟了。少佐是老实人，不管扯谎可以帮他多大的忙，他也扯不来，所以给乔斯一逼，只好红了脸把实话告诉他。乔斯一听，立刻破口大骂。骂人的话这里不必再说，总之他让都宾明白：第一，倘若他那么早起来，简直有危险给打入地狱；第二，都宾少佐是个该死的东西；第三，他不高兴和都宾一路走；第四，这样把人叫醒，真是没心肝，不像个上等人。少佐没法，只好退出来，让乔斯重新再睡觉。

不久，马车来了，少佐不肯再等了。

英国贵族出门游览，或是报馆里送信的快差带着急信赶路，也不能比他更着急，政府里传递公文的专差更要慢得多。车夫们见他大手大脚地花钱，都觉得稀罕。马车飞快地跑过一块块的里程碑，穿过整齐的乡镇，那儿的客店主人堆着笑，哈着腰来迎接他。路旁有美丽的小客店，招牌就挂在榆树枝上，赶货车的人马都在浓淡不一的树荫里喝水；还有古色古香的大宅子、大花园，灰色的教堂，旁边成窝儿的小村屋。一路都是眼熟的英国风景，非常可爱，田野里绿油油的一派欢乐的气象。世界上哪里有这样的好地方？在新回国的人看来，家乡真是和蔼可亲，仿佛一路在跟他拉手。可惜都宾少佐从沙乌撒泼顿到伦敦，除了路旁的里程碑之外什么都没有看见。那当然是因为他急着要回坎勃威尔去看望父母的缘故。

他诚诚心心地坐车回到以前常去的斯洛德咖啡馆，只恨毕加迪莱到咖啡馆的一段路上太费时间。他和乔治年轻的时候常在那里吃喝作乐。那已经是多年前的旧事，如今他也算得上是个"老家伙"了。他的头发已经灰白，少年时的好些痴情，好些感触，也渐渐地淡忘了。那老茶房倒还站在门口，仍旧穿着那套油腻腻的黑衣服，双叠的下巴颏儿，腮帮子又松又软，表链上一大嘟噜印戳子，像从前一样把口袋里的钱摇得哗啷啷地响。约翰迎接少佐的样子，竟好像他离开那儿不过一个星期。他脸上没半点儿惊奇的表情，说道："把少佐的东西搁在二十三号他自己房间里。今儿您大概吃烤鸡吧？您没有结婚？他们说您已经娶了太太了——你们那苏格兰军医到这儿来过的。不对！是二十三联队的亨倍上尉说的，他从前跟着第一联队驻扎在西印度。您要热水吗？您今儿怎么另外雇车呢？坐邮车不是挺好吗？"凡是在那里住过的军官，忠心的茶房都认识，也都记得。在他，十年好比一天。他说完了话，领着路走到都宾从前常住的屋子里。里面有一张大床，周围挂着粗呢的幔子；旧地毯比从前更旧了一些，那套黑木的旧家具也还在，椅子上印花布的面子都褪了色。一切和他年轻的时候没有两样。

他还记得乔治结婚的前一天在房里走来走去，咬着指甲，赌神罚誓地说他老子总会回心转意，就是他不肯回心，他也不在乎。都宾还想像得出他跑进来的样子，把都宾的房门和他自己的房门碰得山响。当年他的房间就在都宾的房间近旁。

约翰不慌不忙地把老朋友打量了一番，说道："您没有变得怎么年轻。"

都宾笑道："过了十年，害了一场热病，还能叫人年轻不成？你才是个不老公公。或者可以说你根本没有做过年轻人。"

约翰问道："奥斯本上尉的太太怎么了？那小伙子长得很不错。天哪，他可真会花钱！结婚以后他一直没有回来，到今天还欠我三镑钱呢。瞧这儿，我的本子上还记着呢：'一八一五年四月十日，奥斯本上尉，三镑。'不知道他爸爸肯不肯把钱还给我。"斯洛德咖啡馆的约翰说着，从口袋里掏出一本皮面的记事本子，上面油腻腻字迹模糊的一页上还记着这笔旧账，旁边另外有好些歪歪斜斜的字，全是关于当年别的老主顾的事情。

约翰把客人送进了房间，又从从容容地走了。都宾少佐从小箱子里挑了一身最漂亮最好看的随常服装，一面笑嘻嘻地红了脸，觉得自己实在荒谬。他对着梳妆台上一面昏暗的小镜子端详自己灰白的头发和黧黑的皮肤，不由得好笑起来。他想："约翰老头儿居然没把我忘掉，倒不错。希望她也还记得我。"他从客店里出发，往白朗浦顿那边走去。

这忠实的好人一路行来，细细地回想他最后一次跟爱米丽亚见面时的每一件小事情。他末了一回在毕加迪莱的时候，拱门和亚基利斯的像还没有造起来。他恍惚觉得视线所及随处都有变动。过了白朗浦顿，就有一条小路直通到她街上，他走上从前走熟的小路，身上已经在打哆嗦。她究竟是不是打算结婚呢？倘若这时候她和她孩子对面走来——天啊，那怎么办呢？他看见一个女人带着一个五岁的孩子，心里想："是不是她呀？"他一想到有这样的可能，激动得浑身发抖。总算走到她住的一带屋子了。他走近栅栏门的时候，手握着栅栏顿了一顿，几乎听得见自己的心在扑通扑通地跳。他想道："不管出了什么事，总求老天保佑她。"接着他又说："呸，没准她早就搬走了。"说着，走进门去。

她以前住的会客室的窗户开着，里面并没有人。少佐恍惚看见那钢琴和上面的图画还是从前的老样子，心里又慌张起来。大门上仍旧安着克拉浦先生的铜牌子；都宾拉起门环敲了一下。

一个肥硕的小姑娘，大约十六岁，一双眼睛亮晶晶的，脸蛋儿红里带紫，出来开了门，对少佐紧紧地瞅着。少佐站在那窄小的过道里，靠着墙，脸色白得像个鬼，支支吾吾地挣出一句："奥斯本太太住在这儿吗？"

她瞪眼看了他半晌，然后脸上也泛白了，说道："天老爷，是都宾少佐呀！"她抖巍巍地伸出两手说道："您不记得我啦？我从前常叫您糖子儿少佐的。"少佐一听这话，抱住女孩儿吻了她一下，我看他这辈子还是第一遭这么大胆呢。她歇斯底里似的又哭又笑，使劲大叫"爹，妈！"，把这两个好人儿给叫出来了。夫妻俩本来在他们那装饰得挺漂亮的厨房窗口往外端详他。他们看见一个大高个儿的男人，穿着钉长方扣子的蓝色外套，底下是白色细布裤子，站在门口抱着女孩儿，心上老大诧异。

少佐忍不住红了脸说道："我是你们的老朋友。克拉浦太太，不记得我了吗？你从前不是还做许多好吃的糕饼给我当点心吗？克拉浦，你忘了吗？我是乔治的干爹，刚从印度回来。"接着大家忙着拉手；克拉浦太太又喜欢，又感动，在过道里不住口地叫天老爷。

房东夫妇把好少佐让到赛特笠的房里——房里每一件家具陈设他都记得：用黄铜装潢的小小的旧钢琴（斯多泰牌子的货色，本来很讲究的），还有屏风，还有大理石的小墓碑，当中嵌着赛特笠先生的金表，正在滴答滴答地响。他坐在房客的圈椅里面，那父母女三人就把爱米丽亚的遭遇一样样地说给他听，讲到赛特笠太太怎么死，乔治怎么给他祖父奥斯本先生领去，寡妇离了儿子怎么伤心，等等，一面说，一面唉啊哟地叹息个不完。这些事情我们早已听过，少佐却还不知道。有两三回，他很想扯到她的婚姻上去，可是总鼓不起勇气来，而且他也不愿意把心事向这些人吐露。后来他们告诉他说奥太太陪着她爹到开恩新恩花园去散步了。老先生身体不好，脾气也坏，把她折磨得难过日子，不过她倒真是和顺得像个天使。如今每逢饭后天气好，她总带他出去。

少佐道："我没有多少时候，今天晚上还有要紧的事情得办。不过我很想见见奥斯本太太。最好请玛丽小姐陪我去，给我领领路。"

玛丽小姐听了这话觉得出于意外，可是也很高兴。她说她认得这条路，可以领都宾少佐去；有的时候奥太太到——到勒塞尔广场去，就由她陪着赛特笠先生，所以知道他最喜欢的座位在什么地方。她跳跳蹦蹦地走到卧房里，一会儿戴上自己最好的帽子走出来。她还借了她妈妈的黄披肩跟大石子儿别针，为的是要配得上少佐的势派。

少佐穿上方扣子蓝外套，戴上黄皮手套，伸出胳膊给小姑娘勾着，两个人快快乐乐地一起出门。他想起要跟爱米丽亚见面，心里慌张，很愿意旁边有个朋友。他又问玛丽许许多多关于爱米丽亚的问题。他这人是忠厚不过的，听到她被逼和儿子分手，不由得扎心地难受。她受得了吗？她常跟他见面吗？在物质生活方面，赛特笠先生舒服吗？玛丽尽她所知回答糖子儿少佐的问题。

半路上发生了一件事，虽然没什么要紧，却把都宾少佐乐坏了。小路那一头来了一个脸皮苍白的后生，他一嘴稀稀朗朗的胡子，戴着又硬又白的领巾，一手勾着一个女的，自己给挤在当中。两个女人里头有一个已经中年，高高的身材，样子很威武，五官和脸色和身旁的英国国教牧师很像，走起路来迈着大步。另外一个是个小矮个子，黑皮肤，头上戴一顶漂亮的新帽子，上面配着白缎带，身上穿一件时髦的外套，挂一只漂亮的金表，恰恰在她身子中央。这位先生的两只胳膊已经给两位女士扣住，还得捧一把阳伞、一条披肩、一只篮子。他手里这么满满的，克拉浦小姐对他屈膝招呼的时候他当然不能举起手来碰帽子边还礼。

他只点了一点头，两位女士倚老卖老的样子还了礼，虎起脸儿瞪着玛丽小姐旁边那个穿蓝外套、拿竹子拐棍儿的男人。

少佐瞧着他们觉得好笑，站在路旁边让他们过去。然后问道："他们是谁？"玛丽顽皮地瞧着他，说道："那是我们的副牧师平尼先生，"（都宾少佐愣了一愣）"一个是他姐姐平尼小姐。天哪，在主日学校里她把我们折磨得好苦啊！另外那个斜眼的小女人，挂着漂亮的金表的，就是平尼太太。她娘家姓葛立滋。她爹开杂货铺子，在开恩新恩石子坑还有一家铺子叫小金茶壶老店。他们上个月才结婚，如今刚从玛该脱回来。她名下有五千镑财产。这头亲事虽然是平尼小姐一手拉拢的，可是姑嫂俩已经吵过架了。"

少佐刚才一愣，如今简直是托地一跳。他把竹子拐棍儿在地上重重地打了一下，克拉浦小姐见他这样，笑着叫起天老爷来。玛丽议论他们家历史的当儿，他一声不言语，张开口瞧着那一对小夫妻的后影。他喜欢得昏头昏脑，除了牧师结婚的消息之外，什么都没有听进去。经过这件事情，他加紧脚步，恨不得快快地赶到地头。一方面他又嫌自己走得太快，只觉得一忽儿的工夫已经穿过白朗浦顿的街道，从那又小又旧的园门走进开恩新恩花园了。十年来他时时刻刻希望和她见面，事到临头却又紧张起来。

玛丽小姐说："他们在那儿。"她说了这话，觉得身旁的少佐又是一愣，心里恍然大悟。故事里面的情节她全知道了。她最爱看《没爹的法尼》和《苏格兰领袖》这类小说，如今少佐的心事她已经一目了然，仿佛已经在书里看过一样。

少佐说："请你跑过去告诉她一声好不好？"玛丽拔脚就跑，黄披肩在微风中飘荡着。

赛特笠老头儿坐在长凳上，膝盖上铺了一条手帕，像平常一般唠叨着从前的事情。这些话他说过不止一回，爱米丽亚总是很耐烦地微笑着让他说。近来她能够尽让父亲唠叨，一面想自己的心事，有时脸上挂着笑，有时用别的姿势来表示自己正在用心倾听，其实差不多一个字都没听见。爱米丽亚看见玛丽跳跳蹦蹦走上前来，急忙从长凳上站起来，第一个心思就是以为乔杰出了事情。可是传信的孩子脸上那么快乐高兴，胆小的母亲也就放心了。

都宾少佐的专差叫道："有新闻！有新闻！他来了！他来了！"

爱米仍旧惦记着儿子，问道："谁来了？"

克拉浦小姐道："瞧那儿！"她一面说，一面转过身去用手往回指着。爱米丽亚顺着她指点的方向一看，只见那瘦胃伶仃的都宾正在迈着大步穿过草坪向她这边走，长长的影子随着他。这回轮到爱米丽亚发愣了。她涨红了脸，眼泪当然也跟着流下来。这老实的小东西有了高兴的事是非哭不可的。

　　她张开两手向他跑过去，准备跟他拉手。他一往情深地瞧着她，觉得她没有变，只是脸色没有从前红润，身材也胖了一点。她的眼睛还是老样子，眼神很和蔼，仿佛对人十分信赖。她那软绵绵的栗色头发里只有两二根白头发。她把两只手都伸给他，脸红红地抬起头对他的忠厚老实的脸儿含着眼泪微笑。他双手捧着她的小手，拉着她不放，半晌说不出话。他为什么不搂住她，罚誓永远不离开她呢？她准会让步：她没法不服从他。

　　顿了一顿，他说：“还有另外一个人也来了。”

　　爱米丽亚往后退了一步，问道：“都宾太太吗？”一面估量他为什么不回答。

　　他松了手，说道：“不是的。谁在造我的谣言？我要说的是，你哥哥乔斯跟我同船来的。他回家来叫你们大家过好日子了。”

　　爱米叫道：“爸爸！爸爸！有消息来了！哥哥回英国来了。他来照顾你了。都宾少佐在这儿呢。”

　　赛特笠先生霍地坐起来，浑身哆嗦，定了一定神。然后他走上前来，向少佐很老派地鞠了一躬，称他“都宾先生”，并且问候他的老太爷威廉爵士。他说承爵士看得起，不久以前来望过他，他自己正打算去回拜。威廉爵士已经八年没有来看过他，他说起的就是八年前的旧事。

　　爱米轻轻地说道：“他身子虚得很。”都宾迎着老头儿，亲亲热热地跟他拉手。

　　少佐本来说过那天晚上在伦敦还有要紧事，可是赛特笠先生请他回家吃茶点，他就把这件事情搁下来了。爱米丽亚和她那围黄披肩的小朋友勾着胳膊领头向回家的路上先走，让都宾去招呼赛特笠先生。老头儿慢慢地走着，说起许多老话，有些是关于他自己的，有些是关于可怜的蓓西的，又提到他从前怎么发达，后来怎么破产，等等。他像一切气力衰退的老人一样，一心只想过去。关于眼前的遭遇，他只记得一件伤心事，其余都不在心上。少佐很愿意让他说话；他的眼睛只盯着前面那心爱的人儿。这多少年他老是想她，给她祷告，睡里梦里也惦记着她。

那天晚上爱米丽亚笑眯眯活泼泼的非常快乐。都宾认为她做主妇做得又得体，又大方。他们坐在朦胧的暮色里，他的眼睛只是跟着她。这个机会，他已经渴望了多少时候了。在他远离家乡的时候，不管是在印度的热风里，或是在辛苦的征途上，他老是惦着她，想起她正像现在这样，很温柔，很快乐，孝顺体贴地伺候年老的父母，甘心情愿过苦日子，把贫穷的生活点缀得非常美丽。我并不称赞他的见解怎么高明，也不主张有大才智的人都应该像我们这位忠厚的老朋友一样，只求能得到这样的家常乐趣。可是这就是他的愿望，究竟是好是坏就不去管它了。只要爱米丽亚在替他斟茶，他就很愿意和约翰逊博士那么一杯杯地尽喝下去。

爱米丽亚见他爱喝茶，笑着劝他多喝几杯。当她一杯一杯替他斟茶的时候，脸上的表情着实顽皮。原来她并不知道少佐还没吃晚饭，也不知道那餐晚饭还在斯洛德咖啡馆等着他。店里的人已经给他铺上桌布，摆好盘子，定了座。从前他和乔治时常吃喝作乐，使的就是那座儿。那时候，爱米丽亚刚从平克顿女子学校出来，还是个孩子呢。

奥斯本太太第一件事就把乔治的肖像给他看。她一到家就忙忙地跑上楼去把它拿下来。这肖像当然及不到本人一半那么漂亮，可是孩子居然想得着送肖像给母亲，由此可见他心地高尚。爱米丽亚在父亲醒着的时候没有多谈乔杰。老头儿不喜欢人家谈起奥斯本先生和勒塞尔广场，恐怕根本不知道最后几个月来他就靠着有钱的仇人救济他。每逢有人提起奥斯本，他就发脾气。

都宾把拉姆轻特船上的经过都告诉他——说不定还编了些话，夸张乔斯对父亲怎么孝顺，怎么决意让他享几年老福。真情是这样的，少佐一路上结结实实地对同船的乔斯谈过话，使他明白自己对父亲的责任，而且逼他答应从此照料他的妹妹和外甥。关于那一回老头儿擅自开发票卖酒给他的事，乔斯很生气，都宾劝解了一番，并且笑着把他自己怎么问老头儿买酒，后来怎么吃亏的情形说了一遍。乔斯只要在高兴头上，再有人家奉承他几句，性子并不坏；都宾这么一调解，他对于欧洲的亲人就很有好心了。

总而言之，少佐不顾事实，甚至于对赛特笠先生说乔斯回欧洲主要的原因就是看望父亲，这话说出来连我也觉得不好意思。

到了一定的钟点，赛特笠先生坐在椅子里打盹儿，爱米丽亚才有机会开始说她的话。她满心急着要和他谈，说来说去都离不了乔杰。关于娘儿俩分离时的苦楚，她一句也不提。这个好人儿失掉了儿子虽然伤心得半死，可是总觉得自己罪孽深重，不该离了孩子就怨艾不平。她说的都是儿子的事，把他品行怎么好，才干怎么高，将来有什么前途，倾筐倒箧讲给少佐听。她描写孩子天使一样的相貌，举了多多少少的例子证明他为人慷慨，人格高超——这些都还是他和母亲同住的时候的事情。她说起有一次在开恩新恩花园，一位公爵夫人特地停下来夸赞他长得好看；又说起他现在的环境多么好，自己有小马，还有马夫。她形容他读书聪明，做事敏捷；他的老师劳伦斯·维尔牧师是个极有修养、很可爱的人物。爱米丽亚说：“他什么都懂。他的聚会真有趣。你自己也是怪有学问的，书看得又多，人又聪明，又有才学——你别摇头不承认，他从前总那么说。我想你准喜欢参加维尔牧师的聚会。他每个月的末一个星期一开会。他说乔杰将来要做议员就做议员，要做律师就做律师，要做得多高就是多高呢。瞧这儿。”说着，她走过去在钢琴的抽屉里拿出乔杰的一篇作文。这篇天才的作品，乔治的妈妈至今还收着。内容是这样的：

## 自　私

　　在一切使人格堕落的不道德的行为之中，自私是最可恨最可耻的。过分的自爱使人走上犯大罪的道路，对于国家和家庭有极大的损害。自私的人使他家庭贫困，往往弄得一家人倾家荡产。自私的国王使他的人民受灾难，往往把他们卷入战争。

　　举例来说，亚基利斯的自私，使希腊人受到无数的痛苦，正像诗人荷马在他的《伊里亚特》第二卷中所说的"给希腊人带来了极大的灾祸"。已故的拿破仑·波那巴，也因为他的自私，在欧洲引起许多次的战争，结果自己也只能死在大西洋中的圣海里娜荒岛上。

　　由此可见我们不能只顾到自己的野心和利益，也要为别人着想才对。

　　乔治·奥斯本于雅典学院一八二七，四，二四。


　　做母亲的得意地说："你想想看，他小小年纪就写得这么一笔好字，还会引用希腊文。"她伸出手来说道："唉，威廉，这孩子真是天赏给我的宝贝。他是我的安慰，而且跟——跟死了的人长得真像。"

　　威廉想道："她对他忠诚到底，难道我反倒生气吗？像爱米丽亚这样的心只能爱一次，她是永远不变的，难道我还能因此觉得不高兴，反而跟我死去的朋友吃醋不成？唉，乔治，乔治，你真不知道自己的福气。"爱米丽亚正在拿着手帕擦眼泪，威廉拉着她的手，这个心思就很快地在他心上掠过。

　　她紧紧握着拉住她的手说："亲爱的朋友，你对我真好！瞧，爸爸在动了。你明天就去看乔杰，好吗？"

　　可怜的都宾答道："明天不行。我还有事呢。"他不愿意承认说他还没有回家去见过他父母和亲爱的安恩妹妹。他这样怠慢自己的亲人，想来凡是顾体统的人都要嗔怪他的。不久他和爱米丽亚父女俩告别，留下地址，等乔斯回家的时候给他。这样，第一天就算过去，他和她已经见过面了。

当他回到斯洛德咖啡馆的时候，烤鸡当然已经冷掉，他就吃了一餐冷饭。他知道家里安息得早，不必深更半夜打搅他们，便到海依市场戏院出半价去看了一出戏。这事在历史上有过记载。我希望他那晚过得快活。

# 第五十九章　旧钢琴

少佐来过之后，约翰·赛特笠老头儿兴奋得不得了。当晚他的女儿简直没法使他按老习惯行事，或是找往常的消遣。整个黄昏，他就在箱子桌子堆里摸索，手抖抖地解开许多文件，把它们收拾整齐，准备乔斯回家的时候给他看。他的带子、文件、收据，他和律师来往的信札，都拾掇得有条有理。此外还有关于卖酒计划的文件，卖煤计划的文件，木材木屑统一专卖计划的文件，等等。那卖酒的计划起先希望大极了，不知怎么后来会失败；卖煤计划就因为缺少本钱，要不然准有空前的成功。他的准备工作直做到夜深。在摇曳不定的蜡烛光里，他抖巍巍地在几间房间里摸来摸去，两只手不停地打哆嗦。老先生说道："这是卖酒计划的文件，这是卖煤的，这是卖木屑的；这是我写到加尔各答和玛德拉斯的信，还有下级骑士都宾少佐和乔瑟夫·赛特笠先生的回信。爱米，我不愿意他回来看见我把事情办得乱七八糟。"

爱米笑了一笑，说道："爸爸，我想乔斯不会要看这些文件吧？"

父亲摇头摆脑地答道："亲爱的，正经事你是不懂的。"说实话，关于这一点爱米的确什么也不懂，我只觉得有些人懂得太多，反是件憾事。赛特笠老头儿把这些不值钱的文件整整齐齐搁在靠墙的一张桌子上，很小心地拿块干净的细布手帕盖好（手帕还是都宾少佐送的），郑重其事地吩咐女用人和房东太太不要把这些东西乱动，因为第二天早上乔瑟夫·赛特笠先生来了要查看的。他告诉她们说："乔瑟夫·赛特笠先生现在在东印度公司孟加拉民政部做事。"

第二天早晨，爱米丽亚发现他一早就起来了，比前一天更急切，更兴奋，也更虚瑟瑟的没力气。他说："爱米，亲爱的，我没有睡多少时候，夜里一直在想着可怜的蓓西。可惜她不在了，不能再坐乔斯的马车了。从前她有自己的马车，她坐在里头也很像样。"说着，他满眼是泪，沿着打皱的腮帮子流下来。爱米丽亚替他擦眼泪，微笑着吻他，给他打了一个漂亮的领结，还在他最好的衬衫上别上别针。这样，他穿了最讲究的丧服，从早上六点钟起就坐着等儿子回家。

在沙乌撒泼顿的大街上有几家讲究的时装铺子，橱窗里摆着各种漂亮的背心，有绸缎的，有丝绒的，有金色的，有红色的。橱窗里还挂着时装画报，上面画着漂亮的先生，戴着单片眼镜，手里牵着大眼睛卷头发的小男孩儿，斜着眼在看太太小姐们；那些女的穿着骑马装，骑在跳跃的马上，在亚浦斯莱大厦的亚基利斯雕像旁边走过。乔斯已经在加尔各答买了几件背心，在当地算得上数一数二地漂亮，可是他觉得走进

伦敦之前，非得再买一两件橱窗里摆着的新背心不可。他挑了一件绣着金色蝴蝶的红缎子背心、一件红黑方格上加白条子的丝绒背心、一个反卷的硬领、一条鲜艳的领带，还买了一只金别针，是一扇五根栅栏的小门，一个粉红色的珐琅人骑在马上正在跳过去。他认为在走进伦敦的时候非有这个排场不可。乔斯从前很怕羞，胆子又小，见了人就涨红了脸，做出事来脱枝失节。可是现在不同了，变得很喜欢逞能，总让人家知道他的重要。滑铁卢赛特笠对他的朋友们说："我是讲究穿衣服的，我也不怕人家知道。"有时总督府开跳舞会，碰上女人对他一端详，他还是免不了着急，吓得红了脸转身就逃。不过他慌张的原因多半是怕她们追求他，因为他根本不要结婚。据说在加尔各答就数滑铁卢赛特笠是头等的阔佬。他的排场最大，单身汉子里面，只有他请客最讲究，他的碗盏器皿也最精致。

要替他这样气派、这样大小的人物做背心，最少得一整天。在这一天里头，他雇了一个用人伺候他跟他的印度人。同时又吩咐代理人替他集叠行李、箱子、书籍（这些书他从来也不看）、一匣匣的芒果、腌渍的酸辣菜、咖喱粉，还有披肩和各种礼物，还不知该送给谁。此外还有许多东方带回来的奢侈品，也需要收拾。

到第三天，他穿了新背心很悠闲地坐了马车到伦敦来。他的印度用人裹着一条披肩，冷得牙齿格格地打战，挨着那个欧洲用人坐在马夫座位上发抖。乔斯坐在马车里面，不时抽抽烟斗，样子十分威风，引得路上的小孩儿大声欢呼，有许多人以为他准是一个大总督。我可以肯定地说一句，当他路过干净的乡镇，有酒店主人出来奉迎他，请他下车吃东西，他从来不拒绝。他在沙乌撒泼顿吃过一顿丰盛的早饭，有鱼，有米饭，有煮老鸡蛋，哪知道到了温却斯德，他已经又觉得需要喝一杯雪利酒了。在亚尔顿，他听了用人的话，下车喝了些当地闻名的淡麦酒。在法纳姆，他去参观主教堡，又吃了一餐便饭，有焖鳝鱼、小牛肉片、法国豆子和一瓶红酒。到了巴克夏荒地，天气很冷，印度人越抖越凶，因此乔斯大爷又喝了些搀水的白兰地酒。总而言之，到达伦敦的时候，他的肚子活像汽船上总管的房间，装满了葡萄酒、啤酒、肉、酸辣菜、樱桃白兰地和香烟。直到傍晚时分，他的马车才轰隆轰隆来到白朗浦顿，在小门前面停下米。这家伙很重感情，都宾先生已经在斯洛德咖啡馆给他定了房间，他却先到家里来。

这条街上的人都从窗口探出头来张望；那小丫头飞奔到栅栏门口；克拉浦母女从兼做会客间的厨房窗口往外看；爱米心慌意乱，在过道里挂衣帽的地方等着；赛特笠老头儿在客室里浑身索索地抖。乔斯在马车里踩着那摇摇晃晃的踏步下来，脚底下吱吱地直响，真是威风十足。沙乌撒泼顿雇来的新用人和那印度听差一边一个扶着。印度人浑身发抖，棕黄的脸皮冻得泛青，活是火鸡肫的颜色。他在过道里轰动了一屋子的人；原来克拉浦太太和克拉浦小姐走上楼梯，大概想在客厅门外偷听里面的动静，不承望看见洛耳·奇活勃坐在大衣下面的一张板凳上发抖，露出一口白牙齿，眼睛倒插上去，只剩发黄的眼白，一面怪可怜地哼哼唧唧，那声音古怪极了。

我乖巧地关上了门，把里面乔斯和他年老的父亲和可怜的温柔的小妹妹怎么见面的情形，略过不谈了。老头儿非常感动；他的女儿当然也非常感动；乔斯呢，也不是无情的人。他离家十年，在这么长的一段时期之中，哪怕最自私的人也会想到老家和小时候的亲人。路程越隔得远，老家和亲人越显得神圣。过去的赏心乐事在长期的回忆当中更添了情趣，更令人向往。乔斯从前虽然对于父亲不满意，不过现在能够重新和他见面，和他拉手，倒是觉得出于衷心地喜欢。他记得小妹妹一向容貌俊俏、满面笑容，现在重逢，自然也是高兴的。瞧着父亲年纪大了，而且给伤心不幸的遭遇折磨得老态龙钟，他心里又觉得凄惨。一起头的时候，爱米穿了黑衣服先迎出来，在门口悄悄地告诉他说母亲已经不在了，叮嘱他不要在父亲面前提起这事。其实这个警告也是多余的，赛特笠老头儿立刻就谈到这件事，噜噜嗦嗦说了许多话，掉了许多眼泪。那印度人看了老大害怕；可怜的家伙平常只想自己，吃了这一惊，把自己的事情忘掉了好些。

看来重逢以后大家很满意。等到乔斯重新坐了马车上旅馆之后，爱米很温柔地搂着父亲，得意地说她早就夸过哥哥心肠好。

这话倒是真的。乔瑟夫·赛特笠看着家里的人生活这么清苦，心里很感动，再加初次会面时热情冲动，他在兴头上，便起誓说以后不让他们再过苦日子了。他说反正他预备在本国住一阵子，他的屋子和他的一切都给他们享用。他还说爱米丽亚在他请客的时候做起主妇来一定很得体，所以她尽不妨和他同住，到她愿意自立门户的时候再说。

她很伤心地摇摇头，又像平时一样掉下泪来。她懂得哥哥话里有因。少佐来过以后，当晚她就和她的心腹小朋友玛丽小姐细细地谈过这件事。玛丽是急性子，发现了秘密，到晚上再也忍不住，便对爱米描写都宾少佐看见平尼先生带着新娘走过的时候，起先怎么发怔，后来怎么乐得浑身打哆嗦，就因为他知道不必把平尼先生当作情敌的缘故。玛丽说："他问您说：'谁在造谣言？'一边说一边发抖，您难道没看见吗？哎哟，太太啊，他两个眼睛一直瞧着您。我想他准是因为生相思病所以把头发都想白了。"

爱米丽亚抬头看看床面前丈夫和儿子的画像，一面告诉那受她照顾的小姑娘以后再也不准提起这件事。她说都宾少佐是她丈夫最好的朋友，又是乔杰和她自己最亲近最好心的保护人，她把他当作哥哥一样爱他，"可是，"她指指墙上说，"一个女人已经嫁过天使一般的好丈夫，决不愿意再嫁第二回。"可怜的玛丽叹了一口气，心里想着外科医生诊所里那年轻的汤姆金先生。在教堂做礼拜的时候他老是那么瞧着她；一看他挑逗的眼光，她那怯弱的心就跳个不停，准备把自己终身托付给他。如果他死了，那可怎么办呢？她知道他有痨病，他脸上时常上火，腰身比别人瘦小得多。

爱米知道忠厚的少佐热烈地爱她，可是并不嫌他，也不对他表示冷淡。男人肯这么死心塌地地一直爱到底，女人总不会因此生气。拿着苔丝迪梦娜①来说，她多半知道加西奥中尉喜欢她，可并没有生他的气。照

---

① 莎士比亚悲剧《奥塞罗》中的女主角，后来因为有人毁谤她和丈夫手下的军官加西奥私通，给丈夫杀死。摩尔军官就是指奥塞罗本人。

我的看法，在那次悲剧里面还有好些事情都是那位贤明的摩尔军官不知道的。还有密兰达①，她对加立本还挺客气的呢，看来一定也是为这个原因。我当然并不是说她有意怂恿他来追求自己，那可怜东西不过是个又野又粗的怪物罢了。同样地，爱米也没有鼓励少佐来追求她。她只准备拿出又热和又尊敬的态度来对待他，因为他为人好，待朋友忠诚，值得人家尊重。在他开口求婚之前，她一定要努力让自己的态度坦白亲切。到他求婚的时候，她当然就叫他死了心，因为他这些希望是不可能实现的。

因为这样，当晚她和玛丽谈过话以后睡得很香，而且虽然乔斯没有准时回家，她却是异乎寻常地快乐。她想："他不娶奥多小姐我倒是很高兴。奥多上校决计不会有个妹妹配得上像威廉少佐那么多才多艺的人。"在她的小圈子里谁嫁给他最合适呢？平尼小姐不行，她太老了，脾气又不好。奥斯本小姐吗？也太老。小玛丽又太年轻。奥斯本太太睡觉以前想来想去也没找出一个配得上少佐的人。

第二天，邮差送来一封信，是乔斯写给妹妹的，信里说他刚下了船，觉得很疲倦，所以那天不能动身，必须等到第二天一早才能离开沙乌撒泼顿，傍晚时分便能和父母见面。有了信，家里的人也就不心焦了。爱米丽亚把信念给父亲听，念到"和父母见面"一句，顿了一顿。看上去她的哥哥还不知道家里的情形。这不能怪他；事情是这样的，都宾少佐虽然明知他的旅伴决不会在二十四小时内动身回家，准会找推托随处流连，却没有写信把乔斯家里的坏消息先通知他，因为他隔夜和爱米丽亚谈得太久，来不及寄信了。

也就在那天早晨，都宾少佐在斯洛德咖啡馆里接到他朋友从沙乌撒泼顿寄来的信，信上提到他隔天早晨给吵醒以后发脾气的事情，求亲爱

---

① 莎士比亚喜剧《暴风雨》中的女主角，加立本不过是服她父亲指挥的一个怪物。萨克雷此地不过在开玩笑，他的说法是全无根据的。

的都宾原谅，因为他那时刚刚睡着不久，头痛得厉害。同时他又委托都宾在斯洛德咖啡馆给他和他的两个用人定下几间舒服的房间。一路回国的时候，乔斯什么都倚赖都宾。他离不开他，老是纠缠着他。那天，别的旅客都已经回到伦敦。年轻的立该脱和却弗思是坐着邮车去的；立该脱坐在马车夫鲍脱莱旁边，把缰绳抢过来自己赶车子。医生回到包德西的老家去了；白拉格船长到伦敦去找其余的股东；船上的大副正忙着把货物从拉姆轻特船上卸下来。乔斯先生在沙乌撒泼顿冷静得很，只好请乔治旅馆的老板一块儿喝酒。就在那时候，都宾也在家里吃饭，跟父母和妹妹们坐在一桌。都宾少佐不会撒谎，他的妹妹把话一套，马上知道他回家之前已经先去拜访过奥斯本太太。

乔斯在圣马丁街住得很舒服。他不但能够静静儿地抽水烟，如果有兴致的话，也可以大摇大摆地上戏院看戏。他的生活那么安逸，倘若没有少佐在旁边催促着他，说不定他就会一直在斯洛德咖啡馆住下去。这位孟加拉客人曾经答应给他父亲和爱米丽亚布置一个家，因此少佐逼着他赶紧践约，要不然就不让他过安静日子。好在乔斯是肯听人调度的，都宾又是除了自己的事以外都肯出死力干的。这好性子的家伙手段着实圆滑，把那印度官儿笼络得言听计从，该买什么，该租什么，什么事该办，什么东西该脱手，全让他做主。洛耳·奇活勃不久就给送回加尔各答；他坐的是吉格尔白莱夫人号邮船，威廉·都宾爵士就是那家船公司的股东。印度人在圣马丁街的时候，每逢上街，顽童们瞧见了他的黑脸就来捉弄他。后来他把做咖喱、煮比劳、装水烟的法子教会了乔斯的欧洲用人，自己回家了。乔斯和少佐在附近朗爱格地方定做了一辆漂亮的马车；乔斯忙忙碌碌监看着工人打造马车，兴头得不得了。他又租了两匹好马，于是排场十足地在公园里兜风，或是去拜访在印度结交的朋友。爱米丽亚常常陪他出去，在这些时候，都宾便也来了，坐在马车的倒座上陪着。有时候赛特笠老头儿和他女儿也使那辆马车。克拉浦小姐时常陪她朋友出去；她披着那块有名的黄披肩坐在马车里，瞧见医生诊所里的小后生在对她看，心里非常得意。每逢她坐在马车里走过，小后生总是在诊所的百叶窗上面探头出来张望。

乔斯到白朗浦顿去过之后不久，住在赛特笠他们小屋里的人大家都伤心了一场。赛特笠一家在这所简陋的房子里已经住了十年。那天，乔斯派了马车（暂时租来的一辆，不是正在打造的大马车）——乔斯派了马车来接赛特笠和他女儿。他们离开之后当然不再回来了。房东太太和她女儿那一回倒是真心难受，这本历史里面无论什么人的眼泪都不能比她们的更真诚。她们和爱米丽亚从认识到相熟，那么长的一段时期里面，从来没有听见她说过一句伤人的话。她温柔近情，待人和气，得了一点好处就感谢不尽，甚至于在克拉浦太太发脾气逼着要房钱的时候也不变原来的态度。房东太太眼看着这好人儿从此一去不返，想起以前对她很不客气，心里悔之无及。她一面在窗口张贴招租条子，想法子把一向有人住的房子再租出去，一面伤心落泪。很明显地，他们以后再也找不着这么好的房客了。后来的日子证明这惨痛的预言一些也不错。克拉浦太太怨恨世道人心越来越堕落，只好在供应茶箱和羊腿的当儿狠狠地问房客多收点儿钱，借此出口气。大多数的房客都爱骂人，爱抱怨；有些人不付房租；没有一个住长了的。怪不得房东太太想念走掉的老朋友。

玛丽小姐和爱米丽亚分手的时候有多么伤心，我简直说不上来。她从小到大，天天跟那位亲爱的好太太在一起，倒是一片热心和她好。她眼看着漂亮的马车来接她朋友去过好日子，伤心得晕倒在朋友的怀里。爱米丽亚差不多跟这好性子的姑娘一样感动。十一年来，玛丽一直是她的朋友、她的伴侣，她把玛丽就当作自己的女儿一样，临别的时候真是割舍不下。她们俩当然早已约好，奥斯本太太在漂亮的新房子里住定以后，常常接玛丽去住。玛丽说爱米丽亚住了大房子一定没有在他们"寒微的茅舍”里快活。她爱看小说，所以模仿小说的语气，管自己的家叫"茅舍"。

希望她猜测得不对，因为可怜的爱米在那"寒微的茅舍"里并没有过了几天快乐的日子。她的坏运气一直在折磨她。离了那屋子，她再也不愿意回去了。碰上房东太太脾气不好或是收不着房租的当儿，她恶狠狠地欺负爱米；到她一高兴，又亲昵得叫人肉麻，那腔调也一样可厌。如今她见爱米日子过得顺利，一味地拍马屁讨好，爱米也并不喜欢。克拉浦太太在新房子里一片声奉承，不论看见什么家具和摆设，都不住口地赞叹。她抚弄着奥斯本太太的衣服，估计它们值多少钱。她赌神罚誓地说，像爱米这样的好人，什么讲究东西都配使。虽然她说了一大堆寒伧的奉承话儿，爱米只记得她以前恶赖凶狠，自己时常受她欺负。每逢房租过了期没付，爱米得向她讨情；爱米买了些细巧的食品孝敬生病的父母，又得听她批评自己浪费。她曾经看着爱米失意，也曾经作践过她。

可怜的小爱米一辈子吃过不少这样的苦，可是没有人知道她的难处。这些话她从来不对父亲说，事实上她吃亏的原因多半是因为父亲糊涂。他干了坏事，女儿就得代他受罪。她这样温柔虚心，天生就是受人欺负的。

但愿她此后再不必受这样的糟蹋了。据说有痛苦就有跟着来的安慰，可怜的玛丽在朋友离开之后悲伤得眼泪鼻涕地哭闹，亏得医生诊所里的小后生来替她治病，才使她身体复原。爱米在离开白朗浦顿的时候把屋子里所有的家具都送给玛丽，只带走了床头的两张画像和她的钢琴。这架又小又旧的钢琴年代已经很久，发出来的声音叮叮咚咚的幽怨得很，不过她因为特别的缘故，非常爱它。这钢琴原是当年她父母买给她的；她开始弹琴的时候，还是个孩子呢。读者想来还记得，后来她的父亲破产，有一个人特地从残余的家具里面把它买回来，重新送给爱米。

都宾少佐监督着布置乔斯的新房子，打定主意要把屋子里弄得又舒服又美观。正在忙碌的时候，一辆车子载着老房子里搬过来的箱子匣子，还有那架钢琴，从白朗浦顿来了，都宾看了满心喜欢。爱米丽亚吩咐把钢琴抬到三层楼上那间整齐的起坐间里搁好。那起坐间连着她父亲的卧房，老头儿后来一到黄昏便坐在里面歇息。

都宾看见扛伕抬着钢琴，爱米丽亚又叫他们抬到她的起坐间，心里得意，多情地说道："你还把它留着，我真高兴。我还以为你对它满不在乎。"

爱米丽亚道："在我眼睛里，它比世界上一切东西都宝贵。"

都宾虽然并没有把买钢琴的事跟别人说起，可是也没有想到爱米会以为钢琴是别人买的。他想爱米当然知道这是他送的礼。因此他叫起来说："真的吗，爱米丽亚？真的吗，爱米丽亚？"最重要的大问题已经到了他的嘴边，哪知道爱米答道："我怎么能够不宝贝它？这不是他给我的吗？"

可怜的都宾垂头丧气地答道："我倒没有知道。"

当时爱米并没有留心，也没有注意到忠厚的都宾那嗒丧的脸儿，后来她回想那时的情形，忽然明白过来，原来她以前弄错了，送钢琴给她的是威廉，不是乔治。这么一悟过来，她心里说不出地难受和懊恼。原来钢琴并不是乔治给的，她一向总以为它是爱人送给她的唯一的纪念品，把它当作宝贝，看得比一切都重。她对它谈起乔治；用它弹奏乔治最喜欢的曲子；在漫长的黄昏里坐在它旁边，尽她所能，在琴键上奏出忧郁的歌儿，一面悄悄地掉眼泪。既然它不是乔治的东西，还有什么价值呢？有一回赛特笠要她弹琴，她推说钢琴已经走了音，她自己又头痛，不高兴弹。

然后她又像平常一样，责怪自己小器没良心，决意要给老实的威廉一些补偿，因为她虽然没有明白表示瞧不起他的钢琴，心里却是那样想。几天之后，他们饭后都聚在客厅里，乔斯怪舒服地睡着了，爱米丽亚便吞吞吐吐地对都宾说："我得向你赔个不是才好。"

他说："赔什么不是呢？"

"就是为那架——那架小方钢琴。那还是好多年前我结婚以前你送给我的，我一直也没有给你道谢。我以为是另外一个人给我的。谢谢你，威廉。"可怜的爱米伸出手来给他拉手，心里却像刀绞的一样痛，她的眼睛当然也没有闲着。

威廉再也忍不住了。他说："爱米丽亚，爱米丽亚，我的确是为你才把它买下来的。那时候我就爱你，现在也是一样。这话我非告诉你不可。那会儿乔治把我带到你家里，要我认认他的未婚妻，大概我一看见你就爱上了你。你还是个小姑娘，穿了白衣服，头发梳成大圈儿。你还记得吗？你一边下楼一边唱歌，后来咱们还一起上游乐场来着。从那时候起，我心眼儿里就只有一个姑娘，就是你。这十二年来，我可以说没有一时一刻不在惦记着你。到印度之前，我就想来告诉你。可是你心里没有我，我也没有勇气开口。我走开，我留下，你压根儿没有在乎。"

爱米丽亚道："这是我没有良心。"

都宾不顾一切地说道："不是没有良心，只是不关心。我也没有什么长处可以叫女人爱我。我知道你的心里。这会儿你心里很难受，因为你发现钢琴是我送的，而不是乔治送的。我也是一时忘情，不然我决不会跟你那么说。所以还是应该我向你道歉。我不该一时糊涂，不该以为多少年来不变的忠心能够叫你同情我。"

爱米丽亚倔强地说道："这会儿是你的心肠硬呀。不管在这儿还是在天堂上，乔治永远是我的丈夫。除了他，我怎么还能够爱上别的人呢？亲爱的威廉，我到今天还是他的人，就跟你当初看见我的时候一样。你有多少好处，你做人多么慷慨大量，也都是他告诉我的。他叫我把你像哥哥一样待。你对我和我的孩子可不是仁至义尽吗？你是我们最亲近、最忠诚、最仁慈的朋友和保护人。如果你早回来几个月，也许我不用和孩子分手，不用受这些罪。威廉，那一回我伤心得差点儿死了。我祷告，我希望你会回家，可是你不来，结果他们把他抢去了。威廉，他真了不起，是不是？求你还像从前一样照顾他，也照顾我——"她说到这里，哽咽起来，伏在他肩膀上遮着脸。

少佐伸出手来把她当小孩儿似的搂着，吻着她的头说："亲爱的爱米丽亚，我不会变的。我只求你心上有我，别的也不想了。要不然的话，你根本不喜欢我了。我只希望常常在你身边，常常看见你。"

爱米丽亚说："好的，常常来吧。"这样，威廉算是得到许可，能够干瞧着得不到手的东西，好像学校里的穷孩子没钱买糕饼，只能看着甜饼小贩的盘子叹气。

# 第六十章　回到上流社会

爱米丽亚现在交了好运了。多少年来，她总在低三下四的圈子里可怜巴巴地讨生活，能够叫她离开这种环境，踏进上流社会，在我也很高兴。和她来往的人虽然没有咱们另外一个女朋友蓓基太太的相识那么阔气尊贵，可是也着实体面，算得上时髦人。乔斯的朋友都是英属印度三大管区里面结识的；他的新房子也在舒服的英印区域。在这区域以内，莫哀拉广场是中心，其他还有明多广场、大兑拉芙街、华伦街、海斯汀街、奥却脱洛内广场、泊拉昔广场、亚赛胡同（"某某花园"的确是个好听的名词，可在一八二七年的时候，凡是水泥墙壁、前面有柏油平台的屋子还不用这个名称呢）。这一带地方房子很体面，在这儿住家的全是从印度退休回来的阔佬。这个区域很有名声，威纳姆先生管它叫黑洞①。按照乔斯的地位，还不能住在莫哀拉广场，因为总得是殖民地上议会的委员或是印度商行的股东退休之后才有资格在那里住。这些委员和股东通常划出一万镑给他们的太太，自己手里比较地算紧一些了，便退居在这种近乡下的住宅区，靠一年四千镑的进款过活。乔斯在吉尔斯比街弄了一所二三流的房子，相当地舒服。屋里动用的地毯、贵重的镜子、塞登斯设计的又美观又适用的家具，都是从斯该泊先生的财产管理人那里收买下来的。这位斯该泊先生不久以前才加入了福格尔、费克、克拉克门合资经营的赫赫有名的加尔各答商行。可怜的斯该泊一生正直，攒下共有七万镑，全部投资在公司里，自己顶替了费克的位置，因为费克已经退休，住在色赛克斯郡一宅富丽堂皇的别墅里做寓公。福格尔一家的人也老早不在公司里了，而且贺拉斯·福格尔爵士还有机会加爵，指日就是斑大那男爵了。斯该泊在有名的分公司里只有两年，哪知道公司破产，欠了一百万镑的债，从印度回来的人倒有一半给带累着大大地吃苦。

老实的斯该泊弄得倾家荡产，真是伤心。他年纪已经六十五了，还得到加尔各答去收拾残局。华尔德·斯该泊本来在伊顿读书，现在只能转到一家商行去做事。弗罗伦斯·斯该泊和法尼·斯该泊跟着她们的母亲隐居到波罗涅去，从此音信全无。总之一句话，乔斯凑上来把他们的地毯和食器橱子买下来。屋里的镜子从前照着斯该泊一家和蔼漂亮的脸儿，现在轮到乔斯来顾影自怜了。本来和斯该泊一家有来往的店铺，亏得他们家行为正直，所有的账不曾少收了一文。商人们瞧着有新的人家搬来，都急忙送上名片，希望做他们家的生意。本来在斯该泊家饭桌旁穿了白背心伺候的肥大的听差，还有送牛奶的、卖蔬菜的、银行里

------

① 在 1765 年，印度酋长苏拉杰·陶拉反抗英国统治者，在加尔各答军营中一间小屋里关禁一百四十六名欧洲人，一夜之后，只剩二十三人活着。后人称那间屋子为"加尔各答的黑洞"。

的门房，都留下了地名，竭力巴结乔斯的用人头儿。扫烟囱的契梅先生已经替这房子里三家人家当过差，现在也去讨好用人头儿和他手下的小听差。这小听差的责任就是在爱米丽亚出门的时候伺候着她。他也穿号衣，上身钉满了扣子，下面是条纹裤子。

他们的排场不阔。管酒的用人头儿兼做乔斯的贴身听差。他喝酒很有节制，从来不超过普通小家庭里的用人应该喝醉的限度，因为他对于主人家的酒是很看重的。爱米雇了一个贴身女用人，是威廉·都宾爵士郊外的庄地上长大的。这女孩子很好，心地忠厚，又有规矩，叫奥斯本太太完全放心了。爱米起先想到有用人来伺候她，心里很着急，因为她向来对用人说话的时候总是恭恭敬敬，不知道应该怎么使唤贴身丫头。这个女用人在家里很有用，把赛特笠老先生伺候得也很周到。老头儿现在差不多成天在自己的卧室和起坐间里，家里有什么请客作乐的事，他是向来不参加的。

许多人都来拜访奥斯本太太。都宾夫人和她的女儿们见她转了好运，十分喜欢，特地来看望她。奥斯本小姐坐了华贵的大马车从勒塞尔广场过来，马车夫座位上火黄的布篷上绣着他们里滋地方本家的纹章。外面传说乔斯家财巨万，奥斯本老头儿觉得倘若乔杰承继了自己的财产之外，再添一份舅舅的家当，倒也不错。他说："哼，咱们得叫这小家伙做个大人物。我死以前还要眼看着他做议员呢。奥小姐，你不妨去望望他的母亲，不过我是决不愿意见她的。"所以奥斯本小姐就来了。爱米借此可以接近乔治，当然很愿意见她。小家伙得到特准，常常回来看望母亲。他每星期在吉尔斯比街吃一两次饭，把用人们呼来喝去，对长辈强梁霸道，和他在勒塞尔广场的时候一样任性。

对于都宾少佐，他总是很有规矩。只要都宾在旁边，他的态度就收敛些。他是个伶俐的孩子，对于少佐有些怕惧。乔治看见少佐心地纯朴，性情和顺，做人端方正直，虽然有学问，却不说大话，不由得不佩服。他活了这么大，从来没有遇见过这样的人，好在他对于正人君子倒是自然而然地敬爱，时常依依不舍地跟在教父左右；如果能够和都宾一起在公园里散步，听他聊天，他就心满意足。威廉和他说起他的父亲，说起印度和滑铁卢战役，真是无所不谈，只是不扯到自己身上去。有时乔治特别骄傲自大，少佐就说笑话挖苦他，奥斯本太太听得很不受用。有一回，少佐带孩子出去看戏，乔杰不愿意坐在后厅，嫌那地方太寒蠢。少佐便把他领到包厢里，自己转身走到楼下去。他坐下来不多一会儿，发觉有人挽住他的胳膊，看见一只戴羊皮手套的漂亮小手在拉他。原来乔治明白过来了，他觉得自己的行为荒谬可笑，就从楼上走下来。都宾瞧着那爱挥霍的小爷已经悔过，喜欢得眼睛放光，脸上露出慈爱的笑容来。他很爱乔治，凡是属于爱米丽亚的一切他没有不喜欢的。做母亲的听得乔治那么懂事，好不喜欢！她瞧着都宾，眼色非常和蔼，是以前向来没有的。他好像觉得她对自己那么端详过之后，还脸红来着。

乔杰常常在母亲面前夸耀少佐的好处，称赞的话说也说不厌。"我真喜欢他，妈妈。他知道的东西多极了。他又不像维尔那样，老是吹牛，老是用长字眼。你懂这意思吗？在学校里大家都叫他'长尾巴'。这诨名儿是我想出来的，你说可好不好？都宾看拉丁文的书就像看英文书那么容易。他还懂法文什么的。我们一块儿出去的时候他只讲爸爸的事，从来不说自己。可是我在爷爷那儿听得勃克勒上校说他是军队里数一数二的勇将，在战场上出人头地得厉害。爷爷奇怪得了不得。他说：'那家伙吗？我一向以为他胆子小得看见了一头鹅都不敢哼一声儿。'可是我知道他敢的，你说怎么样，妈妈？"

爱米笑起来，说她觉得少佐这点儿胆子总有的。

乔治和少佐感情十分融洽，可是说句实话，和他舅舅却不怎么好。乔治常常鼓起腮帮子，把手在背心袋里一插，说："求老天爷保佑，不信真有这事！"那表情和乔斯一模一样，看见的人都忍不住好笑。碰到吃饭的时候没有他要吃的菜，他就摆出这副嘴脸，把乔斯的口头禅重复一遍，引得用人们哈哈大笑。甚至于连都宾看见他模仿舅舅，也忍不住放声笑出来。全亏都宾呵责着，爱米丽亚急得一个劲儿地哀求着，小混蛋才算没有当着舅舅模仿他。贤明的印度官儿也恍惚觉得孩子瞧不起他，老是想开他的玩笑，因此心里发虚，在乔杰少爷面前更爱摆架子，做面子。乔斯先生只要听说乔治少爷要上吉尔斯比街来跟着母亲吃饭，总是推托说他在俱乐部另有约会。看来他不在家的时候也没有人想念他。每逢他出去，大家就哄着赛特笠先生，请他从楼上下来和一家人一起吃饭。在这样小规模的家宴上，都宾总有份。他和全家的人都合得来，不但是赛特笠老头儿的朋友，爱米的朋友，乔杰的朋友，又是乔斯的顾问。安恩·都宾在坎勃威尔说："我们从来见不着他，竟好像他还在玛德拉斯。"啊，安恩小姐，你难道没想到少佐要娶的并不是你吗？

乔瑟夫·赛特笠的日子过得真无聊，不过排场却很体面，恰好配得上他这样显赫的身份。在他眼里，最要紧的事就是加入东方俱乐部。从此以后，他早上常去和印度回来的同僚们应酬，有时就在俱乐部吃饭，或是把别的会员请回来款待他们。

爱米丽亚就得做主妇招待这些先生和他们的妻子。她听到的谈话，都是关于斯密士什么时候做委员，琼斯带回来多少做深红染料的虫胶，伦敦的汤姆生公司怎么拒绝付款给孟买的汤姆生和基包勃奇合营公司，而且听说加尔各答的分公司也要靠不住了。他们又批评亚美特奴加地方非正规军里白朗的妻子，说她和禁卫军里面那个叫斯璜吉的小伙子两个人在甲板上坐到夜深，在好望角出去骑马，索性两个人都不见了；她的行为，就算说得好听些，也太不谨慎。他们又谈到哈迪门太太的父亲原是个乡下的副牧师，叫斐利克斯·拉毕脱；哈迪门太太把她十三个妹妹都接到印度，一共嫁掉了十一个，其中倒有七个嫁了高级官员。此外，又说霍恩贝因为太太一定要住在欧洲，急得坐立不安；脱劳德刚做了恩美拉布拉地方的税官，等等。这些人说的话是一样的，用的银器是一样的，吃的羊身上的前胛肉、煮火鸡和小点心，也是一样的。吃完甜点心，接着就谈政治；太太们回到楼上去聊天，谈到自己的孩子和种种不如意的事。

这种情形，到处都是一样。譬如说，律师太太们谈巡回审判，军人太太们谈联队里的新闻，牧师太太们谈主日学校和某某牧师接了某处的位置，连最阔的阔太太们闲谈的题目也不过是自己小圈子里的人。这么说来，从印度回来的人也应当有他们自己的一套话。不过有时候不相干的外人刚巧也在场，听着这些话就不免要觉得沉闷，这我倒也承认的。

不久之后，爱米也有了拜客用的记事本，并且常常坐了马车出去应酬。来往的人里面有孟加拉军队里陆军中将罗杰·白鲁迪埃爵士的妻子白鲁迪埃大人、孟买军队里陆军中将杰·赫甫爵士的妻子赫甫夫人、行政委员派思的妻子派思太太等。我们不需要多少时间就能适应新的环境。马车天天给赶到吉尔斯比街，浑身扣子的小听差从车座上跳下来回上去，拿着爱米和乔斯两人的名片送到各家门口。到了一定的时候，爱米坐了马车到俱乐部去接乔斯出去吸新鲜空气，或是带着父亲到亲王公园去兜风。爱米对于贴身女用人、马车、访客本子、满身扣子的小听差，不久就和白朗浦顿的日常生活一般习惯了。这两种不同的环境，她都能适应。如果她命中注定要做公爵夫人，一定也做得很像样。和乔斯来往的太太们都夸她讨人喜欢，她们的批评，不外乎说她没多大能耐，不过人还不讨厌。

男人们呢，像平常一样，很喜欢她忠厚、诚恳而且文雅的态度。许多从印度休假回来的花花公子，穿得十分花哨，挂着表链，留着胡子，住的是西城的旅馆，坐的是快马拉的马车，三日两头上戏院看戏——这些人都对奥斯本太太非常倾倒，每逢她坐了马车在公园里兜风，都来对她鞠躬，或是早上到她家里去拜访她。禁卫军里的斯璜吉原是调情的能手，在好些从印度休假回来的军官里面，算他最风流，这小伙子得空也去看她。有一天都宾少佐发现他正在和爱米丽亚谈心，滔滔汩汩地描写打野猪的情形，口吻非常幽默。斯璜吉后来对人说起爱米丽亚宅子里常有一个讨厌的军官，又高又瘦，样子古怪，年纪不小了，可是相当地滑头，说起话来很动听，开口就把人比了下去。

倘若都宾少佐稍微再虚荣一些，说不定会跟这位时髦风流的孟加拉上尉吃醋。可是他天生老实，不是那等量浅气小的人，对于爱米丽亚一点儿不起疑心。年轻小伙子对她献殷勤，好些人对她倾倒，那不是很好吗？自从她成人以来，差不多总是给人虐待，遭人小看。如今环境改善了，日子过得顺利，她的长处随着显露出来，心境也渐渐愉快，他看着非常高兴。谁看得起她，也就是看得起少佐的好眼力。不过话又得说回来，一个人在恋爱的时候，就跟着了迷一样，他的眼力是不是靠得住还是个问题。

乔斯既然是王上忠诚的子民，少不得要进宫觐见一次。他全身礼服，打扮整齐之后，就在俱乐部等都宾去接他，都宾本人却只穿了一身很旧的制服。乔斯本来对于乔治第四十分佩服，愿意赤心忠胆为国王效力。自从进宫朝见过以后，更加成了个彻头彻尾的保守党，至至诚诚地拥护政府。他甚至于撺掇爱米丽亚也进宫一次。不知怎么一来，他心里有了个想头，竟以为国家的前途与他大有关系，而且觉得如果他和他家里的人不到圣·詹姆士的宫里去伺候王上，王上一定会不高兴。

爱米笑道："乔斯，那么说，进宫的时候我把祖传的金刚钻首饰都戴起来吧。"

少佐想道："可惜你不肯收，不然让我给你买些首饰多好。无论什么贵重的金刚钻你都配戴。"

# 第六十一章　两盏灯灭了

乔斯·赛特笠先生的家里发生了一件事情——一件家家免不了的平常事，把他家一连串斯文规矩的乐事给打断了。当你从客厅上楼到卧房去的时候，想来总注意到面前的小拱门。它的功用，可以使三楼和四楼中间的楼梯不至于太暗（孩子和用人的卧房多半在四楼）；另外还有一个用处，承揽丧事的人可以告诉你。他们把棺材停放在拱门顶上的楼板上，或是就停放在拱门底下，这样，死者能够静静地在黑色的方盒子里面躺着，不至于受到不应当有的骚扰。

　　在伦敦的房子里，三楼的拱门对着必由之路，全家的人都打这儿经过。站在拱门口，上下楼梯就能一目了然。天还没有亮，厨娘就偷偷地打这儿下楼到厨房里去擦洗锅壶盆罐。少爷在俱乐部里闹了一夜，黎明时候自己用钥匙开了大门回家，把靴子留在过道里，蹑手蹑脚地上楼。小姐穿了松松的细纱长裙，系着簇新的缎带，打扮得美丽耀目，衣裙窸窣地走到楼下，准备在跳舞会上颠倒众生，大出风头。汤美小少爷不屑走楼梯，也不怕危险，从楼梯的扶手上一直滑下来。漂亮的少奶奶刚做了母亲，医生第一天许她下楼，由她强壮的丈夫抱着下来。他心里怪疼老婆，一步一步慢慢地往下走；她脸上笑眯眯的，后面还跟着月子里伺候她的看护。到晚上，约翰拿着必剥必剥爆着的蜡烛轻轻上楼睡觉，疲倦得直打呵欠。太阳还没升起来，他又下楼把搁在各个房门口的鞋子收去擦抹干净。小孩儿给抱上抱下，老头儿老太太给扶上扶下，客人们给领进跳舞厅，牧师给小孩子施洗礼，医生去看病，办丧事的到楼上安排杂事，都得经过这儿。这拱门和楼梯是最能发人深省的；如果你坐在这儿，上上下下望一望，定神想一想，自然会想到生命和死亡，感叹人生的空幻。穿五彩衣的朋友啊①，医生最后一次来给你看病的时候也从这楼梯上来。看护揭开帐子往里瞧，你也不理会，她就打开窗户，让新鲜空气进来。你家里的人关上房子前面的百叶窗，搬到后面的屋子里去住，并且把律师和办丧事的人请到家里。这样，你我的喜剧就算演完了，从此和喧哗热闹、装腔做势的世界远远隔离了。如果你是有身份的人，你家大门上就钉上报丧板，上面画着金色的天使，写着"在天国里得到安息"。你的儿子把房子重新布置装修，或是把它出租，自己住到比较时髦的地段去。到第二年，你的名字就在俱乐部里"已故会员"的名单上出现。不管你家里的人怎么伤心，你的太太总喜欢把孝服做得

───────────

① 指丑角。也泛指一切世人。

整齐，厨娘总得差人上来——或是自己上来，打听吃什么菜。不久以后，你留下的妻儿看着你的画像挂在壁炉架上面不再难过得受不了。再过几时，正中的地位便该让出来给你的儿子，也就是屋里的新主人，挂他的画像了。

死去的人里面谁最使活着的伤心舍不得呢？我想准是那些最不关心活人的人。家里死了孩子，大人心痛得像摘了心肝，哭得如狂如醉。读者啊，你死了决不会叫人那么悲痛。越是襁褓里的小孩儿，人也认不大清，一星期不见就会忘了你，死去之后，给你的打击越大。哪怕死了你最亲近的朋友，或是你的长大成人、自己有儿有女的大儿子，都不能叫你那么难受。对于犹达和西门，我们也许很严厉，可是看着最小的便雅悯[①]，不知要怎么疼爱他才好。如果你年纪老了——即使现在不老，将来也总要老——不管你是又老又富或是又老又穷，你总有一天会这么想："我身边这些人都很好，可是我死后他们不会怎么伤心。我很有钱，他们想得我的财产——"或是，"我没有钱，他们抚养着我，一定觉得讨厌了"。

乔斯给母亲穿孝已经满服，刚刚脱去黑衣服，换上他最喜欢的五颜八色的背心，眼见又有事情来了。家里的人都看得出赛特笠老先生不久便要到黄泉路上去寻找走在他前面的妻子。乔斯·赛特笠在俱乐部正正经经地说道："近来我父亲的身体不好，我不能大规模请客。可是呢，契脱内，我的孩子，如果你高兴六点半到我家来，跟一两个老朋友静静儿吃一餐便饭，我非常欢迎。"垂死的老人躺在楼上，乔斯和他的朋友们便在楼底下静静地吃饭和喝红酒。管酒用人悄没声儿地踅来踅去，替他们送酒进来。饭后，他们玩玩牌，有的时候都宾跟他们一起玩。奥斯本太太服侍病人睡好之后，偶然也下来坐一会儿。她总在父亲睡着

---

① 见《圣经·创世记》第三十五章第十八节。便雅悯是雅各最小的儿子。

以后才下来，老头儿跟所有上了年纪的人一样，睡得不大稳，有些儿胡梦颠倒。

老人生了病之后，更依赖女儿。喝汤吃药的，差不多都要她喂。除了伺候病人之外，她也没有工夫做什么别的事了。她的床铺搁在通父亲卧房的门边，容易发脾气的病人一有什么响动，她就起来。说句公平话，病人不愿意吵醒他又体贴又尽心的看护，往往动都不动，一连静卧好几个钟头。

他现在很爱女儿，从女儿长大成人以后，做父亲的从来没有这么疼她。在待人和蔼、伺候父亲孝顺一方面，这忠厚的好人比谁都强。她在父亲病房里悄没声儿地进出，样子端庄文雅，脸上甜甜的带着笑容，都宾少佐看了心里想道："她进来的时候，脚步轻得像一丝太阳光。"女人守着自己的孩子，或是在病房里伺候病人，脸上可不都像天使一般地慈爱吗？我想这种表情大家全看见过。

这样，几年来藏在心里的怨恨无形消灭了；他口里不说，心里却很平静。女儿对他这么孝顺体贴，他在临死之前也就忘记了对她的不满。以前他们老两口子常在夜里埋怨女儿，说她为自己的孩子才肯掏出心来，父母上了年纪，又遭到各种不如意的事，她都不在心上，只有儿子是宝贝，后来乔治跟她分手的当儿，她伤心得发狂一般，真是荒唐糊涂，简直可以说是不敬神明。如今赛特笠老头儿结了一下总账，把心里这些疙瘩都忘记了，对于女儿温和忍耐、自我牺牲的精神才真正服帖。有一晚，她偷偷地走到他的房里，发现他醒着。灰心颓唐的老头儿对她认了错，用冰冷无力的手拉着她说："唉，爱米，我刚才在想，我们对你很不好，很不公道。"她跪在他的床旁边开始祷告，他拉着她的手，跟她一起祷告。朋友，但愿我们临死的时候，也有这么一个同伴陪着我们祈祷！

在他睁眼躺着的时候，说不定他回想到一辈子的遭遇，早年怎么挣扎，后来怎么成功发达，真是大丈夫得志于时，老来怎么一败涂地，现在又落到这般可怜的结果。命运打败了他，如今再也没有机会向它报复。自己身后没有名，也没有留下钱，一辈子穷愁潦倒，没做过有益的事，如今力气已经使尽，就算完了。我常在想，死的时候，又有名又得意好呢，还是又穷又潦倒好？还是愿意什

么都有，到临死不得不撒手呢，还是和命运赌过一场，输给它以后奄奄一息地死去呢？总有一天，我们说："到明天，成功和失败都没有关系了。太阳照旧升起来，千千万万的人做工作乐，可是一切的喧闹都和我无关了。"这种感觉准是非常地古怪。

有一天早晨，太阳照常上升，大家照常起来，做工的做工，寻欢作乐的寻欢作乐，只有约翰·赛特笠不起身。他不再和命运搏斗，也不再希望，不再计划，从此安安静静地躺在白朗浦顿墓地上他老妻的身旁。他后来的生活，世上的人就不得而知了。

都宾少佐、乔斯、乔杰坐着一辆蒙黑布的大马车去送丧，眼看着下了葬。乔斯是特地从里却蒙的勋章饭店赶回来的。自从家里有了丧事，他就溜掉了，他说家里有了一个——你懂吗，在这种情形之下，他不能住在家里。爱米留在家里，照旧做她分内的事。她并不觉得十分难受，她的表情并不是悲伤，只是很严肃而已。她祷告上天，希望自己临

死的时候也是这样安静而没有痛苦。她想起父亲病中说的话都显得出他的信仰虔诚，而且顺天应命，对于将来很有希望，使她觉得很安心，也很敬服。

我想了一想，觉得临死的时候还是这样好。如果你很有钱，日子过得舒服，最后说："我手里有钱；我的名气也不小；我一辈子和最上等的人物来往，而且，谢天谢地，我的家世是好的。我很光荣地为王上和国家尽过力。我做过好几年议员，我可以说，我在国会里的演说，大家很看重，对我的批评也不错。我没欠过一文钱；不但如此，我还借给我大学时候的旧同学贾克·拉柴勒斯五十镑钱。他还不出来的话，我的遗产管理人也不会去逼他。我留给每个女儿一万镑，可算是很丰厚的嫁妆。我的碗盏器皿、家具、贝克街的房子，还有一笔很可观的遗产，都给我的太太终身使用。我的田产庄地、公债票、贝克街屋子的酒窖里面所有的好酒，都给我儿子。我还给我贴身用人一年二十镑的年金。我死后看谁能够找得出我一件亏心事！"也许你临死的时候口气完全不同，你说："我是个穷老头儿，一辈子潦倒，不得意，到处碰壁。我没有脑子，运气也不好；我承认自己一辈子不知做错了多少事。我时常忘了自己该尽的责任，欠的债也还不出。现在我快要死了，我一点办法都没有，只有低头认错。我祷告上天饶恕我的过失。我真心真意地悔过，跪在上帝面前求他对我慈悲。"你想一想，愿意在自己的葬礼上说哪一篇话呢？赛特笠老头儿说的是后面的一篇。他低心下气，拉着女儿的手，撇下了生命、失望和虚荣。


奥斯本老头儿对乔治说："能干、勤勉、投机得法究竟有什么好处，你现在看见了吧？你瞧瞧我跟我的银行存折。再瞧瞧你那穷酸的外公跟他的失败。可是二十年前他比我强多了。那时候他比我多一万镑钱呢。"

除了上面说的亲友之外，就只有克拉浦家里的人从白朗浦顿出来送了丧。此外谁都不理会约翰·赛特笠，根本不记得世界上有过这么一个人。

奥斯本老头儿第一回听得他朋友勃克勒上校称扬都宾少佐，觉得不相信。他瞧不起都宾，明白表示像他这么一个人居然有脑子有名声，简直令人纳闷。这件事小乔治早就告诉过我们。可是老头儿后来又常常听见和自己来往的人说起都宾的大名。威廉·都宾爵士非常佩服儿子，时常谈起少佐怎么有学问，怎么勇敢，别人怎么看得起他，等等。后来伦敦有过两次贵族出面做主人的大宴会，少佐的名字竟在其中一次宴会的宾客名单上登载出来。这一下，勒塞尔广场的贵人<sup>①</sup>不由得对他肃然起敬。

少佐是乔杰的保护人，乔杰的一切既然归祖父经管，他和老头儿少不得要见几次面。老头儿是个精明的生意人，有一回把少佐代乔杰和他母亲记的账目细细地查了一下，查出一件意想不到的秘密，弄得他又高兴又难受。原来寡妇和她孩子靠着过活的资金里面有一部分是少佐自己腰包里掏出来的。

给他仔细一追问，都宾就把脸绯红了。他不会扯谎，支吾了半天，只好老实承认。他说："他们结婚实在是我促成的，"（老头儿沉下了脸）"因为我想我可怜的朋友已经订了婚，临时推托逃避，不但坏了他自己的名誉，而且准会送了奥斯本太太的命。后来她没有钱过活，我当然有义务尽我所有拿出来抚养她。"

奥斯本先生的脸也红了。他紧紧地瞅着都宾说道："都少校，当年是你坑了我。可是，我得直说，你真是个忠厚的好人。喏，我想跟你拉拉手。我没想到自己的骨肉要靠你养活。"他们两人握着手，都宾少佐窘得无地自容，没承望自己瞒着人做的好事会给人揭穿。

他竭力使老人心平气和，想起儿子不再发狠。他说："他真了不起，

———————————

① 这是挖苦他的话，因为他只是中产阶级，想和贵族来往而高攀不上。

我们大家都爱他，愿意给他当差。当年我自己也还年轻，承乔治特别和我好，真觉得受宠若惊。在我，跟乔治在一起比跟总司令在一起还体面。讲到勇气、胆量、所有军人不能缺少的品质，我没有见过比得上他的人。"都宾尽他记忆所及，讲了许多乔治怎么勇敢出色的故事给他父亲听，并且说："小乔杰真像他。"

祖父说："他跟他那么像，有的时候真让我着急。"

赛特笠先生害病的那一阵子，少佐曾经到奥斯本先生家里吃过一两回晚饭，他们饭后坐着闲谈，说来说去无非关于那死去的英雄。做父亲的照从前一样夸耀儿子，借着讲他的本领和勇气自己吹牛。不过他的心境比以前好，胸襟也比以前宽大，说起那可怜家伙的时候和原来的口气不同了。忠厚的少佐具有基督教徒的精神，看他不念旧恶，觉得非常高兴。到第二个黄昏，奥斯本老头儿管都宾叫威廉，只有在都宾和乔治小时，他才用这种口气说话。老实的都宾知道老头儿不再和自己闹别扭，心里很受用。

第二天早饭的时候奥斯本小姐也说起都宾来。她本来尖刻，又上了些年纪，一开口就批评他的外表和行为上的缺点。一家之主打断她说："奥小姐，从前你巴不得嫁给他呢。可惜葡萄是酸的。哈！哈！威廉少佐是个好人。"

乔杰很赞成他的话，说道："爷爷，他真是好人。"说着，他走到祖父旁边，拉着他灰白的大胡子，和颜悦色地笑着吻了他一下子。当晚他就把这件事说给母亲听。爱米丽亚听了合意，说道："你说得不错。你父亲从前也总是夸他。他的为人是少有的，没有几个人像他一般正直。"这话说过不多一会儿，都宾恰巧来了，爱米丽亚脸上便有些不好意思，禁不起那小混蛋再把方才的话向都宾一说，弄得大家都很窘。乔杰说："我说呀，都宾，有一个了不起的女孩儿想嫁给你。她很有钱，她戴着假刘海，她一天到晚骂用人。"

都宾问道："她是谁呢？"

孩子答道："就是奥姑母。爷爷那么说来着。都宾呀，你做了我的姑夫多好！"刚在这个当儿，赛特笠颤抖的声音从隔壁传过来，叫爱米丽亚过去，人家才止了笑。

谁也看得出来，奥斯本老头儿改了主意了。有时他也问起乔杰的舅舅。孩子学着乔斯的样子说"求老天爷保佑我的灵魂"，一面狼吞虎咽地喝汤，老人看得很好笑。他说："小孩儿不该学长辈的样子，太没规矩了。奥小姐，今天你坐车出去的时候，把我的名片送一张到赛特笠先生那儿去，听见吗？反正我和他没有闹过意见。"

乔斯也把自己的名片送过来，结果他和少佐两人就给请到勒塞尔广场去吃饭。奥斯本先生一辈子请过多少回客，大概数这一回排场最大，也最沉闷。席面上摆着全套金银器皿，请的客人全是最体面的阔佬。赛特笠先生扶着奥斯本小姐下楼。她对他很客气，可是对于少佐却不睬不睬。少佐离她远远地坐在奥斯本先生旁边，怕羞得不得了。乔斯一本正经地说他一辈子没吃过这么鲜美的甲鱼汤，又问奥斯本先生他的西班牙白酒是哪儿买的。

用人头儿轻轻对主人说："是赛特笠的酒。"奥斯本先生大声对客人道："这酒已经藏了好久了。买来的时候价钱很不小呢。"他凑近坐在右手的客人，轻轻告诉他说这些酒还是"那老头儿家拍卖的当儿买来的"。

他有过几次在少佐面前迟迟疑疑地问起乔治·奥斯本太太。关于这个题目，少佐只要在高兴头上，可以滔滔不绝地说许多话。他告诉奥斯本先生她怎么受苦，怎么深切地爱丈夫，而且至今还想念他，把他当神明似的崇拜。他又说她抚养父母怎么体谅孝顺，到后来觉得应该让儿子离开家里，便又毅然决然地牺牲自己。老实的都宾声音抖抖地说道："您真不知道她受的苦。我希望您跟她和解，我相信您一定肯跟她和解。就算当年她抢了您的儿子，后来她不是也把自己的儿子给了您吗？说句老实话，不管您怎么疼乔治，她疼小乔治的心还要深切十倍。"

奥斯本先生只说了一句："天知道，你是个好人。"他以前从来没有想到寡妇跟她儿子分离的时候会觉得难受，他得了财产怎么反而叫她心痛呢？他宣布要和爱米丽亚有个谅解，这件事已经说定，两边不久就要见面。爱米丽亚为着要和乔治的父亲碰头，觉得害怕，一想起这事就心跳。

他们两人注定不能见面。先是赛特笠疾病缠绵，接着便忙他的丧事，这件事就给耽搁下来。赛特笠一死，还有些别的原因，大约对于奥斯本先生很有影响。近来他身子有病，增添了老态，自己在心里筹划着什么事。他请了律师回来，大概把遗嘱改动了一下。来看病的医生说他身体衰弱，神经不安，应该放掉些血，再到海边休养一阵子。可是他根本不医治。

有一天早晨，他到了时候还不下来吃早饭，他的用人找不着他，走到梳妆室里一看，发现他中风倒在梳妆台旁边，立刻通知奥斯本小姐。他们请了好几个医生，还请了专门放血的人。乔治也没有去上学。奥斯本恢复了一部分知觉，可是不能说话，虽然有一两回他使劲想说。四天之后他就死了。医生从楼上下来，办丧事的从楼下上去。凡是面对勒塞尔广场花园的窗口，所有的百叶窗都关闭起来。白洛克急急忙忙从市中心赶来。"他留给孩子多少钱？不能给他一半吧？当然应该是三份平分喽？"这一刹那真是紧张。

可怜的老头儿有一两回想说话而说不出，不知道究竟有什么事情放不下心。我想他当时很想见见爱米丽亚，愿意在自己有口气的时候跟他儿子忠心的妻子言归于好。我的猜测大约不错。从他的遗嘱上就可以看得出来，多少年来藏在心里的怨恨已经冰释了。

他们在他的晨衣口袋里找着当年乔治从滑铁卢寄回来的信，信口上还有一大块红火漆。其余关于他儿子的文件，他也看过，因为他口袋里还有钥匙，正是收藏这些文件的匣子上的。所有的信封和封口的火漆也都给弄破了。看来中风前一夜他就在翻这些东西。当时用人头儿替他送茶点到书房里去，看见他正在读家里那本大红《圣经》。

开读遗嘱之后，发现他把一半财产传给乔治，剩下的给两姊妹平分。为经管她们的财产起见，白洛克先生可以继续经理商行里的事务，如果他不愿意，也可以退出。他又从乔治财产上每年提出五百镑给他母亲，"爱儿乔治·奥斯本的妻子"。小乔治也仍旧归她抚养。

他指定"爱儿的好友威廉·都宾少佐"为遗嘱执行人。遗嘱上说："他为人忠厚，曾经在我孙儿和儿媳衣食无着的时候加以资助。对于他的好意和关怀，我表示衷心的感谢。我愿将足够捐得中将职位的数目赠与都宾少佐，随他怎么处置。"

爱米丽亚听说公公临死不再怨她，心里早软了，又得了这笔遗产，更加感激。后来她知道乔治仍旧归她抚养；这件事前后有什么经过，由于谁的力量，她也听说了。原来在她贫困的时候，是威廉养活她的。从前给她丈夫的是威廉，现在还她儿子的也是威廉。她双膝跪下，祷告上天保佑那忠诚不变的好心人。他的感情是深远崇高的，她在它面前低下头，承认自己的渺小，觉得只配吻它的脚。

他这样了不起的忠诚，这样为她尽力，爱米丽亚却只能用感激来报答。除了感激什么也没有！如果她想到用别种方式来酬报都宾，乔治的影子立刻从坟墓里站起来，说："你是我的，不能属于别人。你现在是我的，将来也只能是我的。"

威廉懂得她的心思。他不是一辈子就在分析她的感情吗？

奥斯本先生的遗嘱公开之后，和乔治·奥斯本太太来往的人都比以前看得起她，这件事对于咱们倒是个好教训。在以前，乔斯公馆里的用人凡是听得她有使唤，总不肯依头顺脑，虽然她很客气，他们却说什么先得问问老爷，看这事行得行不得；现在不敢再说这话。厨娘从前常常嗤笑她的旧衣裳，如今也不笑了。说真的，星期天晚上她穿上新衣服上教堂的时候，爱米丽亚的旧衣服比在旁边真是黯然无色。别的用人听得她打铃不再抱怨，也不故意延宕。马车夫向来不愿意赶着老头儿和奥斯本太太出去呼吸新鲜空气，抱怨说车子又不是医院，现在巴不得替她当差，战战兢兢的生怕自己的饭碗给奥斯本先生的车夫夺去。他说："勒塞尔广场的马车夫怎么会熟悉这边的街道？他们怎么配坐在有身份的太太前面赶车子？"乔斯的朋友们，不论男的女的，一下子都对爱米关心起来，写的慰问信把过道里的桌子堆得满满的。乔斯向来把她当个好脾气、没心眼的叫化子，自己得给她吃，供她住，现在对于妹妹和有钱的小外甥十二分尊敬。他很关心她的身体，说她经过这么些磨难苦恼，应该换换环境，出去乐一下。他管她叫"可怜的好姑娘"，特意每天到楼下来吃早饭，问她哪天愿意怎么消遣。

爱米拿乔治保护人的资格，求得另外一个保护人都宾的同意，请奥斯本小姐仍旧住在勒塞尔广场的屋子里，随她愿意住几时就住几时。奥斯本小姐感谢她的好意，可是说她再也不愿意一个人住在这样阴森森的大房子里面。她带着一两个老家人，穿了一身重孝，到契尔顿纳姆去住。其余的用人都得了丰厚的工资，给打发掉了。奥斯本太太本来预备把忠心的用人头儿留下来使唤，可是老用人辞谢了。他宁可把历年积蓄开个酒店。希望他买卖顺利！奥斯本小姐不要住在勒塞尔广场，奥斯本太太和大家商量了一下，也不高兴住在这么凄惨的房子里。结果他们把大房子出空；富丽的家具什物，叫人一看就害怕的大烛台，样子怪凄凉的镜子（里面也照不见什么东西），都给捆起来藏过一边。客厅里一套讲究的花梨木家具用干草包好；地毯卷起来用绳子捆紧；另有一套精装的书籍，数目不多而选得很精，都理在两只酒箱里。所有的东西装了几大车运到堆栈里去，直要到乔治成年之后再拿出来。还有几只笨重的深颜色箱子，搁满了器皿碗盏，给运到有名的思登比和罗迪合营银行的地窖里，也要到那时才拿出来。

一天，爱米浑身重孝，拉着乔治一同到那没人居住的屋子里去巡视一下。自从她长大成人之后，还没有进去过呢。屋子前面刚有货车来装过东西，满地都是干草屑。他们走进一间间空无一物的大房间，看见墙上本来挂肖像和镜子的地方还留着痕迹。然后他们由空落落的大石头楼梯上去，看看楼上的屋子。有一间，乔治轻轻地告诉妈妈说，就是爷爷死在里头的。此后又上一层楼，到了乔治自己的屋里。爱米手里牵着孩子，心里却在想另外一个人。她知道这卧房不但是小乔治的，从前还是他父亲的。

她走到敞开的窗户旁边——当初孩子刚离开她的时候，她时常向着这些窗户张望，心里说不出地难过。从窗口望出去，越过勒塞尔广场上的树顶，就可以看见自己从前的老房子。她在那儿出生，也在那儿过了神圣的童年，享过好几年福。她回想到快乐的假期，慈爱的脸儿，无忧无虑的好时光，还想起以后一大截艰难困顿、把她折磨得抬不起头来的苦日子。她想到过去的一切，又想到她的始终如一的保护人，她唯一的恩人，她的守护天使，她的温厚慷慨的好朋友。

乔杰说："瞧这儿，谁用金刚钻在玻璃上刻了乔·奥两个字。我以前一直没有看见。这不是我刻的。"

"乔治，这间屋子本来是你爸爸住的，那时离你出生的时候还远呢。"她一面吻着孩子，一面红了脸。

他们坐车子回里却蒙的时候，她一路没有说话。她在里却蒙暂时租了一所房子，律师们笑容满面，常到这里来找她，一忽儿出一忽儿进，每次的手续费当然都记在账上。屋子里少不得给都宾少佐留了一间房；他得给他的被保护人办许多事情，常常骑马到他们家里米。

那时乔杰已经从维尔先生的学校里出来，度着无尽期的长假。那位先生呢，正在写一篇墓志铭，准备刻在漂亮的大理石碑上，将来安在孤儿教堂里乔治·奥斯本上尉的纪念碑底下。

白洛克的女人，也就是乔治的姑妈，做人很大方。她预计得到的遗产虽然给那小鬼抢去了一半，她倒不记恨，反而跟嫂子和侄儿言归于好。罗汉浦顿离开里却蒙并不远，有一天，白洛克家的马车到里却蒙爱米丽亚的家里来；车身上画着金牛，车里面坐着萎黄的孩子，一家子都拥到爱米的花园里来。爱米丽亚正在看书；乔斯坐在凉亭里，静静地把草莓浸着酒吃；少佐穿了印度短装，躬着背，让乔治玩跳田鸡。他跳过少佐的头，一直冲到白洛克家的一群孩子前面。这些孩子帽子上一个个大黑蝴蝶结，腰里系着宽宽的黑带，跟着穿孝的妈妈一起走进来。"按他的年龄，刚配得上罗莎。"痴心的妈妈想着，向宝贝的女儿瞧了一眼。小姑娘今年七岁，长得很瘦弱。

弗莱特立克太太说："罗莎，吻吻你亲爱的表哥去。你认得我吗，乔治？我是你姑妈。"

乔治道："我怎么会不认得。对不住，我不爱人家吻我。"他看见表妹乖乖地走上前来吻他，连忙躲开。

弗莱特立克太太说道："你这孩子多滑稽，领我到你亲爱的妈妈那儿去。"这两位太太相别十五年，现在重逢了。爱米艰难困苦的时候，她的小姑从来没有想到要来看望她，现在她日子过得很顺利，小姑就来认亲，觉得这是理所当然的事。

还有许多别的人也来拜访她。咱们的老朋友施瓦滋小姐和她的丈夫从汉泊顿广场坐了马车轰隆隆地赶来，跟班马夫们都穿了黄烁烁的号衣。她还像从前一般热心热肠地喜欢爱米丽亚。说句公平话，如果她能够常常和爱米丽亚见面，倒未必会变心。可是叫她有什么法子呢？在这么一个大城市里，谁有时候去找老朋友呢？如果他们掉了队，当然就不见了。我们也顾不得多少，总得照样往前走去。在名利场上，少了个把人有谁注意呢？

总而言之，奥斯本先生死后大家还没有伤完心，许多有身份的人已经忙着来结交爱米丽亚。他们相与的个个福星高照，没有一个走背运。这些太太嫁的丈夫不过是市中心的咸货商人之类，不过差不多每位都有个把贵族亲戚。有些太太本身就很有贵族气派，见闻也广，不但看索莫维尔太太[①]的著作，还常到皇家学院去走走。有些太太生活谨严，都是福音教徒，经常到爱克塞脱教堂去做礼拜。说句实话，爱米听着她们说话，不知怎么搭讪才好。有一两回，她推辞不脱，只得到弗莱特立克·白洛克太太家里去做客，觉得苦恼极了。白洛克太太一定要提拔她。承她好意，决定要教育爱米。她给爱米丽亚找裁缝，理家事，还改正她的仪态。她不断地坐马车从罗汉浦顿过来，跟她朋友闲谈时髦场上和宫廷里的琐琐屑屑，都是些最无聊最浅薄的杂碎。乔斯爱听这一套，可是少佐一看见这女人走来卖弄她那些不值钱的高雅，就咕哝着躲到别处去。他在弗莱特立克·白洛克最讲究的筵席上吃完了饭，竟对着这位银行家的秃顶睡起觉来（弗莱德仍旧急煎煎地盼望能把奥斯本家里的财产从思登比和罗迪合营银行转到他自己银行里去）。爱米丽亚不懂拉丁文，也不知道《爱丁堡杂志》上最近一篇出色的文章是谁的作品；大家谈起最近那岂有此理的救济天主教徒的议案，说是比尔首相的态度出尔反尔，叫人奇怪，她听了这事也没有一句批评。白洛兄家的客厅布置得非常豪华，前面望出去就是丝绒一般的草地，整齐的石子路，发亮的花房。爱米坐在客厅里，夹在一群太太中间，一句话也说不出。

罗迪太太说："她看上去脾气很好，可是没什么道理。那个少佐似乎对她十分有意。"

霍莉姚克太太说："她一点风味儿都没有。亲爱的，我看你教不好她的。"

格劳笠太太的声音仿佛从坟墓里出来，她摇一摇裹着头巾的头说

---

① 索莫维尔太太（Mrs. Mary Somerville，1780—1872），女天文学家，曾写过好几种科学论文。

道："她真是无知无识得可怕，也许她对于一切都不关心。我问她说，按照乔治尔先生的说法，教皇在一八三六年要下台，可是活泊夏脱先生又说是一八三九年，不知道她的意见是什么。她回答说：'可怜的教皇！我希望他不下台，他干了什么坏事了？'"

弗莱特立克太太答道："亲爱的朋友们，她是我的嫂子，又守了寡，因此我觉得我们应该在她踏进上流社会的时候尽量照顾她，教导她。虽然大家都知道这一回我们很失望，可是我帮助她的动机可不是贪图什么好处。"

罗迪和霍莉姚克一同坐车离开的时候，罗迪说："可怜那亲爱的白洛克太太！她老是耍手段。她想要把奥斯本太太的存款从我们银行里抢到她家的银行里去。她甜言蜜语地哄着那男孩子，叫他坐在她那烂眼睛的罗莎旁边，真可笑！"

霍莉姚克太太嚷道："格劳笠一天到晚说什么有罪的人啦，世界末日善恶决战啦，但愿她一口气闷死！"说着，马车走过了泊脱内桥。

这样的人太高尚了，爱米跟她们合不来。家里有人提议到国外去游历，其余的人都高兴得跳起来。

# 第六十二章　莱茵河上

上面说的家常琐碎已经过去。又隔了几个星期，国会开过会，夏天也正式来了。伦敦的上流人物都在准备按照每年的惯例出国游历或是将养身体。一天早上，天气晴朗，巴塔维厄号汽船载着一大群出国避暑的英国人离开高塔码头向外驶去。后甲板上张着天幔，甲板当中和长凳上挤满了粉红脸儿的孩子，还有好些管孩子的用人，也在那里忙忙碌碌地张罗着。太太小姐们穿了夏衣，戴上漂亮的浅红帽于。先生们穿了麻布上装，戴了旅行便帽，开始在留胡子，为的是出国的时候好看些。也有老军人，长得壮大，穿戴得整齐，领巾浆得笔挺，帽子刷得干净；自从战争结束之后，常看见这一类的军人往欧洲去，并且把本国骂人的话儿带到了大陆上每一个城市。

帽匣子呀，勃拉马式的书桌呀，箱子呀，在甲板上堆了一大堆。船上还有意气扬扬的剑桥学生，由老师陪着，准备到诺能窝斯或是克尼斯温脱去，一边旅行，一边读书。也有爱尔兰人，留着漂亮的胡子，戴着珠宝首饰，不停地谈论养马打猎，对于同船的年轻女人们非常客气。剑桥的学生们和那苍白的教师恰恰相反，像姑娘们一样腼腆，看见女人就远远躲开。也有向来在帕尔莫尔一带悠闲度日的浮浪子弟，出发到爱姆士和维斯巴登去喝矿水，把一季下来吃的饭菜从肠胃里洗洗干净，同时也来一点儿轮盘赌和纸牌戏，免得生活太沉闷。那边是玛土撒拉老头儿，刚娶了年轻太太，她的阳伞和旅行指南都由禁卫军里的巴比容上尉拿着呢！这边是梅依那个小伙子带着新娘出去旅行。新娘原来叫温德太太，是梅依的祖母的同学。再过去是约翰爵士和爵士夫人，领着十二个孩子，再配上十二个用人。舵轮旁边坐着的是了不起的贵人贝亚爱格思一家。他们不和众人合群，对人人都瞪着眼端详，可是谁也不理。

他们的几辆马车在前甲板上，车身上画着王冠，上面堆满了发亮的行李箱，跟其余的十来辆类似的马车锁在一个地方。在马车中间穿出穿进真不是容易的事，可怜那些住在前面房舱里的客人挤得行动都不得自由。这些家伙全是从汉兹迪却来的犹太人。他们衣着光鲜，自己带着口粮；拿他们的资力来说，把头等舱里的时髦人物买一半下来也容易。还有几个老实人，留着胡子，带着公事包，上船不到半个钟头就开始写生。又有一两个法国女用人，船一过格林威治，她们就晕船晕得不可开交。此外还有一两个马夫；他们只在自己所照管的马房附近闲逛，或是在舵轮边靠着船舷向下看，一面谈论圣里杰大香槟哪匹马能跑第一，对于哥德窝德金杯他们存什么希望。

所有招待旅客的向导先在船上穿来穿去，把主人们安顿在船舱里和甲板上，然后聚在一起抽烟闲谈。那几个犹太人围着他们，一面端详船上的马车。那儿有约翰爵士的容得下十三个人的大马车、玛土撒拉勋爵的马车，还有贝亚爱格思勋爵的大马车、敞车和法国式小车——只要是肯出钱的，尽管来买。勋爵居然会有现钱出国游览，真令人纳闷。那些犹太人倒知道底细。勋爵手里有几个钱，是谁借给他的，利息多少，他们都很清楚。那边还有一辆又整齐又漂亮的旅行马车。大家都在猜测，不知这是谁的车子。

一个戴着耳环、拿着大皮钱包的向导对另一个戴耳环拿大皮钱包的同行说："这辆车是谁的？"

那一个用德国口音的法文答道："我想是基希的。我刚才看见他在车里头吃夹肉面包。"过了不久，基希从甲板下面上来，他刚才在下面对船上堆藏行李的人伙大叫大嚷，一面用各种语言咒骂着。这时他上来，就对充当翻译的同行兄弟们报告自己的来踪去迹。他告诉他们说这辆车子属于加尔各答和贾米嘉那边回来的一位贵人；这位贵人是个大财主，刚雇了他做向导。正在这时，一位小爷出来了，他本来在装置在明轮上部各个木架中间的桥上玩，给人赶了下来，便跳下来掉在玛土撒拉的马车顶上，又跨到别辆车子的行李箱上，一直爬上自己的车顶，从窗口钻到车身里面。向导们在旁边瞧着，都喝起彩来。

向导脱了金箍帽子，笑嘻嘻地用法文说道："乔治先生，过海的时候风浪不会大。"

那位小爷答道："谁叫你说法文？饼干呢？"基希便用英文——反正是他会说的英文——回答他。基希先生虽然各种语言都能说说，可是一种也不精通。说得既不准确，也不怎么流利。

专横的少爷就是我们小朋友乔治·奥斯本。他狼吞虎咽地吃了饼干，原来早饭还是在里却蒙吃的，足足隔了三个钟头，也该吃点心了。乔斯舅舅和他妈妈在后甲板上，还有一位老朋友陪着。这夏天他们四人准备一起出门游览。

那时乔斯坐在甲板上的天幕底下，差不多正对着贝亚爱格思伯爵一家的人，全神贯注地瞧着他们的一举一动。这对尊贵的夫妻比在多事的一八一五年，乔斯在布鲁塞尔看见他们的时候反而更加年轻（在印度的时候，乔斯总对人说他和贝亚爱格思是熟朋友）。当年贝亚爱格思夫人的头发是深颜色的，现在变得金里带红，十分美丽。贝亚爱格思的胡子从前是红的，现在却成了漆黑的，光照着的时候还发出紫的绿的颜色。两位贵人虽然变了样子，一言一动仍旧能够吸引乔斯，几乎使他心无二用。他给勋爵迷住了，别的都不屑看了。

都宾瞧着他笑道："你好像对于这些人很关心似的。"爱米丽亚也笑了。她戴了一顶饰黑缎带的草帽，仍旧穿着孝，他们一路上过得热闹有趣，又不必干正经事，所以她兴致勃勃，一脸都是欢天喜地的样子。

爱米说："天气多好呀！"并且表示她自己独特的见解，说道："希望过海的时候没有风浪。"

乔斯很轻蔑地把手一挥，向对面的阔佬偷偷地溜了一眼，说道："倘若你像我们一样走过长路，就不会在乎天气好坏。"不过虽说他是久经风浪的老手，那夜却躺在自己马车里，晕得不可开交。他的向导伺候着，给他喝对水的白兰地，又把船上的各色好东西拿来请他受用。

不久之后，这一群快乐的人在罗脱达姆码头上岸，换另一只小汽船直到哥罗涅城。全家人马，还有车子，都上了岸，哥罗涅的报纸上登了"赛特笠勋爵携带随从，从伦敦到达此地"的消息，乔斯看得称心满意。他行李里面有上朝用的礼服，还逼着都宾随身携带全套军装。他告诉大家，说他准备到各国的宫廷里去朝见当地的君主，他既然赏脸到那些国家去游览，这点儿礼数是不能免的。

他们不论到了什么地方，只要一有机会，乔斯先生便去向"咱们的公使"致意，把自己的名片和少佐的名片送过去。在主登施达自由市，英国的领事非常好客，请他们去吃饭，乔斯一定要戴礼帽穿礼服，大家好不容易才劝住了。他一路写日记，住过的旅馆有什么短处长处，酒菜滋味好坏，都细细地记载下来。

爱米非常快活，都宾老是替她拿着写生用的画本子和小凳子，还夸赞她的作品。这好性子的画家以前从来没有这样给人赏识过。她坐在汽船甲板上画岩石和古堡，或是骑了驴子去看古代被强盗占据的堡垒，乔杰和都宾便做她的随从，到处跟着她。少佐骑在驴子背上，两条长腿一直挂到地，样子真滑稽；她瞧着他笑，他自己也笑。他对于军事德文知道得不少，便当了大家的翻译。他和乔治重演莱茵河之战和巴拉蒂那之战，乔治好不得意。几星期来，乔杰常常坐在马夫座位上，和基希不停地说话，学了许多荷兰话，居然能够和旅馆里的茶房和马夫通话，他母亲得意得很，他的保护人瞧着也觉得有趣。

　　他们三人下午出去游耍的时候，乔斯难得跟着一起去。他饭后要睡一大觉；旅馆里都有整齐的花园，有的时候他就在亭子里晒太阳。莱茵河上的花园好不可爱啊！四围的景致清明而恬静，阳光照耀着，青紫色的山峰气势雄伟，峰顶倒映在壮丽的河面上。好一幅亲切、宁静、美丽的风景！见过你的人谁能不留恋呢？我只要放下笔，想一想那漂亮的莱茵地带，心上就觉得愉快。每年到夏天这时分，傍晚的时候，一群群的母牛从小山上下来，哞哞地叫唤着，脖子上的小铃儿叮叮当当地响，都回到这古城里面来。那儿有古色古香的城河、城门、尖塔和栗树，日落时分，长长的深蓝的影子落在草地上。天上河里都是一片亮晃晃的金红色。月亮已经升起了，淡淡的庞儿恰好和落日相对。太阳在山顶上的古堡后面沉下去。黑夜忽然降临，河水的颜色越变越深。年深日久的壁垒里从窗口放出灯光，射在河水上闪闪抖动。对岸山脚下的村庄里也有灯火在静静地闪烁。

　　乔斯常常把印花手帕盖了脸睡觉，舒服极了。凡是英国的新闻，以及加里涅尼的了不起的报纸上所有的消息，他一字不漏细细地读。（但愿所有出国旅行过的英国人都给这家专事剽窃的报纸的创办人和股东们祝福！）他睡着也好，醒着也好，他的亲友们并不怎么惦记他。总而言之，他们真是十分地快活。到晚上，他们常到歌剧院去，那儿上演的歌剧有德国小城里特别的风味，全是家常本色，又有趣又老派。在戏院里，贵族们坐在一边，一面看，一面哭，一面织袜子；中产阶级坐在另一边，正对着他们。大公爵带着他的一家也来听戏，全是胖胖的，一脸好脾气样儿，坐在正中的大包厢里面。正厅里挤满了仪态文雅的军官们，细细的腰，干草黄的胡子，每日的军饷一股脑儿全在内只有两便士。在这儿，爱米第一次欣赏莫扎特和契玛罗沙[①]神妙的作品，听得非

---

[①] 契玛罗沙（Domenico Cimarosa, 1749—1801），意大利音乐家。

常心醉。前面已经说过少佐爱好音乐，也曾经夸奖他吹笛子的技术。可是我看他从这些歌剧里得到乐趣主要在于欣赏爱米的快乐。她听到这些超凡入圣的曲子，仿佛突然进了一个新的世界，一个充满了爱和美的世界。她的感觉又敏锐又细腻，听了莫扎特的音乐怎么会不感动呢？《唐璜》里面柔情的部分使她从心窝子里直乐出来。她晚上祷告的时候常常自问，不知享受过分的快乐是不是算一种罪过，因为她欣赏《我将和爱人相见》和《打，打！》两支曲子的时候，温柔的心里实在太快活了。她提出这问题向少佐请教；少佐算是她神修方面的顾问，自己又是信仰虔诚的人，就对她说，在他看来，不论是自然的美或是高超的艺术，不但使他觉得快乐，同时叫他生出感谢天恩的心思。他说我们欣赏美妙的音乐，就等于望见天上的星星，或是看到美丽的图画和风景，尽可以把它算作上天的恩赐，应该像得到了世俗的福气一般，诚心诚意感谢上苍。爱米丽亚在白朗浦顿住了多少年，看过好几本像《芬却莱广场的洗衣妇》一类的宗教书，听了少佐的话忍不住要辩驳几句。少佐便说了一个东方的寓言作譬喻。寓言里的猫头鹰嫌太阳光太亮，刺得它睁不开眼，又说夜莺的歌声不值得大家那么夸奖。少佐笑着说：“夜莺天生会唱，猫头鹰却只会呼噜呼噜地叫唤。你的声音这么好听，自然该帮衬夜莺这一派才对呢。”

我很愿意多讲些爱米那一阵子的遭遇。她心境好，精神愉快，我瞧着也高兴。这样的好日子，她一辈子没有享受过几天。她一向受那些俗气的蠢材驱遣，从来没有机会启发自己的聪明，加深自己的修养。这种命运在女人里头是很普通的。亲爱的太太小姐们总把别的女人当作对头冤家。她们的心胸真宽大，照她们看起来，怕羞的全是糊涂虫，温柔的全是蠢材。寡言罕语的习惯，其实是胆小的可怜虫对于那些蛮横的人表示不服气，等于没出口的抗议，可是在女人的裁判之下尤其得不到谅解。等我打个比方吧。亲爱的有修养的读者，如果今天晚上你和我跟好些卖菜的在一块儿，咱们俩的谈吐恐怕也就不能太露锋芒了吧？反过来说，如果有个卖菜的到你家来吃点心，碰见的都是些文雅高尚的贵客，人人都是满口的俏皮话，时髦的有名儿人物还用最风趣的口气把朋友们挖苦得体无完肤——这个陌生人到了这样的场合上，还有什么话可说呢？别的客人准会嫌他的话不动听，他本人一定也觉得气闷。

请别忘了，这位可怜的太太直到现在没有结识过真正的君子。看来真正的君子也不像大家意料的那么多。有的人居心仁厚，忠诚不变，理想崇高；因为心里没有卑鄙的打算，性子也比人直爽，能够诚实待人，不论对于阔人穷人，都一样正直，一样宽容。这样的人，不论在什么地方都是千百个里挑不出几个来。我们认识的人里头，有百来个服饰整洁；有几十个礼貌周到；更有一二个好运气的，能够钻谋到所谓内部小圈子里，成了上流社会里的主脑人物；可是君子人究竟有多少呢？请大家拿张纸条出来把这些人的名字写下来算一算。

不消说得，我所认识的君子人就是我现在描写的少佐。他的两条腿很长，脸皮黄黄的，说起话来还有些大舌头，叫初见面的人觉得好笑。可是他心肠正直，脑子也不错，待人既诚恳又谦虚，一辈子干干净净、老老实实地做人。他的手脚很大，因此两个乔治·奥斯本都要挖苦他，还给他画讽刺画。他们的讥笑大概使可怜的爱米小看了他。我们不是也时常小看我们的英雄，直到后来才承认错误吗？在这一段好日子里面，爱米发现少佐的许多好处，对于他的看法和以前大不相同。

也许当时便是他们一辈子最快乐的时光，只可惜他们自己不知道。谁这么聪明呢？谁能够知道好运气已经登峰造极，人间的福气到此已经享尽了呢？不管怎么，他们两个都很知足，尽量亨受这次暑期的旅行，心情的愉快比得上那年任何离英出游的人。看戏的时候，乔杰总跟着一起去，可是看完戏之后替爱米围上披肩的却是少佐。每逢出去散步，孩子走在前面，有时跑到塔顶上，有时爬到树上，他们两人沉着些，便留在下面。少佐静静地抽雪茄烟，爱米写生，有时画风景，有时画废墟。这本真实的历史的作者就在那次旅行的时候和他们碰头，交了朋友。

　　我第一回和都宾上校和他的一群朋友相见，就在本浦聂格尔公国的京城里。从前毕脱·克劳莱爵士就曾经在此地做参赞，出过一阵风头；可是这是老话了，那时奥斯德里滋战事还没有发生，在德国的英国外交官还没有改变原来的见解。他们一行人坐了自备马车，带着向导，一直来到城里最讲究的皇家旅馆，全家就在旅馆吃了客饭。乔斯威风得很，吃饭的时候他叫了些本地酒，拿着酒杯啜一啜，尖着嘴一口口地吸，仿佛是个喝酒的内行；大家都很注意他。我们发现那男孩子的胃口也真不错。火腿、烤肉、土豆、红莓果酱、布丁、拌生菜、烤鸡鸭、甜点心，什么都吃，那勇猛的劲儿真能替他的祖国增光。他吃完了十五道菜以后，再吃一道甜点心才罢。他甚至于还带着甜点心出门，因为同桌有几个年轻的爷们觉得他那种从容不迫的气概很有趣，又叫他再拿一把杏仁饼干搁在口袋里。他饭后到戏院去，一路就吃饼干。在这种德国小城市里，气氛非常和睦愉快，饭后大家都去看戏。孩子的妈妈，那位穿黑衣服的太太，脸红红地笑着，吃饭的时候她瞧着儿子顽顽皮皮地要各种把戏，又得意，又不好意思。我还记得上校——他不久以后就做到上校的地位了——我记得上校正颜厉色地和孩子开玩笑，告诉他说还有许多菜肴他没有尝过，劝他不必委屈自己的肚子，尽可以再吃双份。

　　在本浦聂格尔的皇家大戏院，那夜到了一颗新星。施勒因特·台佛里昂太太正在盛年，美貌和天才都是最惊人的时候，在了不起的《菲台丽娥》一出戏里扮演主角。我们坐的是正厅前排，恰好望得见刚才在旅馆里吃客饭的四位客人。他们坐的包厢，是皇家旅馆的希文特拉先生特地给贵客留下来的。出色的女戏子和醉人的音乐使奥斯本太太（我们听得那位留胡子的胖先生那么叫她）感动得了不得。我们由于座位关系，把她的动静看得清楚极了。囚犯合唱的一段效果很惊人，女主角清脆的歌声越出众音之上，越唱越高，音调那么优美，真听得人心旷神怡。那位英国太太脸上惊喜的表情连小菲泼斯那参赞都觉得动心，他还算是风月场上的老手呢。他拿起望远镜对她瞧着，慢吞吞地说："天哪，一个女人居然能够这样兴奋，叫人看着心里真喜欢。"在监牢里的一幕，菲台丽娥冲到丈夫面前叫着："不，不，我的弗罗莱斯坦。"奥斯本太太忍不住把手帕遮着脸儿哭起来了。那时戏院里所有的女人都在窸窸窣窣地哭，可是我偏偏注意她，大概是因为我命里注定要写她的传记的缘故吧。

第二天，歌剧院又上演贝多芬的《威多利之战》。在开头的时候，玛尔白鲁在戏台上出现，表示法国军队正在迅速推进。然后是鼓声、喇叭声、隆隆的大炮声、兵士临死的呻吟声。最后便奏出英国国歌，那响亮雄壮的《天佑我王》。

全戏院大概总共有二十来个英国人，听得这支无人不知无人不爱的国歌，都离开座位，站得笔挺，让人家看出他们是英国人。我们这些坐在正厅前排的小伙子，约翰·布尔密尼斯脱爵士夫妇（他们在本浦聂格尔弄了一所房子，准备让九个孩子在本地受教育），留胡子的胖子，穿细白帆布裤子的高大的少佐，那个很疼儿了的太太，都站起来了，连他们的向导基希，本来在楼厅上看戏，也离开了座位。代理公使铁泼窝姆在包厢里站起来，躬着身子，装腔作势地笑着，仿佛他就是整个大英帝国的代表。铁泼窝姆是铁帕托夫元帅的侄儿，也是元帅的财产承继人。铁帕托夫将军在前面已经介绍过。那时滑铁卢之战将要发生，他统领第——联队，都宾少佐也属他管辖。铁帕托夫是今年去世的，临死前还吃了一大顿肉冻，里面有许多呼潮鸟的蛋。他活着的时候名位极高，死掉之后，国王就委派了低级骑士麦格尔·奥多上校统领第——联队。奥多上校曾经带领这一联队军士打过好些光荣的胜仗。

铁泼窝姆准是在都宾上校的上司铁帕托夫元帅家里见过都宾，因为当晚在戏院里，他竟还认得他。国王陛下的代理公使大赏面子，从他自己的包厢里走过来，当着众人和他新发现的朋友握手。

菲泼斯在下面正厅里端详着他的上司说："瞧铁泼窝姆那混帐的滑头。不管哪儿有了个好看的女人，他就来了。"我想，外交官不是专门做这些事吗？除此之外还有什么用处呢？

代理公使问道："这位是都宾太太吗？我跟您相见，非常荣幸。"说着，他献媚似的涎着脸儿笑。

乔杰哈哈大笑，说道："天哪，真是妙极了！"爱米和都宾绯红了脸。我们在楼下都看得见。

少佐说："这位是乔治·奥斯本太太。这位是她哥哥赛特笠先生，在孟加拉民政部地位很高。勋爵，请让我把他介绍给您。"

勋爵对乔斯嫣然一笑，害得乔斯差点儿站不稳。勋爵说："您预备在本浦聂格尔长住吗？这儿沉闷得很。我们很希望有些高尚人士住在此地。我们总想法子让各位生活得舒服。呃哼姆——先生——喔霍——太太。明天早上，我上旅馆来拜会各位吧。"他临走满面堆笑，向后溜了一眼，以为这样准能使奥斯本太太死心塌地爱上他。

散场之后，我们年轻小伙子在过道里走来走去，看上流社会里的人回家。老公爵夫人坐了旧马车，铃子叮当，先走了。随身跟着她的有两个形容枯槁的忠心的老宫娥，还有一个矮小的、乌烟煤嘴的侍从官。这侍从官两条腿很瘦，穿着栗色的上衣、绿色的外套，上面挂了不少勋章，勋章里面最引人注目的是本浦聂格尔的圣麦克尔勋章，除了宝星之外还加一条华美的黄色绶带。那时鼓声咚咚，卫兵们立正敬礼，那辆旧马车就动身去了。

然后轮到大公爵和他妻儿子女和官员随从。他从从容容地向个个人都鞠躬。卫兵行着敬礼，穿大红衣服的侍从举着亮亮的火把跑来跑去张罗，他们的马车也走了。他们住在古堡里，古堡筑在山上，上面还有尖塔和瞭望楼。在本浦聂格尔，大家彼此认识。随便什么陌生的外国人在那里露了脸，外交部长和大大小小的政府官员就到皇家旅馆去探听他姓甚名谁。

我们等在那里眼看着他们也出了戏院。铁泼窝姆披上大衣，尽量扭捏出唐璜般的风流体态，走出戏院去了。他有个高高大大的卫兵，老是拿着他的大衣在他左右伺候。首相的太太刚刚挤进轿子，她的女儿，那可爱的亚爱达，刚刚系上头巾，穿上厚底鞋，那一群英国人就出来了。那男孩子倦得直打呵欠；少佐留心着不让大披风从奥斯本太太头上滑下来，赛特笠先生歪戴着弹簧折叠帽，一只手按着胸口，塞在宽大的白背心里，样子好不威风。我们看见这些同桌吃饭的朋友，都脱了帽子。那位太太微笑着行了一个屈膝礼，大家都觉得受宠若惊。

他们的马车早已从旅馆里赶过来等在戏院门口，基希忙忙碌碌地张罗着。那胖子说他宁可走路回家，一路还可以抽抽雪茄烟。另外的三个人听见他这么说，对我们大家笑着点点头，离开赛特笠先生先动身。基希捧着雪茄匣子，跟着主人走回去。

我们大家一起走，一路和那位肥胖的先生谈起本地的好处。英国人在那儿过得很舒服，常常可以出去打猎，而且当地的宫廷非常好客，舞会宴会也不少。来往的人物都很不错，上演的戏文又好，东西又便宜。我们的新朋友接口道："再说，咱们的公使待人和气，真是讨人喜欢。有了这样一个政府代表，再只要一个好医生，我想这儿很可以住一阵子。再会，先生们。"乔斯上楼睡觉，鞋子吱吱地响，基希举起火把照着他。我们都很希望那位好看的太太肯在本地多住些时候。

# 第六十三章　我们遇见一个老相识

　　赛特笠先生看见铁泼窝姆勋爵这么客气，不消说高兴得了不得。第二天早上吃早饭的时候，他就对大家说，他觉得这次到过的地方，只有本浦聂格尔最有趣。这印度文官的心思和手段是瞒不过人的，都宾看见他仿佛是个内行似的，开口就谈铁泼窝姆堡的掌故和这家的人物，知道他一早起来已经翻过随身带着的《缙绅录》，肚里暗暗好笑，由此可见他也是个外面老实、心里调皮的家伙。乔斯说他从前见过铁泼窝姆勋爵的父亲巴格威格伯爵。他说他没有记错，那一次见面是在——在宫廷集会上，难道都宾不记得了吗？外交官没有失约，果真跑来拜访他们；乔斯对他恭而敬之，深深地行礼，这位小公使一辈子没有几回受到这么殷勤的款待。他大人一到，乔斯就对基希使个眼色。基希是早经吩咐过的，立刻出去预备了好些冷肉、糖酱和别的美味食品，做几盘子托进来。乔斯先生殷殷勤勤地劝他高贵的客人赏光。

铁泼窝姆呢，只要能够欣赏奥斯本太太明亮的眼睛（她脸色又鲜艳，在白天也一点儿不显得衰老）——他只要能和奥斯本太太周旋，就很愿意接受乔斯的邀请，巴不得多留一会儿。他口儿很乖滑，向乔斯问了一两个关于印度和当地跳舞女郎的问题，和爱米说起隔夜在她身边的漂亮男孩子，又奉承她说她轰动了整个戏院，爱米听了大出意外。他又讨好都宾，跟他谈起过去的战事，以及本浦聂格尔大公爵接位之前带领了本国军队建立的功绩。

铁泼窝姆勋爵受遗传的影响，性格很风流。他自信承他看得上眼的女人，没有一个不爱他，心上着实得意。那天他告别的时候，满心以为自己俏皮的口角和迷人的相貌已经使爱米对他十分倾倒，回到家里就写了一封短信给她，说了不少好听的话。只可惜爱米并没有给他迷住。她看见铁泼窝姆笑得龇牙咧齿，挤眉弄眼，手里拿着洒香水的细麻纱手帕，脚上穿了高跟的漆皮皮鞋，只觉得这个人莫名其妙。他说的奉承话儿，她倒有一大半听不懂。她见的世面不多，从来不曾碰见过专门逢迎太太小姐的男人。在她看来，勋爵的举止古怪得很，一点儿也不讨人喜欢，这样的人真是件稀罕物儿，不过要她赏识是不能够的了。乔斯呢，恰好相反，欢喜得了不得。他说："勋爵待人多和气。他说他还要把他的医生荐给我呢，瞧他的心肠多好！基希，马上把我们的名片送到特·施乐塞尔巴克伯爵家里去。少佐和我快要进宫觐见了，反正是能早去就早去。基希，把我的制服拿出来——把我们两个人的制服都拿出来。每个英国的上等人，无论到了什么国家，不但应该去拜会本国国王派出来的代表，而且应该去参见当地的君主，这一点儿礼节是不能免的。"

替铁泼窝姆看病的冯·格劳白医生也就是大公爵的御医。他说的话马上叫乔斯相信本浦聂格尔的矿泉和冯·格劳白特殊的医疗法准能使他身材瘦小，重获青春。他说："去年这儿来了一位英国的将军，叫作白尔格莱将军。他比你胖一倍，可是三个月之后他回国的时候，一点也不胖了。我给他看了两个月病，他就能跟格劳白男爵夫人一块儿跳舞。"

乔斯决定在这可爱的地方住一秋天。医生和代理公使劝他留下，当地又有矿泉，又有王宫，因此他的主意就定了。铁泼窝姆非常守信，一点不错日子，第二天就引着乔斯和少佐去觐见了维克多·奥里利斯第十七，由宫廷司礼官特·施乐塞尔巴克伯爵把他们领到国君面前。

大公爵立刻邀他们进宫去吃饭。他们准备留在当地的消息一传出去，本城最高贵的命妇一起都来拜会奥斯本太太。这些人里头虽然有极穷的，可是头衔都不小，至少也是男爵夫人。乔斯的得意真是难以言语形容。他写信给俱乐部里的契脱内，说德国人非常看重英国在印度设立的民政部；他不久就要把印度人刺野猪的方法教给他的朋友施乐塞尔巴克伯爵；还说他的尊贵的朋友大公爵和公爵夫人待人真是厚道客气得无以复加。

爱米也进宫见了这些贵人。在宫廷里，规定有几天是不能穿孝服的，因此她穿了粉红硬绸的长袍，胸前戴了她哥哥送的金刚钻首饰。这么一打扮，她显得真美丽，公爵和他宫廷里的人都不住口地赞叹。少佐以前差不多从来不看见她穿晚礼服，不消说十分夸奖，赌咒说她看上去还不到二十五岁。

她穿了这件礼服和都宾少佐一同跳了一次波兰舞。这种跳舞不难，乔斯先生和施乐塞尔巴克伯爵夫人也合跳了一场，觉得十分荣幸。伯爵夫人是个驼背老太太，国内有十六家贵族是她近亲，他们的纹章她有权使用。德国各个皇族之中，倒有一半是她的亲戚本家。

本浦聂格尔公国的位置在一个丰腴的山谷里，闪闪发光的本浦河贯穿全境，灌溉得国内的土壤十分肥沃。这条小河流入莱茵河，可是我手

边没有地图，不能告诉你两条河的汇合点究竟在哪里。在有些地方，河上可以载得起渡船；有些地方，水力大得可以转动风车。前两代的大公爵，那威名远播的维克多·奥里利斯十四，曾经在本浦聂格尔境内造了一座壮丽的大桥，桥上有他自己的像，四面围绕着许多水神，以及各种胜利、和平、繁荣、富强的标记。他一脚踏住匍匐在地上的土耳其人，恰巧踩在他脖子上（根据历史记载，在索皮哀斯基[1]解放维也纳的时候，公爵曾经和一个土耳其步兵对打，一刀把对手刺个透明窟窿）。地下的回教徒疼得难受，一副嘴脸非常可怕，可是公爵一些儿不在乎，一面和颜悦色地微笑着，一面把指挥棍指着奥里利斯广场。当时他正在广场上着手建造一所新的宫殿。如果伟大的公爵有足够的资金把宫殿造完的话，准是当代的奇观。不幸他手头短钱，蒙泊莱齐皇宫（老实的德国人管它叫蒙勃莱齐）也就没有完工。那场地和花园给当今的宫廷中人应用，也不过太大十倍，光彩是大不如从前了。

　　宫里的花园原指望布置得比法国凡尔赛宫的花园更加精美。在许多平台树丛中间，至今有几个巨大的喷泉，塑的人像都取材于寓言神话。每逢节日，这些喷泉便大喷特喷，气势那么浩大，叫人看了心惊胆战。花园里有一个脱劳夫尼厄斯的山洞[2]，里面有几个铅做的脱拉哀顿[3]，不但能喷水，而且在他们的铅海螺里会发出可怕的呻吟。此外还有水神的浴池和仿造的尼亚加拉大瀑布，从附近赶来凑热闹的人都看得不住口地赞叹。每年议院开会有市集的当儿，或是碰上节日——在这快乐的小国里，凡是王公们的生日或是结婚纪念日都得庆祝——四面八方的人

----

[1] 即波兰王约翰三世（1624—1696）。

[2] 脱劳夫尼厄斯（Trophonius）是波衣细亚的王子，和他兄弟阿加米地斯在本国为哈利亚的国王造了一个库房。后来两兄弟同去抢劫库里的财宝，阿加米地斯掉入陷阱，脱劳夫尼厄斯为避免被人识破起见，把兄弟杀死，割下了他的头。此后他本人给太阳神阿波罗处死，死后时常显灵为凡人解答难题，凡去求他指示的，便到为他特设的山洞里去。

[3] 海神波沙哀登之子，通常的图画中，他总在吹海螺。

便都来了。

公国方圆差不多有十英里，每逢节日假期，公国里各镇的人都聚到王宫附近——包尔根镇在公国西面边境，和普鲁士抗衡；格罗维兹镇沿本浦河，和对岸包曾泰尔公国相望，公爵的猎屋就在那里。除去这三个大镇①，快乐的公国里还散布着许多小村庄，从这些村里，还有本浦河旁的农庄和磨坊里，来的人也不少。女的穿着红裙子，戴着丝绒帽子，男的戴着三角帽，口里衔着烟斗，都来赶集，参加各种喜庆宴乐。到那时，各戏院都免费开放，蒙勃莱齐宫的喷泉也喷起水来了，也幸而有那么许多人一起看，独自一个人瞧着这些怪可怕的东西不要害怕吗？一群群的人里面还有走江湖的和骑马往来各地献技的卖艺人。公爵对于其中一个跑解马的女人非常倾倒，这也是人人都知道的。大家叫她"随军小贩"，据说她是法国方面的间谍。这时候，王宫也开放了，老百姓们可以在宫里穿来穿去，高兴得不得了，看着光滑的地板和讲究的帘子帐幔赞叹不止。宫里那么多房间，每间房里都有一个痰盂，在他们看来也很了不起。在蒙勃莱齐宫里还有一座阁，是维克多·奥里利斯十五所布置的。这位大公爵很了不起，可是太爱享乐，听说这座阁瑰丽奇巧到极点，说不尽有多少好看。墙上画着酒神巴克斯和亚丽亚纳②的故事。门口装着一个绞盘，桌子自动转出转进，客人们可以不用用人伺候，自己拿东西吃。可是奥里利斯十五死后，他的妻子巴蓓兰就把这地方关闭起来了。巴蓓兰是包尔根皇室的公主，为人谨严，信教非常虔诚，她丈夫耽于逸乐，在志得意满的时候死掉了，那时她的光芒万丈的儿子还没有成年，就由她摄政。

在德国境内这一带地方，本浦聂格尔公国的戏院是有名的。当今大

---

① 第三个大镇便是首都。

② 亚丽亚纳（Ariadne）是克利蒂王的女儿，她救出英雄蒂修斯之后，又被蒂修斯所遗弃，以后就嫁给酒神，有的传说她上吊死了。

公爵年轻的时候，一定要把自己编写的歌剧在戏院上演，因此戏院的名声低落了一些。据说有一回，公爵去听乐队演习，嫌乐队领班指挥得太慢，气冲冲地走上去把一个双簧管兜头砸下去，把乐器都砸坏了。那时索菲亚公爵夫人也常写家庭喜剧，想来必定是极其沉闷的作品。可是现在不同了，大公爵的音乐不再当众演奏，公爵夫人的剧本，也只在外国贵宾到他们那空气和睦的宫里拜访的时候才上演。

他们的宫廷里着实豪华，生活也很舒服。有跳舞会的时候，哪怕有四百个客人吃晚饭，每四位客人就有一个穿花边红号衣的听差伺候着，用的碗盏器皿都是银子的。宫里三日两头儿请客，大宴会小宴会逐日进行着。公爵有他的侍从和掌马的官员，公爵夫人也有她的宫女和管衣装的女官，像其他大国的国王王后一样。

他们国里的政体是开明的独裁制度，也有个议会，可以把专制的气氛冲淡一些，可是这个议会有时有，有时却没有。我在本浦聂格尔的时候，从来没听见过议会开会的事情。首相的一家只住一个三楼，外务大臣动用的是贮藏所上面几间舒服的屋子。军队里有一个出色的乐队，往往也在戏院里帮忙演戏。有时我们在咖啡馆里吃早饭，一早晨听得他们在对面奥里利斯广场演习，可是到晚上又看见这些好人儿在戏台上演戏，有时是土耳其装束，脸上涂着胭脂，手里拿了短刀，有时扮成罗马军士，吹着各种大喇叭，真叫我们觉得好玩。除了乐队之外，军队里还有一大群军官，大概还有几个兵士。除了经常的步哨，王宫里总有三四个人穿了骑兵服色在站岗，可是我从来没有看见他们骑马。说实话，世界这么平静，要骑兵什么用？再说，叫骑兵们骑了马上哪儿跑呢？

人人都出去拜访邻居，不过所谓"人人"，当然是指贵族而说，那些中产阶级，我们是不屑理睬的。一星期里头，特·白丝脱夫人请一次客，特·施奴尔巴夫人抽出一个晚上举行宴会，戏院演两回戏；宫里客气得很，也是每星期请客一次。因此你的生活真的是连续不断地寻欢作乐，不过作乐的方式是不铺张的、本浦聂格尔式的就是了。

我们的宫里也分党派，有斗争，这是无可否认的。在本浦聂格尔，政治气氛很浓，各党派里面的仇恨也很深。一党是斯脱伦浦夫派，由我们的公使支持，一党是莱特伦派，由法国的代理公使特·马加卜先生撑腰。只要英国的公使夸奖了斯脱伦浦夫夫人——谁也听得出来，她的确比她敌手莱特伦夫人唱得好，比她唱高三个音符呢——我刚才说，我们这边的公使无论说什么话，法国的外交家便立刻出来反对。

城里的人不属于这一党，便属于那一党。那个姓莱特伦的女人个儿很矮小，的确长得不难看，她的声音虽然不大，倒也还动听。我也承认斯脱伦浦夫太太年纪不小了，风采不如从前，而且实在太胖。譬如在《夜行人》的最后一幕，她穿了长睡衣，手里拿了一盏灯，得从窗子里爬出去，走过磨房里的木板。她费了好大的力气才勉强挤出窗口，而且木板总给她压得往下直弯，吱喽喽地直响。可是在最后一节里她唱得多么洪亮！她向埃尔维诺怀里扑过去的时候感情多么丰富！拥抱得又热烈，差点儿把他闷个半死！而莱特伦那女人呢——这种琐琐碎碎的话还是不说了吧。事情是这样的，这两个女人等于本浦聂格尔国里英派和法派的两面旗帜，上层社会也按照对于这两大国家的忠顺而分为亲英亲法两党。

在我们这一边，有内务部长，掌马官，公爵的机要秘书，小公爵的教师。至于外交部长，总指挥的太太，宫廷司礼官夫妇俩，却是法国派。总指挥以前曾在拿破仑手下当过差，司礼官的太太呢，对于巴黎的时装十分向往；她的帽子时髦得很，都是特·马加卜先生的当差代她置办的。法国大使馆的秘书是个矮小的格里涅克人，年纪很轻。他跟魔鬼一般刁，在本地所有的宾客题词簿里都画上铁泼窝姆的讽刺画。

他们的大本营就是本镇另一个客店巴黎旅馆，大家都在那里吃饭。英法两派的人当面虽然客气，可是老是说俏皮话彼此挖苦，说的话像剃刀一般锋利。那样子真像从前我在德芬郡见过的两个摔角的力士；他们用力抽打彼此的胫骨，虽然痛得紧，可是脸上的表情一丝儿不变。铁泼窝姆和马加卜每次向政府递送公文，总要奋力攻击对手。譬如说，我们这边说："法国公使如果继续在此地任职，势必影响大不列颠帝国在本浦聂格尔以及德国全部的利益。这人毫无廉耻，不惜捏造诳骗，利用最阴险的手段达到目的。他曾经屡次在宫廷中散播谣言，中伤我国公使，侮蔑我国政府，和此间某部长狼狈为奸。某部长才陋识浅，家境贫困，确是人所共知，然而在本国势力极大"等等。他们那边却这样说："特·铁泼窝姆公使具有岛国人特有的专横和愚昧，对于最伟大的法国横加毁谤。据说他昨日谈起杜·蓓利公爵夫人，口吻极其轻蔑，又曾经侮辱英勇的昂古莱姆公爵，甚而至于胆敢暗示奥里昂公爵谋为不轨，企图篡夺皇位。他惯能利用各种手段在宫中树立党羽，威胁不成，继之以利诱。受他收买或威逼而依附在他左右的走狗不在少数。这种阴险恶毒的小人一日不去，非但本浦聂格尔不得安宁，德国不得平静，法国的威望，全欧的和睦空气，也必定受到破坏。"两边都是这一类的话。随便哪一面写了一份特别尖刻的报告书，消息准会漏出来。

　　冬天到了不久，爱米竟也请起晚饭来了。她做主妇的时候，举止既得体又谦虚。她请了一个教法文的先生，这人夸奖她发音准确，学得又快。原来很早以前她就自修过法文文法，为的是好教给乔治。斯脱伦浦夫太太特地来教她唱歌。她的成绩出众，声音也准。少佐就住在她对面那首相公馆的底下一层，常常在她上课的时候开了窗子听唱。有些德国的太太天生多情，心地又老实，见了她满心喜欢，和她认识不久，说话的时候便用最亲昵的称呼。这些虽是小事情，可是都和那一段好时光有关系。少佐自愿做乔治的老师，教他读凯撒①的文章和做算术。

———————————

① 凯撒（Julius Caesar，公元前100—公元前40），罗马的大将、政治家兼作家。

他们还请了一个德文教师。到傍晚，少佐和乔治骑着马跟在爱米的马车旁边出去散心。爱米胆子太小，骑马的稍为骑得不稳一些，她就怕得叫喊起来。她的马车里常有个把亲爱的德国朋友陪着她，乔斯坐在倒座上打盹。

他对于法尼·特·白塔勃罗伯爵小姐很有意思。法尼是个温柔天真的姑娘，是女牧师会会员，真正的伯爵府上的千金，可是一年的收入不到十镑。她表示能做爱米丽亚的嫂子真是上天所能赐给她的最大的福气。乔斯在马车和刀叉上本来都有自己的纹章，如今他很有机会在他自己的纹章旁边再加一个伯爵的家徽和冠冕了，哪知道偏偏又发生了别的事情。那时正当本浦聂格尔的小公爵和汉堡施里本施洛本的美貌的哀密莉亚公主结婚，国内有大庆祝。

为了这次喜事，德国的小公国铺张得十分阔绰。自从浪费的奥里利斯十四死后，还没见过这样的排场。附近的王子、公主、贵人，都给请来吃喜酒。在本浦聂格尔，旅馆里床位的租费涨到五先令一夜。军队得供应卫兵，护卫各位王公大人，人数简直不够分配。结婚仪式是在公主娘家举行的，小公爵本人没有去，由施乐塞尔巴克伯爵代表。宫里定做了许多鼻烟壶，送给客人做纪念品（据那些专替宫里当差的珠宝商人说，他们先把这批鼻烟壶卖给宫里，过后又从客人手里买回来）；又颁发了无数的圣麦克尔勋章给各位贵人。我们的使馆得了许许多多施里本施洛本的圣加德林纺车式的宝星和绶带。法国的公使却是两种勋章都得了。铁泼窝姆按照国内规定，不能接受任何勋章，批评法国公使说："他呀，满身挂满了缎带，仿佛是一匹拉车的马刚在赛会里得了奖。让他挂着绶带吧。咱们瞧瞧胜利是谁的？"事实上，这次是英国外交上的成功。法派用尽心计想叫公爵和波兹泰乌生·唐纳维脱一族缔婚。我们这边当然反对。

人人都给请去参加婚礼。沿路扎起了牌楼，挂着花环，欢迎年轻的新娘来临。圣麦克尔的大喷泉喷出特别浓的酸酒，炮队广场的喷泉喷的是啤酒。宫里的大喷泉也都开了。花园里场地上竖起许多竿子，顶上用粉红缎带系着表、银叉、大香肠等等，专为讨好快乐的乡下人，让他们随时爬上去得奖品。乔治也得了一件；他一直爬到顶上把它拉下来，旁边的闲人看得很高兴。奖品到手之后，他直滑下来，像瀑布倾泻得一样快。可是得奖在他不过是个彩头儿，转手就把香肠送给旁边一个乡下人。这人也爬过高竿儿，只差一点就能抓住香肠。后来因为没有成功，伤心得站在底下呜呜咽咽地哭。

法国使馆比我们的使馆多点了六盏彩灯，可是我们的透明画儿可把他们的比下去了。画上是一对年轻夫妇并肩而行，挑拨离间的坏仙人只得飞去。坏仙人的相貌活像法国公使，真是滑稽。铁泼窝姆后来升了一级，又得到十字勋章，我看准是为了这次的功劳。

一群群的外国人都来观礼，里面当然也有英国人。除了宫廷主持的舞会，在市政厅和跳舞厅里也有跳舞会。在市政厅里还特辟一间赌场，里面有轮盘赌和纸牌戏。由爱姆斯或爱克斯·拉·夏贝尔地方的德国大赌场来主持，在喜事前后一星期中开赌。军官和本地的居民是不准赌博的；凡是外国人、乡下人、女人，只要愿意赌输赢，就可以进去。

乔杰·奥斯本这个不长进的小东西，口袋里有的是钱，长辈们又都进宫祝贺去了，便跟着舅舅的向导基希先生到市政厅的跳舞会里去玩。他以前只在巴登巴登的赌场外面向里看了一眼。那时都宾牵着他，当然不准他赌钱。所以这一回他急煎煎地跑进赌场，在几张桌子旁边打转，瞧那些庄家和赌客赌钱。赌客里面也有女的，有些戴着面罩。在狂欢的时候，准许这种特别的自由。

有一个淡黄头发的女人，穿着一件袒胸露臂的衣服，衣服上一层污光。她戴着一个黑面罩，眼睛在小孔后面闪闪发光，样子很古怪。她坐在轮盘赌的赌台旁边，手里拿着一张纸板和一枚针，前面搁着一两个金洋。庄家叫出赢家的颜色和号码，她就把针在纸板上扎洞，扎得又细心又有规律，每到红的或是黑的筹码转出来一定的次数之后，她才把自己的钱押上去。她这人真古怪。

她虽然细心耐烦，可是常常猜错。庄家冷酷无情的声音唱出什么颜色什么号码押中，结果她的最后的两个金洋也给庄家的耙子抓了过去。她叹了一口气，耸一耸露在衣服外面的肩膀，把针戳进纸板，往桌上一扔，坐下来把手指在桌上敲打着。她回头看看周围，一眼瞧见乔治天真的脸儿。他正瞧得出神呢，这小无赖！他怎么可以到那种地方去呢？

她一见孩子，眼睛放光，从面罩的小洞后面紧瞧着他，用法文说："先生，您没赌过钱？"

孩子答道："没有，太太。"虽然他说的也是法文，那女的一定是从他的口音里面辨出他是哪一国来的。她用稍微有些外国口气的英文说："你从来没有赌过钱——你肯帮我一个小忙吗？"

乔杰的脸又红了一红，问道："什么事？"那时基希先生正在注意红黑筹码，不留心他的小少爷。

"请你替我押一盘。随便你把钱押在什么号码上面都行。"说着，她从胸口掏出一只钱袋，从钱袋里摸出唯一的金洋塞在乔杰手里。孩子笑着，照她的话把钱押上去，那号码果然中了。据说初上手赌博的人手气一定好，因为有赌神帮助。

她伸手拿了钱，说道："多谢，多谢。你叫什么名字？"

乔杰答道："我叫奥斯本。"他一面说话，一面在口袋里摸出钱来，也预备尝试一下。正在这时候，少佐和乔斯来了。少佐穿了制服，乔斯打扮得像个公爵，两人刚离了宫里的跳舞会。有些人觉得宫里的跳舞会太沉闷，宁愿到市政厅来，老早先走了。大约少佐和乔斯回到家里，发现孩子不在家，才出来找他。少佐立刻走到他面前，拉住他的肩膀，很快地把他从引诱人堕落的赌台旁边拖开去。他回头一看，发现基希像我刚才说的，正在赌钱，便走上去，责问他怎敢把乔治少爷带到这种地方来。

基希先生喝了酒，又在赌钱，因此兴奋得失常，回答道："别管我的事。一个人总得玩儿玩儿，妈的。我又不是您雇来的。"

少佐见他这种样子，不愿意多说，拉了乔杰就走，一面问乔斯要不要一同回家。乔斯站在戴面罩的女人旁边瞧得有趣。那时那个女人的赌运相当地好。

少佐问道："乔斯，跟我和乔治一块儿回家吧。"

乔斯答道："我再等一会儿，跟基希那混蛋一起回去。"都宾觉得在孩子面前应该存个体面，不愿意和乔斯争论，转身带了乔治走回家去。

他们出了门一路回去的时候，少佐问孩子说："你赌钱没有？"孩子回说没有。

"我要你拿名誉做保证，答应我永远不赌钱。"

孩子道："为什么呢？瞧着怪好玩的。"少佐施展口才向他解释为什么不能赌博，说的话着实动听。他很想引用乔杰父亲的榜样来向他证明赌博的害处，可是不肯污了朋友身后的名誉，忍住了没有说。他把孩子送到家以后，自己也就回家睡觉，眼看着孩子的窗口熄了灯光。乔杰的小房间就在爱米丽亚的房间隔壁；再过半小时，爱米丽亚也关灯安息了。不知道少佐怎么会把时间算计得那么精确。

乔斯仍旧逗留在赌台旁边。他并不爱赌，可是难得来一下刺激刺激，也不反对。他那绣花的礼服背心口袋里反正有好几个拿破仑大金洋在叮当作响。他把手伸过前面那小女人漂亮的肩膀，在同一个号码上押下一个金钱，两个人都赢了。她往旁边挪了一挪，让出地位给他，又把自己的长裙从身旁的空椅子上移开，说道："请你坐下来，借点儿好运气给我。"她的口音仍旧有些外国腔。刚才乔杰替她赢了一注钱，她说的"多谢"却是纯粹道地的英国话，和现在的口音不同。大胖子四面看看，恐怕有爵位的人瞧见他，然后坐下轻轻说道："啊，嗳，好吧，老天保佑我的灵魂吧。我运气很好，一定能带好运给你。"接下去又说了些语无伦次的奉承话。

外国腔的面罩问道："你的输赢大吗？"

乔斯神气活现，丢下一块金洋说："一两个拿破仑一次。"

面罩顽顽皮皮地说："嗳，等于饭后打一个盹儿罢哩①。"她看见乔斯有点儿心慌，接下去用好听的法国口音说道："你的目的不在赢钱。我的目的也不在赢钱。我想借赌来麻木自己，好忘掉过去的事，可是没有用。先生，从前的事我忘不了。你的小外甥长得活脱儿像他爸爸。你

---

① 拿破仑金洋的简写是 Nap，打瞌睡也是 Nap。

没有变——不，你变了。人人都变了，人人都忘了往事。没有一个人有心肝。"

乔斯慌地说道："老天哪！你是谁呢？"

"乔瑟夫·赛特笠，你难道猜不出？"那小女人的声音很凄惨，她脱下面罩，瞧着乔斯说，"你不记得我了。"

乔斯倒抽一口气，说道："老天爷！你是克劳莱太太！"

那女人把手按着他的手说："就是利蓓加。"她虽然一直瞧着乔斯，可是并没有和赌台上的动静脱节。

她接下去说："我住在大象旅社。你只要找特·罗登太太就行。今天我看见亲爱的爱米丽亚。她真漂亮，样子也快乐。你也是一样！除了我，人人都快乐。我真命苦啊，乔瑟夫·赛特笠。"她的手一动，有意无意地把自己的钱从红筹码上移到黑筹码上，一手还拿着一块手帕擦抹眼睛，手帕上的花边已经是破破烂烂的了。这次转出来的是红筹码，她的一堆钱输得精光。她说："来吧，陪我一会儿。咱们是老朋友，对不对，亲爱的赛特笠先生？"

那时基希输得两手空空，便跟着主人走出来。外面有月亮，所有的彩灯闪闪烁烁，渐渐灭了，我们公使馆门前的透明图画也已经差不多看不见了。

# 第六十四章　流浪生活

为迁就一般人的意见，我只好把利蓓加·克劳莱太太传记中的一部分轻描淡写一笔带过。道学先生们对于不道德的行为或许能够容忍，可是倘若听得别人直言不讳地议论它，心上总有压不下的嫌恶。在名利场上，有好些事情大家都做，大家都知道，只是口里不说，仿佛波斯教里的阿里马派崇拜魔鬼，却从来不提他的名字。有教养的读者们看到真实可靠的记载，描写堕落的行为，便觉得受不了，等于在英国和美国，高雅的太太小姐们不许人家当她们的面提起"裤子"两字一般。其实呢，太太，咱们天天看见堕落的行为，天天看见裤子，心里一点儿不难受。假如你一看见它们就脸红，你的脸色还像什么样子呢？只有在它们下流的名字给人提起的时候，才需要你表示害怕或是忿怒。本书的作者对于时下的风气十分尊敬，自始至终不敢触犯，只准备以轻松、愉快、随随便便的笔调来描写罪恶，这样，我就不至于冒犯读者们高洁的感情了。我们的蓓基当然有许多品行不端的地方，可是她跟大家见面的时候，总是十分文雅得体的，在这一点上，谁也不能说我不对。我描写这个海上的女妖[1]，只说她会唱会笑，会花言巧语地哄人，从来没有失去体统，没有让妖怪把她丑恶的尾巴浮到水面上来，我想所有的读者不得不承认这一点。对于我的手法我倒真是有点儿得意，因为我从来没有犯过这样的错误。好奇的人尽不妨向透明的水波底下张望，瞧着那黏糊糊、奇丑不堪的尾巴扭曲旋转，一会儿扑打着成堆的骸骨，一会儿在死尸身上盘旋。可是在水面以上，一切都很正当，很规矩，叫人瞧着觉得愉快，连名利场上最难说话的道学先生也不能抱怨。这些妖怪钻到水底，在死人堆里游来游去，上面的水当然给她们搅得泥污混浊，你即使想要寻根究底，也看不见底下的情形。她们坐在岩石上，弹着五弦琴，梳着头发，唱着歌儿，招手儿叫你去替她们举着镜子——那时候她们当然美丽得很，可是一到了水底里能够随心所欲的境界里，保管这些人鱼姑娘就不干好事。这些海底的吃人的恶鬼怎么大吃大乐，享受盐渍的死尸，我们还是不看吧！以此类推，蓓基不在我们眼前的时候，准在干坏事，这些事我们也是少说为妙。

如果我把她在克生街事件发生以后一两年里面的经过细细记载下来，大家准会批评我的书不成体统。凡是爱虚荣、贪享受、没心肝的人，做出来的事多半下流。（我在这里插一句，你们这些板着正经脸儿、

---

[1] 根据希腊神话，西西利附近某海岛上有三个善唱的女妖，专以歌声迷惑航海的人，他们听了便会忘怀一切，直到饿死为止。

外面德高望重的人背地里不也常干下流事吗？）一个没有信仰、没有人格、心如铁石的女人，她的行为当然更不成话。我想，有一段时期，蓓基太太觉得灰心绝望（倒并不是说她追悔从前的过错），对于自己一身完全不加爱惜，甚至于声名清白不清白也不在乎。

她并不是一下子就堕落到这步田地的。祸事发生以后她几次三番挣扎着想保持本来的体面，可是结果却是逐渐地走下坡路，仿佛落水的人起初还有些希望，拉住桅杆不放，后来发觉挣扎并没有用处，索性放开手沉到水底下去了。

当初在伦敦，她丈夫忙着准备上任，她也逗留着不走。看来她曾经好几次变着法子想和大伯毕脱·克劳莱爵士见面，因为她本来已经差不多使他同情自己，再用计策打动他的心就能成功。有一回毕脱爵士和威纳姆先生一同走到国会去，威纳姆看见罗登太太戴着黑颜色的面网，躲躲藏藏地站在立法院前面。她和威纳姆面对面看了一眼，悄悄地溜掉了，从此也没有能够利用毕脱爵士。

大概吉恩夫人也曾经出来干涉过。我听说在那一场争吵发生的时候，她非常强硬，而且坚决和蓓基太太断绝关系，倒是她丈夫没有料到的。她自作主张，在罗登到考文脱莱岛去上任之前把他请到岗脱街来住。她知道有了罗登做保镖，蓓基太太决不敢硬闯进她的家里来。她又怕小婶子私底下和她丈夫通信，把寄给毕脱爵士的信件细细检查，看有没有眼生的字迹。利蓓加倘若有心和大伯通信，当然仍旧有办法，不过她并不打算到毕脱爵士宅子里去见他，写了信也不往他家里寄。她写过一两次信之后，毕脱提议说一切关于他们夫妇间的纠葛，最好由律师传达双方的意见，她也只得答应。

原来毕脱也听信了别人对她的谗言。斯丹恩勋爵的那件事发生之后不久，威纳姆来见过从男爵。他把蓓基太太的身世淋漓尽致地叙述了一番，使女王的克劳莱选区的代表大吃一惊。关于她的身世，威纳姆什么都知道：她的父亲是什么人，她的母亲在哪一年在歌剧院当舞女，她从前干过什么事，她在结婚以后的行为怎样。我知道这些话大半是和她利害不同的人恶意中伤，编出来的谎话，这里不必再说。这样，她的大伯，这位乡下绅士，本来那么偏心向着她的，现在也对她完全不相信了。

考文脱莱的总督收入不算多。他大人留出一部分薪水，把最要紧的债务还清。他的地位重要，有许多花费是免不了的，所以结算下来，一年只能省给太太三百镑。他提出一个条件，要利蓓加从此不去麻烦他，才答应把这笔津贴给她；如果她还要捣乱，就把那不体面的事闹穿，正式和她打官司，离婚。底子里，威纳姆先生的责任就是把她送到外国去，使这件不愉快的事情平息下来。斯丹恩侯爵、罗登和所有别的人，都想打发她上路。

大概她忙着和丈夫的律师们谈判这些事情，忘了应该怎样处置小罗登。她甚至于没有去看过儿子。这孩子完全由大伯和大娘照管，反正他和大娘的感情本来是很好的。他的妈妈离开英国之后，在波罗涅写了一封措辞简洁的信给他，叫他好好读书，并且说她自己准备上欧洲游览，将来再写信给他。从那时起她一年没有动笔，直到毕脱爵士的独生子死掉以后才写第二封信。那孩子本来身体单弱，后来生百日咳和出痧子死了，这样一来，罗登就成了女王的克劳莱的承继人。慈爱的大娘本来把他像自己的孩子一样疼爱，从此两人的感情更深了一层。这时罗登的妈妈便又给她宝贝的儿子写了一封怪亲热的信。罗登·克劳莱已经长成一个高大强壮的大孩子。他收到了信，脸红起来，说："吉恩大娘，你才是我妈妈，不是——不是那个人。"话是这么说，他仍旧恭恭敬敬地写了一封回信给利蓓加。当时利蓓加住在翡冷翠一家寄宿舍里——不过这些都是后话。

亲爱的蓓基最初离开本国的时候走得并不远。她先在法国沿海的波罗涅住下来。当地住着好些清白无辜的英国人，都是因为在本国不能安身，才到这里来的。她在旅馆里租了两间房，雇了一个女用人，仿佛是个守寡的上等女人。她跟着大家吃普通客饭，很能得同桌人的欢心。她对邻居谈起她的大伯毕脱爵士和伦敦的了不起的朋友们。这种时髦场中的无聊琐碎，最能叫那些不见世面的人觉得神往。听了她的话，好多人都以为她是个有地位的人物。她请人家在自己屋里吃吃茶点；当地的正当娱乐，像游泳、坐马车兜风、散步、看戏，她也参加。有一个印刷商人的妻子叫白乔斯太太的，带着一家在当地过夏，星期六星期日，她丈夫白乔斯也在那里歇。白乔斯太太觉得利蓓加很讨人喜欢。哪知道后来混帐的白乔斯对她不断地献殷勤，白乔斯太太才改了主意。这件事其实没有什么大不了，蓓基对人向来周到，随和，近人情——对于男人尤其亲热。

伦敦的热闹季节一过，通常总有许多人从英国到此地来。因此蓓基有不少机会和从前那些了不起的伦敦朋友见面，从他们的行为推测"上流社会"对她的态度。有一天，蓓基在波罗涅的码头上很端庄地散步，隔着又深又蓝的海水，英国的岩石在对岸映着日光发亮。在这儿她碰见派脱莱脱夫人和她的一群女儿。派脱莱脱夫人举起阳伞刷地一挥，把女儿们都聚在身边，转过身来离开码头就走，一面恶狠狠地向蓓基钉了几眼。可怜的小蓓基只好独自一个人站在那里。

又有一天，一艘邮船从英国开过来。那天风浪很大，蓓基向来爱看乘客们从船上出来的时候那狼狈滑稽的样子。这一回，恰巧斯林斯登夫人在船上。她一路上躺在自己马车里晕船晕得精疲力尽，从跳板走到岸上都觉得很勉强。忽然她一眼看见蓓基戴着粉红帽子，一脸淘气的样子笑嘻嘻地站在那里，浑身的力气登时来了，竟然不用人搀扶，独自一个走到海关里去，一面对蓓基满脸不屑地瞪了一眼。这种眼色，普通的女人是受不住的，蓓基只笑了一笑，不过我想她心里一定也不高兴。她觉得自己无倚无靠，一个亲人也没有。要走过在远处发亮的岩石回到英国，在她是不可能的了。

男人们的态度也和以前大不相同。葛兰斯登对她笑得龇牙咧嘴，那亲狎的样子看了叫人心里嫌恶。包勃·色克林那小子三个月以前见了她就恭恭敬敬脱下帽子，她在岗脱大厦做客回家的时候，他常常给她当差，在屋子前面排列着的马车里面把她的车子找来，要他在雨里跑上整整一英里路也愿意。有一天蓓基在码头上散步，看见包勃正在和希霍勋爵的儿子，禁卫军里的非卓夫谈话。这回他不脱帽子了，只扭过脖子来跟她点了一点头，管自和希霍的嗣子谈话。汤姆·莱克斯口里衔着雪茄烟，想要闯到她旅馆里的起坐间里来，给她关在门外。若不是他的手指夹在门缝里，她一定当时就把门锁上。到这时候她才觉得自己真正是孤单无靠。她想："如果他在这儿，这些没有胆子的人决不敢欺负我。"她想到"他"，心里非常难受，说不定还觉得牵挂。他又傻又老实，对蓓基一味忠诚体贴，依头顺脑，而且脾气又好，又有勇气，有肝胆。那天蓓基说不定还哭了一场，因为下楼吃饭的时候她比平常更加活泼，脸上还多搽了一层胭脂。

现在她天天搽胭脂，而且——而且除了旅馆账单上开着的哥涅克酒以外，她的女用人还在外边替她另外打酒来喝。

男人们的侮辱虽然难受，恐怕还不如有些女人的同情那么刺心。克拉根白莱太太和华盛顿·霍爱德太太到瑞士去，路过波罗涅。同去的有霍纳上校、年轻的包莫里，当然还有克拉根白莱老头儿和霍爱德太太的小女儿。这两个女人见了她并不躲避。她们笑呀，讲呀，咭咭呱呱，说东话西，一会儿同情她，一会儿安慰她，倚老卖老的，真把她气疯了。她们吻了她，才装腔作势地嘻嘻笑着走掉了。她想："她们也来对我卖老！"她听见包莫里的笑声从楼梯上传下来，很明白笑声里面含的是什么意思。

蓓基住在旅馆里每星期付账，对每个人都殷勤和气，向旅馆老板娘微笑，管茶房叫"先生"，对女用人们说话客气，使唤她们做事的时候常常赔个不是，这样，虽然她花钱小气（她向来撒不开手），也就对付得过了。哪知自从这群人来过之后，旅馆主人便来赶她动身。有人告诉他说旅馆里不能收留她这样的人，因为英国的上等女人决不愿意和她同桌子吃饭。这样，她只得自己去租公寓住。那儿的生活单调寂寞，把她憋得难受。

她虽然到处碰壁，仍旧不屈服，努力替自己树立好名声，把别人说她的坏话压下去。她经常上教堂，赞美诗比谁都唱得响亮。她为淹死的渔夫的家眷办福利。她做了手工，画了图画，捐给扩喜布传教团。她捐钱给教会，而且坚决不跳华尔兹舞。总之，她尽量做个规矩的上等女人。为这个原因我很愿意多说一些她当时的生活情形。后来的事情说来不怎么愉快，我也不喜欢多讲。她明明看见别人躲着不愿意睬她，仍旧努力对他们微笑着打招呼。她心里的委屈烦恼，在脸上是一点儿也看不出来的。

她从前的历史究竟是个猜不透的奥妙。一般人对于她的意见也各有不同。有些人爱管闲事，把过去的事情研究了一下，说是过错都在她。有些人赌神罚誓说她像羔羊一般纯洁，都是她混帐的丈夫不好。她往往说起儿子就失声哭泣，听见他的名字或是看见和他长得相像的孩子，就伤心得发狂一般。她用这个方法赢得了好多人的同情。当地有一位好心的亚尔德内太太，仿佛是波罗涅地方英国居民中的王后，请客和开跳舞会的次数比别的人多。蓓基看见她的儿子亚尔德内少爷从斯威希泰尔博士的学校里回来过暑假，痛哭起来，这样一来，亚尔德内太太的心就向着她了。蓓基悲悲切切呜呜咽咽地说道："他和我的罗登同年，长得真像。"其实两个孩子相差五岁，相貌完全不同，等于敬爱的读者和写书的人那么不像。威纳姆从基新根去找斯丹恩侯爵，经过波罗涅，就把这事对亚尔德内太太解释明白了。他说小罗登的相貌，他比孩子的妈妈知道得还清楚。因为大家都知道他妈妈非常恨他，从来不去看他。他今年十三岁了，亚尔德内少爷才九岁；他是白皮肤，而那一个小宝贝皮肤黑得多。总而言之，威纳姆的一席话使亚尔德内太太懊悔自己不该对蓓基那么客气。

蓓基交朋友用掉的精神力气说出来叫人不相信。好容易交着了几个，总有人走来很粗暴地把她的成绩一扫而光，她只好再从头做起。这种生活非常非常艰苦，使她觉得寂寞和灰心。

还有一个纽白拉依脱太太，在教堂里听得她甜美的歌声，而且见她对于宗教方面的见解也很准确，十分赞赏她，也跟她来往了一阵子。关于宗教，蓓基太太在女王的克劳莱得到的教诲就不少。她不但肯接受传教小册子，而且把它们都读过。她给扩喜布地方的土人做绒布裙子，给西印度岛上的土人做棉布睡帽。她画了小画屏，为的是劝教皇和犹太人归于正教。她每星期三听罗尔丝牧师讲道，每星期四听赫格尔登牧师讲道，每逢星期日上教堂两回，晚上还听达别派[①]的包勒先生讲道。可是这一切都没有效力。纽白拉依脱太太为非奇岛的土著募捐暖壶基金的事和莎吴塞唐老伯爵夫人通了一封信——关于这件慈善事业，另外有委员会，这两位太太都是委员。她在信上提起她的"可爱的朋友"罗登·克劳莱太太，老夫人细细地回了一封信，里面有事实，有谎话，有藏头露尾的叙述，还预言她将来必遭天罚。从此纽白拉依脱太太和克劳莱太太的交情便断绝了。这件倒霉事是在多尔斯发生的，这以后当地宗教界的人士也和这罪孽深重的人从此不相往来。凡是熟悉英国国外殖民地的人，都知道我们不论走到哪里，都把本国的骄傲、偏见、丸药、哈威沙司、胡椒，和各种家乡的习惯带着一起去，仿佛在那个地方制造出一个小英国来。

---

① 1830 年在泼立默斯所创的新教派。

蓓基担惊受怕地从一个地方逃到另一个地方。从波罗涅到地埃泊，从地埃泊到开恩，从开恩到多尔斯，尽她所能做个规矩的女人。真可叹！到后来人家总能探出她的底细，这骗子又给真的乌鸦们啄出笼子去了。

在一处地方，有一个虎克·伊格尔思太太很照顾她。伊格尔思太太是个品德高尚的女人，在扑德门广场有一所房子。蓓基逃到地埃泊的时候，她正在当地一个旅馆里住。她们两人第一次是在海里见面的，因为两个人都在游泳，后来又在一桌吃客饭，便认识了。伊格尔思太太曾经听见过斯丹恩事件——这件事谁没听说过呢？——可是和蓓基谈了一席话之后，就和人说克劳莱太太是个天使，她的丈夫是个混蛋，斯丹恩勋爵呢，大家都知道他是个没有道德的坏人，这件事情，全是威纳姆那流氓使出毒辣的手段陷害克劳莱太太的。她对丈夫说："伊格尔思先生，如果你是个有血性的人，下一回你在俱乐部碰见那混帐东西的时候就该打他两下耳刮子。"不幸伊格尔思不过是个安静的老先生，只能做做伊格尔思太太的丈夫。他喜欢研究地质，长得很矮，够不上打人家的耳刮子。

这样，伊格尔思太太便做了罗登太太的保护人，把她带到巴黎她自己的房子里去住。她和英国大使的太太还吵了一架，因为大使夫人不肯接待蓓基。她努力使蓓基做个品行端正声名清白的人，凡是一个女人所能尽的力量她都尽了。

起先蓓基过得很规矩很谨严，可是这么沉闷的道学生活不久便把她憋得难受。天天是照例公事，过那样舒服而没有变化的日子。白天老是坐了车子到波罗涅树林子去兜风，真无聊！晚上老是看见那几个脸熟的客人，星期天晚上老是读《白莱亚的训戒》，仿佛是把一出歌剧翻来覆去演个不完。蓓基气闷得要死，总算她运气好，年轻的伊格尔思从剑桥回来了。母亲看见儿子对自己的小朋友那么动心，立刻打发蓓基上路。

她和一个女朋友同住，两个人不久就吵起架来，又欠下了债。后来她决定住到供饭食的公寓里去，在巴黎皇家大街特·圣·亚母夫人的有名的公寓里住了一阵子。她的房东太太的客厅里常有衣衫褴褛的花花公子和不干不净的美人儿，她就在这些人面前施展出她的手段和魅力。蓓基喜欢应酬交际，要不然就像鸦片鬼没有烟抽那样难过。住在公寓的时候，她很快活。有一次她对一个偶尔碰见的伦敦老相识说："这儿的女人跟梅飞厄的女人一样有意思，不过衣服旧些罢了。男人们戴的手套全是选过的旧东西，而且他们的确是该死的流氓，可是也不见得比上流社会的某人某人更糟糕。房主人有些俗气，可是我看她比某某夫人还高雅一点儿呢。"她提到的一位太太是时髦场上的尖儿，她的真姓名我死也不愿意说出来。到晚上，特·圣·亚母夫人的客厅里开了灯，男人们戴了宝星，挂了绶带，坐在桌子旁边玩埃加脱，女人们离得远一些坐着；乍一看，真会叫人当他们全是上流人物，主妇也是真正的伯爵夫人。被他们哄骗过去的人着实不少。有一个时候，蓓基就是伯爵夫人客厅里最出风头的人物。

大概她的一八一五年的老债主找着了她，使她不能在巴黎住下去。可怜的女人忽然被逼离开巴黎，到布鲁塞尔去了。

布鲁塞尔的一切她记得很清楚。她抬头看见自己住的屋子，想起贝亚爱格思家里的马车歇在旅馆门前，一家子叫着闹着想买了马逃走，觉得好笑。她又到滑铁卢和莱根去走了一转。在莱根，她看见乔治·奥斯本的墓碑，着实感叹，把它画了下来。她说："那可怜的爱神！他多爱我！他真是个傻瓜！不知小爱米还活着吗？她是个好心肠的小东西。还有她哥哥那大胖子。他那张相片画得又肥又大，真滑稽，还在我的纸堆里呢。他们都是忠厚老实的好人。"

蓓基动身到布鲁塞尔的时候，特·圣·亚母夫人写了一封介绍信，把她推荐给当地的特·波罗地诺伯爵夫人。伯爵夫人的丈夫原来是拿破仑手下的大将，有名的特·波罗地诺伯爵。这位英雄一死，留下的妻子无以为生，只得开公寓给客人包饭，一方面摆张牌桌子抽些头钱，借此过活。二流的花花公子和风月场中的老手，经常和人打官司的寡妇，老实的英国人，满以为这种地方就能代表大陆式生活的，都到特·波罗地诺夫人这儿来吃饭和赌钱。爱风流的小伙子们吃饭的时候请大家喝香槟酒，陪着女人们坐马车兜风，租了马匹到乡下去游耍，凑了钱买票请大家看戏听歌剧，站在女人背后，紧挨着她们美丽的肩膀赌钱，然后写信回家给德芬郡的爹娘，描写自己在外国上流社会里过得多么愉快。

在布鲁塞尔和在巴黎一样，蓓基在上等的公寓里是极露头角的，算得上那儿的王后。凡是有人请她喝香槟酒，送她花球，陪她到乡下兜风，请她坐包厢看戏，她从来不拒绝，可是她最喜欢的还是晚上的埃加脱纸牌戏。她赌钱的输赢很大。起初她手笔很小，后来便用五法郎的银币，甚至于拿破仑大洋钱来赌，再后来便出借据。慢慢地房饭钱也付不出了，只得问小伙子们借钱。她有了现钱，便欺负特·波罗地诺夫人，不像空手的时候那么甜嘴蜜舌了。有的时候她穷得可怜，只能十个苏①一注小赌赌。等到本季的津贴到手，她还掉房饭钱，立刻又和罗西纽尔先生或是特·拉夫爵士交起手来。

说来丢脸，蓓基离开布鲁塞尔的时候，欠了特·波罗地诺夫人三个月的房饭钱。以后凡是有英国主顾来，特·波罗地诺夫人便把这件事告诉他们，还说她怎么赌钱，怎么喝酒，怎么对英国教会里的默甫牧师跪下借钱，怎么对默甫牧师的学生奴得尔大少爷（他是奴得尔爵士的儿子）甜嘴蜜舌、送情卖俏，怎么把他一直带到自己的房间里，怎么和他玩埃加脱赢了他好几笔数目很大的款子，等等，许多不要脸的勾当。她说罗登太太简直是一条毒蛇。

---

① 法国最小的钱币名。

　　我们这流浪人在欧洲各个城市里到处为家，像俄底修斯和班非尔德·莫尔·加路①一样没有定踪，对于下流生活越来越爱好。不久她游荡成性，来往的人可怕得很，你碰见了准会吓得毛发直竖。

　　欧洲大陆上无论什么城市里都有一小撮英国人，全是社会的渣滓。他们的名字，到了一定的时候就会在州官的庭上给地保海姆泊先生当众宣读一次②。有些人往往是好人家的少爷，只是家里不认他们了。他们常到的地方是弹子房、咖啡馆、跑马场、赌场。他们欠了债还不出，给关在监牢里。他们喝酒，吹牛，争闹，打架，欠了账溜掉算数，跟法国和德国的军官决斗，打牌的时候，专让斯卜内这种人上当，骗他们的钱。有了现钱到手，他们就坐了可以容人睡觉的华丽的大马车到巴登去；赌博输了钱，加一倍赌注再下手，骗人的手段万无一失。没有钱的时候，他们就是衣衫褴褛的时髦绅士，穷形急相的纨绔子弟，在赌场里东挨挨，西凑凑，直到能够用假票子蒙过了那做庄家的犹太人，或是找到一些像斯卜内一类可以骗钱的傻瓜，才又抖起来。他们一会儿大阔特阔，一会儿又穷极无聊，叫人看着觉得奇怪。想来他们的生活准是富有刺激性的。说老实话，蓓基后来过的也是这种生涯，而且过得很自在。她走过各个城市，就在这种浪人中间混。在德国，每个赌场里都知道这位好运气的罗登太太。在翡冷翠，她和一个特·克吕希加西太太同住。听说在慕尼黑，她是被驱逐出境的。据我的朋友弗莱特立克·毕勤说，他在劳珊地方就在她家里受了欺骗。人家在他晚饭上撒了蒙汗药，害他饭后输了八百镑钱给楼德少佐跟杜西斯先生。关于蓓基的遭遇，我不得不说说清楚，可是这一段时候的事情，说得越少越好。

---

① 加路（Bampfylde　Moore　Carew，1693—1770？）本是德芬郡一个牧师的儿子，从学校里逃走之后，和吉卜赛流浪人一起生活，到过许多地方。
② 这意思就是说他们都是受政府通缉的罪犯。

他们说克劳莱太太运气特别不好的时候，靠着在各地开音乐会和教音乐过活。在维尔巴德的确有过一个特·罗登太太开过早晨的音乐会，由一位斯博夫先生伴奏，说是伐拉契亚地方乐队里最好的钢琴家。我的朋友伊芙斯先生人人都认识，而且处处地方都到过。他说一八三〇年他在斯德拉斯堡的时候，有一个叫利蓓加夫人的女人在歌剧《白朗茜太太》里面串演了一个角色，引起戏院里一场大闹。结果她给看客嘘下台去，一则她唱做都不行，主要是因为正厅中军官们的座位里有几个人不识时务，出来帮她，反害她下了台。伊芙斯说这个倒霉的新手不是别人，正是罗登·克劳莱太太。

　　她后来到处流浪，有了钱就赌，赌输了就马马虎虎对付着过日子，不知道她究竟用的什么法子。据说她也曾到过彼得堡，可是很快地给当地的公安机关驱逐出境。由此看来，后来谣传她在托帕立兹和维也纳替俄国政府做间谍的话是没有根据的。又有人告诉我说她在巴黎还认到了亲戚，就是她的外婆。她外婆并不是贵族蒙脱莫伦茜家里的人，却是个面目可憎的老婆子，在大街上一家戏院子里管包厢。她们两人会面的事情既有人在别处提起，想来总有好些人知道。当时的情景一定非常使人感动，不过可靠的细节我却不能告诉你。

　　有一次在罗马，特·罗登太太半年的津贴刚刚汇到当地最有名的银行里，正值波洛尼亚亲王和王妃在宫里开跳舞会。这位亲王是大资本家，每到冬天大开舞会的时候，凡是银行里存款超过五百斯固第[①]的存户，都给请去做客，因此蓓基也得了一张请帖，有一天晚上在他们豪华的宴会上出席。王妃的娘家姓邦贝利，是古罗马第二朝皇帝的后裔，她的另一个老祖宗是奥林波斯族的爱琪利亚[②]。亲王的祖父，亚历山特罗·波洛尼亚，从前出卖肥皂、香水、香烟和手帕，替城里的绅士跑跑腿，也借钱给人盘剥些利钱，不过规模不大。这次宴会，凡是在罗马有些名儿的都来了，其中有亲王、公爵、大使、艺术家、拉撮琴的、教会里的大执事、年轻的公子和他们的教师等等，各色各等的人物都有。所有的厅堂陈设得十分富丽，灯火点得雪亮，宫里摆满了假古董和镀金的画框子（里面当然也有画儿）。在屋顶上，护壁板上，专为教皇和大皇帝预备的丝绒天幔上，都装饰着大大的金色王冠和亲王家的纹章，是红底子上一颗金色的蕈，恰好和他家出卖的手帕一样颜色；亲王的纹章旁边当然还有邦贝利的纹章，是一个银色的喷泉。

----

① 十八、十九世纪在意大利通行的银币。
② 爱琪利亚（Egeria）是个女神，相传嫁给奴玛王为妻。神仙们的住所是奥林波斯山，所以说她是奥林波斯一族的人。

蓓基才从翡冷翠坐了驿车到达罗马，住在一家小客店里，居然也得了波洛尼亚亲王的一张请帖。她的女用人仔仔细细替她打扮了一番，她便勾着楼德少佐的胳膊一同去赴豪华的跳舞会。那时她恰巧和这位少佐同路旅行（第二年在那波里一枪打死拉福利亲王的就是他；有一次约翰·白克斯金爵士和他玩埃加脱，发现除了牌桌上的四张皇帝之外，他帽子里另外藏了四张，就用棍子把他揍了一顿）——他们两人同路旅行，所以一起进宫。蓓基看见许多熟悉的脸庞儿，还是从前过好日子时候的相识；当时她虽然也和现在一样品行不端，做的坏事却还没有给人揭穿。楼德少佐认得好多留连鬓胡子的外国人，样子尖利，钮扣洞里挂着勋章，可是勋章上面的条子缎带都很肮脏，里面的衬衫是不敢露在外面的了。楼德少佐的本国人看见他都躲开不理他。蓓基也认识几个太太，有的是法国寡妇，有的是冒牌的意大利伯爵夫人，受丈夫虐待而出走的。咳！我们曾经和名利场上最上等的人物来往，对于这些渣滓弃物，下流的东西，说些什么好呢？我们要玩纸牌，也要用干净的，不要这副肮脏牌。多少出外旅行过的人都曾碰见过这批闯江湖的骗子，他们像尼姆和毕斯多尔[1]一样跟着大伙旅客来来往往，仿佛是正规军之外专事抢劫的游击。他们也穿上英国兵的服色，夸口说是英国的军官，其实是靠自己打劫过日子，有的时候犯了法，给吊死在路旁的绞架上。

刚才说到她扶着楼德少佐，在一间间的屋子里穿来穿去，在酒食柜上喝了许多香槟酒。许多人，尤其是少佐这一帮非正规的军人们，都气势汹汹地拥在酒食柜周围要吃的。他们两人吃喝够了，便到处闲逛，一直走到王妃的私人小客厅里。这间客厅在最后面，是用粉红丝绒装饰的，里面有爱神维纳斯的像和好几面银镶边的威尼斯大镜子。亲王一家

---

[1] 莎士比亚历史剧《亨利第四》《亨利第五》以及《温莎的风流娘儿们》中胖子福尔斯塔夫（Falstaff）的朋友。

正在那里款待贵客，大家围着一张圆桌子吃晚饭。蓓基记得从前斯丹恩勋爵家里请贵客的排场就跟这个差不多，她自己也坐过这样的席。想着，抬眼看见斯丹恩勋爵正坐在波洛尼亚亲王的筵席上。

他的光秃秃的前额又白又亮，从前给金刚钻割破的地方结成一条血红的疤。他的红胡子染成了紫黑色，使他本来苍白的脸色显得更加苍白。他身上挂满了各色宝星勋章、蓝色的绶带等等。虽然同桌有一个公国的大公爵、一位亲王、两位王妃，可是都不及他势力浩大。在他身旁坐着美丽的贝拉唐那伯爵夫人。她娘家姓特·葛拉地，她丈夫保罗·台拉·贝拉唐那伯爵的昆虫标本是有名的。他出使到莫洛哥皇帝那里去，离家已经好久了。

蓓基一看见这位眼熟的有名人物，忽然觉得楼德少佐寒碜得了不得，讨厌的卢克上尉也是浑身香烟味儿。她立刻改了态度，面子上摆出有身份太太的架子，心底里也配上有身份太太的感情，仿佛自己又回到了梅飞厄。她想："那个女人看上去很笨，脾气也不好。我想她决不能替他开心。他一定觉得气闷。他跟我在一起的时候可是从来不觉得气闷的。"这种动人的希望、恐惧和回忆一时都来了，把她兴奋得心上别别地跳。她努力使自己的眼睛放出光彩，瞧着那位大人物（她的胭脂一直搽到眼皮底下，使她的眼睛闪闪发亮）。每逢斯丹恩勋爵戴宝星挂绶带的晚上，他同时也摆出最庄重的仪态，不论举止谈吐，都像一位了不起的贵人，配得上他的身份。蓓基见他雍容华贵地笑着，样子很随便，可是又高贵，又庄严，心里真是敬服。啊，老天，他的口角多么俏皮聪明，谈话的题材多么丰富，举动多么威严，跟他在一起多么有趣味！她失去了这样的朋友，换来的是楼德少佐和卢克上尉一类的人。楼德少佐一股子雪茄烟和白兰地的气味；卢克上尉出言粗俗，像个打拳的，说起笑话来全是赛马场里骑师的口吻。她想："不知他还记得我吗？"斯丹恩勋爵正在和旁边一位显赫的贵妇人说笑，不承望一抬头看见了蓓基。

他们四目相遇的时候，蓓基激动极了。她努力摆出最可爱的笑脸，娇滴滴怯生生地向他行一个屈膝礼。他惊得呆了，对她瞪着眼，麦克白开跳舞会请吃晚饭的时候看见班可 ① 的鬼魂突然出现，一定也是这样。他张着嘴对她呆望，讨厌的楼德少佐却把她拉着就走。

他说："到饭间去吃晚饭吧，罗太太，瞧着这些阔佬吃喝，我的肚子也饿了。咱们去喝些老头儿的香槟酒去。"蓓基心想那天他已经喝得太多了。

--------

① 班可（Banquo）是莎士比亚悲剧《麦克白》中被麦克白谋杀的将军。

　　第二天她到毕新山去散步——罗马的毕新山相当于英国的海德公园，没事干的人都在那里逛。她去散步的目的大概希望再看见斯丹恩勋爵一面，不巧她碰见的却是另外一个相识，就是斯丹恩勋爵的亲信非希先生。非希走上前来随随便便地向她点点头，伸出一个手指头碰了一碰帽子边，说道："我知道您在这儿，一直从您的旅馆跟到这儿来了。我有几句话劝您。"

　　蓓基觉得希望来了，激动得很，尽力摆出架子说道："是斯丹恩勋爵的劝告吗？"

　　亲信用人答道："不，这是我的劝告。罗马不卫生得很。"

　　"非希先生，罗马要到复活节以后才不卫生呢，冬天有什么不好？"

　　"我告诉您，这儿现在就不卫生，老是有人得疟疾。泥塘子里吹来的风真讨厌，不管在什么季节都有人害病死掉。克劳莱太太，你向来是个好汉，我拿名誉担保，我是很关心你的。听我的话，赶快离开罗马吧，不然你就会害病，就会有性命危险。"

　　蓓基心里虽然又气又怒，可是面上却笑着说："什么？暗杀我这样的可怜虫吗？这倒像小说里的情节了！难道勋爵的向导是刺客，行李车里面还有尖刀吗？吓！我不走，单是叫他难受难受也好。我在这儿的时候自有人保护我。"

　　这一回轮到非希先生笑了。他说："保护你？谁来保护你呢？跟你来往的赌棍，像少佐啦，上尉啦，只要有一百金路易到手，就会谋了您的性命。那楼德少佐——他根本不是什么少佐，就跟我不是勋爵大人一样——那楼德少佐过去干的坏事尽够叫他去做摇船的囚犯，或者还不止这点处罚呢。我们什么事都知道，每处地方都有朋友。您在巴黎见过什么人，找到什么亲戚，我们全知道。您瞪着眼也没用，我们的确知道啊！您想想，为什么在欧洲大陆的时候没一个公使肯睬您？这都是因为您得罪了一位大人物。他是从来不饶人的，他一看见你，比以前加倍地生气。昨儿晚上他回家的时候简直像发疯一样。特·贝拉唐那夫人为你还大发脾气，跟他闹了一场。”

蓓基道："哦，原来是特·贝拉唐那夫人，是不是啊?"她听了刚才一席话，心里害怕，现在稍觉放心。

"不是她。她倒没有关系，反正老在吃醋。我告诉你，这是他大人的意思。你不该在他面前露脸。如果你再待在这儿，将来准懊悔。听我的话。快走吧。勋爵的马车来了!"他拉着蓓基的胳膊，急急地转到花园的小径里。正在这时，斯丹恩勋爵的马车飞跑过去，车身上画着灿烂的纹章，拉车的马匹全是有了钱也未必买得着的名种。特·贝拉唐那夫人靠在靠垫上。她皮肤带黑，十分娇艳，却恼着脸儿;怀里躺着一只小狗，头顶上的小阳伞向左右摇晃着。斯丹恩老头儿躺在她旁边，脸色青灰，眼光像凶神一般。仇恨、愤怒、欲望，有时还能使他的眼睛发亮，普通的时候，他眼色阴沉沉的仿佛对于世界上一切都看厌了。可恶的老头儿对于一切乐趣、最美丽的景物，都已经失去兴味。

马车飞驰过去的时候克劳莱太太从树丛后面偷偷张望，非希先生轻轻说道："他昨天晚上给你吓着了，至今没有恢复呢。"蓓基想："这样我才算出了一口气。"非希先生（勋爵大人死后，他就回到自己本国居住，向亲王捐了一个爵位，成为非契男爵，大家对他很尊敬）——非希先生所说的话，不知到底可靠不可靠，不知是勋爵真的有意杀死蓓基而他的亲信不愿意行刺呢，还不知是他大人要在罗马过冬，看见了蓓基非常不高兴，特地命令亲信去恫吓她一下，把她赶走。总之这次威吓很有效，那小女人从此没有敢再去打搅她从前的恩人。

大家都知道他大人是在一八三〇年法国革命发生两个月之后在那波里去世的。报纸上说，光荣的乔治·葛斯泰芙·斯丹恩侯爵，岗脱堡的岗脱伯爵，在爱尔兰缙绅录里又是海尔包路子爵和毕却莱与葛立斯贝的男爵，曾得过一级骑士勋章、西班牙金羊毛勋章、俄国一级圣尼古拉斯勋章、土耳其月牙勋章，曾任尚粉大臣、后宫密室侍从官、摄政王御前义勇军统领、伦敦博物馆董事、伦敦船泊管理所高级所员、白袍僧学院理事，又曾得民法博士学位，最近中风逝世，原因是这次法国皇室崩溃，给予勋爵大人感情上沉重的打击。

某周报刊登了一篇文章，淋漓尽致地描写他的品德、才学、种种的善举，说他人格如何伟大，情感如何丰富。他和显赫的波朋皇族联过姻，交谊是极深的，因此伟大的亲戚遭到不幸，他也活不下去了。他的遗体葬在那波里，可是他的心，那宽宏大量的、充满了高贵的情感的心，给装在银瓮里面送到岗脱堡。滑葛先生写道："他死了，贫苦的人们失去了依靠，艺术失去了提倡者，社会上少了一件光华灿烂的装饰，英国少了一个伟大的政治家和爱国志士"等等。

他的家属为他的遗嘱争吵得很厉害，并且企图逼迫特·贝拉唐那夫人把勋爵那颗有名的金刚钻交出来。金刚钻戒指叫作"犹太人的眼睛"，勋爵生前总戴在食指上的，据说在他死后特·贝拉唐那夫人便把它勒下来据为己有。可是勋爵亲信的朋友兼随从非希先生出来证明，说戒指是勋爵去世前两天送给夫人的。勋爵的遗产承继人侵害夫人的权利，又要求她交出勋爵小书桌里的现钞、珠宝、那波里和法国的公债票，也由非希先生证明这些财产早已由勋爵赠送给她了。

# 第六十五章　有正经事，也有娱乐

乔斯和蓓基在赌台前面碰头之后，第二天把自己打扮得特别细心，特别漂亮，很早就踱出门去。关于隔夜发生的事情，他觉得没有必要告诉家里的人，出门时也不要他们陪伴。不久，就有人看见他在大象旅社门口打听着找人。国内有了喜事，所以旅馆里住满了客人。摆在当街的茶座旁边也挤了好些主顾，喝着本国有名的淡啤酒。一间间屋里都是烟气弥漫，乔斯先生神气活现，说着不流利的德国话探问他要找寻的一位客人，旅馆里的人叫他到最上一层楼去。二楼上住的是几个来去各国的小贩，正在把珠宝首饰和各色缎匹陈列出来。三楼上住着赌场里的办事人员，四楼上住着有名的波希米亚杂技团里的乐队，最高的一层楼上全是小间，住着学生、跑街、做小买卖的、乡下人，都是来赶热闹的。蓓基在这里也有个小窝。美人藏身的地方，算它最脏了。

蓓基很喜欢这种生涯。她和旅馆里的人，像学生、小贩、撑船的、翻斤斗的，混在一起，觉得很自在。她的父母原是到处为家的流浪者，一则出于不得已，二则也是生成的脾气，她继承了这点天性，因此也是野性难驯，喜欢四处漂泊。只要没有勋爵在场，她觉得跟他的向导谈话也非常有趣。旅馆里的喧闹、忙乱、酒味、烟味，犹太小贩说的无聊的闲话，可怜的翻斤斗的卖艺人一派正经自负的态度，赌场庄家的狡滑的谈吐，学生们唱的歌、说的大话，整个旅馆闹哄哄的气氛，合了这个小女人的脾胃，使她觉得快活。甚至于在她运气不好，没钱付账的时候她也很高兴。现在她的钱袋里装满了隔夜乔杰替她赢来的钱，周围的喧哗更使她觉得愉快了。

乔斯气喘吁吁地走上最后的一层楼梯，鞋子吱吱咂咂地响着，到了上面，话都说不出了。他擦着脸，开始找九十二号房间，因为旅馆的人告诉他，说是他要找的人住在这里。这时对面九十号房间的门开着，一个学生穿了皮靴和肮脏的外衣，躺在床上吸一个长长的烟斗。另一个学生留着很长的黄头发，穿一件钉辫边的外套，款式倒很时髦，只是脏得厉害。他跪在九十二号门口凑着钥匙孔嚷嚷，正在对里面的人求情。

回答他的是一个熟悉的声音，乔斯一听，身上发起抖来。那声音道："走开，我在等人呢。我在等我的爷爷呢。我不能让他看见你在这儿。"

跪在地上的学生一头深淡不匀的黄头发，手上戴着大大的戒指。他嚷道："英国的天使啊，可怜可怜我们吧。只要你答应一声，在公园的饭馆里跟我和萧立兹一块儿吃饭。我们回头吃烤野鸡、浓麦酒、梅子布丁，还有法国酒。如果你不来，我们就要死了。"

床上的一个年轻公子接口道："我们必死无疑。"这些话全给乔斯听了去，不过他没有学过这一国语言，因此一句也不懂。

等到他能够开口说话的时候，就摆出最威风的样子，用法文说："对不起，九十二号。"

学生托地跳起来道："九十二号！"说完，冲到自己房里锁上了门。乔斯听得他和他床上的同伴一起哈哈大笑。

孟加拉绅士弄得莫名其妙，只得傻站着，幸而九十二号的门自己开了，蓓基探出头来，一脸顽皮的样儿。她一见乔斯，连忙走出来说道："是你呀！我等了你多少时候了！等一等，再过一分钟让你进来。"她急急地把一盒胭脂，一瓶白兰地酒，一盘子切碎的肉，都藏在被单下面，抿一抿头发，才把客人让进屋里来。

她披着一件粉红色连头巾的长袍，当它晨衣。这件长袍已经有些褪色，也不怎么干净，上面沾了好些油渍，可是她的胳膊从宽大的袖子里露出来，又白又美，拦腰束着腰带，显得她身材苗条好看。她拉着乔斯的手，把他引到自己住的阁楼里面，她说："进来，进来跟我谈谈吧。那边椅子上请坐。"她拉着印度官儿的手轻轻一捏，笑着把他按在椅子上。她自己坐在床上，当然留心着不碰瓶子和盆子，如果乔斯坐在床上，说不定就会坐到这两样东西上面去。这样，她坐着和她从前的相好谈起话来。

她做出亲切关心的样子说："你一点儿没有变，没有老。不管在哪儿，我一看见你就认得。在陌生人堆里看见老朋友坦白老实的脸儿，我心里就乐了。"

说句实话，那坦白老实的脸儿那时候的表情却说不上坦白和老实。乔斯心慌意乱，不知怎么才好。他把老情人的古怪的小房间端详了一下，看见她一件衣服挂在床栏上，一件衣服挂在房门的钩子上，帽子遮了镜子的一半，镜子上还搁了一双漂亮的棕色小皮靴。床旁的桌子上有一本法国小说，桌上的蜡烛质地很差，不是蜜蜡做的。蓓基起先打算把它也盖在被单下面，结果只把晚上熄蜡烛用的纸罩子藏了起来。她接着说："我到哪儿都认得你。有些事情是一个女人永远不会忘记的。你是我——我碰见的第一个男人。"

乔斯道："真的吗？老天保佑我的灵魂！真是这样吗？"

蓓基道："当初我跟着你妹妹从契息克到你家的时候，不过是个孩子罢了。那宝贝儿怎么样啦？唉！她的丈夫是个混蛋。当然啦，那可怜的小宝贝儿很妒忌我。倒仿佛我对她丈夫有意似的！哼！我心里不是另外有人——唉，别说了——别谈老话了。"说着，她拿起破花边手帕擦了擦眼皮。

她接着说道：“瞧这个地方多怪！像我这样，从前过的是另外一种日子，现在竟会住到这儿来，真想不到吧？乔瑟夫·赛特笠，我经过那么些折磨，受过那么些侮辱，吃的好厉害的苦，有的时候我简直像疯了似的。我在一处地方待不住，到处流浪，可是总是心酸，总不得安宁。所有的朋友个个都靠不住。个个都靠不住。世界上没有一个是正派人。我做妻子多么忠实，真是普天下找不出第二个。当然喽，我当年是因为对于另外一个人怨愤才嫁给他的，那个人——这话我也不说了。我对丈夫那么忠心，他反而作践我，丢了我不管。我是最痴心的妈妈；我只有一个孩子，他是我唯一的宝贝，唯一的希望，唯一的快乐。儿子是我的命根子，是我诚心祷告来的，是上天赐给我——我的幸福。我拿母亲的深情爱着他。可是他们——他们把他从我身边抢——抢去了。”她做出又热情又伤心的姿态，一只手按着胸口，低下头伏在床上半晌不动。

白兰地瓶子碰在装冷香肠的盆子上，叮当一声响起来，想必是它们两个看见蓓基这么悲痛，心里老大不忍。马克斯和莿立兹在门口偷听，听得蓓基太太哭哭啼啼，也觉得纳闷。乔斯瞧着老情人这种情形，又感动，又害怕。接着她谈起往事，解释的一套话又简单，又明白，又诚恳。听着她的话，你准会觉得如果真有白衣的天使逃在人间，受到凶神恶煞摧残虐待的话，这纯洁的天使，这无辜的殉难者，就在乔斯面前的床上，坐在白兰地瓶子上。

他们两人秘密地谈了好久，谈得很入港。听了她的一席话，乔斯·赛特笠不知不觉地得到一个结论（蓓基的措辞和态度一点不使他害怕和厌恶）——他发现第一个使蓓基心动的美男子就是他自己。乔治·奥斯本也追过她，当然这件事他做得很不应该，爱米丽亚大概就因此妒忌蓓基，以至于她们两人闹得不欢而散。蓓基本人从来没有和那可怜的军官去兜搭，自从她遇见了乔斯之后，心上总是想着他；不过当然她做了别人的妻子，第一件就是对丈夫尽本分。她向来对得起丈夫，并且至死不变节——至少也要等丈夫死了再说。克劳莱上校住的地方气候出名地坏，所以或许他会一伸腿把蓓基解放出来，还她个自由身子。反正做丈夫的那么狠心，这夫妻的名义只能叫蓓基心上痛恨。

乔斯动身的时候，深信蓓基是最贤淑、最可爱的女人。他心里盘算着应该怎么帮助她。她的苦难应该到此为止了。她原是上流社会里的尖儿，应该回到从前的地位去。他决定负起责任，把该做的事都担当起来。她得离开那旅馆，找一个安静的房子住下。还得叫爱米丽亚来看望她，照料她。他准备把这件事办好，再和少佐商量一下。蓓基从心里感激他，和他分别的时候掉下眼泪米。大胖子殷勤得很，弯下身子吻她的手。她把他的手紧紧握了一下。

蓓基鞠躬把乔斯送出自己的阁楼，仪态雍容，仿佛站在自己的宫殿门口。大胖子客人下了楼，马克斯和莃立兹便衔着烟斗从他们的小屋里钻出来。蓓基一面嚼着面包和冷香肠，喝着她最喜欢的搀水白兰地，一面对他们两人模仿乔斯，自己取乐。

乔斯郑重其事地走到都宾家里，把自己刚才听来的动人的故事告诉他，可是对于隔夜赌钱的事却一字不提。蓓基太太在客店里吃她的冷肉早饭，这两位先生就在一块儿商议究竟应该怎么帮助她。

她怎么会到这小城里来的呢？她怎么会一个朋友都没有，只身在外漂泊呢？小学生们开始念拉丁文的时候，就读到通亚佛纳斯湖[①]的路怎么容易叫人堕落。我们把她堕落的经过跳过不说了吧。她并不比当年一帆风顺的时候更坏，不过时运差些儿罢了。

爱米丽亚太太是个慈悲心肠的糊涂人，只要听得有人受苦，立刻就

---

① 亚佛纳斯湖的位置原是坎巴尼亚的一个死火山，湖面常有秽气上升，古时的人把它当作通地狱的进口。

心软了。因为她自己从来没有干过大坏事，所以她对于罪恶并不像有些饱经世故的道学先生那样深恶痛疾。她不论和谁交往，总是和和气气，说些凑趣的话儿，想法子哄人家高兴。用人听得她打铃子跑来替她做事，她向他们道歉；店员拿出丝绸让她挑选，她又向他们道谢；她对扫街的行礼，恭维他管的街道扫得干净。这些傻事情，她都做得出来。她这样的人，听得老相识遭到了不幸，当然觉得不忍。虽说有些人的不幸是恶有恶报，这种话她根本不要听。倘或由她制定法律，这世界就得乱成一片了。幸而没有几个女人，至少统治阶级的女人，是像她一样的。照着她的意思，我想准得把所有的牢狱、惩罚、手铐、鞭打、贫穷、疾病、饥饿，都废止得一干二净。她一点性气都没有，老实说，即使有人狠狠地害过她，她也能够不究既往。

孟加拉绅士把他动人的遭遇讲了一遍，少佐听了却不发生兴趣。他反而很不高兴，对那倒霉的女人下了一句简短而无情的考语，说道："那个轻骨头女人又来了吗？"他对于蓓基向来没有一丝一毫的好感。自从第一次见面，她的绿眼睛对他看了一眼之后，他一直从心底里不相信她。

少佐很不客气地说："那小鬼到哪儿就捣乱。谁知道她是怎么过活的？她凭什么会流落在外国？什么别人虐待她折磨她的话别跟我来说。一个清清白白的女人总有亲友可靠，决不会和家里脱离关系。她为什么跟她丈夫分手？也许你说得不错，他是个声名狼藉的坏蛋，他本来就不是好东西。我还记得那混帐的骗子，可怜的乔治从前不是还上他的当来着？关于他们夫妻分居的事，好像还有些不干不净的话。我仿佛听见过一点风声。"都宾少佐向来不爱听背地里说长道短，竟也这样说。乔斯竭力分辩，说蓓基太太在各方面都是个贤慧妇人，不过遇人不淑，他只是不信。

少佐的外交手段是出人头地的。他说："好吧，好吧，咱们还是去问乔治太太，跟她商量一下。我想你总得承认她的判断力不错，关于这些事情应该怎么处置，还是得问她。"

乔斯到底没有爱上了妹妹，只说道："嗨哼！爱米还不错。"

少佐冲口说道："还不错？喝，我一辈子没见过像她那么品格高尚的人。咱们到底应该不应该去看那个女人，还是等她决定，她说什么，我就照着做。"这可恶的、诡计多端的少佐不是好东西。他以为自己的官司准赢。他记得有一个时候爱米对于利蓓加妒忌得厉害，而且不是无缘无故瞎吃醋。她提起利蓓加的名字，就觉得厌恶和恐惧。都宾心想一个妒忌的女人是决不肯饶恕她的冤家的。他们两人一起走到对街乔治太太的家里去。她正在跟斯脱伦浦夫太太上课，快快乐乐地唱着歌。

教歌的太太离开之后，乔斯照平常一般，神气活现开言说道："爱米丽亚，亲爱的，我刚才碰到一件——对了——求天保佑我的灵魂！碰到一件意外的奇遇。我碰见一个老朋友——嗳——你的老朋友，很有意思的老朋友，我可以说是多年前的老朋友。这位太太刚到此地，我要你去看看她。"

爱米丽亚说道："太太！谁啊？都宾少佐，请你别把我的剪子弄坏了。"爱米往常把这小剪子用一根链子挂在腰里，那时都宾拎着链子把它滴溜溜地转，很有危险戳进他自己眼睛里去。

少佐很固执地说道："我很讨厌这个女人。你也没有理由要喜欢她。"

爱米丽亚激动得很，涨红了脸说："是利蓓加，准是利蓓加。"

都宾说："你猜对了。你是不会错的。"布鲁塞尔，滑铁卢，多少年前的悲伤、苦楚，各种的回忆，一时都涌到爱米温柔的胸中，登时使她坐立不安。她说道："别叫我去看她。我不能见她。"

都宾对乔斯道："我早就跟你那么说。"

乔斯怂恿她道："她可怜得很呢，呃——她倒霉极了。她又穷，又没有依靠。她生过病，而且病得很重。她的混帐的丈夫丢下她跑了。"

爱米丽亚说："啊！"

乔斯的手段相当高明，接着说："她一个亲人也没有。她说她相信你会去帮她的忙。她可怜极了，爱米。她伤心得差点儿发疯。我把人格担保，她的话真叫我感动。我可以说，能够像天使一样忍受那种虐待的，恐怕只有她了。她家里的人对她真狠心。"

爱米丽亚道："可怜虫！"

乔斯压低声音抖巍巍地说道："倘若没有朋友去照顾她的话，她说她只能死了。求天保佑我的灵魂吧！你知道不知道她在想自杀呀！她随身带着鸦片，我在她房里还瞧见那瓶子来着。她住着一间破破烂烂的小房间。那旅馆也是三等的，叫大象旅社。她住在顶上一层阁楼里。我去过的。"

爱米听了这些话并不感动。她甚至于笑了一笑。也许她自己在想像乔斯喘着气上楼梯的样子。

乔斯又说："她伤心得快发疯了。那女人受的折磨听着就叫人害怕。她有个儿子，和乔杰同年的。"

爱米道："对的，对的，我还记得。他怎么了？"

乔斯是个大胖子，很容易受感动，蓓基对他说的话又叫他非常动心。他说："他是个漂亮的孩子，简直像天使，而且非常爱他母亲。那些混蛋把他从她怀里抢走了。他哭着叫着。他们从此不准他去看母亲。"

爱米立刻霍地站起来叫道："亲爱的乔瑟夫，咱们现在马上去瞧她去吧！"她跑到隔壁房间里，兴奋得心里直跳，戴上帽子，胳膊上搭了披肩走出来，命令都宾跟着她一起去。

他走过去替她围上披肩——这条白细绒披肩还是他从印度带给她的。他知道事到如今除了服从别无办法。爱米勾着他的胳膊，两个人一同出门去。

乔斯说："她的房间是九十二号，在四层楼。"他大概不想再爬四层楼梯，只站在自己客厅窗口，看着他们两人穿过闹市向前走。从他的窗口，也望得见大象旅社的所在地。

幸而蓓基从阁楼上也看见他们了。那时她和那两个学生正在说笑。两个学生刚才看见蓓基的爷爷进来，也看见他出去，正在取笑他的相貌。蓓基把他们赶走，而且在旅馆主人领着客人上楼之前及时把房间整理一下。大象旅社的老板知道奥斯本太太在宫里很受欢迎，当然非常尊敬她，亲自领路到阁楼上，一面走，一面回头鼓励夫人和少佐先生再往上走。

旅馆主人敲着蓓基的房门叫道：“尊贵的夫人，尊贵的夫人！”前一天他对蓓基的称呼还很随便，而且对她一点儿不客气。

蓓基探头出来问道，“是谁呀？”接着便轻轻地尖叫了一声。爱米站在门口，激动得发抖，旁边是高大的都宾少佐拿着手杖。

他静静地站着，冷眼旁观，好像对于这一幕戏很发生兴趣。爱米张开两臂向利蓓加跑过去，立刻饶恕了她，全心全意地搂着她，亲热地吻她。啊，可怜虫，你的嘴唇以前何曾给这样纯洁的人吻过呢？

# 第六十六章　情人的争吵

爱米丽亚待人又诚恳又好心，所以连蓓基这样无情无义、自甘堕落的人也觉得感动。爱米摩弄着她，用好言好语安慰她，弄得她竟有些良心发现。这种情感虽然不能耐久，倒并不完全是假装的。她这句话"孩子哭着叫着给人从她怀里抢去"——说得真巧妙。这场灾难，就把朋友的心赢回来了。爱米那可怜的小傻瓜和朋友会面之后，当然一开口就要探问这件最不幸的事。

我们的傻瓜叫道："原来他们把你的宝贝孩子给抢去了。唉！利蓓加，可怜的受苦的好朋友，失去儿子的滋味我是尝过的，所以我也能够同情跟我一样倒霉的人。亏得上天慈悲，把我的孩子还给我了。求天保佑你！将来你和他重新团圆。"

"孩子，我的孩子？啊，对了，我好伤心哪！"蓓基说话的时候，良心上大概也有些过不去。朋友对她那么信任，那么坦白，而她却不得不立刻用谎话回答，使她心上不大舒服。可是开始说了谎就不免有这种困难。先前说的谎话好比汇票到期后付出的现钱，此后又要再造一句补上去。这样你编的谎话当然越来越多，给人抓住错处的机会也就随着增加。

蓓基接着说："他们把他抢去的时候我真伤心得要死（希望她不要坐在酒瓶上面）——我想我怎么也活不下去了。亏得我害了一场热病，医生说我决没有希望恢复。后来——后来我复原之后，我——我就到这儿来了。我又穷，又没有依靠。"

爱米问道："他几岁了？"

蓓基答道："十一岁。"

爱米嚷起来说："十一岁！怎么的，他和乔杰同年生的。乔杰已经——"

蓓基其实早已忘了罗登的年龄，慌忙截断她说："我知道，我知道。最亲爱的爱米丽亚，痛苦使我忘掉了好多事情。我现在变了，有的时候简直是半疯半傻。他们把他拿去的时候他刚好十一岁。愿天保佑他可爱的脸儿，我从那时候起就没有再看见过他。"

荒谬的小爱米又说道："他的皮肤是白的还是黑的。让我瞧瞧他的头发。"

蓓基见她头脑那么简单，差点儿失声笑起来。"亲爱的，今天不给你看了，过些时候再说吧。我是从莱比锡来这儿的，等我的箱子运到之后再给你看。我还有他的一张像，是我给他画的，那时候还过着好日子呢。"

爱米说："可怜的蓓基，可怜的蓓基！我应该全心全意感谢上天慈悲。"（我们小的时候，长一辈的太太们时常教导我们，只要日子过得比别人好，就得感谢天恩。我觉得这样的宗教见解实在不十分合理。）然后爱米又回到平日的老习惯，想起自己的儿子，觉得他是全世界最漂亮、最聪明、最好的孩子。

爱米要安慰蓓基，她所能想到的最好的办法就是说："我给你看看我的乔杰。"她认为能够替蓓基解愁的，莫过于和乔杰见面。

两位太太谈了一个多钟头，蓓基乘机把自己的过去详详细细地向新见面的朋友报告了一遍。她说罗登·克劳莱家里一直竭力反对她和罗登的婚姻；她的妯娌又是个诡计多端的女人，挑拨得丈夫跟她不和。她说罗登和邪女人在一起混，后来对她逐渐冷淡。她受尽一切灾难困苦，连她最爱的丈夫也冷淡她；她甘心受罪，无非为了孩子。后来她丈夫混帐到极点，她不得不要求和他分居。原来那混蛋想利用一个大人物的势力向上爬，竟逼着她牺牲她的贞操。这个大人物权势赫赫，可是全无道德——他就是斯丹恩侯爵，那无恶不作的坏蛋。

蓓基讲到自己一生当中最多事的一段，说的话十分婉转，显出她女人的特色，贞洁妇女对于罪恶的憎恨，也尽量表现出来了。她说她受了这样的侮辱，不得不离开丈夫出走，哪知道这个没肝胆的恶人向她报复，又把她的孩子抢去。这样她只能四处漂泊。她又穷又苦，没有依靠，也没一个亲人。

爱米听蓓基讲了长长一篇，对于这些话深信不疑，凡是熟悉她性格的人当然早已料到她有这一着。她听到可恶的罗登和无耻的斯丹恩干这种坏事，气得周身发抖。蓓基讲到她婆家的贵人们怎么虐待她，丈夫怎么冷淡她，爱米满眼都是敬服的神情。蓓基说到丈夫，倒并不痛骂他。她的口气里没有忿怒，只有悲伤。她从前对他实在太痴心了。再说，他究竟是她儿子的爸爸啊！爱米听到蓓基描写她怎么和儿子分手的情形，用手帕蒙着脸哭起来。这出色的悲剧演员瞧着看戏的人那么感动，心里准觉得高兴。

两位太太在里面谈话，爱米丽业忠心的护卫都宾少佐当然不好进去打岔。他在狭小的过道里踱来踱去，鞋子吱吱咕咕地响，帽子上的毡毛都给天花板刮掉了。他等得厌烦起来，就顺着楼梯一直走到底层的大房间。凡是到大象旅社来的人都在此地歇脚。屋子里烟雾弥漫，到处滴滴答答的啤酒。一张肮脏的桌子上搁着几十个铜烛台，上面插着牛脂蜡烛，凡是宿在客店里的客人一人有一支。紧靠烛台的墙上挂着客人们房门上的钥匙，排成一排。爱米刚才穿过这间大敞房的时候窘得脸上发红。那里面坐着各色各样的人，有泰洛利地方的手套商人，有多瑙河一带的衬衣商人带着一包包的货色。学生们吃着牛油面包和肉；游手好闲的家伙在湿漉漉满是酒渍的桌子上玩纸牌和掷骰子；演杂技的表演了一场之后，也进来吃些东西补补力气。总之，凡是德国小客床里逢上赶集的时候该有的嘈杂和烟味儿，这里都有了。茶房自作主张给少佐斟上一大杯啤酒。他拿出一支雪茄烟，一面看报，一面抽那有毒的烟叶子，自己消遣着，等他负责照管的太太下来找他。

不久，马克斯和莆立兹下楼来了，头上歪戴着帽子，脚上的马刺碰得叮叮当当直响，口里衔着漂亮的烟斗，上面刻着纹章，垂着大大的流苏。他们把九十号房间的钥匙挂在板上，叫茶房把他们分内的牛油面包和肉送上来吃。他们坐在少佐旁边谈天，有些话当然免不了吹到少佐耳朵里去。他们谈的多半是附近叔本霍华生大学里的一年级新学生和附近镇上的居民，描写他们怎么决斗和怎么狂饮大喝。他们这次趁本浦聂格尔王子结婚大典，特地从有名的大学里赶来看热闹，大概在邮车里就坐在蓓基的旁边。马克斯对他朋友莆立兹说："那个英国小女人在这儿好像有许多朋友，"（他用了些法文字，因为他是懂法文的）"那肥胖的爷爷走了之后，又来了一个漂亮的太太，也是英国人。我听见她们两个在她房里一会儿哭一会儿讲。"

莆立兹说："咱们还得买了票上她的音乐会呢。你有钱吗，马克斯？"

马克斯答道："呸！她的音乐会是靠不住的。汉斯说她在莱比锡也登了广告说要开音乐会，学生们买了好些票，结果她没有唱就溜了。昨天她在邮车里说她的钢琴师在特莱斯登害病。我想她大概根本不能唱。她的声音又沙又哑，跟你的一样。啊，你这个酒糟的吹牛大王！"

"她的声音的确又沙又哑。我听得她在窗口唱一支怪难听的英国歌，叫作《月台上的玫瑰花》。"

"一个人要喝酒，就不能再唱歌。"红鼻子的萧立兹说。他无疑是宁可喝酒的。"别买她的票子。昨天她赌赢了。我看见的，她叫一个英国男孩子替她赌钱来着。你的钱，咱们还是花在赌场里，或是戏院子里，或是在奥里利斯花园请她喝法国酒和哥涅克酒，可是音乐会票子是不买的。你说对不对？再叫一杯啤酒好吧？"他们轮流低下头喝酒，把淡黄的胡子浸在令人作呕的饮料里面，然后捻一捻胡子，大摇大摆地向市场走去。

少佐看见这两个时髦大学生把九十号房间的钥匙挂上钩子，又听了他们的话，当然猜到他们说的就是蓓基。他想："这小妖精又来要她的老把戏了。"他想起从前的旧事，还记得蓓基没命地向乔斯送情卖俏，结果却落得那么滑稽的下场，忍不住微笑起来。他和乔治时常说起来就好笑，哪知道乔治结婚之后情形就不同了，连他本人也落在瑟茜①手掌之中。他两人中间的纠葛，都宾虽然心里明白，却装做不知道。他非常难过，或许还替朋友觉得丢脸，对于这件不名誉的秘密不愿意细细追问。有一次乔治自己谈起这事，显然很懊悔。滑铁卢大战那天早上，天下着雨，他们两人站在前线，遥望对面山头上黑压压的法国兵，乔治说："我真糊涂，给一个女人绊住了腿，亏得咱们的部队及时开拔。如果我死掉的话，希望爱米永远不知道这件事情。当初真不该如此荒唐！"

---

① 希腊神话中善于迷人的女妖，住在爱琴海里的一个岛上，能用毒草把人变成畜生。

奥斯本离开了妻子，在加德白拉打过一仗之后，当天曾经和他朋友严肃而深情地说起自己的父亲和妻子，威廉想到这里，心里觉得很安慰。后来他常把这事讲给可怜的爱米丽亚听，借此减轻她的悲伤。对于奥斯本老头儿，他也一再提起乔治的这些好处。老人临死前能够原谅儿子，就是由于这个原因。

威廉想："原来这小妖精还在耍她的老把戏。我只希望她远远地离开这儿就好。她到哪儿就捣乱。"他两手托腮，想着这些不愉快的心思，预料有不妙的事情会发生，对着《本浦聂格尔公报》一句也看不进去。正在这时，有人用阳伞在他肩膀上拍了一下，他抬头一看，却是爱米丽亚。

这个女人有本事把都宾少佐捏在手里任意使唤，因为哪怕是最软弱的人也有个把人可以凭他驱遣。她一时把他呼来喝去，一时抚慰他，叫他拿这样做那样的，简直把他当作一条纽芬兰大狗。他呢，只要她说："嗨，都宾！"就准备像狗一样跳到水里去，或是嘴里衔着她的网袋在她后面跟着走。如果读者到现在还没有发现都宾少佐是个傻瓜，那么我这本书真是白写了。

她把脸一扬，带着讥讽的神情向他行了个礼，说道："请问你干吗不等着陪我下楼？"

他一脸抱歉的样子，非常可笑，说道："我在过道里站都站不直。"客床里满是烟味，令人厌恶，他恨不得马上带她出去，扶着她就走，把那茶房忘得一干二净。那小伙子追上来在客店门口把他叫住，问他要了啤酒钱，其实那杯酒他一口也没有喝过。爱米笑起来，说他是个坏东西，竟想赖了账不付。关于这件事情和那杯淡啤酒，她还说了几句恰到好处的笑话。她兴致很高，心情也愉快，轻快地穿过市场，说是立刻要去找乔斯。少佐看见爱米丽亚迫不及待的样子，忍不住好笑。说老实话，"立刻"要找哥哥谈话，在她是少有的。

那印度官儿正在二楼客厅里。方才半小时里面，爱米和朋友关在阁楼上谈心，少佐在旅馆底层把指头在湿漉漉的桌上闲敲打，乔斯就在自己屋里踱来踱去，咬着指甲，不时瞧着市上，对大象旅社那边张望。他也是迫不及待地要和奥斯本太太说话。他问道："怎么样？"

爱米答道："可怜东西，她吃了多少苦啊！"

"求老天保佑我的灵魂！可不是吗！"乔斯一面说，一面摇着头，两个腮帮子就像果冻似的直哆嗦。

爱米说道："让她住配恩的房间。叫配恩睡到楼上去。"配恩是个稳健的英国女用人，贴身伺候奥斯本太太。他家的向导正在追求她，仿佛这也是他的责任。乔杰时常捉弄她，跟她讲许多鬼怪妖魔和德国强盗抢家劫舍的故事。她一天到晚唠唠叨叨怨命，把女主人呼来喝去，嘴里说她第二天早上就准备回到克拉本乡村上的老家去。爱米说："让她住配恩的房间。"

少佐托地跳起身来冲口问道："怎么的，难道你准备把那个女的接到家里来住吗？"

爱米丽亚的表情天真得世上少有，她道："当然喽。别生气，少佐，回头把家具都碰坏了。当然得把她接回来住。"

乔斯也说："当然喽，亲爱的。"

爱米又道："可怜虫，她已经受够了。她的钱存在一家银行，可是那可恶的银行家破产以后溜掉了。她的丈夫又是个混帐东西，抢了她的孩子，把她丢了不理。"（她说到这儿，狠狠地握起拳头，少佐瞧着她这么大胆泼辣，觉得她非常可爱）"可怜的宝贝儿！她无依无靠的，只能靠着教唱歌养活自己。我还能不接她来？"

少佐嚷道："亲爱的乔治太太，你去找她学唱歌倒不妨，可是别把她往家里接。我求你别那么着！"

乔斯道："呸！"

爱米丽亚叫道："都宾少佐，你待人总是那么仁慈宽大——至少你从前总是那么仁慈宽大，我真没想到你会说这话。如果要帮助她，当然得在她最困难的时候帮助她呀。现在不帮她，还等几时？她是我最老的老朋友，又不是——"

少佐生气得止不住说："爱米丽亚，她也有过对不住你的时候。"爱米一听他话里有因，哪里忍得住。她两眼瞪着少佐，脸上的表情几乎是恶狠狠的，说道："你真丢人，都宾少佐！"开了这一炮之后，她威风十足地走出屋子，回到卧房，砰的一声关上了门，因为她的尊严受到了侮辱。

门关上之后，她自言自语道："他竟会提起那件事！唉！他多狠心，还叫我想起那件事。"乔治的肖像仍旧挂在墙上，底下便是儿子的肖像，她抬头看着丈夫，说道："他真狠心。倘若我都已经原谅了，干吗还要他来说话呢？真岂有此理！而且我怎么知道我的妒忌是没有根据的，是不该有的呢？可不就是他自己对我说的吗？他不是还跟我说你是纯洁的吗？对了，你是纯洁的，我的天上的圣人！"

她气呼呼地在房里来回踱步，激动得浑身打战。她靠在肖像底下的五斗柜上，呆呆地注视着遗像。画上的眼睛仿佛在责备她。她注视得越长久，眼神里的责备越深。早年昙花一现的爱情生活，多珍贵的回忆！一时都到眼前来了。多少年长不平复的创伤重新迸裂流血，痛得好厉害！丈夫就在她面前，她受不住他的责备。这件事行不得的。永远永远也行不得的！

可怜的都宾！可怜的威廉！一句逆耳的话摧毁了多少年的工作，他一辈子爱她，对她忠诚不变，仿佛吃尽辛苦慢慢在严藏深埋的屋基上造了一所宫殿——基础是压制下去的深情，没人知道的牺牲，数也数不清的内心的挣扎——如今说了一句话，象征希望的美丽的宫殿从此垮了，一句话，他费了一辈子想捉住的小鸟儿从此飞去了。

　　威廉虽然从爱米丽亚的神色上看出事情已经到了紧急关头，可是仍旧苦口劝谏乔斯，叫他对利蓓加存些戒心。他劝乔斯别把利蓓加接到家里来，不但口气恳切，甚至于急怒暴跳。他哀求赛特笠先生先到外面把她的为人打听一下再说。他说他听得蓓基相与的都是赌棍和声名狼藉的人，况且她从前就搅得他们家翻宅乱，和她丈夫克劳莱两人把可怜的乔治引上邪路，现在她自己承认和丈夫分居，这里面一定又有文章。叫这样的人和他的没经世事的妹妹做伴，不是太危险了吗？威廉用尽他的口才，请求乔斯别放利蓓加入门。他平常寡言罕语，说话难得像这样卖力的。

　　如果他说话不是那么激烈，或是用的手段乖巧一些，说不定乔斯会听从他的请求。不幸那印度官儿对于他向来妒忌，觉得他对自己态度倨傲（他甚至于还和向导基希先生抱怨过，基希先生一路上开的账单都得经过少佐检查，当然帮着主人）——当下乔斯便气呼呼地回答说他很能保全自己的体面，不要人家管闲事。总而言之，乔斯对于少佐表示反抗。他说了不少话，说得很愤慨。话还没有完，蓓基却带着大象旅社一个搬伕，拿着她的一点儿行李来了。这样一来，很简单，乔斯的话就给截断了。

　　蓓基对主人的态度又亲热又尊敬，打了招呼，然后羞羞缩缩客客气气地见了都宾少佐。她仗着自己的本能，觉得少佐在跟她作对，而且已经说过她的坏话。她一到，屋里顿时忙碌起来，爱米丽亚听得外面砰砰訇訇的声音，从房间里出来。她亲亲热热地跑上去搂着客人，对于少佐却睬都不睬，只狠狠地盯了他一眼。这一眼，怕是可怜的女人有生以来最轻蔑最不讲理的表情了。她自己心里有底子，打定主意要和少佐过不去。都宾也生了气，倒不是因为自己劳而无功，而是觉得对方的态度太不公道。他临走的时候，爱米冷冷地向他屈了一屈膝，样子非常恼人。他打了一躬，倨傲的程度也和她不相上下。

他走掉之后，爱米对于利蓓加加倍地和蔼活泼，忙忙碌碌地在各房间里穿来穿去，把客人安置妥当。我们的小朋友往常性格沉静，难得这样精神勃发，到处张罗。事实是这样的，凡是故意行事不公道的人，必须趁早一鼓作气才下得了手，意志薄弱的人更容易犯这个毛病。爱米自以为这样就显得自己意志坚定，行事得体，同时对于死去的奥斯本上尉也表示了应有的敬意。

乔杰看了热闹回来吃饭，发现桌子上照旧摆着四份杯盘刀叉，可是都宾少佐的位子上却坐着一位太太。小少爷说话向来简捷，就说："嗨，都宾呢？"他妈妈答道："我想都宾少佐到外面吃饭去了。"说着，她把孩子拉到身边，吻了他好几回，把他的头发从脑门上拂开，然后叫他见了克劳莱太太。奥斯本太太说："这是我的儿子。"那口气仿佛说，世界上哪儿还有这样的宝贝？蓓基喜孜孜地瞧着他，温柔地捏着他的手说："好孩子！他正像我的——"说到这里，她感情起伏得厉害，话都说不下去，可是爱米丽亚不用她说就懂了，知道蓓基正在想她自己心爱的儿子。克劳莱太太有朋友在旁边，稍解悲痛，一餐饭吃得很香。

吃饭的时候，蓓基好几次开口说话。她一开口，乔杰便瞧着她很留心地听着。到上甜点的时候，爱米有事情要吩咐用人，到外面去了；乔斯坐在大椅子里拿着《加里涅尼》报纸打盹；乔杰和新客人坐得很近，他原来已经对她极有含蓄地看了好几眼，这时便放下胡桃夹，说道："我说呀！"

蓓基笑道："你说什么？"

"你就是赌台旁边那个戴面罩的太太。"

"嘘！你这调皮的小人儿，"蓓基一面说，一面拉着他的手吻了一下，"你舅舅那天也在，快别告诉妈妈。"

孩子答道："当然不告诉。"

这时爱米又进来了，蓓基对她说："你瞧，我们两个已经很投机了。"说句公平话，奥斯本太太请到家里来的客人待人和蔼可亲，的确是个好伴侣。

　　威廉气忿忿地离了他们家里，却还没有知道自己将来会受到什么无情无义的待遇。他气呼呼地在城里走着，恰好碰见代理公使铁泼窝姆，给约去吃了一餐饭。他们一面品评饭菜，都宾便趁机打听代理公使可认得一个叫罗登·克劳莱太太的女人，因为好像在伦敦她曾经哄动一时。铁泼窝姆对于伦敦城里的传闻熟悉得很，又是岗脱夫人的亲戚，便把蓓基夫妻俩的故事原原本本讲给少佐听，使他大吃一惊。本书的许多情节，也是根据他的叙述而来的，因为当年我和他们同桌，所以才能听到这篇故事。德夫托、斯丹恩和克劳莱各家的历史，所有和蓓基以及她的过去有关的事情，这位牢骚的外交家讲得头头是道。所有的人的所有的事，他没有一件不知道——或许还不止。总而言之，他的话对于老实的少佐真是惊心动魄的大发现。都宾讲到奥斯本太太和赛特笠先生已经收留了她，铁泼窝姆哈哈大笑，把都宾又吓了一跳。铁泼窝姆说他们何不到监牢里请一两个犯人回家做乔杰那小混蛋的老师呢？那些剃光了头、穿着黄色囚衣、用链子一对一对锁着、在本浦聂格尔当清道夫的犯人有的是。

　　少佐没有料到会有这样的情报，听得毛发悚然。早晨没见利蓓加之前，他曾经和爱米丽亚约好晚上到宫里参加跳舞会，那么正好可以在宫里把一切都告诉她。少佐回到家里，穿上制服，到宫里等着，希望能见到奥斯本太太。可是她没有去。到他回家的时候，赛特笠家里已经没有灯光，他只好等到第二天早晨再见她。当晚他带着这么可怕的秘密上床，不知道他怎么睡的。

　　第二天早晨，他尽早打发用人送了一封短信到对街去，信上说明有要事和她商量。哪知回信来了，只说奥斯本太太很不舒服，睡在房里不能出来。

　　她也是一夜没有好睡，一直在想心事。这件心事已经不知多少回使她心神不宁。她也不知多少回想要放弃成见，无奈事到临头，她总觉得牺牲太大，便又止步回身了。虽然他对自己百般爱惜，忠实到底，自己对他也很器重，很感激，很尊敬，可是这件事总不能行。一切的功绩、恩惠、不变的忠诚，可算什么呢？在大半上称起来，分量往往还比不过女人的一绺头发或是男人的一根胡子。拿着爱米来说，也不见得比别的女人更看重这些好处。她也曾经努力想把它们算作合格的品质，不过老是委决不下。狠心的女人现在有了借口，打定主意把自己解脱出来。

　　当天下午，少佐总算见着了爱米丽亚。现在每逢他来的时候，爱米总是亲亲热热地招呼他，已经成了习惯，可是那天她只对他行了一个礼，伸出戴手套的小手给他握了一握，马上又缩回去了。

　　利蓓加也在屋里，微笑着向他走过来，预备和他握手。都宾显得很狼狈，往后退了一步说道："对——对不起，太太，我得先告诉你，我到此地来的目的是对你不利的。"

　　乔斯心下着忙，竭力想避免正面冲突，忙道："得了得了，这种事咱们不必多谈。"

　　爱米丽亚的眼神非常坚定，她的声音低沉而清楚，还带着一点颤抖，说道："我倒不知道都宾少佐对于利蓓加究竟有什么过不去的地方。"

　　乔斯重新插嘴道："我不准人家在我屋里胡闹。这个我不准的！都宾，请你别那么着。"他身上发抖，头脸红涨，呼了一大口气，向门口跑去。

　　利蓓加做出天使一般温柔的样子说："亲爱的朋友，听听都宾少佐究竟要说我什么坏话。"

　　乔斯扯起嗓子尖声叫道："我偏不要听。"说着，整一整晨衣逃掉了。

　　爱米丽亚说："我们两个都是弱女子，您请开口罢！"

　　少佐傲然说道："爱米丽亚，你把这种态度对待我不大合适。我想我也并不是欺负弱女子的人。我现在是尽我应尽的责任，这件事我也并不爱做。"

爱米丽亚越来越暴躁，说道："都宾少佐，有话请你快快地说！"她这么盛气凌人，都宾的脸色也变得难看起来。

"我的来意是这样的——克劳莱太太，既然你不走，我只好当着你的面说了。我认为你——你不应该住到我朋友的家里来。你已经和丈夫分居，旅行的时候又不用自己的真姓名，又常到赌场赌钱——"

蓓基叫起来说："我是去跳舞的！"

都宾接着说："奥斯本太太和她的儿子不能和你这样的人在一起。我还可以告诉你，这儿有人认识你，知道你过去的行为。关于这一点，我甚至于不愿意在——在奥斯本太太面前多说。"

利蓓加说："都宾少佐，你毁谤我的话说得真谨慎真巧妙。你加了我一个罪名，可是又不肯明说。我的罪名究竟是什么呢？对丈夫不忠诚吗？我瞧不起这话！看谁能够证明错处在我。不妨就请你来证明。我是清白的，哪怕我最狠心的冤家，骂我骂得最恶毒的人，也不比我更干净。你是不是骂我穷苦、倒霉、没人理睬呢？这些罪过我倒全有，而且每天为着它们受苦。爱米，让我走吧。譬如我没有碰见你，那么我现在也不比从前更命苦！只算是黑夜过了，可怜的流浪者又得从新上路。你还记得咱们从前唱的一支歌吗？唉，从前的日子多好！从那时候起，我就到处漂泊。我是个没人理的可怜虫。因为我苦恼，人家瞧不起我。因为我单身没个依靠，人家欺负我。让我走吧。我在这儿显然是跟这位先生利害冲突的。"

少佐道："太太，的确是利害冲突的。如果我在他们家里能够行使权力的话——"

爱米丽亚打断他的话说："权力，你没有权力！利蓓加，你就住我家。我不会因为你受了压迫，就丢了你不管，也不会因为——因为都宾少佐欺负你，就也跟着作践你。亲爱的，来吧。”说着，两个女的都向门口走去。

威廉开了门，可是当她们出去的时候，他拉着爱米丽亚的手说：“能不能请你留下，我想和你谈谈。”

蓓基像个殉难者似的说道：“他要在我背后跟你说话呢！”爱米丽亚的回答就是紧紧地攥住了她的手。

都宾说道：“我拿信义担保，我的话与你无关。爱米丽亚，来吧。”她依言进来。都宾对克劳莱太太鞠了一躬，把门关好。爱米丽亚靠在镜子上望着他，脸上唇上都没有血色。

少佐道：“我刚才说话的时候失于检点，不该用了权力两个字。”

爱米丽亚的牙齿格格打战，说道：“你是不对。”

都宾道：“至少我有权利要求向你说几句话。”

那女的回答道：“你真慷慨，还来提醒我，怕我忘了你给我们的恩惠。”

威廉说：“我所说的权利，是乔治的父亲留给我的。”

“对了，而你却侮辱他。昨天你的确侮辱他来着。你自己反正也明白。我永远不能饶你。永远不能饶你！”爱米丽亚又气又激动，抖巍巍地一句句冲着都宾说。

威廉忧郁地说道：“爱米丽亚，你这话不是当真吧？难道我一时匆忙说错的几句话，竟比一辈子的忠心还重吗？我认为我的行事，并没有侮辱乔治的地方。假如咱们彼此责备，我想乔治的老婆，乔治儿子的母亲，总不能再抱怨我。以后到——到你有了闲空，你再仔细想一想，你的良心准会收回你现在说的话。你现在已经把它收回了。”爱米丽亚低了头。

他接着说：“你激动的原因，并不是昨大的一席话。爱米丽亚，那些话不过是个借口。这十五年来我一直爱你，护着你，这点儿意思还猜不出来吗？多少年来我已经懂得怎么测度你的感情和分析你的思想了。

我知道你的感情有多深多浅。你能够忠忠心心地抱着回忆不放，把幻想当无价之宝，可是对于我的深情却无动于衷，不能拿相称的感情来报答我。如果换了一个慷慨大量的女人，我一定已经赢得了她的心了。你配不上我贡献给你的爱情。我一向也知道我一辈子费尽心力想要得到的宝贝物儿不值什么。我知道我是个傻瓜，也是一脑袋痴心妄想，为了你的浅薄的、残缺不全的爱情，甘心把我的热诚、我的忠心，全部献出来。现在我不跟你再讲价钱，我自愿放弃了。我并不怪你，你心地不坏，并且已经尽了你的力。可是你够不上——你够不上我给你的爱情。一个品质比你高贵的人也许倒会因为能够分享我这点儿爱情而觉得得意呢。再见，爱米丽亚！我一向留神看着你内心的挣扎。现在不必挣扎了。咱们两个对于它都厌倦了。"

威廉这样突如其来挣断了爱米丽亚牵着他的铁链子，发表了独立宣言，并且表示自己高出于爱米丽亚，使她害怕起来，话也说不出。他一向对她低头服小，因此可怜的女人总是作践他，已经成了习惯。她不肯嫁他，可是也不愿意放他走。她自己什么也不拿出来，可是希望他为自己献出一切。在恋爱的过程中，这样的交易并不在少数。

威廉的突击打败了她，使她垂头丧气。她自己的一着是早已输掉了。

她说："那么，你是不是——打算——离开这儿呢，威廉？"

他忧闷地笑了一笑说："从前我也曾经离开过你一回，过了十二年才又回来。爱米丽亚，那会儿咱们都还年轻呢。再见吧，我这一辈子花了这么些时候搞这个玩意儿，已经够了。"

他们说话的当儿，奥斯本太太的房门开了一条小缝。原来蓓基一直抓着门把子没有放，都宾一走，她就开了门，里面两个人的对话，全让她听了去。她想："那个人心地多么高尚！那女的这么玩弄他，真是可恶！"她很佩服都宾。虽然他反对她，她倒并不怀恨。他的一着棋子走得光明正大，待人还是公道的。她想："啊！如果我嫁得着这么一个有脑子有心肝的丈夫，就是他的脚板大些儿，我也不嫌他。"她急急回到自己房里，竟然想帮他的忙，写了一个条子，求他暂缓几日再走，说是关于爱米的事情她可以为他效劳。

当时他们两个已经分别。可怜的威廉重新走到门口，从此去了。这一切全是年轻的寡妇所促成的。她已经遂心如意，打了胜仗，现在剩她一个人，可以尽她所能庆祝胜利了。太太小姐们都来羡慕她吧！

开饭的时候（奇妙的好时光！）乔杰先生进来，发现都宾又没有来。他们闷闷地吃了一餐饭，大家不开口，乔斯的胃口仍旧很好，可是爱米什么也没有吃。

饭后，乔杰在窗口靠垫堆里躺着。这窗子极其宽敞，年代已经很深，从三角楼往外凸出去，三面都是玻璃。从一面看下去，正是市场，大象旅社就在那里。乔杰躺在靠垫堆里，他母亲就在旁边忙这样忙那样。忽然他发现对街少佐屋子里乱哄哄有人走动。

他说："喝！那是都宾的小马车。他们把它从空场上搬到街上来了。"他所谓的小马车是少佐花了六镑钱买下来的，大家常常为这件事取笑他。

爱米怔了一怔，可是没有说话。

乔杰接着说："喝！莆兰西斯拿着行李袋。那个一只眼的车夫孔慈领着三匹马从市场来了。瞧他的靴子和黄衣服，他多滑稽！哟，他们在把马套到都宾车上去呢。他要出门吗？"

爱米说："是的。他要出门旅行。"

"出门旅行？他什么时候回来呢？"

爱米答道："他——他不回来了。"

乔杰跳起来叫道："不回来了！"乔斯喝道："待在这儿别动！"他的母亲愁眉苦脸地说："待在这儿，乔杰。"孩子果然不出去，可是又好奇又着急，一时在屋里东踢西踢，一时跪在位子上用膝盖跳上跳下。

马已经套好，行李也都扣到车上去了。莆兰西斯出来，手上拿着他主人的剑、手杖和伞。这些东西给捆成一束，搁在车身里空的地方。一张小书台，一只专搁硬边帽子的旧铅皮帽匣，都塞在座位底下。莦兰西斯又拿出他那蓝呢面子、红色毛丝缎里子的旧大衣来。这件大衣穿了有十五年，就像流行歌曲里说的，是久经沧桑的了。在滑铁卢大战的时候它还是簇新的，加德白拉之战以后，乔治和威廉晚上就用它当被子。

房东勃尔克老头儿先出来，莦兰西斯又拿着好些包裹跟在后面，这些是最后一批包裹。接着出来的便是威廉少佐。勃尔克要跟他亲吻。凡是和少佐有来往的人没有一个不爱他的。他费了好大力气才从房东的怀抱中脱身出来。

乔治尖声叫道："我不管，我偏要下去！"蓓基也很关心，她把一张纸条塞在孩子手里说道："把这个给他。"要不了一会儿工夫，他已经冲下楼梯奔到对街去了。穿黄衣的马夫正在轻轻地挥着鞭子括括作声。威廉从房东的怀抱里脱身出来，进了车子。乔治跟着跳进去一把抱住少佐的脖子问长问短——他们在窗子里都看得见。然后他摸摸背心口袋，掏出一张纸条交给少佐。威廉很着急地一把夺了，手抖抖地展开信纸来看。可是一看之后，他的脸色立刻变了，把它一撕两半扔在窗外。他吻了乔杰的头。孩子给莦兰西斯拉着走出了马车，一面把拳头紧紧掩着两眼，然后恋恋不舍地摸着车身。用力呀，车夫！穿黄衣的车夫把鞭子抽得劈劈啪啪地响，莦兰西斯跳上高座坐在车夫旁边。马儿开步走了，车子里面的都宾低着头。车子走过爱米丽亚的窗口，他也没有抬头看一眼。乔杰还在街上，车一走，他当着大家的面号哭起来。

晚上，爱米的女用人听见他又在睡梦里大声痛哭，便拿了些杏酱去安慰他。她也陪着他伤心。所有没有钱的、苦恼的老实人，所有的好人，只要认识这位慈祥诚恳的先生，没有一个不敬爱他。

至于爱米呢，她不是已经尽了责任了吗？她反正有乔治的肖像安慰她。

# 第六十七章　有人出生，有人结婚，有人去世

蓓基本来有心帮助都宾，使有情人能够遂心如意，可是究竟用什么计策，她却没有说出来。反正她对于别人的幸福都不如对于自己的前途那么关心。眼前有许多需要考虑的切身问题，比都宾少佐一生的快乐重要很多。

她忽然来到舒服的环境里，连自己也觉得突兀。现在她身边有的是朋友，对她非常体贴。四周围这种仁厚老实的好人，她已经好些时候没有接触过了。她对流浪生活很习惯，一则因为天性好动，二则也是出于不得已。话虽这么说，她有时候也很希望能够休息一下。哪怕是最不怕艰苦的阿拉伯人，惯会骑在骆驼背上在沙

漠里奔驰，有时也爱在水草旁边枣树底下歇脚，或是进城逛逛市场，在澡堂里洗洗澡提提神，到教堂里做做祷告，然后再出外去干抢家劫舍的营生。同样地，蓓基一向被放逐在外面，现在住到乔斯的篷帐里面吃他的比劳，觉得真是高兴。她拴好了马，放下兵器，怪受用地在他火旁边取暖。经过了漂泊不定的生涯，一旦安定下来，真有说不出的恬静愉快。

她自己觉得满意，便努力巴结这家子所有的人。讲到讨好别人这项本事，我们都知道她出人头地地能干。她和乔斯在大象旅社阁楼上谈了一席话，便哄得他回心转意了好些。她住下不到一星期，那印度官儿已经成了她忠心的奴才，发狂似的爱她。爱米丽亚比不上蓓基有趣，乔斯和她在一起的时候，吃过饭之后照规矩总得打个盹儿。利蓓加一来，他宁可不睡了，常常坐着敞车和她一同出去兜风，并且特地找些寻欢作乐的由头，为她请了好几次客。

代理公使铁泼窝姆本来恶毒毒地说蓓基的坏话，自从到乔斯家里吃过一餐饭之后，天天来拜访她。可怜的爱米向来不大说话，都宾走后，更加怏怏不乐，寡言罕语，因此这位高她一等的仙子一到，大家简直把她忘了。法国公使对于蓓基倾倒的程度，竟也不比他的英国对手差什么。至于德国的太太们呢，本来没有什么谨严的道德观念，对于英国人尤其另眼相看，所以瞧着奥斯本太太可爱的朋友那么机智聪明，都非常喜欢。蓓基虽然没有要求进宫，可是大公爵和他夫人听说她妩媚动人，很想见见她。后来大家知道她出身高贵，属于英国的旧世家，她丈夫是禁卫军里的上校，又是某某岛的总督大人；他们夫妻因为小事情不和，所以分居。在英国，大家仍旧看《少年维特之烦恼》，歌德的《选择的亲和力》也被公认为对于身心有益的读物，在这样的国内，夫妻分居算不了什么，所以公国里最高尚的人士都愿意招待她。太太们从前对爱米丽亚十分亲热，发誓始终如一地爱她；现在她们见了蓓基，更密切了一层，更愿意给她这些无上的好处。这些单纯的德国人对于爱情和自由的看法是姚克郡和涩默赛脱郡的老实人所不懂的。在德国好些文明的城市里，居民的见解很通达，他们认为一个女人尽管离过好几次婚，可是在社会上的地位却一点不受影响。乔斯自从自立门户之后，家里的气氛从来没有像现在这么愉快。这全是利蓓加的功劳。她唱歌弹琴，有说有笑，会说两三国语言，把所有的人都引到家里来，并且使乔斯相信本地上流人士所以爱同他们往来，都是因为他善于应酬、口角俏皮的缘故。

爱米现在在家里什么事都不能做主，只有付账的时候才去向她要钱。可是蓓基不久就想出法子来讨好她安慰她。她不断地和爱米讲到都宾给撵走的事情，毫不顾忌地称赞他是个人品高贵的君子，表示十分佩服他，而且责备爱米对他太不近人情。爱米为自己辩护，说她不过是遵照基督教的教义行事，又说一个女人应该从一而终，她既然侥幸嫁过像天神一般的好丈夫，无论如何不愿意再嫁了。话虽这么说，蓓基称赞少佐，她听了一些不生气，蓓基爱夸他多少回都没有关系。不但如此，她自己常常把话题转到都宾身上，一天不下二十来次。

讨好乔杰和用人们是不难的。上面已经说过，爱米丽亚的贴身女用人全心全意赞赏慷慨大度的都宾少佐。起先她讨厌蓓基，怪她离间了少佐和女主人，可是后来看见她那么佩服少佐，为他辩护的时候口气那么热烈，气也平了。每逢请客以后，两位太太晚上在一处相聚，配恩小姐给她们刷头发（一位太太是淡黄头发，另外一位是软软的栗色头发）——配恩小姐一面刷，一面总为那位亲爱的好先生都宾少佐说几句好话。爱米丽亚听了并不着恼，就好像她听见利蓓加夸奖他不觉得生气一样。她催着乔治经常写信给他，而且总不忘记叫他在信后写上妈妈嘱笔问候等等字样。到晚上她望望丈夫的遗像，觉得它不再责备自己。现在威廉走掉之后，说不定她反而有些怨怪它的意思。

爱米不顾一切地牺牲了自己之后，心上很不快活。她精神恍惚，不言不语，情绪非常不安，左也不是、右也不是的，家里人从来没有看见她脾气那么大。渐渐地她脸色青白，身上老是不快。她时常挑了几支歌儿自己弹唱，全是少佐以前喜欢听的——威勃所作的温馨的情歌《虽不是独自一个儿，我也寂寞》就是其中之一。小姐们啊，由此可见你们的前辈虽然老派，也知道怎么恋爱，怎么唱歌，那时候你们还没有出世呢。到傍晚，她在朦朦胧胧的客厅里唱歌，往往唱到一半，忽然停下来走到隔壁屋子里，想来总是瞧着丈夫的遗像找安慰去了。

都宾走了之后，还留下几本书，里面写着他的名字。一本是德文字典，空白页上写了"第——联队威廉·都宾"，一本是旅行指南，上面有他姓名的第一个字母，此外还有一两本别的书，都给爱米收起来搁在她卧房里的柜子上。这衣柜正在两个乔治的肖像底下，上面摆着她的针线盒子、小书台、《圣经》、圣书。少佐临走的时候忘了把手套带去，后来乔杰在他妈妈书台里找东西，发现这副手套给整整齐齐地叠好了藏在大家所说的"秘密抽屉"里。这也是事实。

爱米不喜欢应酬，心绪又不好，夏天傍晚唯一的消遣就是和乔杰出去散步，一直走得老远，把利蓓加撇在家里陪着乔斯先生。娘儿两个老是谈起少佐，妈妈的口气叫那孩子忍不住微笑。她告诉乔杰说她觉得威廉少佐是全世界最好、最温和、最慈厚、最勇敢同时又是最谦虚的人。她反复告诉他，说他们现在的一切，都是这位好朋友的恩赐：他们穷愁交逼的时候，全靠他照应；别人不理睬他们的时候，也亏他帮助。她说少佐的同事没一个不佩服他，虽然他本人从来不提到自己的功绩；乔杰的父亲最相信他，他从小到大，都亏得好威廉看顾他。爱米说："你爸爸小时候常常告诉我说他们学校里有个恶霸欺负他，幸而有威廉保护着才没有吃亏。从那天起，他们两个就做了好朋友，一直到你亲爱的爸爸打仗死去为止。"

乔杰说："都宾有没有把害死爸爸的敌人杀掉呢？我想他准已经把他弄死了，反正如果他把那人拿住以后，决不饶他，是不是，妈妈？将来我进了军队，我跟那些法国人誓不两立！这是我的话。"

娘儿两个这样谈体己，一谈就是好些时候。心地单纯的女人把孩子当作心腹朋友。他呢，跟一切深知威廉的人一般，非常喜欢他。

顺便再说一句。蓓基太太在待人多情多义这方面不甘后人，在卧房里也挂起一张肖像来。许多人看见了都觉得又纳闷又好笑。肖像上不是别人，正是我们的朋友乔斯。他见蓓基屋里挂了自己的肖像，心中大喜。这小女人最初住到赛特笠家里来的时候，只带了一只旧得不像样的小箱子，后来的大箱子和纸盒子也破烂不堪。大概她觉得很不好意思，便时常谈起她留在莱比锡的行李，仿佛这些东西非常贵重，总说要想法把它们运来才好。我的孩子，如果出门旅行的人身边没有行李，而不断地跟你谈起他的行李怎么讲究，千万小心在意。这个人十分之九是个骗子。

乔斯和爱米都不懂得这重要的公理。蓓基的没现形的箱子里究竟是不是真有许多漂亮的衣服，他们并不放在心上。可是她眼前的衣着非常破旧，爱米只好把自己的供给她用，或是带她到本城最好的衣装店里去添置新衣服。我可以肯定地说一句，现在她不穿撕破领子的衣服了，也没有肩膀那里拖一块挂一块的褪色绸衫子了。环境一变，蓓基少不得把自己的习惯也改掉些。胭脂瓶暂时给藏了起来，另外一种习以为常的刺激也只能放弃，或者只能私底下享受一下，譬如像爱米娘儿俩夏天傍晚出去散步，有乔斯劝着，她才喝些搀水的白酒。她并不放量痛饮；他家的向导，那混蛋的基希，就不同了，老是尽着肚子灌，简直离不开酒瓶子，而且一开了头就闹不清自己喝过多少。有的时候他发觉乔斯先生的哥涅克酒消缴得那么快，连自己也觉得糊涂。好了，好了，这些话叫人怪不好意思的，反正蓓基自从进了上等人家之后，一定没有以前喝得那么多。

形容得天花乱坠的箱子终久从莱比锡来了，一共有三只，既不华丽，也不怎么大，而且蓓基似乎并没有从箱子里拿出什么衣服首饰来用。一只箱子里装了许多纸张文件，——以前罗登·克劳莱发狠搜查蓓基的私房钱，抄的就是这一个箱子。她嬉皮笑脸地从这个箱子里拿出一张肖像钉在墙上，叫乔斯来看。这是一张铅笔画，画着一位先生，两腮帮子涂得红粉粉的非常好看。他骑在大象身上，远处有几棵椰子树和一座塔，正是东方的景色。

乔斯叫道："求老天保佑我的灵魂吧！这是我的画像！"这正是他的像，画得又年轻又俊美，上身穿着一件黄布衣服，还是一八〇四年的款式。这幅肖像从前一向挂在勒塞尔广场老房子里。

蓓基感动得声音发抖，说道："是我把它买下来的。那时候我去看看到底有没有法子帮忙我的好朋友们。我一直把这幅画儿好好藏着——我以后也要把它好好藏着。"

乔斯脸上说不出的高兴得意，说："真的？你真的为我才看重它吗？"

蓓基道："你明明知道我心里的确是这样。可是何必多说，何必多想，何必回顾往事呢？现在已经来不及了。"

那天晚上的谈话，乔斯听来真觉得滋味无穷。爱米回家的时候又疲倦又委顿，立刻上床睡觉，只剩乔斯跟他美貌的客人对坐谈心，彼此谈得很畅快。他妹妹在隔壁躺着睡不着，听得利蓓加把一八一五年流行的歌曲唱给乔斯听。当晚乔斯和爱米丽亚一样，也睡不着，真是稀罕事儿。

当下已到六月，正是伦敦最热闹的时候。乔斯每天把《加里涅尼》报上的新闻细细看一遍，早饭的时候挑几段读给太太们听。这份天下无双的报纸真是国外旅行者的好伴侣，上面每星期都登载着军队调动的详细消息。乔斯也算在军队里混过的，所以对于这种消息特别关心。有一回他念道："第——联队士兵回国。格拉芙生特六月二十日电：英勇的第——联队士兵今晨乘东印度商船拉姆轻特号抵达此地，船上共计军官十四人，兵士一百三十二人。第——联队曾经参加滑铁卢大战，为国增光，一年后外调，在缅甸战役又大显身手，迄今已有十四年未曾回国。久经战阵的统领麦格尔·奥多爵士已在昨日登陆。同行的除奥多夫人和爵士的妹妹奥多小姐之外，有波斯基上尉、斯德博尔上尉、马克洛上尉、玛洛内上尉、斯密士中尉、琼斯中尉、汤姆生中尉、萧·托母森中尉、赫格思少尉、格拉弟少尉。勇士们上岸的时候，乐队奏出国歌，观者欢声雷动，一路送他们到伟德饭店进餐。伟德饭店为招待各位卫国英雄起见，特备上等筵席，酒菜十分丰盛。进餐时群众继续在外面热烈欢呼。奥多上校和奥多夫人特地出席到阳台上，举杯满饮伟德饭店最贵重的红酒祝群众'身体健康'。"

又有一次，乔斯读出一段简短的新闻，说是都宾少佐已经到达契顿姆，重新回到第——联队里原有的岗位上。后来他又读到下级骑士麦格尔·奥多爵士、奥多爵士夫人，以及葛萝薇娜·奥多小姐进宫觐见的情形。奥多夫人的引见人是巴莱玛洛内的莫洛哀·玛洛内太太，奥多小姐的就是奥多夫人。这项消息刊登出来不久，都宾的名字就在陆军少将的名单上出现。原来铁帕托夫老将军在第——联队从玛德拉斯回国的时候死在半路。军队回国以后，国王特将麦格尔·奥多上校升为陆军中将，并且下旨任命他为团长总指挥，正式统带向来在他属下的出众的士兵。

关于这些事情，爱米丽亚已经听说过一点儿。乔治和他保护人之间信来信去，一直没有间断。威廉离开之后，甚至于还写过一两封信给爱米丽亚本人，可是口气老是不客气地冷淡，因此这一回轮到可怜的女人心里气馁，觉得已经失去了控制威廉的力量。正是他说的，他如今是自由身子了。威廉离开了她，又叫她心酸。她想到以前他一次又一次地替自己当差，不知帮了多少忙，而且对自己又尊重又体贴；这一切都涌到眼前，日日夜夜使她不得安宁。她依照向来的习惯，暗底下难过，想起从前把他的爱情不当一回事，现在才明白这种感情的纯洁和美丽。只怪自己不好，轻轻扔掉了这样的珍宝。

威廉的爱情真的死了，消耗尽了。他心里觉得自己对她的爱情已经一去不返，而且以后也不可能重新爱她。多少年来他忠忠心心献给她的一片痴情给她扔在地下摔得粉碎，即使修补起来，裂痕总在，爱米丽亚太轻率、太霸道，生生地把它糟蹋了。威廉反复寻思道："只怪我痴心妄想，一味自己哄自己。如果她值得我这么爱她，一定早已报答我的真情。这都是我心地糊涂，才会误到如今。人生一辈子，不就是一错再错地错下去吗？就算我赢得了她的爱情，看来也会立刻从迷梦中醒过来。何必灰心丧气，因为失败而觉得害臊呢？"他仔细咀嚼半生追求爱米丽亚的过程，越想得透，就越看得穿，明白自己受了骗。他说："还是回去干我的老本行吧！天既然派我过那种生活，我就好好地尽我的本分。我的任务就是督促新来的弟兄们把制服上的钮扣擦亮，教导军曹们把账目记清。我以后在大饭堂吃饭，听那苏格兰医生讲故事。到我年老力衰的时候，就领个半俸告老，我的老妹妹们嘴碎，正好骂骂我。正像《华伦斯坦》①里的女孩子说的：'我曾经恋爱过，也领略过人生。'这会儿可觉得累了。萧兰西斯，把账付了，给我拿一支雪茄烟来。再看看今儿晚上有什么戏。明天咱们乘'巴塔维厄'号过海。"他一面在罗脱达姆的旅馆里踱来踱去，一面说了上面的一篇话，可是萧兰西斯听见的却只有最后的两句。"巴塔维厄"号邮船泊在船坞里，当初出国的时候，他和爱米同坐在那艘船的后甲板上，大家欢天喜地；现在他还看得见那块地

---

① 德国大诗人席勒（Schiller，1759—1805）所著历史悲剧，1799 年出版。

方。他想：克劳莱的女人不知道究竟有什么话跟我说？管它！明天我们就动身过海，回英国，回家，回本行！

一过六月，本浦聂格尔的贵族按照德国的风俗，分散到许多矿泉浴场去避暑。他们喝矿水，骑驴子，如果又有钱又有兴致，还可以上赌场赌钱。他们成群结队地去吃客饭，吃得狼吞虎咽。一夏天就这样闲闲散散地过去。英国外交官有的到托百利兹，有的上基新根。他们的法国对头也关了公使馆匆匆忙忙地住到他们最喜欢的特·刚大道去。大公爵一家到温泉避暑，或是住在猎屋里过夏。凡是有资格自称上流人物的，没一个留在本国。御医冯·格劳白先生和他的男爵夫人少不得也跟着大伙儿一起走。上温泉避暑的时候，医生的收入最多，可算是一面干正经，一面寻欢作乐。他经常避暑都到奥思当。那边德国人多，医生和他太太又可以洗海澡。

那怪有趣的病人乔斯现在成了他最靠得住的一头奶牛。医生对乔斯说，他自己身子不结实，他可怜的妹妹更是虚弱得厉害，两个人都应该休养。这样一说，就毫不费力地打动了乔斯，把他带着一同到那可厌的海口去过夏天。爱米无可无不可，不管到哪里都行。乔杰听得有机会旅行，高兴得直跳。蓓基当然也跟着一起走，在乔斯新买的大马车里占了第四个位子。两个用人坐在马车外面的座位上。蓓基想到在奥思当可能遇见的熟人，心里大概有些不安，害怕这些人会散播不好听的谣言。她想：管它呢！反正她有能耐，站得定脚跟。现在乔斯是拿得稳的，除非是疾风暴雨般的大变卦才拆得开他们俩。自从那幅画像挂出来之后，他就掉在她手掌心里了。蓓基把她的一幅大象拿下来藏在许多年以前爱米丽亚送给她的小箱子里。爱米也把两幅天神的真容收拾起来，一家人都来到奥思当，租了一宅又贵又不舒服的房子住下来。

爱米丽亚开始在温泉里洗澡，尽量利用温泉来恢复健康。她和蓓基一同进出。蓓基碰见的老相识不下几十个，大家不睬她，爱米丽亚反正不认得他们，根本不知道她选中的好伴侣受到怎样的怠慢。蓓基觉得不好把实情告诉给她听，让她蒙在鼓里。

罗登·克劳莱太太有几个朋友倒是很愿意跟她来往，——说不定她本人却有些嫌他们。这些人里面有楼德少佐（目前不属于任何部队）和以前在火枪营任职的卢克上尉。他们两个差不多天天站在堤岸上，一面抽烟，一面光着眼看女人。不久他们踏进了乔瑟夫·赛特笠先生高尚的圈子里。赛特笠先生十分好客，他们便常在他家吃饭。事实上他们根本不容许主人拒客，不管蓓基在家不在家，自己冲到屋里，闯进奥斯本太太的客厅，衣服上和胡子上的香水味儿熏得满屋都是。他们管乔斯叫"老家伙"，占住了他的饭桌子嘻嘻哈哈地喝酒，一坐就是好半天。

乔杰不喜欢这些人。他问道："他们说的话我不懂。昨天我听见少佐对克劳莱太太说：'蓓基，你把那老家伙一个人霸占了可不行啊。咱们把骰子拿进屋吧。要不，有什么咱们对半分。'妈妈，少佐的话究竟是什么意思呢？"

爱米说："少佐！他也配叫少佐！这些话我也不懂。"她一看见他和他的朋友，心里说不出多少害怕和嫌恶。他们嘴里嘈着醉话奉承她，隔着饭桌子也斜着眼睛色眯眯地看她。上尉向着她动手动脚，慌得她心里作恶。若是乔杰不在身旁，她从来不肯露脸。

说句公平话，这两个人来他们家的时候，利蓓加从来不让爱米丽亚独自陪客。少佐也是单身，赌神罚誓说要把她弄到手。两个恶棍都馋涎这个不懂世事的女人，相争不下，在她自己的桌子上赌赛，把她作赌注。她虽然不知道两个坏蛋背地里怎么算计她，可是见了他们就害怕，战战兢兢的只想逃走。

她苦苦央求乔斯赶快离开当地。可是他不肯。他行动迟慢，离不开医生，说不定还受另外一个人的牵制。反正蓓基并不着急要回英国。

最后爱米狠下心不顾一切冒了一个大险。她写了一封信给海外的一个朋友。关于这件事她对家里的人一个字不提，把信藏在披肩下面走到邮局寄出去。乔杰去接她的时候看见她两腮通红，样子很激动。她吻了乔杰，那天晚上一直守着他。散步回家之后，她就留在卧房里没有出来。蓓基以为是楼德少佐和那上尉把她吓着了。

蓓基自己肚里思忖道："她不应该留在这儿。这小糊涂虫！她非得离开这儿不可。他那个没脑子的丈夫，死了十五年了（死了也是活该！），她还在哼哼唧唧地舍不得他。这两个男人是不能嫁的。楼德太坏了。不行，还是叫她嫁给那竹子拐棍儿吧。今天晚上我就得把这件事办好。"

蓓基端了一杯茶到爱米丽亚的房里，看见她愁眉苦脸地瞧着两幅画像，仿佛是坐立不安的样子。她放下茶杯。

爱米丽亚说："谢谢你。"

蓓基在爱米面前来回踱步，一半轻蔑一半怜惜地瞧着她说道："爱米丽亚，听我说，我想跟你谈谈。你得离开这儿才好。这些人太混帐，你不能跟他们在一起。我不愿意看见他们折磨你。如果你再不走的话，他们就该侮辱你了。告诉你吧，他们都是流氓，应该进监牢的。至于我怎么认得他们的话，你不必管。我是什么人都认识的。乔斯不能保护你。他太无能，自己都需要别人来保护。你跟手里抱着的奶娃娃一样，哪儿配在外面混！你还是赶快结婚吧，要不然你和你那宝贝儿子准遭殃。傻瓜，你非有个丈夫不行。有一位百里挑一的君子人已经再三向你求婚，而你却回绝了他。你这糊涂、没心肝、没天良的小东西！"

爱米丽亚为自己辩护道："我——我也很想答应他。这是真话，利蓓加。可是我忘不了——"她抬头看看画像，代替了说话。

蓓基嚷道："忘不了他！他是个自私自利的骗子，土头土脑下流没教养的纨绔子弟，是个草包，是个蠢东西，又没有脑子，又没有心肝，又不懂规矩！他压根儿不配和你那拿竹子拐棍儿的朋友相提并论，等于你不配跟伊丽莎白女王相提并论一样。什么呀，他对你早就腻味了。要不是都宾逼着他履行婚约，他准会丢了你。这话是他自己对我说的。他向来没爱过你，几次三番在我面前拿你取笑。你们结婚以后一个星期，他就跟我谈情说爱。"

爱米丽亚霍地坐起来嚷道："你胡说！你胡说！利蓓加。"

蓓基的好脾气叫人看着冒火。她从腰带底下掏出一张小纸，打开之后扔在爱米身上，说道："你这傻瓜，瞧瞧这个吧。你认得出他的笔迹。这是他写给我的，要我跟他一起私奔。这还是他给打死的前一天当着你的面给我的呢。他死也是活该！"

爱米没有听见她的话。她正在看那封信——原来就是里却蒙公爵夫人开跳舞会的那天晚上乔治藏在花球里递给蓓基的便条。蓓基说得不错，糊涂的小伙子果然约她私奔。

爱米低下头哭起来——这恐怕是她在这本小说里面最后一次伤心落泪。她把头越垂越低，抬起手来遮着眼睛哭了一会儿，让郁结在心里的感情奔放发泄，蓓基站在旁边瞧着她。谁能够揣摩这些泪珠儿的含意呢？谁能够断定它们是苦是甜呢？她是不是因为崇拜了一辈子的偶像现在倒坍下来滚在脚边给摔得粉碎而伤心呢？还是因为丈夫小看她的痴情而气愤呢？还是因为世俗礼仪所竖起的障碍已经去除，可以得到一种新的、真正的感情而欣喜呢？她想："现在我可以全心全意地爱他了。只要他肯原谅我，给我机会补过，我一定掏出心来爱他。"我想在她温柔的心里，这种感情一定淹没了其他许多使她激动的感情。

出于蓓基意料之外，她只哭了一会儿。蓓基吻着她，用好言好语安慰她。这样慈悲的行为，在蓓基是少有的。她把爱米当作小孩子，拍拍她的头，说道："咱们现在拿出墨水和笔来，写信叫他立刻回来。"

爱米满脸通红，答道："我——我今天早上已经写信给他了。"蓓基

听说，尖声大笑起来。她用萝茜娜[①]的词句唱道："这里有一封信！"屋子里上下都听得见她的刺耳的歌声。

这件事情过去两天之后，爱米丽亚一早起来。外面路上风风雨雨，她一夜没有好睡，耳朵听着大风怒号，心里想着在陆上水上的行人该多么可怜。话虽如此说，她仍旧再三要和乔杰一起散步到堤岸上去。她在那儿来回地踱着，让雨水淋在脸上，眼光越过汹涌奔腾、向岸上冲击得浪花四溅的波涛，向西望着黑沉沉的水平线。两个人都不大开口，孩子偶然对他怯生生的同伴说几句话，表示对她同情，给她保护。

爱米说："我希望他不要挑这样坏的天气过海。"

孩子答道："我跟你打赌，十分之九他会来的。妈妈，你看，那是汽船的黑烟。"这个信号果真出现了。

虽然汽船向这边行驶，他也许不在船上呢？说不定他没有收到信，说不定他不高兴回来呢？爱米的心里有千百样的恐惧在七上八下，翻翻滚滚的像正在向堤岸奔腾的波浪。

跟着黑烟，船身也出现了。乔杰有一架很花哨的望远镜，他拿起来很熟练地从望远镜里找着了汽船。他看见那船越驶越近，在浪里一起一伏地颠簸，很内行地批评了几句。码头上扯起旗子，报告有一艘英国汽船将要靠岸。那小旗子上升的时候簌簌地抖——我想爱米的一颗心也跟它一样簌簌地抖。

爱米想伏在乔杰后面从望远镜里张望，可是什么也看不清，只看见一块黑影在眼前一起一伏。

乔杰把望远镜拿回去细细地向汽船看着。他说："瞧它颠簸得多厉

---

① 法国戏剧家博马舍（Beaumarchais，1732—1799）的《塞维勒的理发师》一剧中的女主角。剧本曾由意大利音乐家改编成歌剧。

害！我看见一个浪头砰地打在船头上。甲板上除了舵手之外只有两个别的人。一个人躺在那儿。还有一个人——穿了一件大衣——还有——好哇！他正是都宾！"他收起望远镜，一把搂着母亲的脖子。至于那位太太呢，我们只能借用大家爱好的那位诗人的话来说：她"喜欢得落泪"了。[①]她心里知道船上的人准是威廉。难道还能是别的人不成？她刚才说什么希望他不要来的话全是装腔。他当然会来。除了赶回来之外他还有什么别的路走？她知道他会回来的。

汽船驶得很快，越来越近。他们到码头上船只靠岸的地方去迎接它的时候，爱米的两条腿软绵绵的跑也跑不动。她恨不得就地跪下来感谢上天。她想："啊，今后得一辈子感谢天恩才对！"天气那么坏，船靠岸的时候周围一个看热闹的闲人都没有，连等着照看船上那几个旅客的管理员也不见。乔杰那不长进的小子也溜掉了。穿红里子旧大衣的先生上岸的时候，旁边没一个人看见当时发生的事情。大致的情形是这样的——

一位戴白帽子围白披肩的太太，身上滴滴答答地淌着雨水，张开两臂，一直向他走去。一眨眼的工夫，她就给卷在他的大衣褶裥里面，用尽力气吻他的手。他另外一只手大概一面要扶着她防她跌倒，一面又要紧紧搂着她。她的头只到他胸口。她嘴里喃喃呐呐，说什么原谅——亲爱的威廉——亲爱的，最亲爱的，最最亲爱的朋友——吻我，吻我，吻我——这等等的话。大衣底下的情形真是荒谬得不成话。

爱米从大衣底下走出来的时候，一手还紧紧攥着威廉的手，一面抬起头看着他。他脸上有深情、怜悯，也有伤感的成分。她懂得他的责备，把头低了。

他说："亲爱的爱米丽亚，你早该来叫我回来了。"

---

[①]荷马史诗《伊利亚特》第四卷海克多（Hector）和安特罗马克（Andromache）分别的一幕。

"你从此不走了吗，威廉？"

"从此不走了。"说着，他重新把亲爱的小人儿搂在胸口。

他们走出海关的时候，乔杰向他们冲过来，一面从望远镜里看着他们，一面大笑着表示欢迎。他在他们两人旁边手舞足蹈，做出种种滑稽顽皮的把戏，一路把他们引到家里。乔斯还没有起身，蓓基也不露脸，只在百叶窗后面看着他们。乔杰跑去吩咐厨房里预备早饭。爱米自己的帽子和披肩已经给配恩小姐拿到过道里去，现在上前来帮忙解开威廉大衣上的搭扣——如果你不反对，咱们还是跟着乔杰去给上校预备早饭吧。船已经泊岸。想望了一辈子的宝贝已经到手。小鸟儿终究飞进来了。它的头枕着他的肩膀，张开颤抖的翅膀，依依地偎在他的胸口。这是他十八年来日夜盼望的，苦苦思慕的酬报；现在已经得到了。这就是顶峰，就是终点，就是最后的一页。再见了，上校。愿天保佑你，忠厚的威廉！再见了，亲爱的爱米丽亚！你这柔弱的寄生藤啊，愿你绕着粗壮坚实的老橡树重新抽出绿叶子来！

利蓓加呢，也许是有些内疚，觉得自己对不起心地忠厚、头脑简单的爱米，她有生以来第一个恩人，也许是嫌这些多情的场面太肉麻，总之，她认为在这次纠葛里已经尽了本分，从此没有去见都宾上校和他太太。她动身到白吕吉思去，说是有要紧事情得办理。婚礼举行的时候，只有乔杰和他舅舅在场。这以后，乔杰和父母在一起团聚，蓓基太太重新回来安慰那寂寞的单身汉子，乔瑟夫·赛特笠。她说她过几天就要走的。乔斯表示宁可在欧洲住下去，不愿意和妹夫妹妹并家。

爱米想起自己总算在看见乔治那封信以前已经写信给她丈夫，心上很安慰。威廉说："我老早知道这件事。可是我怎么能够利用这样的手段，叫那可怜家伙身后的名誉受累呢？也就是为这个原因，我听了你的话心里真是难受——"

爱米嚷道："再别提那天的话儿了！"她的样子那么谦虚，那么懊丧，威廉便把话锋转到葛萝薇娜和佩琪·奥多那亲爱的老太太身上去。爱米信到的一天，他正和这两个女人坐在一起。他笑道："如果你不来叫我的话，谁也断不定葛萝薇娜将来姓什么。"

现在她的姓名是葛萝薇娜·波斯基，也就是波斯基少佐太太。她打定主意，只嫁部队里的军官；波斯基的第一个妻子一死，她就嫁了他。奥多太太对于部队的感情也很深厚。她说如果密克有个三长两短，她准会回来在其余的军官里面挑一个丈夫。可是中将身体健得很。他住在奥多镇，养着一群猎狗，排场很阔。除掉他的邻居霍加抵堡的霍加抵之外，区里没人比得上他的地位。奥多夫人仍旧跳急步舞，副省长上次开跳舞会的时候，她还再三要和管马大臣比赛谁的气长。她和葛萝薇娜都说都宾对待葛萝薇娜太不应该。幸而有波斯基凑上来，葛萝薇娜才有了安慰。奥多太太收到一块从巴黎寄去的美丽的包头布，气也平了。

都宾上校结婚以后立刻退休，此后在汉泊郡离开女王的克劳莱不远的地方租了一宅漂亮的房子住下来。自从改革议案通过之后，毕脱爵士一家一直住在乡下过日子。从男爵在国会的两个议员席都已经失去，加爵是没有希望的了。经过这次灾难，他手头拮据，总是无精打采的，身体也不好，时常预言英帝国不久便会垮台。

吉恩夫人和都宾太太成了极好的朋友。克劳莱大厦和上校的常绿庐之间（这房子是向他的朋友邦笃少佐租来的，目前邦笃和他一家都在外国）——克劳莱大厦和常绿庐之间马车来，马车去，来往得很频繁。吉恩夫人是都宾太太女儿的教母，小女孩儿就用了她的名字。执行洗礼的就是詹姆士·克劳莱牧师，自从他爹死后，由他接手做了本区的牧师。乔治和罗登这两个小后生交情很深，两个人在假期里一块儿打猎骑射，后来读大学，也是进的剑桥同一个学校。他们当然都爱上了吉恩夫人的女儿，两人争风吃醋。两个太太心坎儿上老早有个打算，要把小姐和乔治结为夫妇，不过我听说克劳莱小姐本人倒是对于堂哥哥更有意。

　　两家都不提起克劳莱太太的名字。他们对她的事缄口不言是有原因的。因为不论乔斯·赛特笠到哪里，她总跟着走。那着了迷的乔斯彻头彻尾成了她的奴隶。上校的律师告诉他说他大舅子保了一大笔人寿险，看来他正在筹款子还债。他向东印度公司请了长假，身体一天比一天虚弱。

　　爱米丽亚听见他保寿险的消息，十分放心不下，求她丈夫到布鲁塞尔去看看乔斯，查个明白。上校离家出国的时候很不愿意，一则他正在聚精会神地写《旁遮普历史》[①]（到目前为止还没有写完），二则他心爱的小女儿出水痘刚痊愈，他还是不大放心。他到了布鲁塞尔，发现乔斯住在本城的一家大旅馆里。克劳莱太太住的就是同一旅馆的另外一套房间。她有自备马车，也常常请客，过活得很有气派。

　　上校自然不想碰见这位太太。他甚至于没有让别人知道他已经到达布鲁塞尔，只叫用人悄悄地送了个信给乔斯。乔斯央告上校当夜就去看他。那天晚上克劳莱太太出门做客，他们两个可以私下见见。上校发现大舅子虚弱得可怜，而且他虽然没口地称赞利蓓加，可是对于她真是战战兢兢。据说他害了一大串的病，全亏她看护。这些病名儿是以前没人听见过的，她对朋友的忠诚也是令人敬佩的。她伺候乔斯简直像女儿伺候父亲。那倒霉的家伙哼哼着说道："可是——可是——唉，看老天面上，搬到这儿来住在我近旁吧。有的——有的时候你们可以来瞧瞧我。"

　　上校听了这话，皱眉说道："那不行的，乔斯。在这样的情形之下，爱米丽亚不能来看你。"

　　"我向你起誓，我拿《圣经》起誓，"乔瑟夫一面气喘吁吁地说话，一面准备吻圣书，"她跟孩子一样纯洁，跟你的太太一样清白。"

---

① 旁遮普是印度的一省。

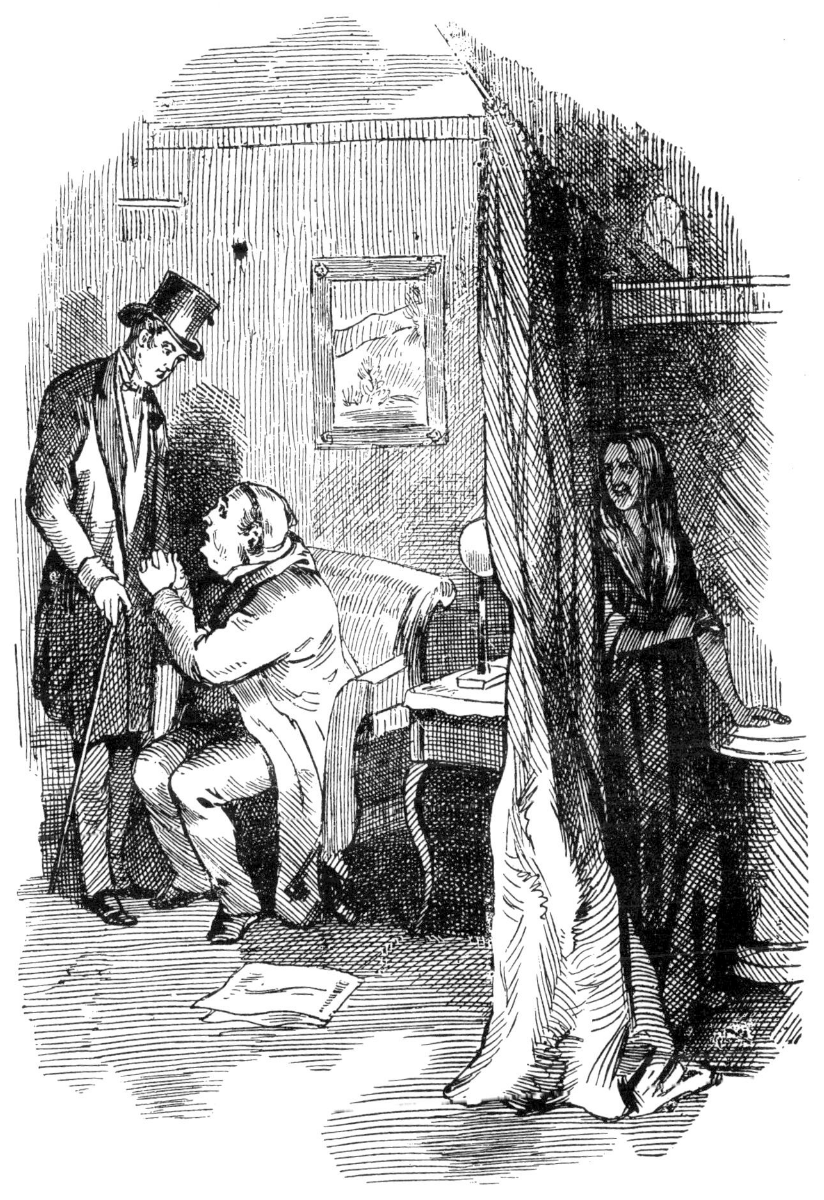

上校没精打采地答道："也许你说得不错，可是爱米不能来。乔斯，做个男子汉大丈夫，把这个不名誉的关系斩断了吧！你回家来住得了。我们听说你的经济情况很糟。"

乔斯嚷道："很糟！谁在造谣伤人？我所有的钱都好好儿地存在外面，利息大着呢！克劳莱太太——我的意思是——我是说——我的钱处置得非常好。"

"你没有借债吗？那么干什么保寿险呢？"

"我本来想——送她一份小小的礼——说不定我有个三长两短。你知道我身子很弱——一个人总得拿出良心待人。我的钱准备都留给你们——钱我可以省得出来，真的省得出来。"威廉的意志薄弱的大舅子叫叫嚷嚷地这么说了一篇话。

上校求他赶快逃走，如果乔斯回到印度，克劳莱太太决不能跟着去。他说把这样的关系维持下去，可能造成最严重的后果，所以无论如何先得和她脱离。

乔斯这可怜虫把两只手紧紧捏在一起叫道："我就到印度去。随便要我怎么都行。可是得慢慢儿来啊。咱们决不能把这话告诉克劳莱太太。她——她知道了准会把我杀死。你不知道她多可怕！"

都宾答道："那么干吗不跟着我回家呢？"可是乔斯鼓不起这勇气。他说他第二天早上再跟都宾见面；都宾可不准说他隔夜已经来过了的。他又催都宾快走，因为蓓基也许就要回来。都宾回去的时候，觉得这件事凶多吉少。

他从此没有看见乔斯。三个月之后，乔瑟夫·赛特笠在爱克斯·拉·夏贝尔地方去世。大家发现他所有的财产都在各种投机事业里闹掉了，剩下的只有几家滑头公司发行的股票，全无价值。二千镑寿险是唯一能兑现的遗产。这笔钱一半给他妹妹爱米丽亚，一半给"他的朋友利蓓加，下级骑士罗登·克劳莱少将之妻，因为他病中多承她照顾，给他的帮助难以估计"。同时，利蓓加又是遗嘱的执行人。

保险公司的律师赌神罚誓，说他一辈子没有见过这样不明不白的案件，应该派专员前来调查死亡的原因；保险公司也拒绝付款。克劳莱太太（她自称克劳莱爵士夫人）立刻带着泰维斯法学院的白克、德脱尔、海斯几位律师赶到伦敦来办交涉。保险公司敢不付钱吗？律师们欢迎公司方面调查真相，他们声称有人阴谋陷害克劳莱太太，已经不是一朝一夕的事了。结果她大获全胜，银钱到手，又保全了好名声。都宾上校把他的一份钱退还保险公司，并且斩钉截铁地拒绝和利蓓加通信或来往。

虽然她继续自称克劳莱爵士夫人，其实她是没有这种资格的。他大人罗登·克劳莱上校在考文脱莱岛害黄热病去世，比他哥哥毕脱爵士早死一个半月。群众对于他非常爱戴，听了他的死讯万分哀痛。克劳莱的庄地由现在的从男爵罗登·克劳莱爵士承继。

他也拒绝和他母亲见面，不过给她一份丰厚的生活费。除了这笔钱，他母亲似乎还有许多别的财源。从男爵一年到头住在女王的克劳莱，和吉恩夫人和她女儿在一起。利蓓加呢（她也是爵士夫人），大都的时候在温泉和契尔顿纳姆两边住住。在这两个地方有许多极好的人都帮她说话，认为她一辈子受尽了冤屈。她也有冤家。这也是免不了的。对于这等人，她目前的生活方式就是一个回答。她热心宗教事业，经常上教堂，背后总有听差跟着。在所有大善士的名单上，总少不了她的名字。对于穷苦的卖橘子女孩儿，没人照顾的洗衣服女人，潦倒的煎饼贩子，她是一个靠得住的、慷慨的施主。为这些可怜人开的义卖会上，她总有份，每回守着摊子帮忙。不久以前爱米和她的儿女，还有上校，一起到伦敦来，在一个义卖会上出其不意地和她打了个照面。他们慌慌张张地跑了，她只低下眼睛稳重地笑了一笑。爱米勾着乔治的胳膊仓皇逃走（乔治现在已经长成了一个漂亮潇洒的小伙子）；上校抱起小吉内跟着。他看着吉内比世界上一切的东西都重——甚至于比他的《旁遮普历史》还重。

爱米叹口气想道："也比我重。"可是他对爱米丽亚总是温柔体贴，千依百顺。

唉，浮名浮利，一切虚空！我们这些人里面谁是真正快活的？谁是称心如意的？就算当时遂了心愿，过后还不是照样不满意？来吧，孩子们，收拾起戏台，藏起木偶人，咱们的戏已经演完了。

# 审校说明

  《名利场》是我国著名翻译家杨必于 20 世纪中期翻译的文学作品。杨必为翻译《名利场》付出大量心血，译笔流畅，忠实原文而不拘泥于原文，为读者留下了相当宝贵的译作。鉴于杨必译作创作年代较早，编者在编选"插图珍藏版名著"系列时，对译本的用词和译法做了最大限度的保留，仅根据现行国家通用语言文字的规范和标准，酌情进行了修订。例如译法方面，仅统一了上下文同一人、物、地等译法不一致的地方；又如标点符号方面，仅对不适合使用逗号、分号等处进行了修改。对于其他不影响文本理解的非规范文字使用情况，编者采取了较为宽松的处理方式，以免破坏杨必个人的文本特色。

  编者学识有限，若有不妥及错漏处，敬请读者指正。

编者